HISTOIRE ECCLÉSIASTIQUE

SOURCES CHRÉTIENNES

N° 495

SOZOMÈNE

HISTOIRE ECCLÉSIASTIQUE

LIVRES V-VI

TEXTE GREC DE L'ÉDITION J. BIDEZ – G.C. HANSEN (GCS)

INTRODUCTION ET ANNOTATION
PAR
Guy SABBAH
Université Lumière-Lyon II

TRADUCTION
PAR
† **André-Jean FESTUGIÈRE**, o.p.

et **Bernard GRILLET**
Université Lumière-Lyon II

Ouvrage publié avec le concours de l'Œuvre d'Orient

LES ÉDITIONS DU CERF, 29, Bd La Tour-Maubourg, PARIS 7e
2005

La publication de cet ouvrage a été préparée avec le concours
de l'Institut des « Sources Chrétiennes »
(U.M.R. 5189 du Centre National de la Recherche Scientifique).
http://www.mom.fr/sources_chretiennes

ISBN : 2-204-07918-9
ISSN : 0750-1978
http://www.editionsducerf.fr
Imprimé en France

INTRODUCTION

*Les livres V et VI de l'*Histoire ecclésiastique : *un véritable ensemble ?*

Le livre IV de l'*Histoire Ecclésiastique* s'est achevé par le triomphe de l'arianisme au concile homéen de Constantinople, en 360, sous la pression de l'empereur Constance (IV, 23). La victoire officielle de l'hérésie déclenche de multiples dépositions d'évêques orthodoxes (nicéens) ou ariens modérés (homéousiens), les manifestations tapageuses de l'arianisme extrême, celui des anoméens Aèce, Eudoxe et Acace, et, pour finir, l'action tyrannique de l'évêque Georges, haï de tous, à Alexandrie et l'éviction de Cyrille de Jérusalem, homéen resté homoousien de cœur (IV, 30). Période très sombre non seulement pour l'orthodoxie nicéenne, mais, par dessus tout, pour l'unité de l'Église, chère à Sozomène, déchirée et mise en pièces par des ambitieux et des intrigants, qui devraient être ses pasteurs. A la question latente dans toute la dernière partie du livre IV – l'Église a-t-elle, d'ores et déjà, vu l'abomination de la désolation ou bien est-elle promise à connaître encore de tels, voire de pires malheurs? –, les livres suivants vont apporter une double réponse : la résurgence victorieuse du paganisme (V) et la persécution, au sens lactancien du terme, exercée cette fois, qui plus est, par des chrétiens contre d'autres chrétiens, dans une guerre à la fois « plus que civile » et « sacrée » (VI).

En effet, les événements rapportés dans ces livres V et VI vont de la mort de l'empereur arien Constance II (3 novembre 361) à celle de l'empereur arien et persécuteur Valens (9 août 378). Cette période, riche en troubles, discordes, désordres, violences et massacres dans l'Église, est fertile aussi en événements politiques et militaires dont le détail nous est bien connu par l'historiographie classique, avant tout par les livres 22 à 31 d'Ammien Marcellin. Cependant, le témoignage de Sozomène, venant après celui de Socrate, apporte à l'historiographie profane des compléments bienvenus et, surtout, il introduit, pour la connaissance et l'interprétation de cette époque, un point de vue et une philosophie tout différents[1]. Une comparaison détaillée, impossible ici, ne manquerait pas d'intérêt.

Le récit de cette période se répartit entre le livre V consacré au règne de Julien (novembre 361-26 juin 363)

1. Points de vue intéressants et complémentaires dans A. MOMIGLIANO, « L'historiographie païenne et chrétienne au IVe siècle après J. C. », dans *The Conflict between Paganism and Christianity in the fourth century*, Oxford 1963, p. 79-99, repris dans *Problèmes d'historiographie ancienne et moderne*, trad. A. Tachet, Paris 1983 (Bibl. des Histoires), p. 145-168; G. CHESTNUT, *The first christian Histories. Eusebius, Socrates, Sozomen, Theodoret and Evagrius*, Paris 1966; G. DOWNEY, « The Perspective of the early Church Historians », dans *Greek, Roman and Byzantine Studies*, 6, 1965, p. 57-70; L. CRACCO RUGGINI, « The ecclesiastical Histories and the pagan Historiography : Providence and miracles », dans *Athenaeum* 55, 1977, p. 107-126; *L'historiographie de l'Église des premiers siècles*, éd. B. POUDERON et Y.-M. DUVAL, Paris 2001 (Beauchesne, Théologie historique n° 114), notamment F. THELAMON, « Écrire l'histoire de l'Église : d'Eusèbe de Césarée à Rufin d'Aquilée », p. 207-235; D. ROHRBACHER, *The Historians of late Antiquity*, London–New York 2002, notamment p. 119-125; *Greek and Roman Historiography in late Antiquity. Fourth to sixth Century A. D.*, éd. G. Marasco, Leiden-Boston 2003, notamment les chap. 7 « The Church Historians (I) : Socrates, Sozomenus and Theodoretus » (H. LEPPIN) et 8 « The Church Historians (II) : Philostorgius and Gelasius of Cyzicus » (G. MARASCO).

et le livre VI dédié à celui des premiers Valentiniens, Valentinien Ier (26 février 364-17 novembre 375) et son frère Valens (28 mars 364-9 août 378). Le règne de Julien, le dernier Constantinide, est séparé des débuts de la dynastie valentinienne par le bref épisode du règne de Jovien (27 juin 363 - 17 février 364).

La composition générale présente, à première vue, un certain déséquilibre : le court règne de Julien occupe tout un livre et déborde même sur le suivant, alors que le règne des Valentiniens, en commun ou pour le seul Valens, n'occupe, malgré la longueur de la période – une quinzaine d'années – qu'un peu moins d'un livre. Cette impression, il est vrai, sera partiellement corrigée si l'on constate que le livre VI (40 chapitres) est presque deux fois plus long que le livre V (22 chapitres).

Ces deux livres forment-ils un ensemble ? Une réponse positive s'impose : le récit du règne de Julien se poursuit, en son épisode final, l'expédition en Perse et la mort de l'empereur, dans les deux premiers chapitres du livre VI. Si la présentation de ces deux livres dans notre volume III se trouve *ipso facto* justifiée, une question subsiste : pourquoi Sozomène n'a-t-il pas traité, dans le cadre fort et logique d'un livre, l'ensemble du règne de Julien, sa défaite et sa mort comprises ? A-t-il seulement voulu se distinguer de Socrate qui avait clos son livre III par la mort de Julien avec, en appendice, le règne éphémère de Jovien[1] ?

---

1. Sur les rapports entre les *Histoires* de Socrate et de Sozomène, voir *SC* 306, introd. p. 59-87 (comparaison limitée aux deux premiers livres de Sozomène), T. URBAINCZYK, « Observations on the Differences between the Church Histories of Socrates and Sozomen », dans *Historia* 46, 1997, p. 355-373 et H. LEPPIN, « The Church Historians (I) : Socrates, Sozomenus and Theodoretus », dans *Greek and Roman Historiography*, éd. G. Marasco, p. 219-254, qui dégage les différences importantes entre les trois historiens.

En fait, il n'était pas sans intérêt pour un orthodoxe, nicéen convaincu, de réunir dans un même livre, au début pour Julien, à la fin pour Valens, la mort et le châtiment de deux persécuteurs, le premier païen, le second hérétique. Mais la raison la plus forte est que l'historien a voulu ainsi concrétiser l'unité fondamentale du livre V, la politique religieuse de Julien, et, simultanément, répartir de part et d'autre de la coupure marquée par la fin d'un livre, sa politique intérieure *(domi)* et sa politique extérieure *(militiae)* réservée pour les deux chapitres d'ouverture du livre VI. Il la réduisait ainsi au lamentable fiasco de celui qui se voulait le nouvel Alexandre[1]. L'échec de la tentative ambitieuse, et folle d'après Sozomène, de relever le Temple de Jérusalem, se trouvant ainsi placé à la fin du livre V (au chap. 22), lui fournissait un finale aussi brutal que grandiose. La défaite militaire et la mort de l'Apostat constituaient, pour le livre VI, une ouverture aussi grandiose et toute empreinte de miracle. L'effet était donc redoublé et un sens profond était plus vigoureusement mis en valeur : la tentative orgueilleuse de restaurer le Temple fut immédiatement sanctionnée par la défaite et la mort du prince sacrilège.

1. Cf. la *Lettre à Thémistius* 253 ab, de Julien : « Depuis longtemps je pensais avoir à rivaliser avec Alexandre et Marc-Aurèle... mais un frisson me saisissait joint à une crainte prodigieuse de sembler distancé par le courage du premier... » (trad. G. Rochefort, *Discours de Julien empereur* II, 1, p. 12). Il offre une place de choix dans son *Banquet des Césars* au Macédonien qu'il juge supérieur à Jules César. AMM. le rapproche à plusieurs reprises du conquérant. L'expédition de Julien en Perse avait l'ambition de reproduire les exploits d'Alexandre.

Le règne de Julien : une parenthèse dangereuse pour l'Empire chrétien

Le livre V, relativement bref, consacré à la seule politique intérieure réduite encore à la tentative de restauration du paganisme, centré de surcroît presque exclusivement sur l'Orient, ne se prête pas, pour la composition, à la mise en œuvre des principes artistiques d'alternance et de symétrie qu'on a pu observer dans le livre III[1]. On constate seulement qu'au centre (chap. 12-13) prend place une séquence qu'on pourrait dire occidentale, puisqu'elle concerne l'action d'évêques dont le siège, avant leur exil, se trouvait en Occident, Eusèbe de Verceil et Lucifer de Cagliari auxquels vient s'ajouter Hilaire de Poitiers. Cependant, ce centre ne détermine pas de symétries entre les chapitres qui le précèdent et ceux qui le suivent. A défaut d'une disposition artistique, l'ordre est-il chronologique ?

Pas plus qu'ailleurs, l'exactitude chronologique n'est ici un souci majeur pour notre historien. Certes, on ne peut pas lui faire grief de remonter, au chapitre II, jusqu'à la naissance de Julien, après avoir indiqué au chap. I son apostasie officielle, tant ce retour en arrière est nécessaire et naturel pour la connaissance des antécédents du personnage et pour expliquer l'étonnement douloureux que son revirement inspira aux chrétiens. En revanche, en dépit de la courte durée du règne, Sozomène aurait pu distinguer les deux grandes périodes du gouvernement de Julien, celle de Constantinople (de novembre 361 à avril 362) et celle d'Antioche (de juin 362 à mars 363), qui correspondaient aux deux grandes phases, d'abord tolérante, du moins en apparence, puis ouvertement sectaire, de sa politique religieuse. En fait, Sozomène a choisi

1. Cf. l'introduction de *SC* 418, p. 14-17 (structure du livre III).

de présenter cette politique comme uniformément et dès le début hostile aux chrétiens[1]. Pouvait-il faire autrement, tant la légende noire de l'Apostat s'était déjà imposée, surtout sous le règne du dévot Théodose II? Il s'est efforcé seulement de ménager une progression en montrant comment le prince passa d'une hostilité masquée sous la tolérance à la folie persécutrice et au défi sacrilège.

L'image de Julien donnée par un chrétien aussi convaincu ne pouvait être que défavorable – aussi le neveu de Constantin n'est-il crédité d'aucune des vertus impériales traditionnelles, clairvoyance, justice, courage, tempérance, alors qu'Ammien Marcellin les lui reconnaît toutes et au plus haut degré –, et même horrifiée. S'il reconnaît bien que, du point de vue de Julien, la politique adoptée – ne pas faire de martyrs ou en faire le moins possible, afficher douceur et modération[2] – était habile et obtint, au début du moins, une certaine réussite, toutes les mesures, sans exception, du successeur de Constance furent dictées, d'après lui, par la seule intention

1. Dès le chapitre 3, Sozomène, sans évoquer aucune des mesures de redressement que Julien prit d'abord dans les domaines de la justice, de l'administration, de l'économie, de la fiscalité ni distinguer la moindre évolution de sa politique en fonction de la résistance, voire des provocations qu'il rencontra, énumère d'emblée ses mesures anti-chrétiennes (J. FLAMANT et C. PIETRI, *Histoire* p. 344-351, distinguent les étapes de sa politique religieuse et énumèrent, p. 345, ses réformes politiques).

2. Ainsi Julien ne réplique pas aux insultes de Maris de Chalcédoine (4, 9) : « Il estimait fortifier ainsi le paganisme, en se montrant, à la foule des chrétiens, de manière inattendue, patient et doux. » Sur la *calliditas* de la politique religieuse de Julien, voir aussi RUFIN, *H.E.* X, 33, (éd. Schwartz-Mommsen, p. 994-995) : « *Callidior ceteris persecutor... praemiis, honoribus, blanditiis, persuasionibus maiorem paene populi partem quam si atrociter pulsasset elusit...* (en persécuteur plus rusé que les autres... par des récompenses, des honneurs, des flatteries, des paroles persuasives, il se joua d'une partie presque plus grande du peuple que s'il l'avait cruellement tourmentée...). »

de nuire au christianisme et de l'extirper. Ainsi, le rappel des évêques exilés par son prédécesseur fut un acte hypocrite destiné à attiser les rivalités et les haines entre chrétiens[1]; la suppression des indemnités versées au clergé, aux vierges, aux veuves depuis Constantin et leur réclamation sans pitié par le fisc aux dépens des anciens bénéficiaires[2], la recherche et la réintégration dans les curies des chrétiens évadés vers la vie religieuse ou monastique n'avaient pas la moindre justification, ni économique ni sociale[3]. La loi scolaire de Julien, visant à écarter de l'enseignement les professeurs chrétiens, fermait aussi, selon Sozomène, les écoles aux enfants des chrétiens[4]. La lettre de l'empereur aux Alexandrins, coupables du meurtre de l'évêque Georges, n'était qu'une fausse réprimande, elle valait approbation et trahissait, de la part

---

1. En *H.E.* V, 5, 7, il adopte sans hésitation l'interprétation négative de l'édit de Julien rappelant les évêques bannis par Constance : « Il prescrivit cela à leur égard non pour les épargner, mais pour que, en raison de leurs discordes mutuelles, l'Église fût en proie à la guerre civile... »

2. *H.E.* V, 5, 2 : « Aux femmes, jusqu'aux vierges et aux veuves, mises par indigence dans les rangs du clergé, il prescrivit la restitution des sommes qu'elles avaient perçues jusqu'alors du trésor public... » ; V, 2, 4 : « Cette restitution se fit de la façon la plus cruelle et la plus pénible. En témoignent les récépissés alors remis par les percepteurs... »

3. *H.E.* V, 5, 2 : « Aux clercs, il enleva toute immunité et marque d'honneur et les allocations de grain, il supprima les lois établies dans leur intérêt et il les fit rentrer dans les sénats des villes. »

4. Les interdictions de Julien frappent aussi bien les enfants chrétiens (*H.E.* V, 18, 1 : « Il ne permettait pas même à leurs enfants d'être instruits dans les poètes et les prosateurs grecs et de fréquenter les écoles païennes ») que les professeurs (V, 18, 3 : « Estimant que leur art de persuader tirait uniquement de là sa force, il ne permettait pas aux chrétiens d'exercer dans les disciplines des Grecs »). Sur la portée de cet « édit » (en fait, rien n'atteste qu'il y eut une loi ou un édit en bonne et due forme), voir S. PRICOCO, « L'editto di Giuliano sui maestri (*CTh* 13, 3, 5) », dans *Orpheus* 1 NS, 1980, p. 348-370, qui a cependant trop tendance à la minimiser.

de celui qui était censé faire régner l'ordre et la loi, une connivence coupable avec ceux qui les violaient[1].

Certes, tout n'est pas faux ni déformé dans cette présentation puisque des païens comme Ammien adressent à Julien des reproches analogues quoique plus modérés[2]. Mais Julien fut-il un véritable et authentique persécuteur, digne de figurer a posteriori dans la longue liste dressée par Lactance? Sozomène s'est sans doute posé la question qui n'a pas manqué de l'embarrasser, comme elle continue d'intriguer les historiens d'aujourd'hui, tributaires de sources partielles ou contradictoires[3]. Ammien ne men-

---

1. Commentaire de la *Lettre aux Alexandrins* après le meurtre de l'évêque Georges en 7, 8-9 : «On voit bien en tout cas dans sa lettre aux Alexandrins qu'il a jugé bon de montrer du courroux. Mais ses reproches n'allèrent pas plus loin qu'une lettre.» La responsabilité de Julien est affirmée en 15, 13 pour toutes les violences et les meurtres commis par la foule : «Même dans ces derniers cas, on devra rapporter au prince la cause des événements. Car il ne soumettait pas aux lois ceux qui agissaient contre les lois et, par sa haine de la religion, tout en se donnant l'apparence de les blâmer verbalement, il encourageait en fait ceux qui agissaient ainsi.»

2. AMM. 22, 5, 4 (Julien a rappelé les évêques exilés pour augmenter les dissensions par une totale liberté et n'avoir pas à affronter le peuple chrétien unanime); 22, 9, 12 (Julien réintégrait dans les curies ceux qui disposaient de dispenses légitimes); 22, 10, 7 (la loi scolaire était inclémente et inhumaine). Ces deux dernières dispositions sont encore critiquées dans le portrait final (25, 4, 20-21).

3. Selon qu'on suit AMM., pour qui Julien jugeait en toute équité sans tenir compte des convictions religieuses (22, 9, 9), ou les historiens ecclésiastiques, la réponse aujourd'hui sera entièrement différente. Pour PIGANIOL, p. 151-157, au départ, la politique de tolérance religieuse était loyale, l'«intolérance des catholiques» provoqua ensuite Julien à prendre des mesures odieuses. D'après R. J. PENELLA, «Julian the Persecutor in fifth Century Church Historians», dans *The Emperor Julian and the Rebirth of Hellenism*, p. 45-53 et surtout H. C. BRENNECKE, *Studien zur Geschichte der Homöer der Osten bis zum Ende der homöischen Reichskirche*, Tübingen 1988 (Beiträge zur historischen Theologie n° 73), les historiens ecclésiastiques, étant nicéens, sauf Philostorge, n'ont parlé que des persécutions dirigées contre leur camp. Or Julien dut être plus

tionne aucun martyr, mais là-dessus son témoignage n'est guère fiable. La vérité se situe sans doute entre son silence, dû à son admiration pour Julien et à sa volonté de circonscrire très étroitement la part faite à la nouvelle religion, et les kyrielles toujours croissantes de martyrs que la tradition chrétienne a prêtées à l'Apostat, au fur et à mesure que le Julien historique s'effaçait derrière sa légende[1].

La ligne que Sozomène s'est fixée sur ce point, à la suite de Grégoire de Nazianze, est ferme et constante. Pour lui (chap. 4, 6-7), «sans doute, au début, Julien se montra plus humain envers les chrétiens que ceux qui autrefois avaient persécuté l'Église, non qu'il eût pitié d'eux, mais parce qu'il avait compris, d'après les événements passés, que les supplices ne servaient de rien pour donner de la consistance au paganisme, et que c'est par là surtout que le christianisme avait grandi... à cause du courage de ceux qui avaient choisi de mourir pour la foi». Si donc Julien n'a pas «fait» plus de martyrs, comme au fond de lui-même il le désirait, c'est

dur encore contre les homéens majoritaires que Constance avait favorisés. Cf. aussi H. C. BRENNECKE, art. «Homéens», dans *DHGE* 24, 1993, c. 932-960, notamment c. 940.

1. Cf. *L'empereur Julien. De l'histoire à la légende (331-1715)* I, edd. R. Braun-J. Richer, Paris 1978 : «Dès le VIe siècle, Julien était devenu un personnage légendaire» (J. Richer en donne pour illustration trois romans syriaques). En fait, la légende noire de l'Apostat prend naissance immédiatement après sa mort (cf. N. BAYNES, «The Death of Julian the Apostate in a Christian Legend», dans *Byzantine Studies*, 1955, p. 271-281) et tous les historiens ecclésiastiques du Ve siècle font une part aux légendes recueillies sur son compte. Sur la place de la légende dans les récits «historiques» concernant les martyrs de Julien, voir F. SCORZA BARCELLONA, «Martiri e confessori dell'età di Giuliano l'Apostata : dalla storia alla leggenda», dans *Pagani e cristiani da Giuliano l'Apostata al sacco di Roma*, ed. F. E. Consolino, Soveria Mannelli, 1995, Studi di Filologia antica e moderna 1, p. 53-83.

par habileté et par calcul, en comptant sur une insidieuse persuasion et un faux-semblant de douceur et d'humanité. Un peu plus loin (chap. 5, 6), l'historien franchit un nouveau pas : après avoir mentionné, au début du chapitre, trois mesures équitables de Julien, il ne craint pas d'affirmer paradoxalement : « Tout considéré, il est permis de conclure que, sans doute, en fait de meurtres et d'invention de supplices corporels, Julien fut plus modéré que les persécuteurs de l'Église avant lui, mais que pour le reste il fut plus dur. Il apparaît en effet comme ayant maltraité l'Église en tout point. » Il reviendra plus loin (chap. 15, 9) sur la duplicité de la politique de Julien. Au lieu de contraindre ouvertement le peuple à sacrifier, il trouvait plus sûr et plus avantageux de chasser les clercs et les évêques : « Il cherchait ainsi, par l'absence des clercs, à dissoudre les assemblées des fidèles... à la longue, ils en viendraient à oublier leur religion. » Il se jouait aussi d'une manière odieuse de la naïveté de beaucoup de ses soldats[1], prétend Sozomène qui se refuse à envisager un instant la possibilité, en raison de la popularité exceptionnelle de Julien, de ralliements réels et spontanés !

Du reste, cette « méthode douce » de Julien a connu des exceptions. Il y eut bien sous son règne des martyres de sang : au chap. 7, celui de Théodoret, prêtre d'Antioche, au chap. 9, celui des trois frères de Gaza, au chap. 10, celui, particulièrement odieux, des vierges consacrées d'Héliopolis et de l'évêque Marc d'Aréthuse, au chap. 11, celui de trois Phrygiens, de Basile, prêtre d'Ancyre et d'Eupsychios, un tout jeune marié. En les

1. *H.E.* V, 17 : il fait d'abord joindre à son image, sur les étendards, celles de Jupiter, de Mars et de Mercure. Déçu par le résultat, il invente un autre leurre à l'occasion de la distribution du *donatiuum*.

récapitulant, Sozomène triomphe (XI, 12) : « Ces événements, même s'ils se produisirent contre l'intention (la γνώμη) du prince, montrèrent que sous son règne aussi, il y eut des martyrs qui ne furent pas sans noblesse et en petit nombre. » C'est pourquoi, écartant une répartition géographique ou chronologique, il adopte une présentation groupée : « Pour mettre cela en lumière, je les ai regroupés et passés en revue tous ensemble, bien que le temps de chaque martyre ait été différent. »

S'il a l'honnêteté de reconnaître que, quelquefois, les actes anti-chrétiens furent spontanés et le fait d'une foule animée d'une vieille rancune – ce fut le cas pour le martyre de Marc d'Aréthuse –, à ses yeux, l'ignorance dans laquelle Julien en était resté ne constitue pas une excuse (15, 13) : « Il y eut bien d'autres événements aussi... soit par ordre de l'empereur, soit par colère et précipitation des populations. Mais même dans ces derniers cas, on devra rapporter au prince la cause des événements. Car il ne soumettait pas aux lois ceux qui agissaient contre les lois. » Si ces actes ne furent pas commis par Julien, ils furent commis sous Julien. La condamnation est d'autant plus grave et digne de considération qu'elle émane d'un *scholastikos*, d'un juriste. Du reste, certains actes de cruauté incombent personnellement au prince : il ordonne de torturer les chrétiens qu'il tient pour responsables de l'incendie du temple de Daphné (chap. 19, 17-20), il menace Athanase « des pires châtiments » – la mort peut-être – s'il ne quitte pas immédiatement Alexandrie (chap. 15, 1-3).

Peut-on trouver cependant trace de modération dans l'image que Sozomène donne de Julien, malgré l'utilisation, souvent étroitement fidèle, des sources les plus contemporaines du règne de l'Apostat? Oui certes, par rapport à ces sources mêmes, Grégoire, dont il ne reprend pas, par exemple, le portrait-charge de son ancien

condisciple d'Athènes[1] et Jean Chrysostome dont il évite les amplifications rhétoriques, par rapport aussi, sans doute, à son quasi contemporain Cyrille d'Alexandrie[2]. Il a l'honnêteté d'introduire certaines atténuations par rapport aux polémistes, par exemple en n'accablant pas Julien sous le poids de sacrilèges particulièrement odieux, dans l'idée sans doute qu'ils furent commis sans son aval – on pense à la profanation des reliques de saint Jean-Baptiste à Sébaste qu'il ne mentionne pas, à la différence de Rufin (*H.E.* XI, 28), une de ses sources habituelles – ou encore en lui épargnant l'opprobre du mensonge – il ne reprend pas à son compte l'invention calomnieuse de Grégoire selon laquelle Julien aurait voulu se jeter *in extremis* dans le Tigre pour masquer sa fin pitoyable sous les apparences d'une disparition miraculeuse, prélude à l'apothéose. Il ne prétend pas comme Théodoret (*H.E.* III, 16, 6 et 17, 8) que Julien aurait d'abord ordonné d'exécuter les soldats chrétiens qui se rebiffèrent contre sa tentative de les faire paganiser, avant de les déporter au fin fond

1. GRÉGOIRE, *Disc.* 5, 23-24 (éd. J. Bernardi p. 337-339) : «Je ne présageais rien de bon de ce cou branlant, de ces épaules remuantes et tressautantes, de ces yeux agités..., de ce regard exalté..., de ces pieds chancelants, de cette narine qui respirait insolence et dédain, de ces grimaces ridicules..., de ces éclats de rire sans mesure et convulsifs... Dès que j'ai vu ce spectacle, j'ai dit : 'quel monstre nourrit l'empire romain!'» Cf. J. BERNARDI, «Un réquisitoire : les Invectives contre Julien de Grégoire de Nazianze», dans *L'empereur Julien*, édd. R. Braun - J. Richer, p. 89-98.

2. Alors que JEAN CHRYSOSTOME, *Discours sur Babylas* 80-91 (éd. Schatkin, *SC* 362 p. 200-215) développe longuement, dans un style hautement rhétorique, les prémices et la réalisation du transfert des reliques de Babylas, Sozomène, en V, 19, 17, condense en une phrase la cause et la conséquence. Le ton du *Contre Julien* de CYRILLE est donné dès l'adresse à Théodose II : «Aucun n'est allé aussi loin que Julien qui s'est paré jadis des prestiges de l'Empire pour refuser ensuite de reconnaître le Christ, dispensateur de la royauté et du pouvoir» (trad. P. Burguière, *SC* 322, 1985).

de l'Empire. Il se tient en retrait par rapport aux textes hagiographiques : il n'écrit pas comme Jérôme (*Vita Hilarionis* 33) que Julien ordonna de s'emparer du moine Hilarion et de le mettre à mort, ni qu'il fit personnellement mettre à la torture et exécuter Basile et Eupsychius.

Il cite même des textes de Libanius, le « familier de Julien », et de l'accusé lui-même[1], comme si, en lui, le juriste ou l'avocat de profession ressentait, au moins obscurément, la nécessité d'instruire le procès à charge et aussi à décharge. Julien eut surtout à ses yeux le mérite d'avoir été un homme de haute culture, un remarquable écrivain, maîtrisant un merveilleux grec dont le lettré qu'il se pique d'être lui-même – comme en témoigne son *ekphrasis* sur les eaux courantes et les ombrages de Daphné, le paradisiaque faubourg d'Antioche[2] – se délecte à citer telle épître, – même si c'est pour l'accabler sous son témoignage ! –, et dont il reconnaît que le *Misopogon* est un « très beau et très élégant discours »[3].

---

1. LIBANIUS, *disc.* 18, 274 est cité en VI, 1, 15-16. Sozomène reproduit *in extenso* la lettre 84 de Julien à Arsace, citations homériques comprises (V, 16). La lettre est destinée à accabler Julien en montrant en lui un pâle imitateur, malgré lui, du christianisme, mais en la citant aussi longuement, Sozomène rend également hommage à la pureté de la langue et à la fluidité du style, digne des classiques, de Julien.

2. La description du site enchanteur de Daphné est une *retractatio* en miniature de l'*ekphrasis* correspondante de l'*Antiochikos* de Libanius 233-248, trad. A. J. Festugière, dans *Antioche païenne et chrétienne*, p. 30-33.

3. En évoquant le *Misopogon*, Sozomène reconnaît à la fois la modération de l'empereur et la très grande élégance de sa parole (V, 19, 3). J. LONG, « Structures of Irony in Julian's Misopogon », dans *The Emperor Julian and the Rebirth of Hellenism*, p. 15-23, montre avec quelle maîtrise Julien manie, pour les retourner, les rubriques et les structures habituelles de l'*encomion*. Sur l'attitude ambivalente des chrétiens, depuis Eusèbe de Césarée, face à la *paideia*, tantôt vilipendée, tantôt admirée même chez les ennemis du christianisme, voir P. ALLEN, « Some Aspects of Hellenism in the early Greek Church Historians », *Traditio* 43, 1987, p. 368-381.

Il n'en reste pas moins que l'image de Julien que dessine Sozomène paraît plus négative que celle que donne Socrate, plus conforme aussi à ce que l'on attend d'un historien chrétien. Alors que, pour Socrate, Julien est un être déraisonnable, mais animé d'intentions qui n'étaient pas foncièrement méchantes, Sozomène voit en lui un être suprêmement intelligent, fourbe et pervers dont les intentions étaient profondément mauvaises, du début à la fin[1]. Sa conception de l'Apostat, persécuteur hypocrite, sournois et conséquent, se situe entre celle, trop indulgente et trop pâle de Socrate, et celle, exclusivement négative et polémique, de Théodoret pour qui Julien ne fut qu'un être violent de bout en bout et cruel jusqu'aux pires extrémités. Car, si la liste des martyrs que l'évêque de Cyr donne en *H.E.* III, 7 est plus courte que celle de Sozomène, il lui confère, par l'amplification rhétorique, une extension beaucoup plus grande : comme un récit complet, prétend-il, demanderait un livre entier, il faut se contenter d'un petit nombre de faits « parmi des milliers de choses qui furent commises à cette époque, partout, sur terre et sur mer, par les impies contre les pieux » (*H.E.* III, 8). Le même Théodoret est aussi le seul à présenter en *H.E.* III, 15-19 une série de notices concernant des chrétiens auxquels Julien aurait personnellement fait infliger des tortures et la mort, notamment à Antioche : l'exécution des officiers Juventinus et Maximinus, celle du duc d'Égypte Artémius, les sévices infligés à la sainte femme Publia lui sont personnellement imputés. Finalement, la ligne à laquelle se tient fermement

1. Pour T. URBAINCZYK, « Vices and Advices in Socrates and Sozomen », dans *The Propaganda of Power. The Role of Panegyric in Late Antiquity*, éd. M. Whitby, Leiden, 1998, p. 299-319, aux p. 314-315, le discours de Sozomène se rapproche beaucoup plus de l'invective, attendue de la part d'un historien chrétien contre un empereur païen, que celui de Socrate qui est relativement modéré.

Sozomène apparaît comme la plus efficace et la plus juste : en se gardant des excès de l'invective, il aide le lecteur à comprendre que la persécution «rampante» de Julien était plus dangereuse pour le christianisme qu'une persécution ouverte, sans doute parce qu'elle fit ou était susceptible de faire, si le temps ne lui avait pas manqué, plus de victimes «spirituelles» parmi les chrétiens les plus attachés aux valeurs culturelles et morales de l'hellénisme, qui se trouvaient tentés de reconnaître les mérites du prince, sa πραότης et sa φιλανθρωπία, sa douceur et son humanité, et de prêter une oreille complaisante au prestige d'un paganisme christianisé. Le pire danger pour le christianisme était le risque d'un retournement spirituel, obtenu non par la violence, par laquelle rien ne s'acquiert, mais par la persuasion. C'est de lui avoir fait courir ce danger historique que la tradition chrétienne a fait principalement grief à Julien, Sozomène l'a compris et permet de le comprendre.

Nous a-t-il pour autant laissé de Julien une image vivante et nuancée? La réponse ne peut être que réservée. Mais il est juste d'ajouter que si ses ressources littéraires ne lui permettaient pas d'atteindre la réussite en ce domaine, tel n'était pas non plus l'essentiel de son propos. Il réduit Julien à quelques images classiques, voire stéréotypées, mais fortes, celles du tyran, du persécuteur et du sacrilège. Son Julien est déjà plus près de la légende que de l'histoire et son rayonnement humain s'affaiblit et s'oblitère derrière celui de la Providence divine dont il n'est, malgré toute sa fausse gloire, qu'un instrument et un jouet. Devant la résurgence du paganisme qu'il représente, l'historiographie chrétienne, même une fois passé le danger immédiat – le paganisme n'était du reste pas entièrement mort à l'époque de Sozomène! –, revient à sa première vocation, apologétique et providentialiste, celle d'un Lactance ou d'un Eusèbe.

Problèmes et sens de la composition du livre V

La composition le montre bien, car son ressort et son principe profonds se trouvent, en fin de compte, hors et au-delà de l'histoire du protagoniste apparent. Pour la priver de son rayonnement héroïque, Sozomène a morcelé l'histoire de Julien entre les livres IV, V et VI, selon un des procédés classiques de la *diminutio* recommandés par les rhéteurs. Dans le premier, les mentions de Julien encore César sont rares, brèves, dispersées : c'est que ce livre traite du règne de Constance. Le livre V, lui, est, nous l'avons dit, exclusivement réservé à la politique religieuse de Julien Auguste, comme l'indique rétrospectivement la phrase initiale du livre VI : « Tout ce qui, à ma connaissance, est arrivé aux églises sous le règne de Julien a été indiqué plus haut. » Les deux premiers chapitres du livre VI sont consacrés à l'expédition de Perse et à la mort de Julien. Une telle distribution a sa logique propre : si la distinction des règnes lui donne sa légitimité, elle permet aussi d'éloigner, voire d'escamoter les succès de Julien César, donc de priver de tout fondement politique et psychologique son expédition contre les Perses, qui apparaît d'autant plus folle que rien n'a été dit, dans les livres précédents, des échecs essuyés par Constance et de la réalité de la menace sassanide.

On ne peut pas dire que la composition du livre V obéisse à des critères classiques, même si l'on a observé avec raison que l'*Histoire* de Sozomène, par rapport à celle d'Eusèbe de Césarée et de Socrate, marque un certain retour à une historiographie classicisante, selon le programme clairement indiqué dans la préface[1]. L'auteur

1. Opinion admise, depuis ELTESTER (*P.W.* III A1, 1927, c. 1248), par A. MOMIGLIANO et par tous ceux qui ont abordé la question de la méthode de Sozomène (cf. *SC* 306, introd. p. 64-71). Voir cependant la mise en garde d'A. MOMIGLIANO, « L'historiographie grecque », dans

hésite en effet entre plusieurs ordres. La chronologie n'est pas, nous l'avons dit, un souci majeur : elle est brouillée par les liaisons temporelles vagues, les anticipations, les régressions[1], et surtout les digressions : Sozomène ne peut s'empêcher de parler longuement de ce qu'il connaît le mieux, l'histoire de Gaza en 3, 6-9 avec une anticipation reconnue, et l'histoire de sa propre famille en 15, 14-17. Faut-il penser plutôt à une répartition géographique, selon les lieux témoins des vexations et des persécutions subies par les chrétiens[2]? Elle fait bientôt place à une accumulation inspirée par la volonté démonstrative[3]. Ou bien encore à une typologie élémentaire des martyrs, clercs ou laïcs, civils ou militaires? Elle serait cantonnée à quelques chapitres. Quant à l'évolution psychologique, aux étapes menant Julien d'une modération affectée à une fureur sans limite, elle n'est presque pas marquée, tant elle serait contraire à la thèse d'ensemble. Il faut donc chercher ailleurs le principe structurant du livre V.

C'est que Julien pose un problème très particulier, sinon

Problèmes d'historiographie ancienne et moderne, Paris 1983, p 15-52, contre une assimilation excessive de l'histoire ecclésiastique à l'histoire classique : «Après Eusèbe, l'histoire ecclésiastique se révéla un compromis instable. Sa rédaction fut grandement facilitée par l'expérience des Grecs, mais elle différait beaucoup de toutes les histoires que les Grecs avaient jamais écrites. Elle supposait la Révélation et jugeait l'histoire en fonction de la Révélation» (p. 42).

1. Les liaisons temporelles sont aussi vagues au livre V – «vers ce même temps» (V, 4, 1), «en ce temps-là» (V, 6, 1), «en ce temps-là (V, 10, 1), «en ce temps-là (V, 11, 1),... – qu'au livre VI – «en ce temps-là» (VI, 22, 1), «vers ce temps-là» (VI, 23,1), «un peu plus tard» (VI, 23, 5), «en ce temps là» (VI, 25, 1); anticipation en VI, 9, 9-11; anticipation et régression en VI, 16, 2-4; anticipation en VI, 27, 1 (citation d'une lettre de Grégoire à Nectaire, évêque de Constantinople sous Théodose).

2. Les lieux principaux de la persécution sont Alexandrie (chap. 7), Antioche (chap. 8), Gaza (chap. 9), Héliopolis et Aréthuse (chap. 10).

3. Cf. *H.E.* V, 11, 12.

unique, à une conscience chrétienne, même si Sozomène, qui n'est ni théologien ni philosophe[1], ne le formule pas très explicitement : comment et surtout pourquoi un être né dans une famille chrétienne, baptisé de surcroît dès sa naissance, ce qui n'était pas le plus courant dans une famille impériale, neveu du pieux Constantin et dernier héritier de son pouvoir censé venir de Dieu, nourri d'une éducation chrétienne, lecteur à l'église, dans sa jeunesse, des saintes Écritures, ayant la maîtrise et l'amour du logos, a-t-il perdu tant de grâces ou, pire, en a-il été privé, pour devenir un apostat, un persécuteur, un damné? A une telle question, la réponse ne pouvait être que chrétienne, jusque dans sa construction littéraire.

Ni pour ses admirateurs ni pour ses détracteurs, le parcours unique de Julien ne pouvait s'expliquer d'une manière seulement humaine, dans une perspective laïque, comme celui de Constance, de Valentinien ou de Valens. Il posait un problème métaphysique dont la solution dernière devait être cherchée au-delà du monde des hommes. L'histoire de Julien se déroule bien parmi les hommes, mais elle est la réalisation inéluctable du plan divin, qui lui échappe et qui se révèle progressivement par une succession d'apparitions, de visions, de signes miraculeux. Le récit de Sozomène baigne et fluctue entre deux mondes, plus exactement entre ce qui, pour nous, se divise en deux mondes, mais qui, dans sa mentalité de chrétien proto-byzantin, ne fait qu'un. Ce sont ces signes, leur distribution et leur progression qui constituent les véri-

1. En III, 15, 10, Sozomène a déclaré vouloir être un historien « dont la tâche est de raconter seulement les faits », sans se risquer à juger des dogmes. En VI, 4, 1-2, il souligne le danger des discussions dogmatiques pour la foi. En VI, 27, 7, à propos des doctrines d'Apollinaire et d'Eunome, il se déclare incompétent : « Quant à moi, il ne m'est facile ni de comprendre ni de paraphraser de telles théories. » Le raisonnement sur le baptême qu'il amorce pour montrer, par un dilemme très classique, l'absurdité d'une innovation à ce sujet (VI, 26, 7-9) est exceptionnel.

tables bases du « récit de Julien » et qui déterminent son orientation et son sens : celui d'une théologie plutôt que d'une philosophie de l'histoire.

Les deux premiers signes apparaissent juste avant et juste après l'accession de Julien. Le premier (1, 4-5), au moment de la traversée victorieuse de l'Illyricum : « On raconte (λέγεται) que, dès qu'il arriva aux frontières de ce pays, les vignobles, après la vendange, au temps du coucher des Pléiades, apparurent pleins de raisins verts, et que la rosée tombée du ciel se répandit sur son vêtement et celui de sa suite en y formant, à chaque goutte, la figure d'une croix. » Le second (2, 3), au cours de l'un des premiers sacrifices de Julien : « On raconte (encore λέγεται) qu'un jour, comme il sacrifiait, il s'était montré dans les entrailles le signe d'une croix entouré d'une couronne. » Signes ambigus, sujets à deux interprétations contradictoires dont le discernement est réservé, pour les hommes du moins, à un avenir encore obscur.

A ces présages monitoires initiaux répondent symétriquement, à la fin du livre, deux signes qui expriment, cette fois d'une manière parfaitement claire, la sanction divine. Le premier en 21, 1-2 : Julien ayant fait abattre la statue du Christ élevée à Panéas par l'hémoroïsse de la Bible[1] et l'ayant remplacée par la sienne, « un feu violent tombé du ciel coupa en deux la statue à la hauteur de la poitrine, renversa la tête avec le cou et la ficha au sol, face contre terre, au point de la brisure du sternum ; et depuis lors jusqu'à aujourd'hui tel se dresse Julien, couvert de la suie de la foudre ». Ce signe annonciateur de la mort et du sort lamentable du persécuteur est suivi par l'énumération de guérisons liées à des lieux particuliers, Panéas, Emmaüs, Hermoupolis, marqués par la présence du Christ, son vainqueur. Autant de guérisons merveilleuses qui suscitent une

---

1. La source est très probablement EUSÈBE, *H.E.* VII, 18.

réflexion fidéiste sur l'origine divine, la crédibilité et la multiplication des miracles[1].

Le second se trouve au vingt-deuxième et dernier chapitre dans l'épisode de la tentative, représentée comme doublement avortée, de reconstruction du Temple de Jérusalem. Le préambule en dévoile sans détour la visée christique : «Parmi les événements du règne de Julien, il me faut dire encore celui-ci qui est un signe de la puissance du Christ et d'autre part une preuve de la colère divine contre le prince.» Ces signes sont redoublés[2] : d'abord «un séisme projette les pierres hors des fondations» (§ 7), puis, le lendemain, «un feu soudain jaillit des fondations» (§ 11). Enfin, au § 12, la boucle générale du livre V se referme par une troisième apparition du signe de la Croix : «Signe plus clair et plus extraordinaire que les précédents, spontanément le vêtement de tous fut marqué du signe de la Croix et... leurs vêtements étaient ornés d'une bigarrure, comme s'ils avaient été tachetés par une invention de l'art des tisserands»[3]. N'est-ce pas là une façon d'indiquer que, par sa composition circulaire, le livre V a *réalisé* le présage du signe de la Croix entouré par une couronne indiqué au chapitre 2 et permis le discernement entre les deux interprétations opposées qui en avaient été alors données? En tout cas, au préambule du chapitre 22, répond une conclusion également triomphante concernant juifs et païens : «Pour cela, les uns jugèrent aussitôt que le

1. *H.E.* V, 21, 4 : «Il me semble à moi qu'il n'y a rien d'étonnant, puisque Dieu est venu résider chez les hommes, que ses bienfaits aussi se manifestent de façon étrange. Aussi bien, un très grand nombre d'autres miracles dans les villes et les bourgades ne sont connus exactement, comme il est naturel, que par les habitants du lieu, transmis par la tradition qui remonte aux origines.»

2. Les autres historiens ecclésiastique, notamment RUFIN, *H.E.* X, 39-40), que Sozomène suit habituellement, ne font état que d'une seule tentative. Voir aussi AMM. 23, 1, 1-3.

3. Citation presque littérale de GRÉGOIRE, *disc.* 5, 7 (éd. J. Bernardi, p. 304-305).

Christ était Dieu, les autres s'adjoignirent à l'Église.» Cette logique surnaturelle du récit nous amènerait aussi à voir dans l'échec de Julien, au tout début du livre, pour restaurer le tombeau du martyr Mamas, une préfiguration de son échec spectaculaire dans la reconstruction du Temple[1].

Signes et miracles, présence d'anges et de démons, présence surtout du Christ – est-ce l'un de ses anges, ou lui-même, le «jeune homme» qui passe un voile très fin sur les sueurs du martyr Théodoret et verse sur son corps brûlant une «eau très froide» (20, 4)? –, présence de Dieu, de sa volonté, de sa puissance, qui tiennent tant de place dans le récit du règne de Julien, se dilatent encore pour occuper la totalité de l'espace dévolu au récit de sa mort (VI, 2). Il s'agit moins là d'un récit objectif de sa fin que de la recherche de la cause la plus vraie de son châtiment. Certes, Sozomène n'exclut pas les explications humaines. Au contraire il les donne toutes : Julien aurait été tué par un ennemi, perse ou sarrasin, ou par un soldat romain, rendu furieux par l'imprévoyance et la témérité de son chef, ou encore par un chrétien de l'armée romaine, comme le croit Libanius[2]. Mais la cause des causes est la vengeance divine, thème récurrent dans ce livre. C'est elle que révèlent les deux visions nocturnes, rapportées encore par une tradition orale (λέγεται), d'un familier de Julien : deux des saints et prophètes réunis en une sorte de conclave quittent brusquement l'assemblée et, mission accomplie, reviennent la nuit suivante annoncer que justice est faite par la mort de l'Apostat[3]. C'est cette vengeance qu'annonce

1. *H.E.* V, 2, 12-14.

2. Le *disc.* 18, 274 de LIBANIUS est cité en *H.E.* VI, 1, 15-16.

3. *H.E.* VI, 2, 2-5. Cf. N. BAYNES, «The Death of Julian the Apostate...», dans *Byzantine Studies*, 1955, p. 271-281 et L. CRACCO RUGGINI, «Simboli di battaglia ideologica nel tardo ellenismo...», dans *Studi storici in onore di O. Bertolini*, Pisa 1972, p. 177-300, aux p. 265-272 (l'épisode christianise un élément de la légende des Dioscures).

aussi la vision du «philosophe de l'Église» Didyme (l'Aveugle!), deux chevaux blancs courant à travers les airs dont les cavaliers clament la bonne nouvelle à son intention[1], et, pour finir, la prophétie d'un ecclésiastique rétorquant contre Julien le mot ironique lancé contre «le fils du charpentier»[2]. C'est elle que confirme surtout la vision que Julien lui-même, blessé à mort, eut du Christ «quand il lança de son sang dans sa direction», même si Sozomène précise, en historien, que «peu nombreux sont ceux qui l'affirment»[3]. La conclusion attendue vient au § 13 : «Durant tout le temps de ce règne, Dieu ne cessait de paraître en courroux et il écrasa les sujets de Rome de toutes sortes de maux en beaucoup de provinces.» Elle est suivie de l'énumération de ces maux, séismes, raz de marée, sécheresses, famines, peste[4]. Là s'exprime la différence fondamentale avec les livres précédents : alors que l'empereur Constance, en dehors de l'orthodoxie mais à l'intérieur du christianisme, s'y opposait à des adversaires humains, les évêques et en particulier Athanase, qui est ici au second plan, Julien, désormais à l'extérieur du christianisme, a Dieu lui-même pour adversaire et le sujet du livre V est bien le triomphe de la Croix.

Au point qu'une conception de l'histoire aussi manifestement providentialiste amène à se demander si, aux

1. *H.E.* VI, 2, 6-7. Voir là aussi L. CRACCO RUGGINI, «Simboli di battaglia...», *ib.* («La leggenda dei Dioscuri tra paganesimo e cristianesimo»).

2. *H.E.* VI, 2, 9. Comparer avec THÉODORET, *H.E.* III, 23 pour lequel les protagonistes sont Libanius et un pédagogue, familier du sophiste.

3. *H.E.* V, 2, 10-12.

4. *H.E.* VI, 2, 13-16. Rapprocher GRÉGOIRE, *disc.* 5, 2 (signes de la colère de Dieu contre les impies) et JEAN CHRYSOSTOME, *disc. sur Babylas*, 118 et 121. Si la sécheresse et la famine sont bien avérées à Antioche en 362, le séisme et le raz de marée d'Alexandrie se produisirent le 21 juillet 365, donc sous le règne de Valens.

yeux de Sozomène, Dieu a châtié Julien pour lui-même, pour ses propres crimes, qu'il a permis, voire provoqués, ou s'il ne s'est pas plutôt servi de lui, de son exemple, comme d'un fléau pour infliger une punition, ou une épreuve salutaire aux chrétiens, punition justifiée et rendue nécessaire par leurs divisions, leurs haines réciproques, leurs déviations doctrinales, les progrès qu'ils ont laissé faire à l'arianisme qui niait sa divinité une et trine. Cette idée latente n'est-elle pas en fin de compte l'explication théologique du « mystère de Julien » et ne constitue-t-elle pas le lien du livre V, véritable plaque tournante, avec les livres précédents et avec les livres suivants ? Julien serait à la fois le châtiment des erreurs passées, celles du règne de Constance et de l'arianisme, la sanction du concile de Constantinople, et le prix à payer par les églises pour le retour à l'orthodoxie nicéenne sous Jovien, Valentinien, Gratien et Théodose, en dépit de l'exception troublante de Valens cumulant l'arianisme de Constance et la violence persécutrice de Julien.

Ainsi, en face du cas ou du mystère de Julien, l'inflexion laïque et rationaliste souvent reconnue chez Sozomène s'efface ou du moins s'affaiblit au profit d'une conception religieuse, providentialiste de l'histoire, qui s'ouvre largement au merveilleux, aux visions surnaturelles, aux miracles, rejoignant en cela une tendance générale des historiens tardo-antiques[1]. La part d'irra-

1. Sur la place et le statut du miracle dans l'historiographie tardive, L. CRACCO RUGGINI, « The ecclesiastical Histories and the pagan Historiography : Providence and miracles », dans *Athenaeum* 55, 1977, p. 107-126 et « Simboli di battaglia ideologica... », p. 251-265 (« Il regno di Giuliano nelle interpretazioni provvidenzialistiche pagane e cristiane »). Ammien, historiographe païen de grande tradition, n'est pas lui non plus insensible au merveilleux, aux visions et apparitions surnaturelles : le Gĕnie du Peuple romain apparaît deux fois à Julien (20, 5, 10 et 25, 3) ; Constance et Valentinien ont des visions nocturnes funestes (21, 14, 2 et 30, 5, 18).

tionnel et de mystique si fortement présente chez Julien aurait-elle déteint sur Sozomène, comme sur bien d'autres de ses historiographes? Sans exclure un tel mimétisme, notons surtout que ce livre V ne marque pas un renoncement au rationnel, au souci de la vraisemblance et de la vérité, qui restent partout présents, mais, simultanément, une ouverture beaucoup plus marquée vers une «autre histoire», regardant moins vers la tradition que vers les nouvelles formes historiographiques, l'hagiographie, les Passions des martyrs, les Vies des moines, les recueils de traditions locales, transmises par écrit ou oralement.

Envisagée dans une perspective positive, celle d'un renouvellement nécessaire, une telle inflexion n'est pas un recul du rationnel, mais un témoignage de la prolifération des traditions orales sur l'Apostat, sur les mentalités populaires qui sont à leur origine et qui ont assuré leur succès, même sur des esprits cultivés. Le questionnement que Julien ne pouvait manquer de susciter dans la conscience chrétienne fait que l'histoire devait, pour être fidèle, fidèle doublement, au sens historiographique et religieux du terme, s'ouvrir au miraculeux, au surnaturel, au divin. Une déclaration aussi pénétrée et solennelle que celle que nous avons relevée en V, 21, 4 ne peut avoir que des conséquences importantes sur le plan historiographique en affirmant à la fois la normalité et l'universalité des miracles. Sozomène n'hésite pas à tirer ces conséquences et à les assumer toutes, sans timidité ni réticence et sans pour autant renoncer à la raison, guide de l'historien. Il réitèrera du reste cette profession de foi en VI, 2, 12, à l'occasion des manifestations merveilleuses qui ont annoncé la mort de Julien : «Il n'est pas invraisemblable que des faits même plus extraordinaires que ceux-là se soient produits pour prouver que la religion dénommée d'après le Christ ne s'est pas constituée par un effort humain.»

On se gardera donc bien, en le jugeant, de le taxer de crédulité ou de naïveté. Dans ce livre dont le sujet mystérieux le « porte », il est, sans doute plus qu'ailleurs, un Byzantin en ce qu'il ne voit ni ne sent de frontière entre le domaine de la raison et celui de la foi qui, pour lui, s'interpénètrent et se fondent l'un dans l'autre. Sa mentalité est totalisante, elle accueille tout ce qui est sur la terre et au ciel, y compris les mythes grecs[1]. La complexité de son récit reflète celle du premier monde byzantin : celui de la renaissance classique, où règnent raison et culture, encouragée par le préfet poète Cyrus de Panopolis et l'impératrice Athénaïs-Eudocie[2] et, en même temps, celui où règne la foi, où prolifèrent les traditions populaires et les légendes pieuses, dorées, celles des saints et des martyrs, ou noires, comme celle de Julien[3].

---

1. Le mythe de Daphné est complaisamment rapporté (*H.E.* V, 19, 6). Mais son évocation, puis celle de la vertu mantique de la fontaine Castalie sont suivies au § 12 d'un dédaigneux « laissons aux amateurs de ces fables le soin de les raconter en détail ».

2. Sur l'impératrice Athénaïs-Eudocie, élevée à Athènes dans l'amour de la rhétorique et, après sa conversion, auteur de plusieurs œuvres poétiques sur des sujets sacrés et profanes, voir STEIN-PALANQUE, *Le Bas Empire* I, p. 281-282 et 296-297 et les notices dans *DHGE* 15, 1963, p. 1336-1337 (GARITTE), *P.L.R.E* II, p. 408-409 et *DECA* p. 903 (U. DIONISI). Ses centons homériques portant sur des sujets religieux font partie des 50 pièces éditées par A. L. REY, *Patricius, Eudocie, Optimus, Côme de Jérusalem, Centons homériques (Homerocentra)*, *SC* 437, 1998 (sur Eudocie et son milieu, voir les p. 40-56 de l'introd.). L'étude essentielle d'Al. CAMERON, « The Empresses and the Poet : Paganism and Politics at the Court of Theodosius II », *Yale Classical Studies* 27, 1982, p. 217-289, porte à la fois sur Eudocie et Cyrus de Panopolis. Sur ce dernier, préfet du prétoire de Théodose II, voir STEIN-PALANQUE, I, p. 293-296 et *P.L.R.E*, p. 336-339. Cyrus avait composé des poésies épiques, encore admirées au VIe s. d'après Jean Lydus.

3. Beaucoup d'informations sont données sous la forme indirecte. En les introduisant par λέγεται ou des équivalents, l'historien indique l'origine orale de son information, qui constitue un mérite, voire une garantie de vérité pour l'historiographie classique, mais il prend aussi ses distances par rapport à ce qu'il rapporte, quand le fait dépasse les limites du vraisemblable ou tient franchement du miraculeux.

La composition du livre VI : richesse et complexité

Bien qu'il soit amputé des deux premiers chapitres par le débordement de l'histoire de Julien, le livre VI est d'une longueur exceptionnelle et la complexité des événements qu'il rapporte demande qu'on en présente d'abord rapidement les grandes masses. Le règne de Jovien, l'éphémère successeur de Julien, occupe les chapitres 3, 4 et 5. Le chapitre 6 constitue la charnière entre la fin de cet empereur et le début du règne conjoint des deux frères Valentinien Ier et Valens, le premier en Occident, le second en Orient. Dans l'optique d'une histoire politico-militaire, il eût été possible de jouer sur la dualité des empereurs et sur la distinction de leur domaine respectif d'autorité pour établir une série d'alternances et de contrastes. Tel n'est pas le cas ici : Valentinien et l'Occident ne tiendront dans le livre VI qu'une place mineure, Valens et l'Orient, plus précisément la persécution des orthodoxes par l'empereur arien, occuperont au contraire la grande majorité des chapitres 7 à 40. La mort de Valentinien, en 375, mentionnée au chap. 36, n'apporte pas de coupure significative.

Ce déséquilibre s'explique. D'abord, Sozomène avait relativement peu d'informations concernant l'Occident. De plus, celui-ci était depuis longtemps ancré dans l'orthodoxie nicéenne et les controverses religieuses y avaient peu de place : la rivalité entre Damase et Ursin est tout sauf d'ordre théologique[1]. L'Occident n'avait l'occasion

1. Sur le sens des démêlés entre Damase, Ursin et leurs partisans respectifs (*H.E.* VI, 23, 1-2), voir C. PIETRI, *Roma christiana*, p. 780 : les Ursiniens voulaient être les « purs » contre l'Église installée représentée par Damase. A la rivalité ecclésiale s'ajoutaient des enjeux socio-économiques, notamment la mainmise par les évêques mondains sur les dons des riches matrones romaines, qui suscite l'ironie d'AMM. (27, 3, 14).

d'intervenir que lorsque les nicéens d'Orient persécutés cherchaient auprès de l'évêque de Rome – Libère puis Damase – un soutien, voire, dans le cas de Pierre d'Alexandrie, le successeur d'Athanase, un refuge[1]. L'autorité politique et l'autorité religieuse y allaient du même pas. Valentinien, par principe, n'intervenait pas dans les affaires ecclésiastiques. Il laissa l'arien Auxence, habile diplomate, régner en paix sur le trône épiscopal de Milan. Et, après la mort d'Auxence, l'élévation de l'homme de foi, mais aussi d'ordre, qu'était son successeur Ambroise, ne pouvait que renforcer cette harmonie. L'empereur ratifia le choix du peuple, prescrivit à l'élu de l'accepter et se félicita que Dieu eût confirmé l'excellence de son choix en faisant du gouverneur de l'Émilie-Ligurie le chef spirituel de tous les Milanais[2].

Inversement, l'Orient, pour lequel Sozomène disposait d'une information riche et souvent personnelle, recueillie par ouï-dire, quelquefois dans sa Palestine natale, voire dans sa famille, avait été le théâtre de toutes sortes de troubles et d'innovations. Non seulement Valens y avait reçu l'héritage de l'homéisme privilégié par Constance II, mais, avec la violence de son caractère, il tenta, si l'on en croit les historiographes nicéens du ve s., de l'imposer à tous, nicéens, novatiens et partisans d'un rapprochement entre nicéens et ariens modérés. L'historien s'attache donc à retracer en détail et avec toute l'énergie possible les péripéties souvent atroces de ce qu'il représente comme

---

1. Fuite de Pierre d'Alexandrie auprès de Damase (*H.E.* VI, 19, 2). De retour à Alexandrie (*H.E.* VI, 39, 1), il tenta d'installer Maxime le cynique, un imposteur, à la place de Grégoire de Nazianze, à la tête des nicéens de Constantinople, sans succès. Sa mort est antérieure au concile de Constantinople (381) : cf. *DECA* p. 2036 (M. SIMONETTI).

2. Sur l'élection d'Ambroise (24, 2-5), voir D. H. WILLIAMS, *Ambrose of Milan...*, p. 104-127 ; N. B. MCLYNN, *Ambrose of Milan*, p. 2-11 et surtout Y. M. DUVAL, « Ambroise, de son élection à sa consécration... », dans *Ambrosius episcopus*, p. 243-283.

une véritable guerre de religion, voire une nouvelle sorte de guerre civile : l'épisode des quatre-vingts moines orthodoxes embarqués pour être brûlés en mer à l'approche des côtes est le plus significatif[1]. Simultanément, profitant de l'acharnement du prince contre les orthodoxes, les hérésies les plus hardies, celle d'Apollinaire, celle d'Eunome, pouvaient proliférer impunément, les nicéens étant réduits au silence et préoccupés de leur propre sauvegarde[2]. Valens abandonnera à ses successeurs tout l'embarras de réduire les hérésies développées sous son règne.

Certes, l'opposition, qu'on jugera aujourd'hui forcée, entre les deux empereurs-frères ressort du récit où leur différence de caractère et d'attitude religieuse est même explicitement soulignée[3]. Mais son rôle d'organisation est mineur et elle ne constitue pas le véritable principe de la composition. Ce principe n'est pas non plus l'affrontement entre l'empereur d'Orient et l'un des hauts personnages de l'Église, qui constituerait l'axe du récit. Même le grand Athanase, dont la mort survient en 373, avant le milieu du livre (chap. XIX), ne joue pas un rôle de la même envergure que celui qu'il assumait contre

1. La source première de l'épisode des 80 prêtres (*H.E.* VI, 14, 2-5) est sans doute Grégoire, *disc.* 25, 10 et 43, 46. Il se trouve également chez Socrate, *H.E.* IV, 16 et Théodoret, *H.E.* IV, 24. N. Lenski, *Failure*, p. 251 considère à juste titre que Valens voulait exiler ces prêtres, que le bateau prit feu accidentellement et qu'une rumeur postérieure fit croire que Valens avait donné l'ordre de les exécuter.

2. Sur l'apollinarisme et la doctrine d'Eunome, voir *H.E.* VI, 25 et 26. En 26, 4-5, Sozomène mentionne par anticipation l'hérésie que Théophronios de Cappadoce et Eutychios développèrent sous Théodose en poussant l'anoméisme à ses ultimes conséquences. Sur Eunome, voir la synthèse de R. P. Vaggione, *Eunomius of Cyzicus and the Nicene Revolution*, Oxford 2000 (Oxford Early Christian Studies).

3. Par trois fois, d'abord en 6, 10, puis en 7, 2 où Valentinien déclare qu'étant laïc, il se tient à l'écart des discussions qui ne concernent que les évêques, enfin en 24, 4 où il se contente de ratifier l'élection d'Ambroise par les Milanais.

Constance. Sa relève, comme adversaire de Valens et défenseur de l'orthodoxie, est assurée par Basile de Césarée. Mais celui-ci, dont la mort, le 1er janvier 379, coïncide pourtant à peu près avec celle de Valens, en 378, n'est pas représenté, du reste à juste titre, comme le grand et continuel opposant à l'empereur. Ses interventions sont relativement rares, bien qu'elles soient impressionnantes et victorieuses[1]. Sa résidence dans la lointaine Césarée de Cappadoce, malgré le rayonnement de son influence sur les provinces du Pont, ne faisait pas de lui un interlocuteur permanent ni un témoin gênant pour l'empereur qui résidait à Constantinople et surtout à Antioche.

Si Valens, le protagoniste du livre VI, a bien un opposant qui structure le récit de sa politique religieuse, cet opposant n'est pas un personnage unique, c'est une pluralité de chrétiens, qui ne sont plus les évêques, mais les moines, et l'entité qu'ils forment, le monachisme. La composition est révélatrice par son volume d'abord : sept longs chapitres (28-34) sont en entier dédiés à une sorte de tableau-palmarès géographique des moines les plus illustres, successivement en Égypte, Palestine, Syrie, Osrhoène, Coélèsyrie, Galatie et Cappadoce. Sozomène y fait un éloge enthousiaste de leur « vie philosophique », de leurs exploits ascétiques, des leçons de pureté, de sainteté, de détachement du monde qu'ils donnent et, pour finir, de l'extraordinaire fécondité de leur exemple qui assure la continuité de leur lignée et la multiplication de leurs frères et fils spirituels[2]. Il le déclare liminairement (27, 8-10), les moines sont le rempart contre

1. *H.E.* VI, 15 et 16.

2. *H.E.* VI, 28, 8 : « Étaient alors tout à fait réputés comme pères de moines Isidore, Sérapion et Silvain. » Cf. M. van Parys, « Abba Silvain et ses disciples », dans *Irenikon* 61, 1988, p. 315-330 et p. 451-480.

l'hérésie : « Que ces dogmes » – ceux des hérétiques – « ne l'aient pas emporté et n'aient pas touché beaucoup de gens, il faut l'attribuer surtout aux moines de ce temps-là... fermement attachés aux dogmes de Nicée... Comme la foule de ces régions » – l'Orient – « admirait les moines susdits pour l'excellence de leurs actes, elle croyait que leur foi était droite et se détournait de ceux dont la foi était différente, dans la pensée qu'ils n'étaient pas purs de dogmes bâtards. » L'empereur et ses sbires ne s'y trompent pas : l'évêque homéen d'Alexandrie Lucius, l'une de ses créatures, sait comme lui que les moines sont l'âme de la résistance et qu'il ne peut agir que par eux sur les masses, tant ils ont sur elles de prestige et d'autorité. Il s'efforce d'abord de les persuader, puis de les contraindre, enfin de les exiler, toujours en vain, de sorte que « bien que persécutée, l'église d'Égypte surpassait de loin en renommée celle des ariens par le nombre de ses fidèles »[1].

L'importance que Sozomène reconnaît au monachisme se voit aussi au fait qu'il n'hésite pas, sans craindre les répétitions, mais en les assumant fièrement, à nommer pour la seconde fois des ascètes déjà mentionnés dans les livres précédents[2]. Son attitude s'explique par ses convictions personnelles et son éducation en partie au moins monastique, mais aussi par l'importance croissante

1. *H.E.* VI, 20, 1-11. La lutte du tout-puissant évêque d'Alexandrie contre Macaire et les moines du désert égyptien se termine par l'aveu d'impuissance de Lucius.

2. Cf. *H.E.* VI, 30, 1 : « Brillaient encore très âgés dans le monastère de Scété Origène, l'un des derniers disciples du grand Antoine, Didyme, Cronîôn... » ; 32, 1 : « La plupart de ceux que j'ai dénombrés sous le règne de Constance étaient encore en vie » ; 34, 1 : « Dans la région d'Édesse furent très renommés en ce temps-là, Julien, l'écrivain Éphrem le Syrien que j'ai signalés dans le règne de Constance. »

qu'a prise, à l'époque où il écrit, ce phénomène religieux[1]. Au terme d'une évolution progressive, le modèle du moine a remplacé celui de l'évêque. Désormais Dieu manifeste constamment sa force et sa puissance par les moines, presque jamais par les empereurs ni par les évêques. L'admiration sans réserve ni mesure de Sozomène pour ces athlètes de la sainteté et pour leurs exploits ascétiques a la valeur historique d'un témoignage sur ce qu'était disposée à admettre, au milieu du ve siècle, la foi d'un intellectuel formé à la double discipline du droit et de l'histoire. Pourtant, s'il s'avance ainsi dans la voie du christianisme dévot qui régnait à Constantinople sous Théodose II et sa sœur Pulchérie, son *Histoire* n'est pas pour autant dominée par un esprit monastique ni clérical. Son admiration sincère s'adresse exclusivement à un monachisme spirituel, fidèle à la pure doctrine du Christ, qui se traduit par une attitude de foi, de méditation, d'approfondissement et d'unification

---

1. Sur le monachisme comme phénomène religieux, voir DANIELOU-MARROU, *Nouvelle Histoire...*, p. 422-429, V. DESPREZ, *Le monachisme primitif. Des origines au concile d'Éphèse*, Abbaye de Bellefontaine 1998 (Spiritualité Orientale n° 72) et les pages synthétiques de P. MARAVAL, dans PIETRI, *Histoire*, p. 719-745. L'extension du mouvement monastique depuis l'Égypte jusqu'à Lérins et son impact sur la société se voient à l'abondante littérature qui lui est consacrée : cf. A. de VOGÜÉ, *Histoire littéraire...*, 7 vol., 1993-2003. Sur le modèle monastique, voir P. BROWN, « The Rise and Function of the Holy Man in Late Antiquity », dans *JRS* 61, 1971, p. 81-101 ; sur la suprématie acquise sur le modèle épiscopal, G. SABBAH, « D'Eusèbe à Sozomène : empereurs, évêques et moines », dans Ad contemplandam sapientiam. *Studi di filologia, letteratura, storia in memoria di Sandro Leanza*, Soveria Mannelli, 2004, p. 599-618, et, pour la place prise par le modèle monastique dans l'historiographie, G. C. HANSEN, « Le monachisme dans l'historiographie de l'Église ancienne », dans *L'historiographie de l'Église*, p. 139-147, notamment p. 144-147 pour Sozomène.

de soi-même, mais aussi de douceur et d'amour pour autrui[1].

S'il a amplifié de la sorte dans son récit la présence des moines, c'est aussi pour établir un équilibre, à la fois politique, religieux *et* littéraire, avec l'omniprésence de Valens, de ses conseillers et de ses exécutants. Cette opposition à termes égaux révèle l'unité profonde du livre VI sous son apparente diversité, voire ses disparates. Comme le livre V manifestait la résistance chrétienne au sursaut du paganisme, le livre suivant exprime, en la magnifiant, la résistance victorieuse de l'orthodoxie nicéenne aux hérésies, l'inusable arianisme mais aussi les hérésies récentes, promises à de beaux jours, l'apollinarisme et l'anoméisme d'Aèce et d'Eunome dont les racines tristement humaines, orgueil, jalousie et dépit des clercs, sont dénoncées sans indulgence[2].

---

1. Sozomène récuse la forme politique, violente et fanatique, qu'a pu prendre ultérieurement le monachisme, à Alexandrie, à Constantinople, à Jérusalem et même jusqu'au Sinaï, sous l'impulsion de meneurs comme l'évêque Cyrille d'Alexandrie, de fanatiques comme Chenoudi d'Atripa, de brigands comme Barsauma (cf. STEIN-PALANQUE I, p. 149 et *SC* 418, introd. p. 28 avec la note 2). Le mouvement monastique était critiqué, pour certains de ses aspects, non seulement par les païens comme Eunape, mais aussi par des chrétiens : dès les années 383-386, JEAN CHRYSOSTOME écrivait *Contre les détracteurs de la vie monastique* et, vers 410, le monachisme devait encore être défendu, contre ceux qui lui reprochaient de graves déviations, par l'auteur du dialogue *Questions d'un païen à un chrétien* (éd. R. Feiertag, *SC* 401 et 402, notamment livre III, 4 s. avec le commentaire p. 23).

2. Sur les jalousies des clercs, illustrées par Apollinaire et Vital, voir *H.E.* VI, 25, 13-14 : « C'est ainsi que les haines privées des clercs d'un moment donné ont nui extrêmement à l'Église et divisent la religion en une foule d'hérésies. »

Sozomène et la politique religieuse des Valentiniens

Pour ce qui concerne les problèmes religieux, il ne faut pas négliger le fait que, selon la pente habituelle de toute l'historiographie antique, Sozomène présente comme des actes, des attitudes, des comportements dictés par le caractère propre d'un empereur, par ses vertus ou par ses vices, ce qui est en fait une *politique*, celle que les Valentiniens ont adoptée pour répondre le mieux possible aux conditions objectives de leur règne[1], les circonstances de l'avènement, l'héritage à recueillir, les réactions suscitées par l'arrivée au pouvoir suprême d'hommes nouveaux qui ne pouvaient se prévaloir d'une hérédité dynastique[2], et, plus que tout, l'obligation de maintenir ou de rétablir l'ordre dans des conditions difficiles. Car, malgré sa mort prématurée, Julien avait réussi, par son habile politique religieuse, à plonger l'Église d'Orient dans le chaos! Ces éléments qui se présentaient autrement en Occident et en Orient, la différence de caractère, de «trempe», des deux empereurs-frères, la différence plus fondamentale encore de mentalité et de tradition entre leurs sujets respectifs expliquent la forme, différente aussi,

---

1. Pour une réévaluation de la politique religieuse de Valens, voir l'important chapitre de N. LENSKI, *Failure*, p. 211-263; également G. SABBAH, «Sozomène et la politique religieuse des Valentiniens», dans *L'historiographie de l'Église...*, p. 293-314 et L. GUICHARD, *La politique religieuse de Valentinien Ier et de Valens. Une alternative au modèle constantinien?*, thèse dactyl. Université de Nancy 2, (direct. F. Richard), 2004, notamment aux p. 282-327.

2. Cela explique les sympathies que suscita surtout à Constantinople, fondation de Constantin, la tentative de Procope : il était parent, par sa mère, de Julien, certains le disaient désigné secrètement par lui comme successeur (rumeur démentie par les faits, d'après AMM. 23, 3, 2 et 26, 6, 2). Il comptait aussi sur la présence à ses côtés de Faustina, épouse de Constance, et de la fille posthume de celui-ci (AMM. 26, 7, 10 et 26, 9, 3).

que prit leur politique religieuse. Celle-ci n'était, répétons-le, qu'un aspect de leur politique tout court. La focalisation de Sozomène, comme celle de tout historien de l'Église, sur les problèmes religieux fait que cette partie de la politique impériale risque d'apparaître comme son tout, alors que, pourtant, sa conception de l'histoire est plus large et embrasse heureusement d'autres aspects du passé et même du présent[1].

La politique religieuse de Valentinien n'inspire à Sozomène aucune critique : comme l'historien païen Ammien Marcellin qui fait l'éloge de la neutralité et de l'absence totale d'intervention du premier Auguste en matière de foi[2], l'historien ecclésiastique reconnaît à cet empereur, qu'il présente comme fidèle au Credo de Nicée, une attitude parfaitement prudente, respectueuse et libérale : requis de prendre position par des évêques, il s'abrite derrière sa condition de laïc et leur laisse le privilège de délibérer de façon autonome sur les questions concernant l'Église[3].

---

1. La part de l'histoire politique et militaire est plus importante que dans les autres livres et que chez les autres historiens ecclésiastiques : l'usurpation de Procope, les rapports avec les barbares goths et sarrasins, les démêlés avec les «philosophes» païens lors de «l'affaire du trépied» sont l'objet de récits relativement détaillés.

2. Rapprocher *H.E.* VI, 6, 10 et AMM. 30, 9, 5.

3. Voir la réplique de Valentinien aux évêques en *H.E.* VI, 7, 2. Pourtant, une lettre à l'en-tête de Valentinien, Valens et Gratien, jointe à la synodale d'un «concile d'Illyricum» en 375, semble encourager les chrétiens d'Orient à ne pas se régler sur la foi de leur empereur, qui serait alors Valens (cf. HEFELE-LECLERCQ II, p. 982-983; MANSI, *Conciliorum Collectio* III, c. 389-392). Des doutes sont émis aujourd'hui sur la réalité, ou du moins sur la réunion par Valentinien de ce «concile d'Illyricum» mentionné, avec citation de trois documents, par le seul THÉODORET, *H.E.* IV, 7 et 8 (L. GUICHARD, *La politique religieuse de Valentinien Ier et de Valens*..., p. 251-254). H. C. BRENNECKE, art. «Homéens», *DHGE* 24, 1993, accepte son existence (c. 945), tout en plaçant prudemment sa date entre 375 et 378, alors que T. D. BARNES, «Valentinian, Auxentius and Ambrose», dans *Historia* 51, 2, 2002, p. 227-

Le cas de Valens est tout différent. Second Auguste, nommé par son frère, il ne peut pas se prévaloir de l'élection populaire, la voix de l'armée étant, à cette époque, devenue *uox populi.* Sa position est donc politiquement plus fragile, dans un Orient qu'on a pu croire moins exposé sur le plan militaire, – du fait de la trêve de trente ans conclue par Jovien avec les Perses[1] –, mais qui ne tarde pas à se révéler le plus lourd de périls, politiques, l'usurpation de Procope, et militaires, la poussée des Perses en Arménie et des barbares germains sur la frontière du Danube. Peu s'en faut que la rebellion de Procope, en s'appuyant sur le sentiment dynastique[2], n'ait fait chuter le pouvoir de Valens avant même qu'il n'ait pu commencer à l'exercer. Valens eut peur et cette peur fut pour beaucoup dans sa violence soupçonneuse et même, dans certains cas, sa férocité. A son avènement, l'Orient était majoritairement homéen, tel que l'avait rendu le concile de Constantinople en 360. Quelle autre politique religieuse pouvait-il adopter que celle qu'il choisit ou à laquelle il se rangea? Sous peine de semer lui-même le désordre, il ne pouvait qu'adopter l'homéisme majoritaire et officiel. Il se fit donc baptiser par Eudoxe, l'évêque arien de Constantinople qui avait été intronisé

237 considère que la lettre marque un changement de la politique religieuse de Valentinien Ier sous l'influence du préfet Pétronius Probus et d'Ambroise. Avec ZEILLER, *Les origines chrétiennes...* p. 308-327, nous croyons plus vraisemblable que ce concile de Sirmium ait été réuni par Gratien, sous l'impulsion d'Ambroise, en 378 et après la mort de Valens, l'empereur nommé avec Gratien et Théodose étant alors Valentinien II.

1. *H.E.* VI, 7, 10. Dans son récit du règne du pieux Jovien, Sozomène s'est gardé de mentionner cette trêve que les Romains avaient payée fort cher.

2. Voir l'adresse aux soldats prêtée par AMM. à Procope avant la bataille (26, 7, 16) : « Approuvez-vous, vaillants guerriers,... qu'un Pannonien sans naissance *(Pannonius degener)...* devienne maître d'un empire qu'il n'a jamais osé seulement rêver? »

par Constance. Cela lui conférait indirectement un peu de cette légitimité que ne lui donnaient ni la naissance ni l'élection.

Ce choix était donc beaucoup plus politique que religieux. Valens, en qui certains ont cru voir un « empereur théologien », n'avait comme idées religieuses, si encore il en avait !, que celles des autres[1]. La persécution à laquelle il se livrait contre les nicéens ne pouvait guère viser leur credo, elle s'exerçait contre des rebelles, de potentiels fauteurs de troubles refusant de se plier aux diktats de l'empereur et de ses évêques. Et d'abord, s'agit-il d'une véritable persécution ? Si les historiens d'aujourd'hui sont sceptiques, Sozomène, lui, en est convaincu : il emploie les termes les plus forts, les verbes signifiant « forcer », contraindre » (βιάζεσθαι), « troubler » (ταράττειν), ou bien encore « maltraiter », « épuiser » (τρίβειν et ses composés), enfin « poursuivre », « persécuter » (διώκειν, διωγμός)[2], et se plaît à énumérer les martyres, à détailler leurs supplices, à faire de l'empereur un portrait qui dépasse en noirceur celui de Julien. C'est que l'hérétique, étant au dedans, est encore plus nuisible que l'ennemi qui est ou s'est mis au dehors.

L'historien montre cette persécution se durcissant (chap. 6-27), atteignant son point culminant en s'en prenant aux saints moines (chap. 28-34), avant de connaître une certaine décrue sous l'influence des événements extérieurs jusqu'à la mort du prince hérétique (chap. 35-40). Rappelons les principales étapes de ce crescendo quasi continu. Dès son arrivée à Antioche, Valens en bannit

1. Cf. PIETRI, *Histoire,* p. 365 : « Valens lui-même pensait qu'il avait des idées théologiques, c'étaient celles qu'on lui soufflait. »

2. Sur ce lexique très complet de la violence auquel il faut ajouter ἐλαύνειν « chasser », « pourchasser », κακοῦν « maltraiter », G. SABBAH, « Sozomène et la politique religieuse... », p. 304-305.

l'évêque orthodoxe Mélèce[1], puis chasse les adversaires d'Euzoïus, l'évêque homéen, en leur infligeant des amendes, en les maltraitant, en les opprimant (7, 10). Une fois Procope vaincu, capturé et supplicié, Valens s'en prend aux macédoniens et aux novatiens de Constantinople, suspects de l'avoir favorisé[2]. Il cherche en vain à s'emparer d'Athanase pour le bannir, avant de le rappeler sous la menace d'une émeute du peuple fidèle[3]. La persécution devient générale après la mort d'Eudoxe, un arien modéré (370) : à Constantinople, le nicéen Evagrius est immédiatement chassé au profit de l'homéen Démophile[4]. Les quatre-vingts prêtres venus pour implorer la clémence impériale sont embarqués sur un navire et brûlés vifs[5]. A Antioche, en 371/372, l'empereur accable les

---

1. *H.E.* VI, 7, 10. Le deuxième exil de Mélèce suivit bien de très près l'accession de Valens (on le date de 365). Il est la conséquence de l'édit impérial du printemps 365 (*Hist. aceph.* 5, 1 éd. A. Martin, *SC* 317, p. 158-161) renvoyant de leurs églises les évêques chassés par Constance et réintégrés par Julien. Mais il n'implique pas la présence effective, dès 364-365, de Valens à Antioche : celle-ci n'est pas autrement attestée et elle est contredite par AMM. (26, 7, 2). Pour N. LENSKI, *Failure*, p. 77 (cf. aussi p. 251, note 225), Valens n'était effectivement pas à Antioche en 364/365. Il ne séjourna dans cette capitale qu'à partir de 371. Sozomène a réitéré en VI, 7, 10 et VI, 18, 1 la double erreur de Socrate *H.E.* IV, 2, 4 et IV, 17, 1-3.

2. *H.E.* VI, 8, 5 (expulsion d'Eleusios, l'un des chefs des macédoniens, de son siège qu'il récupéra sur la réclamation des Cyzicéniens) et 9, 1-2 (condamnation à l'exil d'Agélios, évêque des novatiens de Constantinople, qui est lui aussi bientôt réintégré). Sozomène ne dit pas explicitement que Valens, en les exilant, voulait les punir d'avoir soutenu Procope. Cela peut seulement se déduire de la succession des épisodes.

3. *H.E.* VI, 12, 6-15. C'est le cinquième et dernier exil d'Athanase : cf. DANIÉLOU-MARROU, p. 304-305 et MARTIN, p. 590-595.

4. *H.E.* VI, 13, 1-4. Les nicéens tentaient de profiter de la mort d'Eudoxe pour introniser précipitamment un des leurs. Démophile avait pour lui sa «légitimité» homéenne.

5. *H.E.* VI, 14.

nicéens, les fait massacrer ou noyer dans l'Oronte[1]. L'évêque homéen Lucius, installé à Alexandrie à la mort d'Athanase, est autorisé à bannir autant de nicéens qu'il veut[2]. La persécution s'avance jusqu'aux moines du désert égyptien, elle redouble à Antioche à la mort de Valentinien (375). Seuls le discours de l'orateur et philosophe païen Thémistius[3] et surtout le déferlement des Goths dans le diocèse thracique[4] contraignent Valens à renoncer *in extremis* à l'édit d'exil projeté contre les nicéens.

Bref, comme il est dit dès le début (12, 16), sous son règne «il y eut une persécution presque semblable à celles des païens». Valens est donc mis sur le banc des persécuteurs, dont Julien est le plus récent, qui vont de Néron à Dioclétien et à Galère, en passant par Dèce et Valérien. Certes, le jugement de Sozomène, comme celui des autres historiens ecclésiastiques du ve s., est sujet à caution et peut être considéré comme une projection anachronique de ce qui constitua la «vérité» officielle à partir du triomphe des nicéens sous Théodose Ier. Certes, il repose en particulier sur le témoignage très engagé, sinon

1. *H.E.* VI, 18, 1. Socrate mentionne d'emblée en IV, 2 cet acte de suprême barbarie. Sozomène a eu raison, au moins littérairement, de le placer au point culminant de la persécution, même si l'on peut douter de la réalité du fait.

2. *H.E.* VI, 19, 6. A en croire Sozomène, cette autorisation prit même la forme officielle d'un décret.

3. *H.E.* VI, 36, 6-7. Il est surprenant qu'un tel persécuteur se soit laissé «amener à des dispositions quelque peu plus humaines» par les raisons d'un philosophe païen, raisons opportunistes et non dénuées d'ironie à l'égard du christianisme ravalé au rang d'une philosophie parmi d'autres. C'est un signe, avec d'autres, que Sozomène, comme tous les historiens nicéens du ve s., a donné de la politique religieuse de Valens une image forcée, sinon déformée.

4. *H.E.* VI, 37, 1-2 : «Il ne se serait pas abstenu entièrement de sa colère envers les prêtres si n'étaient survenus des soucis concernant les affaires publiques qui ne lui permettaient plus de consacrer son zèle à ces questions. Les Goths en effet....»

très partial, de Grégoire de Nazianze faisant l'éloge funèbre de Basile[1]. Mais il est cohérent avec l'interprétation, donnée au livre précédent, du rappel par Julien des évêques exilés comme un moyen sournois d'attiser les haines entre les chrétiens[2]. Et, tout en soulignant, peut-être à tort, en tout cas d'une manière excessive, la violence d'un affrontement représenté comme une véritable guerre fratricide, Sozomène, grâce à la perspective classicisante qu'il a choisie, s'efforce de l'humaniser, de la rationaliser, de la ramener à des proportions « acceptables ».

Ainsi, il laisse voir que la persécution a connu des rémissions, lors de la sédition de Procope[3], lors de la visite aux Édesséniens[4], lors de l'invasion gothique, et même grâce à la résurgence chez Valens de sentiments vertueux : le respect inspiré par la « vie » du novatien Agélios et du prêtre Paulin d'Antioche[5], la reconnaissance

1. GRÉGOIRE, *disc.* 43, 30-33 : « un nuage chargé de grêle, dont provenaient des stridences de mort... persécuteur, il succédait à un autre persécuteur » et 44-57.

2. *H.E.* V, 5, 7 : « On dit qu'il prescrivit cela à leur égard non pas pour les épargner, mais pour que, en raison de leurs discordes mutuelles, l'Église fût en proie à la guerre civile et s'éloignât de ses propres règles. »

3. La sédition de Procope a procuré une trêve de près d'un an aux nicéens (rapprocher *H.E.* VI, 8, 1 et VI, 8, 4).

4. En conclusion de l'épisode d'Édesse (*H.E.* VI,18, 7) : « Modestus fit part au prince du trait de cette femme et le persuada qu'il ne fallait pas accomplir ce qui avait été résolu, lui ayant montré que ce serait honteux et inutile. » Le persécuteur sanguinaire était-il aussi sensible au raisonnement philosophique par l'utile et l'honnête ? On doit plutôt penser qu'il n'avait pas ordonné un massacre général, mais des sanctions limitées et que l'intervention en faveur de la clémence, peu vraisemblable de la part d'un préfet connu par ailleurs pour sa cruauté et sa servilité, est un moyen classique pour noircir davantage son image ?

5. C'est leur *bios*, la pureté de leur « vie » qui vaut le respect à Paulin d'Antioche (*H.E.* VI, 7,10) comme à Agélios à Constantinople (*H.E.* VI, 9, 2).

pour Marcianos, le précepteur de ses filles[1], la philanthropie prêchée par Thémistius comme incitation au pluralisme religieux[2]. Surtout, il introduit par des verbes du sens de «penser», «croire», «calculer», «découvrir à des indices», des analyses psychologiques ou morales, des hypothèses logiques ou vraisemblables et prête ainsi à Valens et à ses partisans des calculs raisonnables qui tendent à mitiger la représentation d'une cruauté qui, sans cela, serait «pure», c'est-à-dire proprement bestiale. Ainsi Valens se serait radouci à l'égard de l'évêque d'Alexandrie «soit parce qu'il considérait la grande réputation d'Athanase et que pour cela Valentinien lui ferait vraisemblablement des reproches, soit parce que, voyant le mouvement des partisans d'Athanase... il craignait qu'ils ne fissent une révolution nuisible aux affaires publiques»[3].

Son entourage aurait fait des raisonnements politiques analogues : il renonce à réclamer le maintien d'Athanase en exil, «considérant que s'il était chassé de la ville, il importunerait de nouveau les empereurs, en tirerait occasion pour les rencontrer, ferait changer Valens de résolution et pousserait Valentinien à la colère puisqu'il était du même sentiment»[4]. L'un des ariens les plus enragés, Lucius d'Alexandrie, s'en prend aux moines, non par cruauté gratuite, mais pour s'en faire un levier politique : «Il pensait peut-être qu'à force d'importuner les moines, il les rendrait obéissants et ferait passer ainsi de

1. *H.E.* VI, 9, 3 : «C'est à cause du respect et de la reconnaissance qu'on [= Valens] avait pour lui (Marcien) que seuls les novatiens jouirent des privilèges susdits.»

2. *H.E.* VI, 36, 6-7 et 37, 1.

3. *H.E.* VI, 12, 13. Le flou de sa chronologie n'a pas permis à Sozomène de distinguer la cause principale de la mansuétude de Valens : l'usurpation de Procope en 365 ne lui permettait pas d'ouvrir simultanément à Alexandrie un autre front intérieur.

4. *H.E.* VI, 12, 14-15.

son côté les chrétiens des villes. La plèbe se fondait sur leur témoignage, elle les suivait et pensait comme eux... »[1]. Un calcul réaliste, politique et militaire, plus fort que le fanatisme religieux, aurait amené Valens lui-même à restaurer sur son siège Vétranion, l'évêque nicéen de Scythie : « Il avait vu, je pense, que les Scythes étaient irrités de l'exil de leur évêque et il craignait qu'ils ne fissent une révolution, dans le sentiment que, tout à la fois, ils étaient courageux et que par la disposition des lieux, ils étaient indispensables à l'Empire et formaient comme un rempart contre les barbares de cette région »[2]. Chaque fois, c'est l'historien qui prête, peut-être généreusement, à l'empereur et à ses partisans des idées ou des réflexions qui les maintiennent à l'intérieur de l'humanité raisonnable.

Or, sans peut-être que l'historien en perçoive lui-même entièrement l'effet, de tels calculs amènent le lecteur à nuancer l'opinion qu'il peut maintenant se faire personnellement de la « persécution » et du « persécuteur ». D'autant que l'absence de repères chronologiques précis, des omissions, des déplacements sur lesquels nous reviendrons forcent à considérer le dilemme réducteur – y eut-il persécution ou non? – en d'autres termes, plus proches d'une réalité qui fut changeante et complexe, ceux d'une évolution progressive de la politique religieuse de Valens. Celle-ci passa très vraisemblablement d'une certaine indifférence initiale à une tolérance relative, fondée sur une estimation réaliste des rapports de force en Orient entre les nicéens et les homéens, entre les nicéens et le pouvoir impérial, pour aboutir en 373, avec la mort d'Athanase, qui avait incarné la résistance, à un durcissement pouvant aller jusqu'aux extrémités.

1. *H.E.* VI, 20, 1.
2. *H.E.* VI, 21, 6.

Un tel durcissement devait correspondre chez Valens à la fois à un sentiment de libération après la disparition de son irréductible adversaire d'Alexandrie, à sa peur latente de tous les opposants depuis l'usurpation de Procope, à la mort de son frère et mentor (375) et au renforcement de sa position officielle puisqu'il devenait l'*Augustus senior*. S'il y eut bien persécution, elle dut se limiter aux quatre ou cinq dernières années du règne et des épisodes qui sont censés l'illustrer et la démontrer ont été déplacés dans les années antérieures, comme le début de la persécution à Antioche anticipé dès 365, alors que Valens n'y était pas, et l'épisode des noyades dans l'Oronte, sans oublier celui des quatre-vingts prêtres embarqués (pour être brûlés vifs?), inventé ou exagéré au point d'être dénaturé, que Sozomène a eu tort de reprendre à Socrate, sans penser qu'il pouvait s'agir d'un accident tragique. S'il faut donc bien conclure à l'existence d'une persécution, en tout cas de poursuites violentes, celles-ci se limitèrent à la dernière période du règne de Valens, avec, peut-être, antérieurement des épisodes ponctuels d'intolérance ou de colère devant la désobéissance ou l'insolence des opposants[1].

1. N. LENSKI, *Failure...*, p. 243-263, distingue trois phases dans la politique religieuse de Valens, l'une de consolidation de l'homéisme officiel installé par Constance, puis une période de tolérance et de modération (366-373), enfin, devant l'échec de cette politique, une phase violente qui commença en 373, quand Valens eut épuisé les autres moyens. L'empereur n'avait pas compris qu'une politique religieuse décidée au plus haut niveau n'avait pas de prise sur les églises locales profondément attachées à leurs traditions et à leurs chefs. Et il eut la malchance de ne pas pouvoir poursuivre dans la politique de modération et de tolérance à laquelle il fut amené à revenir en 377. Pour L. GUICHARD, *La politique religieuse de Valentinien Ier et de Valens...*, p. 282-327, la mort d'Athanase divise le règne de Valens en deux phases et les persécutions n'ont commencé qu'en 373. L'opinion de H. C. BRENNECKE, art. «Homéens», dans *DHGE*, 24, 1993, c. 941 – «L'affirmation selon laquelle le règne de Valens aurait été une période de persécution

Sozomène fournit lui-même au lecteur, c'est la marque de son honnêteté, des éléments pour l'alerter sur la nécessité de nuancer sa propre thèse. Plutôt qu'une déformation, cette thèse est une simplification ou une schématisation en blanc et noir inspirée par l'admiration sans réserve que les moines et le monachisme lui inspiraient. En inversant la position relative des deux termes de l'opposition qu'il a construite, nous ne dirons pas, comme lui, que la violence de la persécution a suscité la résistance des moines, mais que l'admiration qu'il porte aux moines l'a conduit à construire un adversaire qui fût à leur hauteur. A la force du Bien, il lui fallait opposer une force du Mal qui lui fût équivalente, pour permettre à la première de se déployer glorieusement. A Valens est naturellement dévolu ce rôle de faire-valoir des moines, un rôle qui ne pouvait, dans l'optique nicéenne, être cantonné aux dernières années du règne, mais que le *basileus* maudit devait assumer depuis son élévation jusqu'à sa chute.

L'historien et sa méthode

Les commentaires personnels que nous avons relevés, rares ou absents chez Rufin, Socrate et Théodoret, caractérisent l'orientation intellectuelle de Sozomène. Sans perdre son caractère profondément chrétien, son historiographie est par là plus politique et plus laïque que celle des autres historiens ecclésiastiques. Certes, pour lui comme pour eux, Valentinien est un bon prince parce qu'il est «pieux», c'est-à-dire orthodoxe, Valens un mauvais prince parce qu'il est hétérodoxe et persécute

permanente contre les nicéens ne trouve aucun appui dans les sources du temps, mais il n'est pas exclu que l'empereur ait pris des mesures disciplinaires contre certains adversaires de la politique ecclésiastique homéenne» – est justement nuancée.

l'orthodoxie. Mais dans ce schéma binaire, un peu rudimentaire, Sozomène introduit quelques nuances plus subtiles, par goût et par besoin d'objectivité, par une certaine pondération de caractère qui lui fait fuir les extrêmes et les excès et prendre ses distances par rapport à des faits ou à des comportements rapportés, qui lui paraissent invraisemblables ou insuffisamment prouvés. Par exemple, il laisse à «certains» la responsabilité d'affirmer que Valens fit jeter des nicéens dans l'Oronte[1]. Cette pondération, quelquefois appuyée sur des considérations psychologiques ou morales d'un bon sens proche du truisme[2], assure à son histoire une certaine modération renforcée par une méfiance maintes fois déclarée pour l'excès des disputes théologiques, par une vue réaliste et amère de leurs effets et une analyse sans complaisance de leurs motifs.

Tous ces éléments contribuent à rapprocher son histoire de l'idéal thucydidéen d'objectivité et de vérité dont il se réclamait dans sa préface[3], sans toutefois la rendre conforme sur tous les points aux modèles classiques. Les particularités, plutôt que le défaut, de la composition ont

1. *H.E.* VI, 18, 1 (peut-être Sozomène prend-il ses distances par rapport à SOCRATE, *H.E.* IV, 2).

2. *H.E.* VI, 4, 1-2 : «Ainsi en va-t-il des hommes : s'ils subissent des torts de l'extérieur, ils maintiennent la concorde avec les gens de leur groupe ; mais sont-ils délivrés des maux du dehors, ils entrent en conflit entre eux.» Réflexion gnomique du même genre à propos de la naissance des hérésies en 25, 14 : «La nature humaine, si elle est méprisée, fait l'arrogante et se tourne vers la querelle et les innovations ; mais si elle jouit de droits égaux, elle garde d'ordinaire la modération...» Voir déjà en V, 22, 10 : «D'ordinaire, la nature humaine, quand elle recherche son plaisir, se laisse aller à ce qui lui est nuisible...»

3. Cf. *H.E.* I, I notamment aux §13 : «Je mentionnerai les événements auxquels j'ai assisté ou que j'ai appris des gens au courant ou témoins des choses...», 16 : «Il faut se soucier principalement de la vérité pour que soit honnête l'histoire», 17 : «Tout doit, pour l'historien, passer après la vérité.»

été soulignées plus haut : celle notamment du chapitre où s'affrontent Valens et Basile, à l'occasion de la maladie mortelle de Valentinien Galates, présente une régression et un doublet caractérisés et, sur le plan chronologique, un vrai désordre[1]. Le livre VI n'a pas une structure forte et unitaire, la tendance à la digression ou plutôt à l'*excursus* largement développé s'y affirme plus librement que dans les livres précédents. La chronologie est loin d'y être serrée. Il faut recourir à d'autres histoires plus exigeantes sur ce point, à d'autres documents, notamment les lettres, les actes des conciles, les lois du *Code Théodosien*, pour jalonner, non sans mal, le texte de Sozomène par quelques dates certaines : les plus grandes d'abord, la mort de Julien (26 juin 363), celle de Jovien (17 février 364), l'élévation de Valentinien (26 février 364), celle de Valens (28 mars 364), l'usurpation de Procope (28 septembre 365–27 mai 366), la mort de Libère (24 septembre 366) et la rivalité de Damase et d'Ursin (366-367), les trois campagnes gothiques de Valens en 367, 368, 369, l'« affaire du trépied » à Antioche (371-372), la mort d'Athanase (2 mai 373), l'élection d'Ambroise (décembre 374), la mort de Valentinien Ier et l'élévation de Valentinien II (17 et 22 novembre 375), l'invasion gothique (à partir de 376), la bataille d'Andrinople et la mort de Valens (9 août 378), ensuite des dates importantes, mais qui ne jouent qu'un rôle secondaire dans le récit, comme celles de l'élévation de Gratien à l'Augustat (367), des conciles d'Alexandrie (362), de Lampsaque (364), de Rome (371 ?), le début de l'épiscopat de Basile de Césarée (370), la mort de Valentinien Galates (372).

---

1. *H.E.* VI,16. Il est vrai que le nombre et la date des visites de Valens à Césarée sont difficiles à déterminer (il y en eut deux ou trois entre 370 et 372). Les récits des historiens anciens sont souvent contradictoires. Pour une mise au point récente, voir P. ROUSSEAU, *Basil of Caesarea*, appendice n° 1, p. 351-353.

Sozomène ne date aucun de ces événements, alors que Socrate précise, au moins au début, les années consulaires et des dates importantes[1]. Sa chronologie est, à proprement parler, relative, c'est-à-dire qu'il se contente, par des liaisons temporelles vagues, d'indiquer que tel événement prit place avant ou après tel autre, à moins que les deux n'aient eu lieu en même temps. Ce faisant, il n'est pas plus négligent que beaucoup des adeptes de la grande histoire pour qui les dates sont des « minuties »[2]. Mais les repères chronologiques que l'on obtient par d'autres sources font apparaître, quand ils sont mis en relation avec la succession des séquences de Sozomène, des décalages, voire des décrochements importants qui peuvent changer la logique de l'histoire. Par exemple, en VI, 8, l'usurpation de Procope qui commença le 28 septembre 365 est située par Sozomène *après* l'arrivée de

---

1. Socrate, *H.E.* IV, 1, 1 (mort de Jovien sous son propre consulat et celui de son fils, le 17e jour de février; proclamation de Valentinien le 25 du même mois de février sous le consulat de Jovien), 2 (élévation de Valens trente jours après la proclamation de Valentinien); 4, 1 (sous le consulat suivant, celui de Gratien et de Dagalaif *i. e* 366); 10, 1 (sous les mêmes consuls *i. e* 366, naissance d'un fils pour Valentinien, en fait pour Valens); 11, 1 (l'année suivante, sous le consulat de Lupicinus et de Jovin *i. e* 367; proclamation de Gratien le 24 août 367; l'année suivante, sous le deuxième consulat de Valentinien et de Valens *i. e* 368, un tremblement de terre détruit Nicée de Bithynie le 11 octobre); 14 (mort d'Eudoxe de Constantinople sous le 3e consulat de Valentinien et de Valens *i. e* 370). M. Walraff, *Der Kirchenhistoriker Sokrates : Untersuchungen zu Geschichtsdarstellung, Methode und Person*, Göttingen 1997, note aux p. 155 s. : « Socrate s'efforce, autant que possible de dater exactement les événements. »

2. Pour Amm., représentant de la « grande histoire », l'exactitude chronologique fait partie des « minuties » indignes de l'histoire. Ce mépris affiché avait un sens polémique : les premiers historiens chrétiens s'étaient montrés, souvent pour des raisons apologétiques, très attachés à l'établissement scrupuleux de la chronologie.

Valens à Antioche, donc *après* les débuts de la persécution, alors que Valens apprit la nouvelle de la rébellion à Césarée, *avant* d'arriver à Antioche[1]. Valens apparaît ainsi comme d'emblée et spontanément persécuteur, sans que la peur suscitée en lui par la rébellion puisse aucunement atténuer sa responsabilité.

Autre problème : Sozomène mentionne une première rencontre de l'empereur avec Basile, quand celui-ci, menant la vie monastique dans le Pont depuis 363, fut rappelé précipitamment par l'évêque en titre Eusèbe pour tenir tête à Valens (chap. 15). Cette première rencontre où le rôle de Basile n'est pas clairement défini – « Il secourut l'église par son éloquence » – eut lieu, à en croire la succession des chapitres 13, 14 et 15, au moment où Valens, ayant quitté Constantinople pour gagner Antioche, dut s'arrêter en chemin au reçu de la nouvelle de la mort d'Eudoxe en 370 (chap. 13). En fait, elle eut lieu dès 365 et Basile, jeune prêtre encore, ne semble pas y avoir joué un rôle significatif, d'autant que le séjour de Valens à Césarée fut sans doute moins consacré à la « persécution » d'Eusèbe et des homoousiens qu'à la préparation d'une réplique appropriée à l'usurpation de Procope. Influencé sans doute par Grégoire, thuriféraire de son ami, Sozomène a surfait le rôle de Basile pour le représenter *déjà* dans cette occasion mineure, où il n'eut pas à montrer sa pugnacité, tel qu'il fut *après* son élévation à l'épiscopat, c'est-à-dire comme

1. SOCRATE, *H.E.* IV, 2 place à tort le séjour de Valens à Antioche dès le début de son règne en 364/365. Sozomène l'a suivi dans cette voie, ce qui contribue à faire d'emblée de Valens un persécuteur sans merci (cf. *supra* p. 45 note 1).

un opposant déterminé et de tout premier plan à Valens, ce que du reste il ne fut pas toujours[1].

La datation du séjour impérial à Édesse mentionné au chap. 18, donc *avant* la mort d'Athanase (chap. 19), poserait également problème, si la *Chronique d'Édesse* ne permettait pas, en assignant à l'année 373 la fermeture des églises catholiques mentionnées comme *déjà* interdites aux nicéens dans le récit de Sozomène, de situer les événements d'Édesse *après* la mort d'Athanase et probablement en 375. Est-ce une erreur, une négligence? ou la volonté de contribuer, en antidatant l'épisode, à allonger la durée de l'activité proprement «persécutrice» de Valens[2], en montrant qu'elle commença *avant* la mort d'Athanase, contrairement à ce que certains pouvaient penser, sans doute à bon escient.

Le tableau suivant, en donnant la date exacte ou probable des événements rapportés dans chaque séquence, fera ressortir les décrochements qu'opère le récit par rapport à la chronologie :

Séquence 1 (chap. I-II) : fin du règne de Julien (mars-juin 363)

Séquence 2 (chap. III-VI) : règne de Jovien (juin 363-février 364)

1. L'année 365 fut, il est vrai, cruciale pour Basile, car à partir de là, il resta, comme prêtre puis comme évêque, le pasteur de Césarée. Il en était parti en 363, à cause de son désaccord avec Eusèbe que GRÉGOIRE, *disc.* 43, 28, attribue pudiquement à «un sentiment humain», c'est-à-dire à la jalousie. D'après P. ROUSSEAU, Valens peut avoir fait au moins trois visites à Césarée (cf. l'Appendix I «Valens's Visits to Caesarea», p. 351-353). Celle de l'Épiphanie de 372 fut suivie d'un entretien très positif puisque la réalisation de la Basiliade, déjà en cours, obtint le patronage de l'empereur (P. ROUSSEAU, *ibid.*, p. 173-176).

2. *H.E.* VI, 18. Le revirement si brusque de l'empereur, passant d'une intention pieuse à une fureur meurtrière, laisse supposer une certaine exagération de l'historien nicéen.

Séquence 3 (chap. VI) : élévation de Valentinien, puis de Valens (février et mars 364)

Séquence 4 (chap. VII) : concile de Lampsaque (364); Valens à Antioche (364?) : en fait, Valens ne s'installa à Antioche qu'en 371.

Séquence 5 (chap. VIII) : rébellion de Procope (365-366)

Séquence 6 (chap. IX-X) : débuts de la persécution en Orient (366)

Séquence 7 (chap. XI) : profession de foi des nicéens présentée à l'évêque de Rome (avant la mort de Libère, le 24 sept. 366)

Séquence 8 (chap. XII-XIV) : persécutions à Alexandrie, Constantinople, Nicomédie ; exil puis rappel d'Athanase (366)

Séquence 9 (chap. XV-XVII) : Basile et Valens à Césarée (365 et 372)

Séquence 10 (chap. XVIII) : persécution à Antioche (à partir de 371), échec du persécuteur à Édesse (*c.* 375)

Séquence 11 (chap. XIX-XX) : mort d'Athanase (2 mai 373) et persécution des moines d'Égypte (à partir de 373)

Séquence 12 (chap. XXI) : résistance de Vétranion, évêque de Scythie (368?)

Séquence 12 (chap. XXII) : le problème du Saint-Esprit (avant la mort de Libère le 24 sept. 366)

Séquence 13 (chap. XXIII) : mort de Libère, rivalité entre Damase et Ursin (366-367); concile de Rome (*c.* 371)

Séquence 14 (chap. XXIV) : élection d'Ambroise (décembre 374)

Séquence 15 (chap. XXV-XXVII) : Hérésies : apollinarisme vers 370, anoméisme d'Aèce et d'Eunome, dès avant 364

Séquence 16 (chap. XXVIII-XXXIV) : éloge des moines depuis Constance et même Constantin

Séquence 17 (chap. XXXV) : l'« affaire du trépied » à Antioche (371-372)

Séquence 18 (chap. XXXVI) : mort de Valentinien (17 novembre 375)

Séquence 19 (chap. XXXVII) : les Goths passent le Danube (376)

Séquence 20 (chap. XXXVIII) : Mavia reine des Saracènes (377?)

Séquence 21 (chap XXXIX-XL) : défaite et mort de Valens (9 août 378).

En revanche, Sozomène fait preuve des qualités historiques fondamentales : le goût de l'enquête auprès des témoins directs, l'acquisition d'une information très personnelle, souvent même unique, concernant notamment la Palestine, le souci de fonder son récit sur des documents irréfutables, notamment les lois qui lui permettent de corriger les récits de ses prédécesseurs[1]. Ses qualités de juriste ou d'avocat, de Palestinien d'origine, d'enquêteur curieux de traditions locales, y compris non-grecques – il se réfère par exemple à des chants que les Saracènes entonnaient encore de son temps en l'honneur de leur reine Mavia (VI, 38, 4) –, d'admirateur du monachisme font de lui un historien qui, tout en utilisant à bon escient d'abondantes sources écrites – le plus souvent les meilleures, car ce sont les plus directes : Athanase, Sabinos d'Héraclée, Grégoire de Nazianze, Jean Chrysostome, Julien même et Libanius, sans oublier ses prédécesseurs, Eusèbe de Césarée, Rufin

1. Après J. HARRIS, « Sozomen and Eusebius : the Lawyer as Church Historian in the fifth Century », dans *The Inheritance of Historiography 350-900*, C. Holsworth et T. P.Wiseman édd., Exeter 1986, l'étude de R. M. ERRINGTON, « Christian Accounts of the religious Legislation of Theodosius I », dans *Klio* 79, 1997, p. 398-441 montre, pour le règne de Théodose Ier, que Sozomène a une connaissance beaucoup plus précise des lois que les autres historiens ecclésiastiques et qu'elle lui permet de redresser des erreurs de Socrate (p. 410-435).

et Socrate et, dans un autre registre, l'*Historia monachorum* grecque et latine, l'*Histoire lausiaque* – parvient à s'en dégager en portant souvent sur elles un jugement critique et personnel. En adoptant, grâce à sa connaissance de la langue et de l'environnement syriaques, une perspective plus large que celle d'un hellénisme pur mais figé, l'esprit de Sozomène, formé par l'hellénisme, mais restant simultanément ouvert à un fond proche-oriental et, pourrait-on dire, sémitique[1], constitue à son tour, pour l'historien d'aujourd'hui, un document de grande valeur et l'un des aspects les plus actuels et les plus fascinants de son histoire.

On ne peut donc pas, sous peine de manquer l'essentiel, juger Sozomène en fonction des critères d'une historiographie classique, parfaite, qui n'a sans doute jamais existé, ni non plus d'un positivisme dépassé. Il importe plutôt de s'efforcer de comprendre ce qu'il voulait faire et de reconnaître les aspects riches et divers de son apport à l'histoire de cette époque. Tout d'abord par l'intérêt et la pertinence des documents qu'il cite, lettres synodales, lettres à l'empereur ou à l'évêque de Rome[2], certes dans la tradition d'Eusèbe, mais avec une liberté qui lui permet d'abréger le document de ce qu'il n'avait pas d'essentiel, ce que ne faisait pas Socrate[3]. Dans une

---

1. P. ALLEN, « Some Aspects of Hellenism... », dans *Traditio* 43, 1987, p. 368-381, suggère, p. 375-376, que son horizon, plus large que celui de l'hellénisme classique, s'explique, comme pour Théodoret, par son appartenance d'origine à un milieu de langue syriaque.

2. Lettre synodale adressée à l'empereur Jovien en *H.E.* VI, 5, 4; lettre adressée par les évêques Silvain, Eustathe et Théophile à l'évêque de Rome en *H.E.* VI, 11, 1-3; lettre adressée par l'évêque de Rome Damase et l'évêque Valerianus aux évêques d'Illyrie en *H.E.* VI, 23, 7-15; lettre de Grégoire à Nectaire de Constantinople en *H.E.* VI, 27, 2-6.

3. La synodale du concile de Lampsaque est résumée en *H.E.* VI, 7, 3-6; la profession de Silvain, Eustathe et Théophile (*H.E.* VI, 11, 1-3) est abrégée du début et de la fin par rapport au texte complet que donne Socrate en IV, 12.

histoire de l'Église, il nous fournit aussi des éléments de grande valeur pour l'histoire politique et même militaire. Ainsi pour l'histoire des Goths, où son témoignage est précieux, d'abord dans le domaine religieux *et* diplomatique avec l'action d'Ulfila, mais également dans le domaine politico-militaire à partir des années 340, avec, en particulier, la rivalité entre Fritigern et Athanaric et la guerre civile qui s'ensuivit à partir de 370, jusqu'à l'invasion du diocèse thracique au cours des années 376-378. D'autant que certains de ces éléments manquent dans les histoires profanes[1]. Il en va de même pour l'histoire des relations religieuses certes, mais présentant aussi d'importantes implications politiques et militaires, entre l'Empire romain et les tribus des Saracènes, gouvernées par leur reine Mavia et, dans un autre épisode, le phylarque Zôkomos[2]. Sur ces relations complexes et changeantes, le récit de Sozomène est une source complète et bien informée, grâce à une enquête personnelle dont on peut étendre les conclusions à d'autres tribus des confins romano-barbares.

Il montre en effet l'imbrication étroite du politique et du religieux dans les relations de Rome avec des voisins barbares au statut ambigu, aussi susceptibles de devenir des alliés efficaces que des ennemis redoutables, ce que ne peuvent montrer les historiens « profanes », Ammien compris, qui, par principe, excluent ou limitent étroitement le religieux. Au contraire, dans la perspective chré-

1. Notamment chez AMM. qui ne mentionne ni Ulfila, ni la guerre civile entre les Goths, ni la persécution des chrétiens par Athanaric, ni les démêlés des Romains avec Mavia et les Saracènes. Seul indice recoupant le récit de Sozomène : la présence d'un détachement de Saracènes parmi les défenseurs de Constantinople après Andrinople (31, 16, 5-6).

2. Voir F. THELAMON, p. 128-147 et J. S. TRIMINGHAM, « Mawiyya the first christian Arab Queen », dans *Theological Review* 1, 1978, p. 3-10.

tienne et optimiste qu'il a affichée dès le livre II dans le récit de la conversion des Ibères (ch. 7), des Arméniens et des Perses (chap. 8), puis des Axoumites (chap. 24), Sozomène considère l'expansion du christianisme comme l'élément moteur d'un véritable ralliement politique des barbares. Plus même que leur histoire politique, il se plaît à connaître et à faire connaître la civilisation, voire la mentalité de ces peuples étranges et exotiques : l'explication du nom des Saracènes – qu'il dit tenir des Saracènes eux-mêmes –, même si elle est objectivement fausse, est une clé qu'il propose pour pénétrer dans la mentalité de ces Bédouins pleins de fierté, pour comprendre les sentiments qui animent les Ismaélites face aux Hébreux, la jalousie, l'envie, mais aussi l'admiration les poussant à une imitation positive. C'est tout un panorama de l'histoire biblique la plus ancienne, d'Abraham, Sarah et Agar jusqu'aux anciens Hébreux puis à ceux qui reçurent la Loi de Moïse que nous livre un tel chapitre[1]. Panorama précieux non point tant par ce qu'il peut nous apprendre ou nous rappeler que nous ne sachions déjà des temps bibliques ou pré-bibliques, que par le témoignage qu'il donne sur la façon dont un Byzantin du ve siècle considérait comme très actuels ces problèmes d'antagonisme et de fascination entre frères de race et de destin et s'y intéressait en historien chevauchant hardiment à travers les siècles et les millénaires.

Le conteur et son art

Comment terminer cette introduction sans appeler le lecteur à apprécier, comme nous l'avons goûté nous-mêmes, le charme des récits où Sozomène retrouve la veine ancienne et inépuisable du conteur par excellence, Hérodote, le « père de l'histoire » pour Cicéron? Mais

1. *H.E.* VI, 38, 10-13.

« conteur » au sens noble du terme : un des maîtres de l'analyse actuelle des historiens antiques[1], constatant que les récits de nos explorateurs, anthropologues, sociologues, folkloristes, en se construisant à partir de témoignages oraux, constituent « un rameau original de l'*historia* hérodotéenne », ne conclut-il pas : « C'est une vérité singulière à concevoir qu'Hérodote ne soit réellement devenu le père de l'histoire que dans les Temps modernes » ? C'est précisément en ce sens, par le caractère d'un récit proche de l'oralité et transparent à des témoignages directs et 'naïfs', que le rapprochement avec Hérodote se justifie pour Sozomène, et pour les autres historiens ecclésiastiques, mais peut-être chez eux dans une mesure moindre ou moins réussie. Nous pensons à la saveur des scènes dialoguées comme celle d'Édesse où l'héroïque jeune femme se précipitant vers le martyre emporte son nourrisson dans ses bras et déclare fièrement au préfet persécuteur qu'elle ne veut pas, en arrivant en retard, priver de cette gloire ce qu'elle a de plus cher en ce monde[2]. Plus encore peut-être, dans un autre registre, au débarquement de moines exilés dans une île déserte d'Égypte où le paganisme survit, comme hors du temps, avec son temple, son vieux prêtre et la fille de celui-ci, les paroles pathétiques que, possédée par le démon, la malheureuse adresse aux saints hommes – « Nous sommes ici chez nous », leur crie-t-elle en substance, « mais nous vous laissons la place » –, la délivrance, enfin, inespérée qu'ils lui apportent[3].

Certes, ce sont là des anecdotes que Sozomène n'est pas seul à nous livrer, elles se retrouvent chez Rufin, Socrate, Théodoret et chez des historiens qui ne sont pas

1. A. MOMIGLIANO, « La place d'Hérodote dans l'historiographie », dans *Problèmes d'historiographie*..., p. 169-185.

2. *H.E.* VI, 18, 5-6.

3. *H.E.* VI, 20, 7-10.

tous ecclésiastiques, si Eunape ou Olympiodore est bien la source de l'anecdote des chasseurs huns poursuivant une biche à travers les marais et découvrant ainsi que la terre ne s'arrêtait pas là où ils le croyaient[1]. Mais elles se rassemblent toutes chez lui et il s'y ajoute tous les traits qu'il a su choisir dans l'histoire des moines, les plus frappants, les plus pittoresques, ceux qui se gravent le mieux dans l'esprit et l'imagination par leur naïveté ou leur étrangeté : la main angélique, visible seulement jusqu'au poignet, donnant l'hostie, la biffure mystérieuse dans un livre du nom des moines absents de la prière, l'aller-retour de Piôr auprès de sa sœur après cinquante années de solitude, les trois cents cailloux jetés un par un du pli de sa tunique pour n'oublier aucune de ses trois cents prières journalières, le remplissage secret des jarres au bénéfice d'autres moines à la santé défaillante, le sobriquet « l'Oreille » attribué au moine Ammônios qui s'était automutilé pour se dérober à l'épiscopat.

Sozomène rend aussi son récit transparent à de grands et beaux épisodes bibliques : le saint Piôr, devant les

1. *H.E.* VI 37, 3-4. Vu les dates, – l'*H.E.* de Sozomène fut achevée entre 443 et 448 alors que l'ambassade auprès d'Attila à laquelle participa Priscus eut lieu en 449 et fut suivie, entre 450 et 480, par son *Histoire d'Attila* (cf. R. BLOCKLEY, « The Development of greek Historiography : Priscus, Malchus, Candidus », dans *Greek and Roman Historiography*..., éd. G. Marasco p. 289-315, à la p. 293) –, cette information que Jordanes (milieu du VIe s.) déclare tenir de Priscus remonte, chez Sozomène, soit à Eunape ou Olympiodore dont il a pu théoriquement connaître les *Histoires* (D. F. BUCK, « Did Sozomen use Eunapius' *Histories?* », dans *Museum Helveticum* 56, 1999, p. 15-25, est cependant plus que réservé), soit plutôt à une tradition orale recueillie directement : bien avant les années 440, les relations avec les Huns, la connaissance de leurs mœurs et de leur histoire s'étaient développées, par exemple à la suite de l'ambassade auprès du roi des Huns Donatus, en 412, à laquelle participa Olympiodore (cf. W. LIEBESCHUETZ, « Pagan Historiography and the Decline of the Empire », dans *Greek and Roman Historiography*, p. 176-218, spécialement p. 201-206 sur Olympiodore).

yeux de moines de peu de foi, rend douce l'eau du puits comme Moïse rendit potables les eaux de Mara, puis fit jaillir devant les Hébreux récriminant l'eau du rocher d'Horeb; l'évêque Mélas accueille humblement les envoyés de Valens venus pour l'arrêter, les sert à table de ses propres mains sans se faire connaître, avec la même simplicité généreuse qu'Abraham accueillant les anges messagers de la destruction de Sodome; Moïse, ermite du Sinaï, s'adresse à l'évêque arien Lucius avec la même franchise et la même foi abruptes (38, 6-8) que son homonyme – et modèle! – exigeant de Pharaon la libération de son peuple[1].

C'est ainsi, à la fois par l'accumulation et le choix judicieux d'anecdotes où la banalité du quotidien fait bon ménage avec le surnaturel, que le récit de Sozomène se distingue de ceux des autres historiens de l'Église[2]. Les éléments d'irrationnel, d'invraisemblable, de merveilleux, tels que les désignent nos catégories modernes qui, à l'évidence, ne sont pas les siennes, tout en restant ordonnés à une intention profondément chrétienne, la glorification du miracle, retiennent aussi quelque chose de la saveur du roman grec, dont on reconnaît des éléments récurrents, personnages menacés ou poursuivis, lieux étranges et inconnus, rencontre inattendue et surprenante, angoisse originelle, délivrance finale. C'est peut-être là, dans ces épisodes historico-romanesques – pensons aussi aux amours périlleuses d'Évagre et à son salutaire rêve prémonitoire en 30, 9-11 –, que se trouve ou se découvre un autre Sozomène, un historien certes, et des

1. *H.E.* VI, 29, 30 (Piôr); 31, 6, 7-9 (Mélas); 38, 6-8 (Moïse; le rapprochement est fait par F. THELAMON, p. 147).

2. C'est en ce sens large, et non simplement pour le style, qu'il faut sans doute entendre le jugement du patriarche PHOTIUS, au IXe siècle : «Sozomène est bien meilleur que Socrate pour l'expression» (*Bibl.* cod. 30). Cf. *SC* 306, p. 59-87, notamment p. 81-82.

plus sérieux, voire austère, mais aussi, à de certains moments, un homme se laissant aller au plaisir du conteur, à la complaisance bien humaine de se mettre en avant et de dire «Je», de raconter fièrement l'histoire de sa famille dans sa petite patrie de Bethéléa, avec son panthéon «qui domine tout le bourg»[1], un homme curieux du passé proche et lointain, qui aime entrelacer le passé au présent, discerner dans l'un l'amorce et les prémices de l'autre et, en narrateur habile, semer dans le récit actuel les promesses du récit à venir[2].

En terminant ce travail, c'est pour nous un devoir bien agréable que de remercier les membres de l'équipe de «Sources chrétiennes» (équipe HISOMA du CNRS), en particulier son directeur J.-N. Guinot, le P. Dominique Gonnet et J. Reynard, pour l'aide amicale et généreuse qu'ils nous ont toujours apportée.

1. *H.E.* V, 15, 14 : «Béthéléa, bourgade... populeuse et qui a des temples vénérables aux yeux des habitants par leur antiquité et leur architecture, et surtout le panthéon situé, comme sur une acropole, sur une colline bâtie de main d'homme et qui de tout côté domine tout le bourg.» Comment croire que de tels détails portant sur une si humble localité pouvaient intéresser un public de cour à Constantinople, s'ils n'étaient magnifiés aux yeux de l'historien par des souvenirs personnels et des impressions d'enfance?

2. Parmi les nombreuses références «prospectives», citons seulement *H.E.* V, 3, 9 : «un évêque de Gaza de notre temps... mais ce sont là des événements qui eurent lieu plus tard»; V, 9, 9 : «cela se fit sous le règne de Théodose»; V, 16, 17 : «mais de cela il convient de faire mention plus tard», VI, 24, 5 «mais quel fut cet Ambroise après son ordination... je le dirai plus tard»; VI, 24, 9 : «je le dirai le moment venu»; VI, 26, 11 : «le règne de Théodose qui survint peu après...»; VI, 31, 11 : «l'église de Rhinocoroura ne cessa plus depuis lors jusqu'à nous et aujourd'hui encore...»; VI 32, 8 : «après lui, l'admirable Zacharias en prit la direction...» Leur triple fonction est de renforcer la cohésion des parties d'une œuvre longue, de souligner les continuités de l'histoire et, sur le plan littéraire, d'entretenir l'intérêt et la curiosité du lecteur qui voit ainsi l'histoire se rapprocher de son vécu personnel.

ABRÉVIATIONS BIBLIOGRAPHIQUES

Cette liste ne comporte que des travaux plusieurs fois cités.

AMM. : AMMIEN MARCELLIN, *Histoire,* Collection des Universités de France, Paris 1968-1999.

BARDY : A. FLICHE - V. MARTIN, *Histoire générale de l'Église depuis les origines jusqu'à nos jours,* t. 3 : *De la paix constantinienne à la mort de Théodose,* par J.-R. PALANQUE, G. BARDY, P. DE LABRIOLLE, Paris 1950.

BAUDOT-CHAUSSIN : BAUDOT - CHAUSSIN, *Vies des Saints et des bienheureux,* Paris 1935-1959 (13 vol.).

BIDEZ : J. BIDEZ, *La vie de l'empereur Julien,* Paris 1930 (réimpr. 1965).

BOUFFARTIGUE : J. BOUFFARTIGUE, *L'empereur Julien et la culture de son temps,* Paris 1992, Coll. des Études Augustiniennes n° 133.

BOWERSOCK : G. W. BOWERSOCK, *Julian the Apostate,* Cambridge Mass. 1978.

BRAUN-RICHER : *L'empereur Julien. De l'histoire à la légende (331-1715),* R. BRAUN - J. RICHER édd., t. 1, Paris 1978.

CAVALLERA : F. CAVALLERA, *Le schisme d'Antioche (IVe-Ve siècle),* Paris 1905.

DACL : Dictionnaire d'Archéologie chrétienne et de Liturgie, Paris.

DAGRON : G. DAGRON, *Naissance d'une capitale. Constantinople et ses institutions de 330 à 451,* Paris 1974.

DANIÉLOU-MARROU : J. DANIÉLOU - H.-I. MARROU, *Nouvelle Histoire de l'Église.* I. *Des origines à saint Grégoire le Grand,* Paris 1963.

DECA : *Dictionnaire encyclopédique du Christianisme ancien*, dir. A. di BERARDINO, trad. fr., 1990, 2 vol.

DELEHAYE : H. DELEHAYE, *Les Passions des martyrs et les genres littéraires* 1966, dans *Subsidia Hagiographica* 13 B.

DELMAIRE : R. DELMAIRE, *Les institutions du Bas-Empire romain de Constantin à Justinien*, Paris 1995.

DEMOUGEOT : E. DEMOUGEOT, *La formation de l'Europe et les invasions barbares, 2, De l'avènement de Dioclétien au début du VIe s.*, Paris 1968-1979 (3 vol.).

DHGE : *Dictionnaire d'Histoire et de Géographie ecclésiastiques*, Paris.

DOWNEY : G. DOWNEY, *A History of Antioch in Syria from Seleucus to the Arab Conquest*, Princeton 1961.

The Emperor Julian and the Rebirth of Hellenism, P. ALLEN - R. PENELLA édd., dans *The Ancient World*, 24, 1, 1993.

FESTUGIÈRE, *Antioche païenne et chrétienne* : A.-J. FESTUGIÈRE, *Antioche païenne et chrétienne*, Paris 1959, Bibliothèque des Écoles fr. d'Athènes et de Rome n° 194.

FESTUGIÈRE, *Les moines d'Orient* : A.-J. FESTUGIÈRE, *Les moines d'Orient*, Paris 1961-1965, *Subsidia Hagiographica* 53 (7 vol.).

GRYSON : R. GRYSON, *Scolies ariennes sur le concile d'Aquilée*, Sources chrétiennes n° 267, 1980.

H.E. : sans indication d'auteur renvoie à l'*Histoire ecclésiastique* de Sozomène.

HEFELE-LECLERCQ : C.-J. HEFELE - H.-L. LECLERCQ, *Histoire des conciles*, t. I, 2, Paris 1907.

LENSKI, *Failure* : N. LENSKI, *Failure of Empire. Valens and the Roman State in the Fourth Century A. D.*, Berkeley 2002.

LEPPIN : H. LEPPIN, *Von Constantin dem Grossen zu Theodosius II. Das christliche Kaisertum bei den Kirchenhistorikern Socrates, Sozomenus und Theodoret*, Göttingen 1995 (Hypomnemata Heft 110).

L'historiographie de l'Église des premiers siècles, B. POUDERON - Y. M. DUVAL édd., Paris 2001, Théologie historique n° 114.

LTK : *Lexikon für Theologie und Kirche*, Fribourg, 1957-1967.

MARASCO : *Greek and Roman Historiography in Late Antiquity*, G. MARASCO éd., Leiden 2003.

MARTIN : A. MARTIN, *Athanase d'Alexandrie et l'Église d'Égypte*, 1996, Coll. de l'École fr. de Rome n°216.

MESLIN : M. MESLIN, *Les ariens d'Occident 335-430*, Paris 1967, *Patristica Sorbonensia* 8.

PALANQUE : J.-R. PALANQUE, *Saint Ambroise et l'Empire romain*, Paris 1933.

PETIT : P. PETIT, *Libanius et la vie municipale à Antioche au IVe s. après J. C.*, Paris 1955, Inst. fr. d'Arch. de Beyrouth, Bibl. Arch. et Hist. n° 62.

PIETRI : Ch. et L. PIETRI, *Histoire du christianisme*, t. 2 *Naissance d'une chrétienté* (250-430), Paris 1995.

PIGANIOL : A. PIGANIOL, *L'Empire chrétien*, 2e éd. mise à jour par A. CHASTAGNOL, Paris 1972.

P.L.R.E. : *The Prosopography of the Later Roman Empire*. I : a. d. 260-395 par A.H.M. JONES - J.R. MARTINDALE - J. MORRIS Cambridge 1971. II : a. d. 395-527, par J.R. MARTINDALE, Cambridge 1980.

PROSOPOGRAPHIE CHRÉTIENNE : Ch. et L. PIETRI dir., *Prosopographie chrétienne du Bas-Empire*, 2, *Italie* (313-604), École fr. de Rome, 1999 (2 vol.).

PW : Pauly-Wissowa, *Realencyclopädie der classischen Altertumswissenschaft*, Stuttgart.

SEECK, *Regesten* : O. SEECK, *Regesten der Kaiser und Päpste (311-457 p. C.)*, Stuttgart 1919.

STEIN-PALANQUE : E. STEIN, *Histoire du Bas-Empire*. I. *De l'État romain à l'État byzantin (284-476)*, éd. fr. par J.R. PALANQUE, Paris 1959.

THELAMON : F. THELAMON, *Païens et chrétiens au IVe siècle. L'apport de l'*Histoire ecclésiastique *de Rufin d'Aquilée*, Paris 1981, Collection d'Études Augustiniennes.

de VOGÜÉ : A. de VOGÜÉ, *Histoire littéraire du mouvement monastique dans l'Antiquité*, Paris, 1991-2005 (9 vol.)

ZEILLER, *Les origines chrétiennes* : J. ZEILLER, *Les origines chrétiennes dans les provinces danubiennes de l'Empire romain*, Paris 1918, Bibliothèque des Écoles françaises d'Athènes et de Rome n°112, réimpr. anast. 1967.

TEXTE ET TRADUCTION

Α'. Περὶ τῆς ἀποστασίας Ἰουλιανοῦ τοῦ παραβάτου, καὶ περὶ τῆς τελευτῆς βασιλέως Κωνσταντίου.

Β'. Περὶ βίου καὶ ἀγωγῆς καὶ διαίτης, καὶ τῆς εἰς τὴν βασιλείαν παρόδου Ἰουλιανοῦ.

Γ'. Ὅτι καταστὰς εἰς τὴν βασιλείαν Ἰουλιανὸς ἠρέμα πως τὰ τῶν χριστιανῶν ἀνακινεῖν ἤρξατο καὶ τὸν ἑλληνισμὸν τεχνηέντως εἰσάγειν.

Δ'. Οἷα κακὰ Καισαρεῦσιν ὁ Ἰουλιανὸς διεπράξατο· καὶ περὶ τῆς παρρησίας Μάρι τοῦ ἐπισκόπου Χαλκηδόνος.

Ε'. Ὅτι ἀνῆκε καθειργμένοις Χριστιανοῖς τὴν ἐλευθερίαν, ἵνα μᾶλλον ἡ ἐκκλησία ταράσσοιτο· καὶ ὅσα κακὰ κατὰ χριστιανῶν ἐπενόει.

Ϛ'. Ὅτι καὶ Ἀθανάσιος τότε ἐπὶ χρόνοις ἑπτὰ παρὰ παρθένῳ σώφρονι καὶ ὡραίᾳ κρυπτόμενος ἀνεφάνη, καὶ τῆς Ἀλεξάνδρου ἐπέβη.

Ζ'. Περὶ τῆς ἀναιρέσεως καὶ τοῦ θριάμβου Γεωργίου τοῦ Ἀλεξανρείας, διὰ τὰ ἐν τῷ Μιθρίῳ συμβάντα· καὶ οἷα ἔγραψεν Ἰουλιανὸς περὶ τῆς τοιαύτης ὑποθέσεως.

Η'. Περὶ Θεοδώρου τοῦ σκευοφύλακος Ἀντιοχείας· καὶ ὡς τῶν σκευῶν χάριν Ἰουλιανὸς ὁ θεῖος τοῦ παραβάτου σκωληκόβρωτος ἐγένετο.

Θ'. Περὶ τοῦ μαρτυρίου τῶν ἁγίων Εὐσεβίου, Νεστάβου καὶ Ζήνωνος ἐν Γάζῃ τῇ πόλει.

Ι'. Περὶ τοῦ ἁγίου Ἱλαρίωνος καὶ τῶν ἐν Ἡλιουπόλει παρθένων ὑπὸ συῶν ἀναιρεθεισῶν, καὶ περὶ τοῦ ξένου μαρτυρίου Μάρκου τοῦ Ἀρεθουσίων ἐπισκόπου.

VOICI CE QUE CONTIENT LE LIVRE V DE L'*HISTOIRE ECCLÉSIASTIQUE*

I. L'apostasie de Julien le transgresseur ; la mort de l'empereur Constance.

II. Vie, éducation et conduite de Julien ; son accession à l'empire.

III. Parvenu à l'empire, Julien commence à ébranler peu à peu le christianisme et à introduire adroitement le paganisme.

IV. Les maux infligés aux habitants de Césarée par Julien ; le franc-parler de Maris, l'évêque de Chalcédoine.

V. Julien rend la liberté aux chrétiens emprisonnés, dans le but de troubler davantage l'Église ; tous les maux qu'il imagine contre les chrétiens.

VI. Athanase, alors caché pendant sept ans chez une vierge sage et belle, réapparaît et rentre dans la ville d'Alexandrie.

VII. Le meurtre et le cortège « triomphal » de l'évêque Georges d'Alexandrie à cause de ce qui s'était passé dans le Mithréum ; ce qu'écrit Julien à ce sujet.

VIII. Théodore, gardien des vases de l'église d'Antioche ; Julien, oncle du renégat, à cause de ces vases, est mangé par les vers.

IX. Le martyre des saints Eusèbe, Nestabos et Zénon dans la cité de Gaza.

X. Saint Hilarion ; les vierges d'Héliopolis tuées par des porcs ; l'extraordinaire martyre de Marc, évêque d'Aréthuse.

ΙΑ΄. Περὶ Μακεδονίου, Θεοδούλου, Γρατιανοῦ, Βουσίριδος, Βασιλείου καὶ Εὐψυχίου, τῶν ἐν ἐκείνοις τοῖς χρόνοις μαρτυρησάντων.

ΙΒ΄. Περὶ Λουκίφερος καὶ Εὐσεβίου, τῶν δυτικῶν ἐπισκόπων· καὶ ὡς Εὐσέβιος σὺν Ἀθανασίῳ τῷ μεγάλῳ καὶ λοιποῖς ἐπισκόποις ἐν Ἀλεξανδρείᾳ σύνοδον συνεκρότησαν, κυρώσαντες τὴν ἐν Νικαίᾳ πίστιν, καὶ ὁμοφυὲς πατρὶ καὶ υἱῷ τὸ πνεῦμα τὸ ἅγιον ὁρισάμενοι, καὶ περὶ οὐσίας καὶ ὑποστάσεως ἐθέσπισαν.

ΙΓ΄. Περὶ τῶν ἐν Ἀντιοχείᾳ ἀρχιερέων, Παυλίνου καὶ Μελετίου· καὶ ὡς Εὐσέβιος καὶ Λουκίφερ πρὸς ἀλλήλους διηνέχθησαν· καὶ ὡς Εὐσέβιος καὶ Ἱλάριος τὴν ἐν Νικαίᾳ πίστιν ἐκρότουν.

ΙΔ΄. Ὅπως οἱ ἀμφὶ Μακεδόνιον τοῖς περὶ Ἀκάκιον Ἀρειανοῖς διεφέροντο, καὶ τί ἦσαν ἀπολογούμενοι.

ΙΕ΄. Ὡς ἐξόριστος πάλιν ἐγένετο Ἀθανάσιος· καὶ περὶ Ἐλευσίου τοῦ Κυζίκου, καὶ Τίτου τοῦ Βόστρων ἐπισκόπου· καὶ μνεία τῶν τοῦ συγγραφέως προγόνων.

ΙϚ΄. Περὶ τῆς σπουδῆς ἣν εἶχε συστῆσαι τὸν ἑλληνισμόν, ἀχρειῶσαι δὲ τὰ ἡμέτερα· καὶ ἐπιστολὴ ἥν τινι τῶν Ἑλληνιστῶν ἀρχιερέων ἀπέστειλεν.

ΙΖ΄. Ὅτι ἵνα μὴ τυραννικὸς δόξῃ, τεχνηέντως μετήρχετο τοὺς χριστιανούς· καὶ περὶ τῆς καθαιρέσεως τοῦ σταυρικοῦ σημείου· καὶ ὡς θῦσαι τὸ στρατιωτικὸν ἀκουσίως πεποίηκε.

ΙΗ΄. Ὡς Ἰουλιανὸς ἐκώλυε χριστιανοὺς καὶ ἀγορῶν καὶ κρίσεων καὶ τοῦ μετέρχεσθαι τὴν ἑλληνικὴν παιδείαν· καὶ περὶ Βασιλείου τοῦ μεγάλου, Γρηγορίου τοῦ θεολόγου καὶ Ἀπολιναρίου, ἀνθισταμένων αὐτῷ, καὶ μεταβαλλόντων τὰ θεῖα πρὸς τὴν ἑλληνικὴν φράσιν· καὶ μᾶλλον Ἀπολινάριος καὶ Γρηγόριος ὁ Ναζιανζηνός, ὁ μὲν ῥητορικῶς λίαν γράφων, ὁ δὲ ἡρωΐζων, καὶ πάντα ποιητὴν μιμούμενος.

XI. Macédonius, Théodule, Gratien, Busiris, Basile et Eupsychius, qui furent martyrs en ces temps-là.

XII. Lucifer et Eusèbe, évêques d'Occident; Eusèbe, en même temps qu'Athanase le grand et les autres évêques, rassemble un concile à Alexandrie; on y confirme la foi de Nicée, on y définit que l'Esprit saint est de même nature que le Père et le Fils, et on décrète sur l'ousia et l'hypostase.

XIII. Les évêques d'Antioche Paulin et Mélèce; discorde entre Eusèbe et Lucifer; Eusèbe et Hilaire fortifient la foi de Nicée.

XIV. Le différend entre les partisans de Macédonius et ceux d'Acace; ce qu'ils disent pour se défendre.

XV. Athanase est de nouveau exilé; Eleusios évêque de Cyzique et Titus évêque de Bostra; mention des ancêtres de l'auteur.

XVI. Le zèle que met Julien à établir le paganisme et abolir notre religion; la lettre qu'il adresse à un grand-prêtre païen.

XVII. Pour ne pas passer pour un tyran, Julien persécute adroitement les chrétiens; la destruction du symbole de la Croix; il fait en sorte que les soldats sacrifient contre leur gré.

XVIII. Julien écarte les chrétiens des places publiques et des tribunaux et les empêche de bénéficier de l'éducation païenne; Basile le grand, Grégoire le théologien, Apollinaire, qui s'opposent à l'empereur et traduisent en grec les livres saints; et plus précisément Apollinaire et Grégoire de Nazianze, l'un prosateur très éloquent, l'autre poète épique et imitateur de toute sorte de poètes.

ΙΘʹ. Περὶ τοῦ λόγου τοῦ Ἰουλιανοῦ, ὃν ἐπέγραψε *Μισοπώγωνα* · καὶ περὶ τῆς ἐν Ἀντιοχείᾳ Δάφνης καὶ ἔκφρασις αὐτοῦ καὶ περὶ τῆς μετακομιδῆς τῶν λειψάνων Βαβύλα τοῦ ἱερομάρτυρος.

Κʹ. Ὅτι χάριν τῆς μετακομιδῆς ταύτης πολλοὺς τῶν χριστιανῶν ἐκάκωσε · καὶ περὶ τοῦ ἁγίου Θεοδώρου τοῦ ὁμολογητοῦ · καὶ ὅτι πῦρ οὐρανόθεν πεσὸν τὸν ἐν Δάφνῃ ναὸν ἀνέπρησε τοῦ Ἀπόλλωνος.

ΚΑʹ. Περὶ τοῦ ἀγάλματος τοῦ Χριστοῦ, τοῦ ἐν Πανεάδι, ὃ καταβαλὼν Ἰουλιανὸς καὶ ἀχρειώσας τὸ ἑαυτοῦ ἄγαλμα ἔστησε · καὶ ὡς ἐφθάρη τοῦτο, βληθὲν κεραυνῷ · καὶ περὶ τῆς εἰς Ἐμμαοῦς πηγῆς, ἔνθα ὁ Χριστὸς τοὺς πόδας ἔνιψε · καὶ περὶ τῆς Περσίδος τοῦ δένδρου, ὃ ἐν Αἰγύπτῳ Χριστὸν προσεκύνησε, καὶ τῶν δι' αὐτὸ τελουμένων θαυμάτων.

ΚΒʹ. Ὅτι κατὰ χριστιανῶν πνέων καὶ Ἰουδαίοις ἀνῆκε τὸν ἐν Ἱεροσολύμοις νεὼν ἀνιστᾶν · ὧν σπουδῇ πάσῃ ἐπιβαλλομένων χεῖρα, πῦρ ἀναθοροῦν πολλοὺς παραπώλεσε. Καὶ περὶ τῶν τότε φανέντων σταυρικῶν σημείων ἐν τοῖς ἱματίοις τῶν περὶ τὸ ἔργον διαπονουμένων.

ΤΟΥ ΑΥΤΟΥ
ΕΚΚΛΗΣΙΑΣΤΙΚΗΣ ΙΣΤΟΡΙΑΣ
ΤΟΜΟΣ ΠΕΜΠΤΟΣ

1

PG 67 col. 1208 Bidez **188** 1209

1 Καὶ τὰ μὲν ὧδε ἀνὰ τὴν ἕω περὶ τὰς ἐκκλησίας συνέβη. Ἐν τούτῳ δὲ Ἰουλιανὸς ὁ Καῖσαρ μάχῃ κρατήσας τῶν παρὰ τὸν Ῥῆνον ποταμὸν βαρβάρων | τοὺς μὲν ἐχειρώσατο, τοὺς δὲ ἐζώγρησε. Λαμπρὸς δὲ τηνικάδε φανεὶς καὶ ὑπὸ μετριότητος καὶ ἐπιεικείας κεχαρισμένος τοῖς στρατιώταις γεγονώς, ἀναγορεύεται πρὸς αὐτῶν Σεβαστός. **2** Μηδὲν δὲ περὶ τούτου ὡς εἰκὸς πρὸς Κωνστάντιον

1. Allusion probable à la victoire remportée par Julien à Argentoratum (Strasbourg), le 25 août 357, sur les Alamans coalisés (AMM. 16, 12) : cf. PIGANIOL, p. 134-135 et bibl., p. 134, note 4. Sur Julien, outre le témoignage essentiel de ses propres *Lettres* et *Discours*, 4 vol. dans la *CUF*, voir principalement J. BIDEZ, *La vie de l'empereur Julien*, Paris 1930 (réimpr. 1965) ; R. BRAUN et J. RICHER (édd.), *L'empereur Julien. De l'histoire à la légende (331-1715)*, t. 1, Paris 1978 ; G.-W. BOWERSOCK, *Julian the Apostate*, Cambridge Mass. 1978 ; R. KLEIN éd., *Julian Apostata*,

DU MÊME
HISTOIRE ECCLÉSIASTIQUE

LIVRE V
(Règne de Julien : 361-363)

Chapitre 1

L'apostasie de Julien le renégat;
la mort de l'empereur Constance.

1 Tels furent les événements en Orient en ce qui concerne les églises. À ce moment, le César Julien, ayant vaincu dans une bataille les barbares au bord du Rhin, réduisit les uns, captura les autres[1]. Comme il en avait été illustré et qu'il était devenu cher aux soldats pour sa modération et sa clémence, il est proclamé par eux Auguste[2]. **2** Sans avoir fait à ce sujet aucune résistance

Darmstadt 1978, Wege der Forschung 509 (articles de Th. Büttner-Wobst, K. Latte, R. Andreotti, H. Raeder, A.-J. Festugière, Ch. Lacombrade, B.C. Hardy, K. Rosen, G. Wirth...); J. LONG, R. PENELLA (édd.), *The Emperor Julian and the Rebirth of Hellenism*, dans *The Ancient World*, t. 24, 1, 1993; J. BOUFFARTIGUE, *L'empereur Julien et la culture de son temps*, Paris 1992 (Coll. des Études Augustiniennes 133); D. HUNT, *The late Empire A.D. 337-425*, dans Cambridge Ancient History, XIII, 1998, Av. Cameron, P. Garnsey édd., p. 44-77.

2. La proclamation de Julien à Lutèce (AMM. 20, 4) n'eut lieu qu'en février 360, près de trois ans après la victoire d'Argentoratum et plusieurs autres campagnes victorieuses menées jusqu'au delà du Rhin contre les Alamans et les Francs.

παραιτησάμενος ἄρχοντας μὲν τοὺς ὑπ' αὐτοῦ χειροτονηθέντας ἤμειϐεν, ἐπίτηδες δὲ καὶ τὰς ἐπιστολὰς ἐπεδείκνυ, δι' ὧν τοὺς βαρϐάρους καλῶν κατὰ Μαγνεντίου εἰς Ῥωμαίους ἤγαγεν. Ἐξαπίνης δὲ τὴν θρησκείαν μεταϐαλών, πρότερον χριστιανίζειν δοκῶν, ἀρχιερέα ὠνόμαζεν ἑαυτὸν καὶ τοῖς Ἑλλήνων ναοῖς ἐφοίτα καὶ ἔθυε καὶ τοὺς ὑπηκόους ὧδε θρησκεύειν ἔπειθε.

3 Προσδοκωμένων δὲ Περσῶν Ῥωμαίοις ἐπιθήσεσθαι καὶ διὰ τοῦτο Κωνσταντίου ἐν Συρίᾳ διατρίϐοντος, λογισάμενος ἀμαχητὶ δύνασθαι τῶν Ἰλλυριῶν κρατεῖν, εἴχετο τῆς ἐπ' αὐτοὺς ὁδοῦ, πρόφασιν ποιούμενος ὡς ἀπολογίας χάριν ἐλαύνει πρὸς Κωνστάντιον ὑπὲρ τοῦ μὴ ἑκὼν δόξαι πρὸς τῶν στρατιωτῶν παρὰ γνώμην αὐτοῦ τὰ σύμϐολα τῆς βασιλείας καταδεδέχθαι. **4** Λέγεται δὲ ἡνίκα

1. Présentation radicalement opposée à celle d'AMM., qui prête à Julien une résistance acharnée (20, 4,15 et 20, 8, 5-7). Le «refus du pouvoir», impérial ou épiscopal, est, comme signe de légitimité, un lieu commun, surtout dans l'Antiquité tardive.

2. Allusion à la fuite du préfet du prétoire Florentius (AMM. 20, 8, 20-21) et au refus de Julien d'entériner les nominations de Felix et de Gomoarius décidées par Constance (AMM. 20, 9, 5 et 8).

3. Sozomène est seul avec ZOSIME, II, 53, 4 à mentionner une telle trahison. D'après PIGANIOL, p. 99, s'appuyant sur Zosime, Constance avait soudoyé le roi alaman Chnodomar pour se débarrasser de Magnence en 353. AMM., dont le récit de la guerre entre Constance et Magnence (350-353) ne nous est pas parvenu, ne mentionne qu'une correspondance secrète ultérieure entre Constance et le roi alaman Vadomarius, après la proclamation de Julien comme Auguste par ses soldats (21, 3, 4-6).

4. En fait, Julien s'était intimement converti au paganisme sans doute autour de 351 (PIGANIOL, p. 126). Mais le 6 janvier 361 encore, il célébrait l'Épiphanie à Vienne (AMM. 21, 2, 5) et, en route pour affronter Constance, il gardait secrète sa dévotion à Bellone (AMM. 21, 5, 1). Il ne se déclara ouvertement fidèle au «culte des dieux» (AMM. 22, 5, 1) qu'après la mort de Constance et sa propre installation à Constantinople, le 11 décembre 361.

5. Non pas le titre de *Pontifex Maximus,* assumé traditionnellement par l'empereur dès son accession au pouvoir (Gratien le refusa en 379),

comme il eût été convenable à l'égard de Constance[1], il se mit d'une part à changer les autorités qui avaient été nommées par lui[2], d'autre part il montrait aussi, à dessein, les lettres par lesquelles Constance, appelant les barbares contre Magnence, les avait poussés contre les Romains[3]. Soudain il changea de religion[4] : alors qu'il paraissait auparavant être chrétien, il se faisait appeler grand-prêtre[5], fréquentait les temples païens, y sacrifiait et cherchait à persuader ses sujets de pratiquer sa religion.

3 Comme on s'attendait à une attaque des Perses contre les Romains et que pour cela Constance séjournait en Syrie[6], Julien, pensant qu'il pourrait s'emparer de l'Illyrie sans combat, prit la route pour ce pays[7], prétextant qu'il se rendait chez Constance pour s'excuser, afin de ne pas paraître avoir de plein gré reçu des soldats, malgré Constance, les insignes du pouvoir impérial. **4** On raconte

mais celui de «Prêtre Suprême» de l'Empire que Julien s'attribua en réorganisant le clergé païen. Il se donnait ainsi autorité sur les grands-prêtres et les grandes-prêtresses des différentes provinces, placés eux-mêmes au-dessus des prêtres et prêtresses des villes et sanctuaires (cf. STEIN - PALANQUE I, p. 163), auxquels il adressait de véritables «encycliques» : voir aussi PIGANIOL, p. 153, citant JULIEN, *ep.* 84 a, à Arsace, grand-prêtre de Galatie – document donné par Sozomène en V, 16, 5-15 – et *ep.* 89 à Théodore, grand-prêtre d'Asie.

6. Allusion générale à la période qui suivit la campagne victorieuse de Sapor II en 360 (siège et prise de Singare et de Bézabdé : AMM. 20, 6 et 7). Après avoir passé l'hiver 359/360 à Constantinople où il avait réuni le concile rapporté en *H.E.* IV, 23-25 (*SC* 418, p. 313-337), Constance essaya en vain de reprendre Bézabdé. A la fin de l'automne 360, il installa ses quartiers à Antioche (AMM. 20, 11, 32) et se prépara à répondre à une nouvelle offensive perse (AMM. 21, 6 et 7), avant de se tourner finalement vers l'Occident pour affronter Julien (AMM. 21, 13, 16 et 15, 1-2).

7. La marche foudroyante de Julien (été-automne 361), marquée par la prise de Sirmium, le verrouillage du Pas de Sucques et l'établissement à Naïssus (Nisch), rapportée par AMM. en 21, 8-10, est évoquée en termes dithyrambiques par le panégyriste Mamertin qui en fut le témoin direct (*Pan.* XI, 6-10).

πρῶτον τῶν τῇδε ὅρων ἐπέβη, τὰς μὲν ἀμπέλους μετὰ τρύγην ἀμφὶ τὴν τῶν πλειάδων δύσιν ὀμφάκων πλήρεις **189** φα|νῆναι, τὴν δὲ ἀπὸ τοῦ ἀέρος δρόσον διαχεθεῖσαν κατὰ τῆς αὐτοῦ ἐσθῆτος καὶ τῶν ἑπομένων καθ' ἑκάστην σταγόνα σταυροῦ σημεῖον ἐντυπῶσαι. **5** Ἐδόκει δὲ αὐτῷ τε καὶ πολλοῖς τῶν συνιόντων οἱ μὲν βότρυες παρὰ καιρὸν φανέντες σύμβολον εἶναι ἀγαθόν, ἡ δὲ δρόσος ἐκ παρατυχόντος ὧδε καταστίξαι τὴν ἐσθῆτα καθ' ἧς ἔτυχε πεσοῦσα. Ἄλλοι δὲ ἔλεγον τοῖν συμβόλοιν τὸ μὲν ἄωρον σημαίνειν ἀπολεῖσθαι τὸν βασιλέα ὀμφάκων δίκην, καὶ ὀλιγοχρόνιον αὐτοῦ ἔσεσθαι τὴν βασιλείαν, τὸ δὲ προμηνύειν οὐράνιον εἶναι τὸ δόγμα τῶν Χριστιανῶν, καὶ χρῆναι πάντας τῷ συμβόλῳ τοῦ σταυροῦ κατασημανθῆναι. Ὡς ἔοικε δέ, οἱ τἀναντία τῷ βασιλεῖ δοξάσαντες οὐ διήμαρτον τῆς ἀληθείας· ἀμφότερα γὰρ εὐστόχως εἰρῆσθαι προϊὼν ὁ χρόνος ἀπέδειξεν.

6 Ἐπεὶ δὲ ἐπύθετο Κωνστάντιος ἐκστρατεύειν ἐπ' αὐτὸν Ἰουλιανόν, καταλιπὼν τὴν πρὸς τοὺς Πέρσας παρασκευὴν ἐπὶ τὴν Κωνσταντινούπολιν ἠπείγετο, ἡνίκα δὴ τὴν ὁδοιπορίαν ποιούμενος ἐτελεύτησεν ἐν Μόμψου κρήναις, μεταξὺ Κιλίκων καὶ Καππαδοκῶν τῶν πρὸς τῷ Ταύρῳ, ἔτη ἀμφὶ τεσσαράκοντα καὶ πέντε γεγονώς, ἐξ ὧν τρισκαίδεκα μὲν σὺν τῷ πατρὶ ἐβασίλευσε, πέντε δὲ καὶ εἴκοσι μετ' ἐκεῖνον. **7** Ἐπεὶ δὲ ἐτελεύτησεν, ὁ μὲν Ἰουλιανὸς ἤδη τὴν Θρᾴκην εἶχεν· οὐκ εἰς μακρὰν δὲ εἰς τὴν Κωνσταντινούπολιν ἐλθὼν αὐτοκράτωρ ἀνηγορεύθη. **8** Οἱ δὲ Ἕλληνες ἐλογοποίουν, ὡς καὶ πρὸ τοῦ Γαλάτας

1. C'est-à-dire le mois de novembre. «Les frontières de ce pays» sont la limite de la *pars Orientis,* c'est-à-dire la Thrace : arrivé à Naïssus en octobre, Julien s'y trouve encore quand il apprend la mort de Constance. Le présage des raisins verts et des gouttes de rosée cruciformes et son interprétation paraissent propres à Sozomène. Mais l'histoire de Julien est pleine de signes et de présages ambigus pour AMM. aussi (21, 2, 1; 23, 3, 6; 23, 5, 8). Un autre *omen* impliquera le signe de la croix en *H.E.* V, 2, 3.

2. Le 3 novembre 361 (SEECK, *Regesten,* p. 208; PIGANIOL, p. 119, note 4, fondée sur SOCRATE, *H.E.* II, 47, 4 et III, 1, 1 et les *Consularia*

que, dès qu'il arriva aux frontières de ce pays, les vignobles, après la vendange, au temps du coucher des Pléiades[1], apparurent pleins de raisins verts, et que la rosée tombée du ciel se répandit sur son vêtement et celui des gens de sa suite en y formant, à chaque goutte, la figure d'une croix. **5** Il lui sembla à lui-même et à beaucoup de ses compagnons que les grappes apparues hors de saison étaient un signe favorable, et que c'est par hasard que la rosée avait tacheté sous cette forme le vêtement sur lequel elle était tombée. Mais d'autres disaient que, des deux signes, l'un signifiait que l'empereur périrait avant l'heure à la manière des raisins verts et que son règne serait de courte durée, l'autre prédisait que le dogme des chrétiens était céleste et que tous devaient être marqués du signe de la Croix. À ce qu'il semble, ceux dont l'opinion était contraire à celle de l'empereur ne se trompèrent pas : car le temps dans sa course montra que ces deux prédictions étaient justes.

6 Quand Constance eut appris que Julien faisait expédition contre lui, il quitta les préparatifs de la guerre contre les Perses et se hâta vers Constantinople : c'est au cours de ce voyage qu'il mourut à Mopsucrène, entre la Cilicie et la Cappadoce proche du Taurus[2]; il était âgé d'environ quarante-cinq ans; de ce nombre, il avait régné treize ans avec son père et vingt-cinq après celui-ci. **7** À sa mort, Julien tenait déjà la Thrace : peu après, il entra à Constantinople[3] et fut proclamé autocratôr. **8** Les païens racontaient cette fable que, avant de quitter la Gaule,

Constantinopolitana). Constance était, d'après AMM., dans sa 44e année, la 38e de son règne (21, 15, 3).

3. Cet *aduentus* de Julien, le 11 décembre 361 (SOCRATE, *H.E.* III, 1, 2 et *Chron. min.* I, p. 240 Mommsen), fut triomphal d'après AMM. 22, 2, 4. La joie de Constantinople, lors de l'entrée en charge des consuls de 362, est aussi présentée comme unanime par MAMERTIN, *Pan.* XI, 29.

ἀπολιπεῖν αὐτὸν μαντικὴ καὶ δαίμονες ἐπὶ ταύτην τὴν ἐκστρατείαν αὐτὸν ἐκίνησαν, τὸν Κωνσταντίου θάνατον προμηνύσαντες καὶ τὴν τῶν πραγμάτων μεταβολήν. Ἦν **190** δὲ ἄρα πιθανὸν πρόγνωσιν ταῦτα καλεῖν, εἰ μὴ καὶ | αὐτὸν ὅσον οὔπω τὸ τοῦ βίου τέλος ἔφθασεν, ὡς ἐν ὀνείρῳ 1212 τῆς βασιλείας γευσάμενον. **9** Εὔηθες γὰρ οἶμαι | λέγειν, ὡς διὰ τῆς μαντικῆς προϊδὼν τὴν αὐτόματον Κωνσταντίου τελευτὴν καὶ τὴν αὐτοῦ παρὰ Πέρσαις σφαγήν, ἑκοντὴς εἰς προὖπτον ἥλατο θάνατον, αὐτῷ μὲν οὐδὲν ὅτι μὴ ἀβουλίας καὶ ἀμαθοῦς στρατηγίας προσάψαντα δόξαν παρὰ πολλοῖς, τῇ δὲ Ῥωμαίων ὑπηκόῳ τοσοῦτον ἐπαγαγόντα κίνδυνον, ὡς μικροῦ πᾶσαν ἢ τὸ πλεῖστον αὐτῆς κινδυνεῦσαι ὑπὸ Πέρσαις γενέσθαι. Ἀλλὰ ταῦτα μέν, ἵνα μὴ παραλελεῖφθαι δόξῃ, ὧδε εἰρήσθω ἡμῖν, καὶ ὅπῃ ἕκαστος βούλεται, ταύτῃ ἡγείσθω.

2

1 Κωνσταντίου δὲ τελευτήσαντος εἰς δέος διωγμῶν ἡ ἐκκλησία καθίστατο· καὶ φοβερωτέραν τῆς πείρας τὴν προσδοκίαν ἐποιεῖτο τοῖς Χριστιανοῖς ὅ τε διὰ μέσου πολὺς χρόνος, ἀήθεις αὐτοὺς καταστήσας τῶν τοιούτων κινδύνων, καὶ τῶν πάλαι τιμωριῶν ἡ ἀνάμνησις καὶ τὸ τοῦ κρατοῦντος περὶ τὸ δόγμα μῖσος. **2** Λέγεται γὰρ εὐθὺς περιφανῶς οὕτως ἀνέδην ἀπαρνήσασθαι τὴν εἰς τὸν Χριστὸν πίστιν, ὡς θυσίαις τισὶ καὶ ἐπικλήσεσιν, ἃς ἀποτροπαίους Ἕλληνες καλοῦσι, καὶ αἵματι σφαγίων τὴν καθ' ἡμᾶς βάπτισιν

1. La tradition païenne citée ici se lit chez AMM. 20, 5, 10 : Julien aurait confié à ses intimes que le *Genius Populi Romani* lui était apparu quand il hésitait à accepter l'Empire. AMM. cite plus loin (21, 2, 2) les vers épiques prédisant la mort de Constance que le César aurait recueillis, à Vienne, lors d'une vision nocturne.

2. Cette dérision fait écho à un passage sarcastique de GRÉGOIRE, *disc.* 4, 47, éd. J. Bernardi, *SC* 309, p. 148-151. Ce raisonnement ironique

mantique et démons l'avaient poussé à cette expédition, prédisant la mort de Constance et le changement des affaires[1]. Il serait plausible sans doute d'appeler cela une prescience, si lui aussi n'avait atteint très vite le terme de sa vie, ayant juste goûté au règne comme en songe : **9** je crois absurde en effet de dire que, ayant prévu par la mantique la mort naturelle de Constance et sa propre mort violente chez les Perses, il se jeta de plein gré à une mort prévue[2], en ne gagnant pour lui, auprès de bien des gens, qu'une réputation d'imprudence et de stratégie stupide, et amenant pour les sujets de Rome un péril si grave qu'il s'en fallut de peu que tout l'Empire ou sa plus grande partie ne risquât de tomber entre les mains des Perses. Mais cela, je n'en ai parlé que pour ne point paraître le négliger : que chacun en juge comme il lui plaît.

Chapitre 2

Vie, éducation et conduite de Julien;
son accession à l'empire.

1 Constance mort, l'Église entra dans la crainte de persécutions. Ce qui rendait pour les chrétiens l'attente plus terrible que l'épreuve même, c'étaient d'une part le long temps intermédiaire, qui les avait déshabitués de pareils périls, d'autre part le souvenir des supplices d'autrefois et la haine du prince pour la religion. **2** Car aussitôt, diton, il avait si ouvertement renié, sans nulle contrainte, la foi dans le Christ, qu'au moyen de certains sacrifices et invocations, que les païens nomment apotropaïques, et par le sang de victimes, il s'était lavé de notre baptême,

des chrétiens peut avoir suscité la justification de la divination par des intellectuels païens comme AMM. (21, 1, 7 sq.).

ἀπονίψασθαι, τῇ μυήσει τῆς ἐκκλησίας ἀποταξάμενον, καὶ τὸ ἐξ ἐκείνου ἰδίᾳ τε καὶ δημοσίᾳ ἐντόμοις καὶ ἱερείοις καὶ τοῖς ὅσα θέμις ἐστὶν ἀδεῶς Ἕλλησι χρῆσθαι. **3** Ποτὲ γοῦν αὐτῷ θυομένῳ λόγος ἀναδειχθῆναι σταυροῦ σημεῖον ἐν τοῖς σπλάγχνοις στεφάνῳ κυκλούμενον, καὶ τοὺς μὲν ἄλλους κοινωνοὺς τῆς μαντείας εἰς δέος ἐμβαλεῖν, συμβάλλοντας ἐντεῦθεν τὴν μετὰ ταῦτα τῆς θρησκείας ἰσχὺν καὶ τοῦ δόγματος τὸ ἀίδιον, καθότι ὁ στέφανος, ᾧ περιείληπτο, νίκης τε σημαντικόν ἐστι καὶ τῇ περιόδῳ τοῦ κύκλου πάντοθεν ἀρχόμενος καὶ εἰς ἑαυτὸν λήγων οὐδαμοῦ περαιοῦται. **4** Ὅ γε μὴν ἀρχηγὸς τῆς περὶ ταῦτα διαγνώσεως θαρρεῖν ἐκέλευσεν, ὡς αἰσίων καὶ κατὰ γνώμην αὐτοῖς τῶν σφαγίων ἀναδεικνυμένων καὶ περικλειόντων τὸ **191** τοῦ δόγματος | σύμβολον καὶ εἰς ταὐτὸν συνωθούντων, ὥστε μὴ πλατύνεσθαι καὶ ἀδεῶς χωρεῖν ἐφ' οὓς βούλεται, ὅρον ἔχον τὴν τοῦ κύκλου περιγραφήν.

5 Ἐπυθόμην δὲ ὡς καὶ τῶν φοβερῶν καὶ ἐπισημοτάτων ἀδύτων εἴς τι κατήει, τελετῆς τινος ἢ μαντείας χάριν· ἐξαπίνης δὲ προσβαλλόντων αὐτῷ τῶν ἐπὶ τούτοις μεμηχανημένων καὶ γοητείαις παραγινομένων φασμάτων, ὑπὸ θορύβου καὶ δέους τῶν παρόντων ἐπιλαθόμενος (ὀψὲ γὰρ τῆς ἡλικίας ἐπὶ ταύτην ἦλθε τὴν μάθησιν) ἔλαθεν ὑπὸ τῆς προτέρας συνηθείας, οἷά γε Χριστιανὸς ἐν ἀπόροις κινδύνοις περιληφθείς, τῷ συμβόλῳ τοῦ Χριστοῦ κατα-

1. Sozomène reprend ici, directement ou après des intermédiaires, la tradition de GRÉGOIRE, *disc.* 4, 54, éd. J. Bernardi, *SC* 309, p. 159.

2. Allusion probable à l'initiation théurgique de Julien à Éphèse, dans un caveau, par son maître Maxime, – ici le «mystagogue» –, philosophe néo-platonicien et thaumaturge : d'après EUNAPE, *Vies des Sophistes,* VII, 2, 9-10, «il savait faire rire les statues et allumer à distance des torches dans leurs mains». Cette initiation aurait été troublée de façon bouffonne par les terreurs du néophyte d'après GRÉGOIRE, *disc.* 4, 55-56, éd. J. Bernardi, *SC* 309, p. 158-163 (cf. BOUFFARTIGUE, p. 43-45).

3. Julien est né en 331 ou en 332 (AMM. 25, 3, 25 et 23, 5, 1). Ses études philosophiques, commencées à Pergame en 351 sous la direction

ayant renoncé à l'initiation de l'Église et depuis ce moment, en privé et en public, il offrait des victimes aux mânes et aux dieux et toutes autres sortes de sacrifices dont les païens peuvent faire librement usage. **3** On raconte en tout cas qu'un jour, comme il sacrifiait, il s'était montré dans les entrailles le signe d'une croix encerclé d'une couronne. Cela avait jeté les participants à ce sacrifice mantique dans la crainte ; ils en concluaient à la force, après cela, de notre religion et à la pérennité de notre dogme, attendu que la couronne, dont la croix était encerclée, est signe de victoire et que, par la révolution du cercle, elle commence à tout point et ne trouve nulle part d'achèvement puisqu'elle se termine en elle-même[1]. **4** Mais celui qui dirigeait l'interprétation en ces matières invita à prendre courage, alléguant que les victimes donnaient des signes favorables et conformes à leur désir, qu'elles encerclaient le symbole de la foi et le concentraient sur lui-même, en sorte qu'il ne s'étendît pas et n'allât pas librement chez qui il voulait, puisqu'il avait pour limite la circonférence du cercle.

5 J'ai appris aussi qu'un jour il était descendu dans l'un des *adyta* les plus terribles et les plus en renom pour une initiation ou un oracle[2]. Soudain, comme les fantômes machinés pour ces occasions et qui viennent là par des opérations magiques se jetaient sur lui, oubliant les gens présents sous l'influence du trouble et de la crainte – c'est tard en effet dans sa jeunesse qu'il en était venu à apprendre ces choses[3] –, poussé par son ancienne habitude, à l'insu de tous, comme un chrétien enfermé en des périls insurmontables, il se signa du signe

d'Aidésios, se poursuivirent à Éphèse, sous le magistère de Maxime. Elles s'achevèrent dès 354, quand, après l'exécution de son demi-frère Gallus, il fut appelé par Constance à Côme, puis à Milan (AMM. 15, 2, 7-8) : voir BOUFFARTIGUE, p. 43-45. Julien avait donc une vingtaine d'années au plus lors de cette initiation.

1213 σημάνας ἑαυτόν. **6** Αὐτίκα τε φροῦδα | τὰ φάσματα ἐγένετο, καὶ τὸ σπουδαζόμενον ἐμπεπόδιστο. Ἀπορούμενος δὲ περὶ τούτου ὁ μυσταγωγός, ἐπειδὴ ἔγνω τὸ αἴτιον τῆς φυγῆς τῶν δαιμόνων, ἄγος τὸ γεγονὸς ἀποκαλέσας, καὶ ἀνδρεῖον εἶναι καὶ μηδὲν πρᾶξαι ἢ ἐννοῆσαι χριστιανικὸν παρακελευσάμενος, ἔδοξε καλῶς λέγειν · καὶ παρασκευασάμενος αὖθις ἐπὶ τὴν τελετὴν αὐτὸν ἦγεν.

7 Οὐ μετρίως οὖν ἐλύπει τοὺς Χριστιανοὺς καὶ περιδεεῖς ἐποίει ἡ περὶ ταῦτα σπουδὴ τοῦ βασιλέως, καὶ μάλιστα ὅτι χριστιανὸς ἦν πρότερον. Εὐλαβῶν γὰρ περὶ τὴν θρησκείαν πατέρων γενόμενος ἐκ νέου ἐμυήθη κατὰ τὸν θεσμὸν τῆς ἐκκλησίας καὶ τὰς ἱερὰς γραφὰς ἐπαιδεύθη καὶ ὑπὸ ἐπισκόποις καὶ ἐκκλησιαστικοῖς ἀνδράσιν ἐτράφη. **8** Γέγονε μὲν γὰρ αὐτῷ καὶ Γάλλῳ πατὴρ Κωνστάντιος, ὁμοπάτριος ἀδελφὸς Κωνσταντίνου τοῦ βασιλεύσαντος καὶ Δαλματίου, οὗ παῖς ὁμώνυμος Καῖσαρ ἀναδειχθεὶς ἀνῃρέθη ὑπὸ τῶν στρατιωτῶν μετὰ τὴν Κωνσταντίνου τελευτήν · ὀρφανοὶ δὲ πατρὸς γενόμενοι καὶ αὐτοὶ τότε Δαλματίῳ συναπολέσθαι ἐκινδύνευσαν. **9** Ἐξείλετο δὲ τῆς ἐπιβουλῆς Γάλλον μὲν ὅτι νοσῶν ἔτυχε καὶ ὅσον οὔπω αὐτομάτως

1. Jules Constance, nommé *infra,* et sa seconde épouse, Basilina, fille de Julius Julianus, gouverneur d'Égypte, préfet du prétoire sous Licinius, parente d'Eusèbe de Nicomédie, morte quelques mois après la naissance de Julien. Sa piété chrétienne est attestée : elle légua des terres à l'Église d'Éphèse (cf. BIDEZ, p. 8-11).

2. Ces évêques sont Eusèbe, titulaire du siège de Nicomédie, où Julien continua quelque temps ses études commencées à Constantinople (AMM. 22, 9, 4 : voir les réserves de BOUFFARTIGUE, p. 28-29), et Georges de Césarée de Cappadoce qui lui prêta des livres lors de sa résidence surveillée à Macellum (après la mort de Georges, Julien voulut récupérer sa bibliothèque, sans doute en vue d'écrire son *Contre les Galiléens :* voir *ep.* 106, éd. J. Bidez, *CUF,* t. I, 2, p. 184). Sozomène omet le rôle décisif, dans l'éducation classique de Julien, de l'eunuque «scythe» Mardonios, mentionné par SOCRATE, *H.E.* III, 1, 9, éd. G.C. Hansen, *GCS,* p. 188, qui lui fit partager son culte pour Homère et auquel Julien rend hommage dans le *Misopogon* 21-22, 351b-352b, éd. Ch. Lacombrade, *CUF,* p. 175-176.

du Christ. **6** Aussitôt les fantômes disparurent et l'effet désiré fut empêché. Le mystagogue ne savait que faire à ce sujet. Quand il apprit la cause de la fuite des démons, il appela la chose un sacrilège ; il invita Julien à être brave et à ne faire aucun geste, à n'avoir aucune pensée, qui se ressentissent du christianisme ; ce langage plut à Julien, puis, l'ayant préparé à nouveau, le mystagogue le conduisit à l'initiation.

7 Ce zèle païen de l'empereur ne chagrinait pas médiocrement les chrétiens et il les plongeait dans la crainte, d'autant plus que Julien avait été d'abord chrétien. Né en effet de parents respectueux envers la religion[1], il avait été baptisé dès l'enfance selon la loi de l'Église, on lui avait enseigné les Saintes Écritures et il avait été élevé sous la coupe d'évêques et d'ecclésiastiques[2]. **8** Son père, à lui et à Gallus, avait été Jules Constance, demi-frère de l'empereur Constantin et de Dalmatius, dont le fils, du même nom, après avoir été nommé César[3], avait été assassiné par les soldats après la mort de Constantin : devenus orphelins de père, Gallus et lui avaient eux aussi alors couru le risque de périr avec Dalmatius[4]. **9** Ce qui les sauva de la conspiration, ce fut pour Gallus, qu'il

3. En 335, Constantin décida de partager l'Empire entre ses trois fils, mais n'oublia pas ses neveux, fils de son demi-frère Dalmatius : Dalmatius II reçut, le 18 sept. 335, le titre de César avec les diocèses de Thrace et de Macédoine tandis qu'Hannibalianus obtenait le titre de « Roi des Rois et des peuples du Pont » et de *nobilissimus* (SEECK, *Regesten*, p. 183 et PIGANIOL, p. 61).

4. Cette « conspiration », que GRÉGOIRE, *discours* 4, 21, éd. J. Bernardi, *SC* 309, p. 114-115, attribue à des soldats « inquiets », fut en fait un « massacre des princes » sans doute voulu par Constance (ATHANASE, *Hist. Arian.* 19), où périrent, à l'automne de 337, non seulement le César Dalmatius, mais son père et son oncle Jules Constance. JULIEN, *Aux Athéniens,* 3 (270 d), parle de six neveux de Constantin assassinés : cf. PIGANIOL, p. 83 et X. LUCIEN-BRUN, « Constance II et le massacre des princes », dans *BAGB,* Suppl. Lettres d'Humanités, 32, 1973, p. 585-602.

τεθνήξεσθαι προσεδοκήθη, Ἰουλιανὸν δὲ τὸ νέον· ἔτι γὰρ ὄγδοον ἡλικίας ἦγεν ἔτος. Παραδόξως δὲ ὧδε διασωθέντες **192** προσετάχθησαν ἐν Καππαδοκίᾳ | διατρίβειν ἐν Μακέλλῃ· χωρίον δὲ τοῦτο βασιλικὸν πρὸς τῷ Ἀργαίῳ ὄρει, οὐκ ἀπὸ πολλοῦ τῆς Καισαρέων πόλεως, μεγαλοπρεπῆ τε βασίλεια ἔχον καὶ λοετρὰ καὶ κήπους καὶ πηγὰς ἀεννάους. **10** Ἔνθα δὴ θεραπείας καὶ ἀγωγῆς βασιλικῆς ἠξιοῦντο, καὶ μαθήμασι καὶ γυμνασίοις τοῖς καθ' ἡλικίαν ἐχρῶντο καὶ λόγων διδασκάλοις καὶ τοῖς ὑφηγηταῖς τῶν ἱερῶν γραφῶν, ὡς καὶ κλήρῳ ἐγκαταλεγῆναι καὶ ὑπαναγινώσκειν τῷ λαῷ τὰς ἐκκλησιαστικὰς βίβλους. **11** Οὐ μὴν ἀλλὰ καὶ διὰ τῶν ἠθῶν καὶ τῶν ἔργων τὴν εὐσέβειαν ἐπεδείκνυντο, περὶ πολλοῦ ποιούμενοι τοὺς ἱερέας καὶ τοὺς ἄλλως ἀγαθοὺς καὶ περὶ τὸ δόγμα σπουδαίους, τοῖς τε εὐκτηρίοις οἴκοις θαμίζοντες καὶ ταῖς προσηκούσαις τιμαῖς τὰς τῶν μαρτύρων θήκας γεραίροντες. **12** Τηνικαῦτα γοῦν φασιν αὐτοὺς σπουδάζοντας μεγίστῳ περιλαβεῖν οἴκῳ τὸν τάφον Μάμα τοῦ μάρτυρος εἰς ἀμφοτέρους μερίσαι τὸ ἔργον· ἁμιλλωμένου δὲ ἑκατέρου φιλοτιμίᾳ καὶ τιμῇ ὑπερβάλλεσθαι τὸν ἕτερον, παράδοξον συμβῆναι καὶ

1. L'exil, en semi-captivité, de Julien et de son demi-frère aîné Gallus à Macellum, en Cappadoce, dura six ans (341-347). Le pays était rude et le tableau de Sozomène est trop idyllique : sur la vie des jeunes princes à Macellum, voir le témoignage de JULIEN, *Aux Athéniens,* 3 et les observations de BIDEZ, p. 22-26 et de A.-J. FESTUGIÈRE, *Antioche païenne et chrétienne,* p. 63-74 et «Julien à Macellum», *The Journal of Roman Studies* 47, 1957, p. 53-58.

2. Au départ, Constance avait l'intention de rendre ses cousins inaptes à régner, laissant Gallus s'ensauvager selon sa pente naturelle et destinant Julien aux seules études, notamment religieuses. Plus tard et progressivement, le remords ou des considérations politiques (son pouvoir était affermi et les deux jeunes princes presque oubliés) le rendirent plus indulgent : il décida même de libérer les prisonniers en 347, en les assignant cependant à résidence, Gallus à Éphèse, Julien à Constantinople. – Les «lecteurs» étaient la plupart du temps des enfants ou des jeunes gens pourvus d'instruction littéraire et religieuse. Cet office

était malade et qu'on s'attendait à ce qu'il mourût bientôt de mort naturelle, pour Julien, sa jeunesse : il n'était encore âgé que de sept ans. Ainsi miraculeusement sauvés, ils reçurent l'ordre de vivre en Cappadoce à Macellum : c'est là un domaine impérial près du mont Argée, non loin de la ville de Césarée, pourvu d'un palais magnifique, de bains, de jardins et de fontaines intarissables[1]. **10** Ils furent là l'objet de soins et d'une éducation propres à un empereur[2], furent formés aux disciplines et aux exercices physiques convenables à leur âge, sous la conduite de maîtres des lettres et d'instructeurs dans les Saintes Écritures, au point qu'ils furent admis dans le clergé et firent office de lecteurs des livres sacrés au peuple. **11** D'autre part, ils manifestaient leur piété, et par leurs mœurs et par leurs actes, tenant en haute estime les prêtres et de façon générale les hommes de mérite et zélés pour la foi, fréquentant souvent les maisons de prière et rendant les honneurs appropriés aux tombes des martyrs. **12** C'est à ce moment en tout cas, à ce qu'on raconte, que Gallus et lui mettaient leur zèle à entourer d'un très vaste édifice la tombe du martyr Mamas[3]; ils s'étaient partagé entre eux deux la tâche ; chacun d'eux mettant son point d'honneur à surpasser l'autre, il se produisit une chose étrange et qui aurait été tout à fait incroyable si beaucoup de ceux qui l'ont

n'impliquait pas nécessairement un engagement pour l'avenir : cf. *DACL*, VIII, 2, 1929, 2241-2268 H. LECLERCQ.

3. Mamas fut, sous l'empereur Aurélien (270-275), martyr à Césarée de Cappadoce : cf. *LTK* 6, c. 1339, O. VOLK, citant BASILE DE CÉSARÉE, *PG* 31, c. 589-600 et GRÉGOIRE DE NAZIANZE, *PG* 36, c. 620 sq. Son *martyrium* devait être proche de Macellum. Le récit de Sozomène dépend d'une tradition suspecte : le beau rôle y est joué par Gallus, dont le christianisme se révéla dans la suite peu orthodoxe, puisqu'il tomba sous la coupe de l'hérétique Aèce ; et le récit du piteux insuccès de Julien peut être un doublet anticipant l'échec, historiquement attesté, de sa tentative pour relever le Temple de Jérusalem en 363 (AMM. 23, 1).

1216 παντελῶς ἄπιστον, εἰ μὴ πολλοὶ | τῶν ἀκηκοότων παρὰ τῶν τεθεαμένων μέχρι καὶ εἰς ἡμᾶς περιῆσαν. **13** Τὸ μὲν γὰρ Γάλλου μέρος ἐπεδίδου καὶ κατὰ γνώμην προὐχώρει, τῶν δὲ Ἰουλιανοῦ πονημάτων τὰ μὲν ἠρείπετο, τὰ δὲ ἐκ τῆς γῆς ἀνεδίδοτο, τὰ δὲ παραυτίκα συνάπτεσθαι πρὸς τὸ ἔδαφος οὐκ ἠνείχετο, οἷά γε ἐξ ἀντιτύπου καὶ βιαίου τινὸς δυνάμεως κάτωθεν ἀντωθούσης ἀνακρουόμενα. Πᾶσι δὲ εἰκότως τεράστιον ἐδόκει τὸ πρᾶγμα. **14** Καὶ τοῖς μὲν πολλοῖς τῇ ἀποβάσει ἐκρίθη, οἱ δὲ καὶ ἐξ ἐκείνου συνέβαλλον μὴ ὑγιῶς ἔχειν τὸν ἄνδρα περὶ τὴν θρησκείαν, ἀλλ' εὐσεβεῖν πλάττεσθαι <πρὸς> Χριστιανὸν ὄντα τὸν τότε κρατοῦντα ὑποκρινόμενον καὶ εἰς τὸ προφανὲς ἐξάγειν τὴν γνώμην οὐκ ἀσφαλὲς ἡγούμενον.

15 Προὔδωκε δέ, ὡς λέγεται, τὴν πατρῴαν θρησκείαν συνουσίαις μάντεων ὑπαχθεὶς τὰ πρῶτα. Μετὰ χρόνον γάρ **193** τινα παυσαμένου Κωνσταντίου τῆς | ὀργῆς Γάλλος μὲν εἰς τὴν Ἀσίαν ἐλθὼν ἐν Ἐφέσῳ διέτριβεν, ἔνθα δὴ τὰ πλείω τῆς οὐσίας εἶχον, Ἰουλιανὸς δὲ εἰς Κωνσταντινούπολιν ἐπανελθὼν τοῖς ἐκεῖσε διδασκάλοις ἐφοίτα· φύσεως δὲ εὖ ἔχων καὶ τοῖς μαθήμασι ῥᾳδίως ἐπιδιδοὺς οὐκ ἐλάνθανεν· ἐν ἰδιώτου γὰρ σχήματι τὰς προόδους ποιούμενος πολλοῖς συνεγίνετο. Ἐπεὶ δέ, οἷα φιλεῖ ἐν ὁμίλῳ καὶ βασιλευούσῃ πόλει, ἐξάδελφος ὢν τοῦ κρατοῦντος καὶ πράγματα διοικεῖν ἱκανὸς εἶναι φαινόμενος προσεδοκᾶτο βασιλεύειν καὶ πολὺς περὶ αὐτοῦ τοιοῦτος ἐκράτει λόγος, προσετάχθη ἐν

1. En 347 : cf. BIDEZ, p. 38 sq.

2. Gallus, fils de Jules Constance et de sa première épouse Galla, avait-il des biens à Éphèse? Ou bien Sozomène étend-il aux deux demi-frères ce qui vaut pour Julien, dont la mère Basilina donna à l'Église une partie des biens qu'elle possédait dans cette ville? L'assignation à résidence de Gallus à Éphèse rend plus probable la première hypothèse.

3. Sur le retour et le bref séjour de Julien dans sa ville natale (347-349), voir BIDEZ, p. 50-54 et BOUFFARTIGUE, p. 40-42 : les «maîtres du lieu» peuvent être identifiés, grâce à LIBANIUS, *disc.* 15, 27 et SOCRATE, *H.E.* III, 1, 10 (éd. G.C. Hansen, *GCS*, p. 188), avec le grammairien

entendu dire aux témoins oculaires n'avaient subsisté jusqu'à nous. **13** La partie que s'était réservée Gallus progressait et réussissait à son gré ; en revanche, pour les travaux de Julien, une partie s'écroulait, une autre jaillissait hors de terre, une autre refusait, dès le début, d'adhérer au sol, comme si une force contraire et violente la repoussait d'en bas et la tirait en arrière. La chose parut à tous, à bon droit, un prodige. **14** Pour la plupart des gens, la suite des événements put l'expliquer. D'autres pourtant, même dès l'instant, concluaient que l'homme n'avait pas des intentions pures à l'égard de la religion, mais qu'il feignait la piété, jouant un rôle à l'adresse de l'empereur alors régnant, qui était chrétien, et tenant pour peu sûr de produire en public son sentiment.

15 Julien trahit la religion de ses pères, à ce qu'on dit, parce qu'il avait été égaré d'abord par des contacts avec les devins. Après quelque temps[1], en effet, Constance ayant mis fin à sa colère contre eux, Gallus se rendit en Asie, séjourna à Éphèse, où ils avaient la plus grande partie de leur fortune[2], et Julien revint à Constantinople[3], où il se mit à fréquenter les maîtres du lieu. Ses capacités naturelles et ses faciles progrès dans les sciences ne restèrent pas cachés ; car il se montrait au dehors dans le costume d'un simple particulier et il entretenait de nombreuses relations. Mais, ainsi qu'il arrive d'ordinaire dans la vie de société d'une capitale, vu sa qualité de cousin du prince[4] et le fait qu'il semblait capable de gouverner, on s'attendait à ce qu'il régnât et on parlait beaucoup de lui à ce sujet et avec insistance ; aussi reçut-

païen Nicoclès de Lacédémone (*P.L.R.E.*, p. 630) et le sophiste Hécébolios (*P.L.R.E.*, p. 409 H. 1), alors chrétien.

4. Julien était bien le cousin de Constance : son père Jules Constance, fils du tétrarque Constance Chlore et de Théodora, était le demi-frère de Constantin, fils du même Constance Chlore et d'Hélène. Le latin *frater patruelis* exprime également ce lien de parenté : cf. AMM. 15, 8, 8.

Νικομηδείᾳ διάγειν. **16** Ἐνταῦθα περιτυχὼν αὐτῷ Μάξιμος ὁ Ἐφέσιος φιλόσοφος, φιλοσόφων αὐτῷ λόγων καθηγητὴς ἐγένετο καὶ μίσους τῆς Χριστιανῶν θρησκείας, καὶ οἷα μάντις ἀληθὲς εἶναι ἰσχυρίζετο τὸ περὶ αὐτοῦ θρυλούμενον. Ὁ δέ – τοῦτο δὴ τὸ πολλοῖς συμβαῖνον – ἐν ὑπονοίᾳ δυσχερῶν πραγμάτων ταλαιπωρούμενος, βουκοληθεὶς αἰσίαις ἐλπίσι, φίλον ἔσχε τὸν Μάξιμον. **17** Τῷ βασιλεῖ δὲ τούτων μηνυθέντων δείσας ἐν χρῷ ἐκείρατο καὶ τὸν μοναχικὸν ἐπλάττετο βίον, λάθρα δὲ τῆς ἑτέρας εἴχετο θρησκείας. Ἐπειδὴ δὲ εἰς ἄνδρας ἤδη προήει, ἑτοιμότερον ὑπήχθη καὶ ἐπτοεῖτο περὶ τάδε. **18** Θαυμάζων τε εἴ τίς ἐστι τέχνη προσημαίνουσα τὸ μέλλον, καὶ ἀναγκαίαν ἡγούμενος τὴν ταύτης μάθησιν, ὧν μὴ δεῖ χριστιανοῖς εἰς πεῖραν προήχθη, καὶ τὸ ἐξ ἐκείνου τοῖς ταῦτα μετιοῦσιν ἐχρῆτο φίλοις. Ὧδε δὲ ἔχων γνώμης ἧκεν εἰς Ἀσίαν ἀπὸ Νικομηδείας, καὶ συγγενόμενος ἐκεῖσε τοιούτοις προθυμότερος περὶ ταῦτα γέγονεν. **19** Ἐπεὶ δὲ Γάλλος ὁ αὐτοῦ ἀδελφός, Καῖσαρ καταστάς, μηνυθεὶς νεωτερίζειν ἀνῃρέθη, ὑπολαβὼν Κωνστάντιος καὶ αὐτὸν ἔρωτι βασιλείας κατέχεσθαι, ὑπὸ

1. En 349. Il s'agit d'une nouvelle assignation à résidence d'après LIBANIUS, *disc.* XIII, 7, 10 et XVIII, 11, 17, dont SOCRATE, *H.E.* III, 1, 12 et Sozomène admettent l'interprétation. BOUFFARTIGUE, p. 42, la considère comme « des plus vraisemblables ».

2. Sozomène place à Nicomédie, au début du séjour de Julien (349), sa rencontre avec Maxime. En fait, Julien n'entreprit des études philosophiques qu'en 351 et à Pergame avec Aidésios, puis avec les disciples de ce dernier, Chrysanthe de Sardes et Eusèbe de Myndos, sectateurs de Jamblique, mais dont le premier, d'après Eunape, récusait la théurgie. C'est par la suite (c. 351) qu'il passa à Éphèse où il se mit à l'école de Maxime (BIDEZ, p. 50-54 et p. 73-81 et BOUFFARTIGUE, p. 42-43). Ce philosophe, vilipendé par les chrétiens (GRÉGOIRE, *disc.* 4, 55, fait de lui un charlatan), présenté comme un thaumaturge suspect par le païen EUNAPE lui-même (*Vies des Phil.* VII, 2, 9-10), fut accueilli à Constantinople avec un enthousiasme respectueux par Julien (AMM. 22, 7, 3) qu'il accompagna jusqu'au bout en Perse. AMM. porte sur lui un jugement réservé (29, 1, 42). Voir la notice de la *P.L.R.E.*, p. 583-584 Maximus 21.

il l'ordre d'aller vivre à Nicomédie[1]. **16** Là, il fit la rencontre du philosophe Maxime d'Éphèse, qui devint le guide de ses études philosophiques[2] et la cause première de sa haine de la religion chrétienne ; en tant que devin, il affirmait qu'était vrai ce qu'on murmurait à son sujet. Lui, alors – c'est chose qui arrive à beaucoup –, que rendait malheureux l'appréhension de calamités, bercé d'agréables espoirs, il prit en affection Maxime. **17** La chose fut dénoncée à l'empereur. Alors Julien, saisi de crainte, se fit tondre et feignit la vie monastique[3], mais en secret il restait attaché au paganisme. Et quand il fut arrivé à l'âge d'homme, c'est avec plus d'empressement encore qu'il se laissa égarer et qu'il était passionné pour ce qui suit : **18** étonné qu'il existât un art qui prédit l'avenir et tenant pour nécessaire d'en acquérir la connaissance, il se laissa entraîner à faire l'expérience de choses interdites aux chrétiens, et de ce moment il fut en amitié avec les devins. C'est dans ces dispositions d'esprit qu'il se rendit de Nicomédie dans la province d'Asie, et, par les relations qu'il eut là avec ces gens, il montra plus d'ardeur encore pour ces pratiques. **19** Quand son frère Gallus, établi César, fut dénoncé pour ses entreprises d'usurpation et exécuté[4], Constance soupçonna que Julien aussi était saisi du désir de régner, et il le tenait en sur-

3. Cette comédie n'a guère pu prendre place après que Julien se fut mis à l'école de Maxime (à partir de 351). Il faut la situer plus tôt, pendant le séjour à Nicomédie, à partir de 349 : Socrate, *H.E.* III, 1, 20 dit bien que Julien fut lecteur à l'église de Nicomédie. Du reste, au § 18, Sozomène évoquera comme un fait nouveau le départ de Julien pour l'Asie, c'est-à-dire pour Éphèse. Sa chronologie est donc brouillée et les §§ 16-17 sont une anticipation.

4. Gallus, nommé César le 15 mars 351, fut exécuté à la fin de 354 dans l'île de Phlabôn, située près de Pola en Istrie (Amm. 14, 11, 23). Le récit ambigu d'Amm. ne permet pas de décider avec certitude si Gallus voulait effectivement usurper ou si, mal conseillé et calomnié, il fut aussi victime de son caractère emporté et d'un enchaînement tragique de circonstances.

φυλακὴν εἶχεν. Ἐξαιτησαμένης δὲ αὐτὸν Εὐσεβίας τῆς **194** γαμετῆς Κωνσταντίου παραιτη|σάμενος αὐτὸν ἀπεδήμησεν εἰς Ἀθήνας, προφάσει μὲν καθ' ἱστορίαν τῶν Ἑλληνικῶν 1217 πόλεων καὶ παιδευτη|ρίων, ὡς δὲ λέγουσι, κοινωσόμενος τοῖς ἐκεῖσε μάντεσι περὶ τῶν καθάὐτόν. **20** Μετακαλεσάμενος δὲ αὐτὸν ἐνθένδε Κωνστάντιος Καίσαρα κατέστησε· κατεγγυήσας τε αὐτῷ πρὸς γάμον Κωνσταντίαν τὴν αὐτοῦ ἀδελφήν, ἐπὶ τοὺς πρὸς δύσιν Γαλάτας πέπομφεν. Οἱ γὰρ βάρβαροι, οὓς αὐτὸς πρώην κατὰ Μαγνεντίου εἰς συμμαχίαν ἐμισθώσατο, οὐδὲν ὄφελος εἰς τοῦτο γενόμενοι τοὺς Γαλάτας ἐδῄουν. **21** Ἐπεὶ δὲ ἔτι νέος ἦν, τοῖς ἑπομένοις αὐτῷ στρατηγοῖς τὰ πρακτέα

1. Sozomène omet de dire que Julien, accusé, sans doute injustement, d'avoir eu une entrevue interdite avec son frère qui passait par Constantinople (Amm. 15, 2, 7), fut appelé d'Éphèse à la Cour de Milan, où il se trouvait, à la fin de 354 ou au début de 355, sous bonne garde et menacé par des malveillants (*Aux Athéniens* 4, 272 d, éd. J. Bidez, I, 1, p. 218 et Amm. 15, 2, 7-8).

2. Eusébie, seconde épouse de Constance, avait, par bienveillance obtenu que Julien fût envoyé à Côme – où il serait moins exposé aux intrigues –, puis autorisé à regagner la Grèce, en l'occurrence Athènes, pour y parfaire sa culture. Julien l'en remercia par le *Panégyrique* II (cf. éd. J. Bidez, I, 1, p. 73-105, notamment chap. 8, p. 84-85 pour ses vertus de sagesse, douceur, prudence, humanité, équité, libéralité). Sur les relations entre Eusébie et Julien, voir N. Aujoulat, *Eusébie, Hélène et Julien,* I *Le témoignage de Julien* et II *Le témoignage des historiens,* dans *Byzantion* LIII, 1983, p. 78-103 et p. 421-452.

3. Le séjour de Julien à Athènes fut très bref, d'août à octobre 355. Grégoire de Nazianze, son condisciple, fait de lui un portrait cruel (*disc.* 5, 23, éd. J. Bernardi, *SC* 309, p. 337-339). Malgré la brièveté de ce séjour, il s'adressa aux Athéniens, au moment de sa confrontation avec Constance, comme à des compatriotes privilégiés (éd. J. Bidez, I, 1, chap. 1, p. 213 et chap. 13, p. 235). Amm. confirme l'importance qu'eurent ces quelques mois, au moins pour l'image de Julien, «élevé comme Érechthée dans la retraite de Minerve» (16, 1, 5).

veillance[1]. Eusébie, l'épouse de Constance, ayant intercédé auprès de lui[2], Julien obtint de lui de se rendre à Athènes[3], sous le prétexte de visiter les villes grecques et leurs écoles, mais en fait, à ce qu'on dit, pour prendre avis des devins du lieu sur ce qui le concernait. **20** De là, l'empereur Constance l'appela auprès de lui et l'établit César[4]. Il lui donna en mariage sa sœur Constantia et l'envoya dans la Gaule occidentale[5]. Les barbares en effet, qu'il avait peu auparavant soudoyés et pris comme alliés contre Magnence[6], ne lui avaient été d'aucune utilité pour cela et ravageaient la Gaule. **21** Comme Julien était jeune encore[7], Constance confia le commandement aux géné-

4. Le 6 novembre 355 à Milan. AMM. en 15, 8, 3 souligne, comme Julien, le rôle déterminant de l'impératrice Eusébie dans le revirement de Constance (N. AUJOULAT, *Eusébie..., Byzantion* LIII, 1983, p. 78-103 et p. 421-452).

5. Sozomène confond deux sœurs de Constance : l'épouse de Gallus, nommée en fait Constantina, et l'épouse de Julien, Helena (AMM. 15, 8, 18), qui accompagna son mari en Gaule et mourut à Lutèce en 360. L'expression « Gaule occidentale » est ambiguë : en fait, Julien devait défendre la frontière de l'Est, les provinces de Germanie et de Belgique.

6. Sozomène va encore plus loin qu'AMM., pourtant très hostile à Constance. L'historien païen ne lie pas les ravages subis par les Gaules à une collusion de Constance avec les barbares. Pour lui, ils résultèrent de la victoire de Constance sur le général et usurpateur Silvanus dont la mort dégarnit le flanc des Gaules et permit, dès novembre 355, aux Francs de s'emparer de Cologne (15, 8, 1 et 6). Sozomène est influencé par la légende noire de l'arien Constance diffusée dans les milieux chrétiens orthodoxes – à moins que, ce qui paraît moins vraisemblable, il ne fasse écho à une tradition païenne très calomnieuse, représentée par LIBANIUS, *disc.* 18, 32 et par EUNAPE *frg.* 67a, avec laquelle AMM. a gardé ses distances. La « trahison » de Constance ne fait pas de doute non plus pour PIGANIOL, p. 134 !

7. Né en 331 (ou 332), Julien avait alors vingt-quatre ans : cf. F.-D. GILLIARD, « The Birth-date of Julian the Apostate », dans *California Studies in Classical Antiquity,* IV, 1971, p. 147-151.

ἐπέτρεψε. Τῶν δὲ ῥαθυμούντων αὐτὸς ὡς ἐνῆν ὁ Καῖσαρ τοῦ πολέμου προενόει καὶ τοὺς στρατιώτας προθυμοτέρους περὶ τὴν μάχην κατέστησεν, ἄλλως τε παρακινδυνεύειν προτρέπων καὶ ῥητὸν μισθὸν τάξας ἑκάστῳ βάρβαρον ἀναιροῦντι. Κεχαρισμένος δὲ τοῖς στρατιώταις ἐντεῦθεν γενόμενος ἐδήλωσε Κωνσταντίῳ τὴν τῶν στρατηγῶν ῥᾳστώνην. **22** Ἀποσταλέντος δὲ ἑτέρου συμβαλὼν τοῖς βαρβάροις καλῶς ἔπραξε. Τῶν δὲ περὶ σπονδῶν πρεσβευομένων καὶ ἐπιστολὰς Κωνσταντίου προϊσχομένων μετακαλουμένου σφᾶς ἐπὶ τὴν Ῥωμαίων γῆν, ἐπίτηδες ἀποπέμψαι μελλήσας τὸν τάδε πρεσβευόμενον, ἀδοκήτως τῷ πλήθει τῶν πολεμίων ἐπελθὼν ἐνίκησε. Λέγεται δὲ Κωνστάντιον ἐπιβουλεύοντα αὐτῷ τοῦτον ἐπιτρέψαι τὸν πόλεμον. Ἐμοὶ δὲ οὐ πιθανὸν τοῦτο εἶναι δοκεῖ. **23** Ὧι γὰρ ἐξῆν μηδὲ Καίσαρα τὴν ἀρχὴν ποιεῖν αὐτόν, τί καὶ ἐποίει καὶ τὴν ἀδελφὴν ἐδίδου γαμετήν, καὶ μεμφομένῳ περὶ τῶν ῥαθύμων στρατηγῶν ὑπήκουε καὶ σπουδαῖον ἀντὶ τούτων ἐξαπέστειλεν, ὅπως κατορθώσῃ τὸν πόλεμον, εἰ μὴ φίλος ἐτύγχανεν; ἀλλ' ὡς συμβάλλω, τὴν μὲν ἀρχὴν

1. Marcellus, maître de la cavalerie en Gaule, et peut-être Ursicinus, maître de la cavalerie en Orient, envoyé à Cologne en 355 pour réduire l'usurpation de Silvanus et maintenu en Gaule jusqu'en 357. Julien se plaint, dans la *Lettre aux Athéniens,* 7 (éd. J. Bidez, I, 1, p. 223-224), d'avoir été subordonné par Constance à ses généraux : l'empereur l'aurait seulement chargé de « faire circuler le manteau et l'image impériale ». Les mauvais rapports de Julien avec Marcellus, son mentor en titre, sont confirmés par Amm. en 16, 4, 3 et 16, 7, 1-2. Sur Marcellus, voir *P.L.R.E.*, p. 550-551 M. 3.

2. Marcellus, disgrâcié au printemps de 357 pour n'avoir pas secouru Julien assiégé à Sens par les Francs au cours de l'hiver 356-357 (Amm. 16, 4, 3 et 16, 7, 3), fut remplacé par Sévérus, « instruit par une longue expérience de la guerre » (Amm. 16, 10, 21). Sur ce maître de milice discipliné (Amm. 16, 11, 1), qui participa à la victoire de Strasbourg (Argentoratum), le 25 août 357 (à laquelle Sozomène ne fait ici que deux allusions vagues et volontairement neutres), voir *P.L.R.E.,* p. 832 Severus 8.

3. Amm. ne mentionne aucune lettre de ce genre et n'indique ni négociation, ni ruse ni manœuvre de retardement de la part de Julien :

raux qui l'accompagnaient[1]. Cependant, ces généraux se laissant vivre, le César lui-même prenait soin, autant qu'il lui était possible, de la conduite de la guerre, et il rendit les soldats plus ardents à la bataille, les encourageant par toutes sortes de mesures à braver le péril et en particulier en établissant une récompense fixe pour tout soldat qui aurait tué un barbare. Devenu, par ce fait, cher aux soldats, il dénonça à Constance la négligence des généraux. **22** Un autre général ayant été envoyé[2], Julien en vint aux mains avec les barbares et fut vainqueur. Alors que les barbares envoyaient une ambassade pour traiter et lui présentaient une lettre de Constance par laquelle il les appelait sur la terre des Romains[3], ayant tardé à dessein à renvoyer l'ambassadeur chargé de cette négociation, Julien tomba à l'improviste sur la foule des ennemis et les vainquit. On dit que Constance lui confia cette guerre dans de mauvaises intentions contre lui, mais cela ne semble guère plausible[4]. **23** Alors qu'il lui était possible, dès le principe, de ne même pas le créer César, pourquoi donc l'avait-il créé, lui avait-il donné sa sœur pour épouse, avait-il entendu ses reproches au sujet des généraux négligents et lui en avait-il envoyé à leur place un autre qui était zélé, pour qu'il réussît à la guerre, s'il n'avait pas été son ami? Mais, comme je le

il attribue la décision de livrer bataille à l'esprit belliqueux du César et à l'orgueil de Chnodomar, enhardi par la trahison d'un Scutaire et la déroute récente de Barbation, un général romain incapable (16, 12, 1-6). Sozomène confond peut-être avec l'épisode ultérieur concernant les Francs Saliens rapporté par AMM. en 17, 8, 3-4. Sa présentation réductrice d'un succès qui aurait été obtenu par la ruse s'oppose à la célébration par AMM. d'une victoire héroïque et digne du triomphe (16, 12).

4. Une discussion aussi serrée sur la vraisemblance implique la survivance vigoureuse jusqu'à l'époque de Sozomène d'une interprétation païenne qui a pris ses racines chez JULIEN, *Lettre aux Athéniens* et chez LIBANIUS, *disc.* 18. Cf. *infra* § 23 : « mais sur ce point, les uns sont de telle opinion, les autres d'une autre ».

εὔνους ὢν αὐτῷ Κωνστάντιος Καίσαρα κατέστησεν· ἐπεὶ δὲ παρὰ γνώμην αὐτοῦ Σεβαστὸς ἀνεκηρύχθη, ἢ δεδιὼς ἀνθ' ὧν αὐτὸν καὶ τὸν ἀδελφὸν νέους ὄντας ἠδίκησεν, ἢ φθονῶν, ὡς εἰκός, ἐπὶ τῇ ὁμοίᾳ τιμῇ, ἐπεβούλευεν αὐτῷ διὰ τῶν πρὸς τῷ Ῥήνῳ βαρβάρων. Ἀλλὰ τάδε μὲν ἄλλοις ἄλλως δοκεῖ.

3

195 | **1** Ἐπεὶ δὲ μόνος εἰς τὴν βασιλείαν κατέστη, καὶ ἀνὰ 1220 τὴν ἕω τοὺς Ἑλληνικοὺς ναοὺς ἀνέῳξε καὶ τοὺς | ἠμελημένους ἐπισκευάζεσθαι, τοὺς δὲ καταλυθέντας ἀνανεοῦσθαι, καὶ τοὺς βωμοὺς ἀνίστασθαι προσέταξε· καὶ πολλοὺς αὐτοῖς ἐξηῦρε φόρους· ἔθη τε παλαιὰ καὶ τὰ πάτρια τῶν πόλεων καὶ τὰς θυσίας ἀνενέωσεν. **2** Αὐτός τε ἀναφανδὸν δημοσίᾳ ἔθυεν καὶ ἔσπενδε καὶ τοὺς περὶ ταῦτα σπουδάζοντας ἐν πολλῇ τιμῇ ἐποιεῖτο· μύσταις τε καὶ ἱερεῦσιν, ἱεροφάνταις τε καὶ τοῖς τῶν ξοάνων

1. Constance aurait agi contre son propre César comme il l'avait fait envers l'usurpateur Magnence. AMM. mentionne lui aussi une correspondance secrète entre Constance et le roi alaman Vadomar (21, 3, 6). Mais cette coïncidence ne prouve pas que Constance, empereur conscient de ses devoirs et soucieux du bien public, ait vraiment trahi : les deux historiens peuvent suivre pour des raisons différentes, politiques pour AMM., religieuses pour Sozomène, une ou des traditions calomnieuses.

2. Sur les débuts de la politique religieuse de Julien – édit de restitution en faveur du paganisme (antérieur au 1er janvier 362, puisque le consul Mamertin l'en remercie déjà dans son action de grâces *Pan.* XI, 23, 5), organisation d'un clergé païen sur le modèle du clergé chrétien, louée par LIBANIUS, *disc.* 18, 126-129 et vitupérée par CHRYSOSTOME, *Discours sur Babylas* 76-77 (éd. M.A. Schatkin, *SC* 362, p. 194-197) – voir les « encycliques » de Julien à Théodore, grand-prêtre d'Asie (*Lettres* 89a et 89b, éd. J. Bidez, I, 2, p. 151-174) ainsi que BIDEZ,

conjecture, c'est parce qu'il lui était d'abord favorable que Constance le créa César. Puis, quand Julien eut été, malgré Constance, proclamé Auguste, celui-ci, soit par crainte, en raison des torts qu'il avait causés à Julien et son frère quand ils étaient jeunes, soit par jalousie, comme il est naturel, de ce qu'il eût reçu les mêmes honneurs, intrigua contre lui au moyen des barbares proches du Rhin[1]. Mais sur ce point, les uns sont de telle opinion, les autres d'une autre.

Chapitre 3

Parvenu à l'empire,
Julien commence à ébranler peu à peu le christianisme
et à introduire adroitement le paganisme.

1 Quand il eut été seul établi sur le trône, Julien fit en Orient rouvrir les temples païens et il prescrivit aussi de remettre en état ceux qu'on avait négligés, de restaurer ceux qui avaient été détruits et de redresser les autels; il imagina pour eux beaucoup de revenus; et il rétablit les anciennes coutumes traditionnelles des villes et des sacrifices[2]. **2** Lui-même ouvertement, à titre officiel, sacrifiait et faisait des libations et il tenait en grand honneur ceux qui étaient zélés à le faire; il rendit leurs anciens honneurs aux mystes et aux prêtres, aux hiérophantes et

p. 267-270 et Piganiol, p. 144-145. La précision – Julien fit rouvrir les temples *en Orient* – qui ne se trouve ni chez Libanius ni chez Socrate, permet peut-être de penser que l'édit de Julien ordonnant la reconstruction ou la remise en état des temples païens ne concernait, du moins dans un premier temps, que l'Orient, vivier du christianisme : cf. J.J. Arce, « Reconstrucciones de templos paganos en epoca del emperador Juliano », dans *Rivista storica dell'antichità* 5, 1975, p. 201-205.

θεραπευταῖς τὰς παλαιὰς τιμὰς ἀπέδωκε· καὶ τὰ παρὰ τῶν πρόσθεν βασιλέων νενομοθετημένα ἐπ' αὐτοῖς ἐκύρωσεν, λειτουργιῶν τε καὶ τῶν ἄλλων ὧν πρὶν εἶχον τὴν ἀτέλειαν ἐπεψηφίσατο, καὶ τὰ ἀφαιρεθέντα τῶν νεωκόρων σιτηρέσια ἀπέδωκε. Καὶ καθαροῖς εἶναι ἀπὸ τροφῶν διεκελεύετο καὶ ὅσων ἀπέχεσθαι προσῆκε τόν, ὡς Ἕλληνες λέγουσιν, ἁγιστεύειν προῃρημένον. **3** Προσέταξε δὲ καὶ τὸν πῆχυν τοῦ Νείλου καὶ τὰ σύμβολα κατὰ τὰ παλαιὰ πάτρια κομίζεσθαι πρὸς τὸν Σάραπιν· κατὰ πρόσταξιν γὰρ Κωνσταντίνου τῇ ἐκκλησίᾳ προσεφέρετο. **4** Τῷ δὲ κοινῷ τῶν πόλεων πολλάκις ἔγραφεν, εἰ μὲν πρὸς ἑλληνισμὸν τετραμμένας ἔγνω, προτρέπων αἰτεῖν ἃς βούλονται δωρεάς, ταῖς δὲ χριστιανιζούσαις περιφανῶς ἀπηχθάνετο, μήτε 1221 ἐπιδημεῖν αὐταῖς ἀνεχόμενος μήτε | πρεσβευομένων περὶ τῶν λυπούντων τὰς πρεσβείας δεχόμενος. **5** Ἀμέλει τοι προσδοκωμένων τότε Περσῶν ἐπιστρατεύειν, πρεσβευο- **196** μένοις περὶ τούτου Νισιβηνοῖς | ὡς παντελῶς χριστιανίζουσι

1. Les termes mystes, hiérophantes, thérapeutes désignent respectivement, dans le vocabulaire cultuel païen et la religion grecque classique, les initiés aux mystères, les prêtres chargés de leur initiation et de la célébration des grands mystères (à l'origine, le nom d'hiérophante était réservé au grand-prêtre des mystères d'Éleusis, choisi toujours dans la famille des Eumolpides) et les desservants des temples, chargés de laver, d'oindre, de vêtir les statues. De telles prêtrises ont été assumées sous l'Empire par des personnages distingués : à la fin du IVe siècle encore, les aristocrates païens d'Occident, comme Prétextat et Nicomaque Flavien, les arboraient dans leurs titulatures à côté des magistratures et prêtrises romaines. Pour ce «cumul des sacerdoces», voir PIGANIOL, p. 259 et, plus précisément, H. BLOCH, «The Pagan Revival in the West at the End of the Fourth Century», dans A. MOMIGLIANO, *The Conflict between Paganism and Christianity,* Oxford 1963, p. 193-218.

2. Dans sa lettre à Théodore (éd. J. BIDEZ, I, 2, p. 170, l. 3), Julien utilise précisément le verbe ἁγιστεύειν.

3. Cette coudée votive mesurait la hauteur de l'inondation et permettait de prévoir chaque année la fertilité des terres. Sozomène, en

aux thérapeutes des statues divines[1]; il ratifia les mesures édictées pour eux par les empereurs antérieurs, confirma l'exemption des liturgies et des autres services publics qu'ils avaient eue auparavant, et rendit aux néocores les allocations de grains dont ils avaient été privés. Il leur ordonnait de ne pas toucher aux aliments et à tout ce dont il convient de s'abstenir quand on a adopté la vie que les païens appellent «vie hiératique»[2]. **3** Il prescrivit aussi de ramener au temple de Sarapis la coudée du Nil et les symboles du culte selon les traditions anciennes : selon un édit de Constantin en effet, on les apportait à l'église[3]. **4** Il écrivait souvent aux sénats des villes, et, s'il avait appris qu'elles s'étaient tournées vers le paganisme, il les engageait à lui demander telles faveurs qu'elles voudraient; mais celles qui restaient chrétiennes, il les tenait ouvertement en haine, ni ne souffrant de résider chez elles ni n'accueillant leurs ambassades, si elles lui en envoyaient sur leurs ennuis. **5** Par exemple, comme on s'attendait alors à une offensive des Perses et que les Nisibéniens lui avaient envoyé une ambassade à

I, 8, 5, a indiqué l'innovation de Constantin qui prit place vers 325. Pour la christianisation du culte de la crue du Nil, voir D. BONNEAU, *La crue du Nil... 332 avant - 641 après,* Paris, Klincksieck, 1964, Études et commentaires n° 52, aux p. 420-439 et, sur le sens donné par les chrétiens à cette crue, F. THELAMON, p. 273-277, commentant RUFIN, *H.E.* XI, 30 : quand, sous Théodose, la coudée eut réintégré l'église chrétienne, la crue du Nil fut merveilleusement abondante et cette «ordalie de la crue du Nil» montra que Dieu, et non Sérapis, était le «maître des eaux». Le sanctuaire de Sérapis, époux mystique et parèdre d'Isis, était le plus sacré de la religion isiaque. Contre cet édifice considéré comme l'égal des Sept Merveilles, l'évêque Georges d'Alexandrie prononça une menace qui fut l'une des causes de son lynchage sous Julien à la fin de 362 (AMM. 22, 11, 7). La fermeture, puis la destruction du Sérapeum en 391, sur l'ordre de Théodose, eurent un retentissement considérable.

καὶ μήτε τοὺς ναοὺς ἀνοίγουσι μήτε εἰς τὰ ἱερὰ φοιτῶσιν ἠπείλησε μὴ βοηθεῖν μήτε πρεσβείαν δέχεσθαι καὶ ὡς ἐναγοῦς τῆς αὐτῶν πόλεως μὴ ἐπιβήσεσθαι πρότερον, εἰ μὴ πύθοιτο εἰς Ἑλληνισμὸν μεταβαλόντας. **6** Παραπλήσια δὲ καὶ τοῖς ἐν Παλαιστίνῃ Κωνσταντιεῦσι ἐγκαλῶν προσένειμε Γαζαίοις τὴν αὐτῶν πόλιν. Ταύτην γὰρ τὴν Κωνστάντειαν, ὡς ἐκ τῶν πρόσθεν ἔγνωμεν, ἐπίνειον Γαζαίων οὖσαν καὶ Μαϊουμᾶν προσαγορευομένην, μαθὼν Κωνσταντῖνος ἐς τὰ μάλιστα τὴν Χριστιανῶν θρησκείαν πρεσβεύειν, ἀξίᾳ πόλεως ἐτίμησε καὶ Κωνσταντίῳ τῷ παιδὶ ἐπωνόμασε καὶ καθ' ἑαυτὴν πολιτεύεσθαι διετάξατο, λογισάμενος ἄδικον εἶναι τελεῖν ὑπὸ Γαζαίοις εἰσάγαν ἑλληνίζουσιν. **7** Ἐπεὶ δὲ εἰς τὴν βασιλείαν παρῆλθεν Ἰουλιανός, δίκην ἔλαχον οἱ Γαζαῖοι τοῖς Κωνσταντιεῦσι. Καὶ δικαστὴς καθίσας αὐτὸς προσένειμεν Γάζῃ τὴν Κωνστάντειαν, ἀμφὶ τοὺς εἴκοσι σταδίους διεστῶσαν· καὶ τὸ ἐξ ἐκείνου τῆς προτέρας ἀφαιρεθεῖσα προσηγορίας παραθαλάττιον μέρος τῆς Γαζαίων πόλεως ὀνομάζεται. **8** Κοινοὶ δὲ αὐτοῖς πολιτικοὶ ἄρχοντες καὶ στρατηγοὶ καὶ τὰ δημόσια πράγματα. Μόνα δὲ τὰ περὶ τὴν ἐκκλησίαν

1. En 362, quand les Perses voulaient poursuivre et exploiter les succès remportés par Sapor II en 359 (prise d'Amida) et 360 (prise de Singare et Bézabdé). Le christianisme de Nisibe, importante place-forte de Mésopotamie et verrou de la frontière romaine, est symbolisé tant par son évêque Jacques, qui organisa la résistance victorieuse lors du premier des trois sièges de la ville sous Constance (338, 346 et 350) que par le diacre Éphrem, dont la personnalité et l'œuvre exceptionnelles ont été célébrées en III, 16, et par le nombre des moines nisibéniens (*H.E.* VI, 33, 1-2).

2. Sozomène a déjà rapporté, en II, 5, 7-8, la faveur accordée aux Maïoumites par Constantin en récompense de leur conversion : cf. EUSÈBE, *Vita Constantini* IV, 37-39 (éd. F. Winkelmann, *GCS*, p. 134-135).

3. Dans le langage peu technique de Sozomène, l'expression πολιτικοὶ ἄρχοντες καὶ στρατηγοὶ semble désigner les membres du conseil de la cité, les décurions ou «bouleutes» (alors que chez Libanius ἄρχοντες désigne les fonctionnaires impériaux) et les déten-

ce sujet[1], il les menaça, parce qu'ils étaient totalement chrétiens et qu'ils n'ouvraient pas les temples ni ne fréquentaient les sanctuaires païens, de ne pas les secourir, de ne pas accueillir d'ambassade et, parce que leur ville était maudite, de ne pas y entrer avant qu'il n'eût appris qu'elle s'était convertie au paganisme. **6** La même chose se passa aussi pour les habitants de Constantia en Palestine : il les accusa et attribua leur ville aux Gazéens. Cette Constantia, comme nous le savons par ce que j'ai dit plus haut[2], est un mouillage des Gazéens et se nommait Maïoumas ; lorsque Constantin eut appris qu'elle épousait au plus haut point la religion chrétienne, il l'honora du rang de cité, lui donna le nom de son fils Constance et prescrivit qu'elle eût son propre gouvernement, considérant qu'il était injuste qu'elle fût sous la dépendance des Gazéens qui étaient extrêmement païens. **7** Quand Julien fut parvenu au trône, les Gazéens intentèrent un procès aux gens de Constantia. Julien lui-même, siégeant comme juge, attribua Constantia à Gaza : la distance entre elles est d'environ vingt stades. Depuis ce temps, privée de sa précédente dénomination, Constantia n'est plus nommée que le quartier maritime de Gaza. **8** Tout est en commun pour eux, autorités civiles, magistrats municipaux[3], affaires publiques. Seules les affaires ecclésias-

teurs effectifs de l'autorité dans ce conseil, les *principales*, dits πρῶτοι ou πρωτεύοντες ou encore δύνατοι (JULIEN, *Misopogon* 41, 368c). Cf. J.H.W.G. LIEBESCHUETZ, *Antioch. City and imperial Administration...*, Oxford 1972, p. 174 : à la fin du IVe s., l'autonomie municipale, qui reposait sur le peuple, un conseil, des magistrats élus, est révolue. Les magistrats et le peuple n'ont plus de fonctions politiques et, dans le conseil, l'autorité est détenue par un petit groupe (la note 3 de LIEBESCHUETZ concerne précisément Gaza où « les trois πρωτεύοντες avec le *defensor* constituaient les autorités civiques », d'après la *Vit. Porph.*, éd. Grégoire et Kugener, p. 25, 27, 95 ; elle est complétée par la note 4 sur les « principaux »).

εἰσέτι καὶ νῦν δύο πόλεις δείκνυσιν· ἑκατέρα γὰρ ἰδίᾳ ἐπίσκοπον καὶ κλῆρον ἔχει καὶ πανηγύρεις μαρτύρων καὶ μνείας τῶν παρ' αὐτοῖς γενομένων ἱερέων καὶ ὅρους τῶν πέριξ ἀγρῶν, οἷς τὰ ἀνήκοντα ἑκατέρᾳ ἐπισκοπῇ θυσιαστήρια διορίζεται. **9** Τῶν οὖν καθ' ἡμᾶς ἐπισκόπων τις τῆς Γαζαίων πόλεως, τετελευτηκότος τοῦ προεστῶτος τῆς Μαϊουμιτῶν ἐκκλησίας, ἐσπούδασεν ἀμφοτέρους τοὺς κλήρους ὑφ' ἑαυτὸν ποιῆσαι, μὴ θεμιτὸν εἶναι λέγων μιᾶς πόλεως δύο ἐπισκόπους προεστάναι. Ἀντειπόντων δὲ τῶν Μαϊουμιτῶν διέγνω ἡ τοῦ ἔθνους σύνοδος καὶ ἕτερον ἐχειροτόνησεν ἐπίσκοπον, πάντως που προσήκειν δοκιμάσασα τοὺς δι' εὐσέβειαν δικαίων πόλεως ἀξιωθέντας, διὰ δὲ κρίσιν Ἑλληνιστοῦ βασιλέως ἄλλως πράξαντας, ἐν ἱερωσύναις καὶ τάξει ἐκκλησιῶν μὴ χρῆναι ἀφαιρεῖσθαι τῶν δοθέντων γερῶν. Ἀλλὰ ταῦτα μὲν ὕστερον ὧδε ἀπέβη.

4

1 Περὶ δὲ τὸν αὐτὸν χρόνον καὶ τὴν πρὸς τῷ Ἀργαίῳ
1224 Καισάρειαν, μεγάλην καὶ εὐδαίμονα καὶ μητρόπολιν | οὖσαν
197 τοῦ Καππαδοκῶν κλίματος, ἐκ | τοῦ καταλόγου τῶν πόλεων ἐξήλειψεν ὁ βασιλεὺς καὶ τῆς ἐπωνυμίας τοῦ Καίσαρος ἀφείλετο, ἧς πάλαι ἔτυχεν ἐπὶ Κλαυδίου Καίσαρος, Μάζακα τὸ πρὶν ὀνομαζομένη. **2** Ἐμίσει γὰρ καὶ πρότερον ἐξαίσιον μῖσος τοὺς αὐτῆς οἰκήτορας ὡς πανδημεὶ χριστιανίζοντας καὶ πάλαι καθελόντας τοὺς παρ' αὐτοῖς νεὼς πολιούχου

1. Il est difficile d'identifier cet évêque et de dater ce synode local dont l'importance ne fut en rien comparable au concile oecuménique que réunit Justinien à Gaza en 541/542. Sozomène mentionne l'épisode parce que, natif lui-même de la région de Gaza (*DHGE,* 20, c. 154-176 D. et L. STIERNON), il est bien au courant du différend. L'évêque en cause est soit Porphyre (395-420), soit Natiras qui lui succéda et prit part au concile d'Éphèse en 431 (*DHGE,* 20, c. 172-173).

tiques maintiennent jusqu'à ce jour la dualité des villes : chacune en effet a en particulier évêque, clergé, fêtes des martyrs, mémoire des évêques que chacune a eus, limites des champs à l'entour, au moyen desquelles elles séparent les sanctuaires qui reviennent à chaque évêché. **9** Un évêque de Gaza de notre temps[1], le chef de l'église de Maïoumas étant mort, s'employa à réunir sous sa juridiction les deux clergés, disant qu'il n'était pas permis que deux évêques fussent à la tête d'une seule ville. Sur la protestation des Maïoumites, le synode de la province rendit une décision et ordonna un autre évêque ; il estimait absolument convenable que des gens qui, par leur piété, avaient obtenu les droits d'une cité, puis avaient eu un sort contraire par la sentence d'un empereur païen, ne dussent pas être privés des privilèges qui leur avaient été donnés dans les sacerdoces et le rang des églises. Mais ce sont là des événements qui eurent lieu plus tard.

Chapitre 4

Les maux infligés aux habitants de Césarée par Julien ; le franc-parler de Maris, l'évêque de Chalcédoine.

1 Vers ce même temps, l'empereur effaça aussi de la liste des villes la Césarée proche du mont Argée, qui était grande, prospère et métropole de la Cappadoce, et il lui enleva la dénomination d'après César, qu'elle avait obtenue autrefois sous le César Claude[2], alors qu'elle s'appelait auparavant Mazaka. **2** Il en haïssait en effet antérieurement déjà d'une haine violente les habitants parce qu'ils étaient chrétiens en masse et qu'ils avaient autrefois détruit les temples locaux de Zeus Poliouchos

2. L'empereur Tibère (Tiberius Claudius Nero) nomma cette ville Césarée, après avoir réduit la Cappadoce en province en 17 apr. J.C.

Διὸς καὶ πατρῴου Ἀπόλλωνος· ἐπεὶ δὲ καὶ τὸ τῆς Τύχης, ὃ μόνον περιελείφθη, αὐτοῦ βασιλεύοντος πρὸς τῶν Χριστιανῶν ἀνετράπη, δεινῶς ἀπηχθάνετο πάσῃ τῇ πόλει καὶ ἐδυσφόρει. **3** Καὶ Ἕλληνας μέν, τοὺς ὄντας εὐαριθμήτους μάλα, ἐμέμφετο ὡς μὴ ἐπαμύναντας καί, εἰ παθεῖν ἔδει τι, προθύμως ὑπὲρ τῆς Τύχης ὑπομείναντας. **4** Πάντα δὲ τὰ κτήματα καὶ τὰ χρήματα τῶν ἐν Καισαρείᾳ καὶ ὑπὸ τοὺς αὐτῆς ὅρους ἐκκλησιῶν, ἐρευνώμενα μετὰ βασάνων, εἰς μέσον φέρεσθαι προσέταξεν, αὐτίκα δὲ τριακοσίας λίτρας χρυσοῦ τῷ ταμιείῳ ἐκτῖσαι, κληρικοὺς δὲ πάντας ἐγγραφῆναι τῷ καταλόγῳ τῶν ὑπὸ τὸν ἄρχοντα τοῦ ἔθνους στρατιωτῶν, ὃ δαπανηρὸν εἶναι σφόδρα καὶ ἐπονείδιστον ἐν ταῖς τῶν Ῥωμαίων στρατιαῖς νομίζεται, **5** τὸ δὲ πλῆθος τῶν Χριστιανῶν σὺν γυναιξὶ καὶ παισὶ ἀπογράψασθαι καὶ καθάπερ ἐν ταῖς κώμαις φόρους τελεῖν· ἐνορκῶν δὲ ἠπείλησεν ὡς, εἰ μὴ τάχος τὰ ἱερὰ ἀνεγείρωσιν, οὐ παύσεται μηνιῶν καὶ κακῶς ποιῶν τὴν πόλιν, καὶ οὐδὲ

1. Chaque cité importante avait son *Tycheion,* temple de sa *Tychè* ou de son *Genius,* encore plus étroitement lié à sa destinée que les temples des divinités protectrices comme Zeus Poliouchos et Apollon Patrôos. Pour un païen convaincu, la destruction par les habitants du temple de leur propre *Tychè* équivalait à un suicide collectif. La démolition de l'autel, acte séditieux contraire à la politique religieuse officielle, obligeait l'empereur à sévir (deuxième moitié de l'année 362) : cf. BIDEZ, p. 231 et p. 394 note 21. Julien exprime son dépit contre la désobéissance des chrétiens dans les *Lettres* 46 (à Aèce) et 58 (à Zénon archiatre), avec une amertume particulière à l'égard des Cappadociens dans la *Lettre* 78 (au philosophe Aristoxène).

2. Julien prive les clercs d'une immunité accordée par Constantin (*Code Théodosien* XVI, 2, 2, loi du 21 octobre 313 et EUSÈBE, *H.E.* X, 7, 2 ; voir *H.E.* I, 9, 5), qui permettait à des membres de familles curiales d'échapper aux lourdes obligations municipales. Sozomène attribue cette mesure à la haine du christianisme. En fait, elle faisait partie d'une politique d'ensemble visant à restaurer la prospérité des cités en élargissant le recrutement des membres de leur curies alors désertées à cause de multiples exemptions. Cette poursuite des curiales réfugiés dans l'Église ou dans l'armée est réprouvée aussi par AMM. quand

et d'Apollon Patrôos : mais quand le temple de Tyché[1], qui avait été seul épargné, eut été, lui régnant, renversé par les chrétiens, il éprouva une terrible animosité contre toute la ville et il était en fureur. **3** Aux païens, qui étaient là en bon nombre, il reprochait de n'être pas venus au secours et de n'avoir pas avec ardeur souffert même quelque chose, s'il le fallait, pour la défense de Tyché. **4** Il prescrivit que toutes les possessions et l'argent des églises de Césarée et des lieux de sa circonscription fussent recherchés au moyen de tortures et produits en public, qu'on payât immédiatement au trésor trois cents boisseaux d'or, que tous les clercs fussent inscrits sur la liste des soldats sous le commandement du gouverneur de la province[2], ce qui, dans les armées romaines, est tenu pour très coûteux et déshonorant, **5** qu'on dénombrât la foule des chrétiens avec leurs femmes et leurs enfants et qu'on leur fît payer des impôts comme dans les villages ; il menaça avec serments que s'ils ne relevaient pas rapidement les temples, il ne cesserait pas d'exercer son courroux contre la ville et de la maltraiter, et il ne permettrait même pas aux Galiléens[3] – c'est ainsi que, par

elle ne tenait pas compte de privilèges établis et anciens (25, 4, 21). Dans la seconde phase de sa politique religieuse, Julien exclut les chrétiens de la Garde impériale, de l'armée, du gouvernement des provinces et des fonctions judiciaires (cf. *Lettre* 83, à Atarbios, gouverneur de l'*Euphratensis*), au motif que « leur propre religion leur interdit l'usage du glaive » (RUFIN, *H.E.* X, 33) : cf. BIDEZ, p. 199.

3. Julien a exprimé ses railleries et sa haine dans son traité-pamphlet *Contre les Galiléens* (en trois livres inspirés du néo-platonicien Porphyre), écrit à Antioche pendant l'hiver 362-363. Après les répliques de Théodore de Mopsueste et de Philippe de Sidé, Cyrille d'Alexandrie s'évertuait encore, au ve siècle (entre 433 et 441), à le réfuter en vingt livres : les dix livres conservés font connaître certains des arguments du livre I de Julien (voir le *Contre Julien,* l. I et II, éd. P. Burguière et P. Évieux, *SC* 322, avec un essai de reconstitution, aux p. 30-33, du plan de l'ouvrage de Julien).

τὰς κεφαλὰς συγχωρήσει τοὺς Γαλιλαίους ἔχειν (ὧδε γὰρ ἐπιτωθάζων καλεῖν εἰώθει τοὺς Χριστιανούς).

6 Ἐξέβη δ' ἂν ἴσως εἰς ἔργον ἡ ἀπειλή, εἰ μὴ θᾶττον ἐτελεύτησεν. Ἐπεὶ καὶ παρὰ τὴν ἀρχὴν οὐκ ἐλεῶν τοὺς Χριστιανοὺς φιλανθρωπότερος ἐφάνη τῶν πρόσθεν διωξάντων τὴν ἐκκλησίαν, ἀλλ' ἐκ τῶν φθασάντων εὑρὼν οὐδὲν ὄφελος εἶναι τιμωριῶν εἰς σύστασιν Ἑλληνισμοῦ, ταύτῃ δὲ μάλιστα τὰ Χριστιανῶν ηὐξῆσθαι καὶ ἐνδοξότερα 1225 | γεγενῆσθαι τῇ ἀνδρείᾳ τῶν διὰ τὸ δόγμα ἀποθανεῖν ἑλομένων. **7** Ὅθεν δόξης αὐτοῖς φθονῶν, οὐ φειδόμενος, πυρὶ μὲν <χρῆσθαι> ἢ σιδήρῳ ἢ τοῖς τοῦ σώματος αἰκισμοῖς **198** ἢ τῷ κατα|ποντῶσαι καὶ ζῶντας κατορύττειν, ἃ τὸ πρὶν ἐσπουδάζετο, οὐκ ἀναγκαῖον εἶδεν εἰς μετάστασιν γνώμης, λόγῳ δὲ καὶ παραινέσει πείθειν ἡγεῖτο τὰ πλήθη εἰς Ἑλληνισμὸν μεταβαλεῖν, καὶ τοῦ σκοποῦ περιέσεσθαι ῥᾳδίως, εἰ βιάζεσθαι μὴ ἀξιώσας ἐκ παραδόξου φιλάνθρωπός τις εἶναι δόξει περὶ αὐτούς.

8 Λέγεται γοῦν θυομένῳ αὐτῷ ἐν τῷ Κωνσταντινουπόλεως Τυχείῳ προσελθόντα Μάριν τὸν Χαλκηδόνος ἐπίσκοπον ἀσεβῆ τε δημοσίᾳ ὑβρίσαι καὶ ἄθεον καὶ ἀποστάτην προσειπεῖν· τὸν δὲ μόνην αὐτῷ ὀνειδίσαι τὴν τύφλωσιν· ὑπὸ χειραγωγῷ γὰρ προεληλύθει γέρων ὢν καὶ τοὺς ὀφθαλμοὺς ὑποκεχυμένος. **9** Ἐπεὶ δὲ καὶ ἐπισκώπτων, οἷά περ εἰώθει, εἰς τὸν Χριστὸν βλασφημῶν « οὐδὲ ὁ Γαλιλαῖός σου θεός », εἶπε, « θεραπεύσει σε », ὑπολαβὼν

1. Sozomène ne croit pas que Julien ait respecté les chrétiens et qu'il ait voulu réellement appliquer la politique de tolérance universelle affichée au début du règne. AMM. lui aussi attribue à une ruse reposant sur une image négative des chrétiens (22, 4, 4 : « les bêtes féroces ne sont pas plus hostiles à l'égard des hommes que le sont entre eux les chrétiens ») les premières mesures libérales de Julien, notamment le rappel d'exil des évêques maltraités par Constance. Voir J. BIDEZ, « L'évolution de la politique de l'empereur Julien en matière religieuse », dans *Bull. de l'Académie royale de Belgique,* Classe des Lettres, 1914, p. 406-461.

moquerie, il avait coutume d'appeler les chrétiens – de garder leurs têtes.

6 Et peut-être que cette menace aurait été mise à exécution, s'il n'était pas mort avant. Sans doute, au début, il se montra plus humain envers les chrétiens que ceux qui auparavant avaient persécuté l'Église, non qu'il eût pitié d'eux, mais parce qu'il avait compris, d'après les événements passés, que les supplices ne servaient de rien pour donner de la consistance au paganisme, et que c'est par là surtout que le christianisme avait grandi et était devenu plus glorieux, à cause du courage de ceux qui avaient choisi de mourir pour la foi. **7** Jaloux donc de cette gloire, et non par ménagement, il ne jugea pas nécessaire d'user du feu, du fer, des mauvais traitements corporels, de jeter les victimes à la mer ou de les enterrer vivantes, comme on s'y empressait auparavant ; pour obtenir un changement d'opinion, il estimait qu'il ferait passer les foules au paganisme par le discours et la persuasion et qu'il atteindrait facilement le but si, loin de juger bon de contraindre, il se montrait, contre toute attente, humain envers les chrétiens[1].

8 On raconte en tout cas ceci. Comme il sacrifiait un jour au Tychéion de Constantinople, Maris, évêque de Chalcédoine[2], l'aborda et, l'insultant en public, le déclara impie, athée et apostat. Julien ne lui reprocha que sa cécité : il s'était avancé en effet sous la conduite d'un guide, car c'était un vieillard atteint de cataracte. **9** Comme il se moquait, à son habitude, en blasphémant contre le Christ, et lui avait dit « Ton dieu galiléen ne pourra même pas te guérir », Maris répondit : « Mais je remercie mon

2. Cet évêque, vieux routier de l'arianisme, bien qu'il eût souscrit par opportunisme au credo de Nicée, avait participé en 360 au concile acacien de Constantinople qui confirma la formule arienne de Rimini-Niké (*H.E.* IV, 24, 1).

Μάρις «ἀλλ' ἐγὼ χάριν ἔχω τῷ θεῷ μου τῆς τυφλώσεως», ἔφη, «ἵνα μή σε θεάσωμαι τῆς εὐσεβείας ἐκπεπτωκότα.» Καὶ ὁ βασιλεὺς μηδὲν ἀποκρινάμενος παρέδραμεν. Ὤιτο γὰρ ταύτῃ μᾶλλον τὸν Ἑλληνισμὸν κρατῦναι, ἀνεξίκακον καὶ πρᾶον ἀδοκήτως τῷ πλήθει τῶν Χριστιανῶν ἑαυτὸν ἐπιδεικνύς.

5

1 Ταῦτα δὲ σπουδάζων πᾶσι μὲν τοῖς ἐπὶ Κωνσταντίου φυγαδευθεῖσι διὰ θρησκείαν ἀνῆκε τὴν φυγήν, καὶ τοῖς δημευθεῖσι νόμῳ τὰ σφέτερα ἀπέδωκε· τοῖς δὲ δήμοις προηγόρευεν μηδένα ἀδικεῖν τῶν Χριστιανῶν μηδὲ ὑβρίζειν μηδὲ ἄκοντας πρὸς θυσίαν ἕλκειν, τοὺς δὲ ἑκοντὶ τοῖς βωμοῖς προσιόντας πρότερον ἐξιλεοῦσθαι οὓς Ἕλληνες **199** καλοῦσιν ἀποτροπαίους δαίμονας, καὶ | καθαίρεσθαι καθαρσίοις οἷς ἔθος αὐτοῖς. **2** Κληρικοὺς μέντοι πᾶσαν ἀτέλειαν καὶ τιμὴν καὶ τὰ σιτηρέσια ἀφείλετο, καὶ τοὺς 1228 | ὑπὲρ αὐτῶν κειμένους νόμους ἀνεῖλε, καὶ τοῖς βουλευτηρίοις ἀπέδωκε, μέχρι τε παρθένων καὶ χηρῶν τὰς δι' ἔνδειαν ἐν τοῖς κλήροις τεταγμένας εἰσπράττεσθαι προσέταξεν, ἃ πρὶν παρὰ τοῦ δημοσίου ἐκομίσαντο.

1. Même interprétation chez Amm. (22, 5, 2). Pourtant, Bidez, p. 228, pense que, dans ces mesures, «tout n'était pas perfidie pure» et que Julien espérait par là «se rendre populaire» – la recherche de la popularité est un trait qu'Amm. relève en 25, 4, 18. De ces deux mesures, rappel d'exil et restitution des biens, Sozomène laisse entendre que l'édit de restitution des biens ne visait que les chrétiens, alors qu'il concernait tous les spoliés : voir Julien, *ep.* 46 à Aèce et 114 aux Bostréniens.

2. Sozomène généralise ici ce qu'il a réservé plus haut (4, 4) aux clercs de Césarée de Cappadoce. Le texte de ces dispositions détaillées est conservé dans deux lois du *Code Théodosien* (XII, 1, 50

Dieu pour cette cécité, en sorte que je ne te voie pas, toi que voilà, déchu de la piété. » Et l'empereur se retira sans rien répondre. Car il estimait fortifier ainsi le paganisme, en se montrant à la foule des chrétiens, de manière inattendue, patient et doux.

Chapitre 5

Julien rend la liberté aux chrétiens emprisonnés, dans le but de troubler davantage l'Église ; tous les maux qu'il imagine contre les chrétiens.

1 Comme il y mettait son zèle, il fit remise du bannissement à tous ceux qui avaient été exilés sous Constance pour raison religieuse[1] et il fit rendre leurs biens, par une loi, à ceux qui avaient subi confiscation. Aux peuples il enjoignit de ne faire tort à aucun chrétien, de ne pas les violenter, de ne pas les tirer de force aux sacrifices : si, d'eux-mêmes, certains allaient aux autels, ils devraient d'abord apaiser les démons que les païens nomment apotropaïques et se purifier par les sacrifices expiatoires dont ils ont coutume. **2** Aux clercs cependant, il enleva toute immunité et marque d'honneur et les allocations de grains, il supprima les lois établies dans leur intérêt et il les fit rentrer dans les sénats des villes[2] ; aux femmes, jusqu'aux vierges et aux veuves, mises par indigence dans les rangs du clergé, il prescrivit la restitution des sommes qu'elles avaient perçues jusqu'alors du trésor

et XII, 1, 4). Voir aussi JULIEN, *ep.* 54, éd. J. Bidez, I, 2, p. 66, aux Byzacéniens. Approuvées par LIBANIUS, *disc.* 18, 148, elles sont naturellement condamnées par GRÉGOIRE, *disc.* 4, 86, éd. J. Bernardi, *SC* 309, p. 216-217, qui ne mentionne pas la réintégration des clercs dans les curies, et les historiens ecclésiastiques, mais aussi par AMM. 25, 4, 21.

3 Ἡνίκα γὰρ Κωνσταντῖνος τὰ τῶν ἐκκλησιῶν διέταττε πράγματα, ἐκ τῶν ἑκάστης πόλεως φόρων τὰ ἀρκοῦντα πρὸς παρασκευὴν ἐπιτηδείων ἀπένειμε τοῖς πανταχῇ κλήροις, καὶ νόμῳ τοῦτο ἐκράτυνεν, ὃς καὶ νῦν κρατεῖ, ἐξ οὗ τέθνηκεν Ἰουλιανὸς ἐπιμελῶς φυλαττόμενος. **4** Ὠμοτάτην δὲ καὶ χαλεπωτάτην τήνδε γενέσθαι φασὶ τὴν εἴσπραξιν. Μαρτυρεῖ δὲ καὶ τὰ τότε παρὰ τῶν πρακτόρων γενόμενα γραμματεῖα τοῖς εἰσπραχθεῖσιν εἰς ἀπόδειξιν τῆς ἀναδόσεως ὧν εἰλήφεσαν κατὰ τὸν Κωνσταντίνου νόμον.

5 Οὐκ ἐν τούτοις δὲ μόνον ἵστατο ἡ τοῦ κρατοῦντος πρὸς τὴν θρησκείαν ἀπέχθεια· σπουδῇ δὲ τοῦ πρὸς τὸ δόγμα μίσους οὐδὲν εἶδος παρέλειπεν εἰς καθαίρεσιν τῆς ἐκκλησίας, χρήματά τε καὶ ἀναθήματα καὶ τὰ ἱερὰ σκεύη ἀφαιρούμενος, τούς τε καταβληθέντας νεὼς ἐπὶ τῆς Κωνσταντίνου καὶ Κωνσταντίου ἡγεμονίας βιαζόμενος τοὺς καθελόντας ἀνοικοδομεῖν ἢ τὰς ὑπὲρ αὐτῶν ἀποτιμήσεις ἐκτιννύειν. Ἐκ δὲ τούτων μηδέτερον ἐπιτελεῖν δυνάμενοι, προσέτι δὲ κατὰ τὴν ἀναζήτησιν τῶν ἱερῶν χρημάτων, ἱερεῖς τε καὶ κληρικοὶ καὶ τῶν ἄλλων Χριστιανῶν πολλοὶ χαλεπῶς ἐβασανίζοντο καὶ δεσμωτηρίοις ἐνεβάλλοντο. **6** Ὥστε πανταχόθεν συμβαλεῖν ἔστι φόνων μὲν ἕνεκα καὶ περινοίας τῶν εἰς τὸ σῶμα τιμωριῶν μετριώτερον αὐτὸν

1. Julien s'oppose de front à la politique de Constantin favorable à la virginité (*Code Théodosien* VIII, 16, 1, 31 janvier 320), dont Sozomène a fait l'éloge au livre I, 9.

2. Le texte de cette loi, sans doute de peu postérieure au concile de Nicée (325), n'est pas connu par les Codes, sinon indirectement (la loi du *Code Théodosien* XVI, 5, 1, datée de 326, exclut les hérétiques des privilèges réservés au clergé catholique). PIGANIOL, p. 35, se fonde donc exclusivement sur le présent passage, en précisant, à partir de *H.E.* I, 8, 10, que « Constantin a dispensé du tribut une partie des terres des villes, en spécifiant que ce tribut serait désormais versé aux clercs ». Le chrétien Jovien qui succéda à Julien rétablit les allocations accordées aux églises, mais en les réduisant au tiers, mesure confirmée par ses successeurs (PIGANIOL, p. 165, avec la note 6 invoquant *H.E.* VI, 3 et THÉODORET, *H.E.* IV, 4, 1-2).

public[1]. **3** En effet, du temps où Constantin réglementait les affaires des églises, il avait attribué aux clergés de tout lieu, sur les impositions de chaque ville, ce qui suffisait à leur fournir le nécessaire, et il avait sanctionné cette mesure par une loi qui est en vigueur aujourd'hui encore, soigneusement observée depuis la mort de Julien[2]. **4** Cette restitution se fit, dit-on, de la façon la plus cruelle et la plus pénible. En témoignent les récépissés alors remis par les percepteurs aux personnes qui avaient restitué, et destinés à prouver le remboursement des sommes qu'elles avaient reçues conformément à la loi de Constantin.

5 Ce n'est pas en ces mesures seulement que consistait l'animosité du prince à l'égard de la religion. Dans le zèle de sa haine contre la foi, il ne négligeait aucun procédé pour ruiner l'Église, enlevant les richesses, les offrandes, les vases sacrés, forçant ceux qui avaient détruit les temples démolis sous les règnes de Constantin et Constance à les rebâtir ou à payer des indemnités correspondant à leur évaluation. Comme ils ne pouvaient accomplir ni l'un ni l'autre et, outre cela, en raison de la recherche des biens des églises, des prêtres, des clercs et beaucoup des autres chrétiens étaient cruellement mis à la torture et jetés en prison[3]. **6** En sorte que, tout considéré, il est permis de conclure que, sans doute, en fait de meurtres et d'invention de supplices corporels,

3. Le caractère sournois de la politique de Julien est admis par BIDEZ, p. 291-299 et PIGANIOL, p. 156-157 qui énumèrent ses principaux méfaits : radiation de Césarée de la liste des cités, pogroms divers, vierges consacrées exposées nues et tuées à Héliopolis (là-dessus, Sozomène dépend de GRÉGOIRE, *disc.* 4, 87, éd. J. Bernardi, *SC* 309, p. 218-222), profanation de la tombe de saint Jean-Baptiste à Sébaste, confiscation des vases précieux de l'Église d'Antioche, exil des évêques récalcitrants, Athanase, Titus de Bostra, Éleusios de Cyzique, taxe exceptionnelle imposée pour financer la guerre perse, projet de détruire les livres des « Galiléens ».

γενέσθαι τῶν πρὸ τοῦ διωξάντων τὴν ἐκκλησίαν, ἐν δὲ τοῖς ἄλλοις χαλεπώτερον. Φαίνεται γὰρ ἐν πᾶσιν αὐτὴν κακῶς ποιήσας, πλὴν ὅτι τοὺς ἀλλοτρίαν οἰκεῖν
200 κατα|δικασθέντας ἱερέας ἐπὶ τῆς Κωνσταντίου βασιλείας μετεκαλέσατο. **7** Λέγεται δὲ μὴ φειδοῖ τῇ περὶ αὐτοὺς ταῦτα προστάξαι, ἀλλ' ὥστε ἢ ὑπὸ τῆς πρὸς ἀλλήλους ἔριδος ἐμφυλίῳ μάχῃ πολεμεῖσθαι τὴν ἐκκλησίαν καὶ τῶν οἰκείων διαμαρτεῖν θεσμῶν, ἢ Κωνστάντιον διαβάλλων. Ὤιετο γὰρ σχεδὸν πρὸς πᾶν τὸ ὑπήκοον καὶ τελευτήσαντι τούτῳ μῖσος κατασκευάσειν τοὺς μὲν Ἑλληνιστὰς ὡς ὁμόφρονας θεραπεύων, τοὺς δὲ διὰ Χριστὸν ἐπ' ἐκείνου κακῶς παθόντας ὡς ἠδικημένους ἐλεῶν. **8** Ἀμέλει τοι καὶ τοὺς εὐνούχους ὡς αὐτῷ καταθυμίους τῶν βασιλείων
1229 ἐξέβαλεν· Εὐσέβιον δὲ τὸν | μείζονα τῆς βασιλικῆς αὐλῆς θανάτῳ ἐζημίωσε· καὶ ἰδίᾳ γὰρ αὐτῷ λύπη τις ἦν πρὸς τοῦτον, καθότι Γάλλον τὸν ἀδελφὸν τῇ αὐτοῦ ἐπιβουλῇ ἀνῃρῆσθαι ὑπώπτευεν. **9** Ἀέτιον δὲ τὸν ἀρχηγὸν τῆς Εὐνομίου αἱρέσεως, ὡς ὑπὸ Κωνσταντίου ὑπερορίαν φυγὴν καταδικασθέντα καὶ ἄλλως ὕποπτον διὰ τὴν πρὸς Γάλλον ὁμιλίαν, εὐμενῶς μάλα γράψας μετεκαλέσατο πρὸς αὐτόν, δημόσια ὑποζύγια δεδωκώς.

1. Sozomène partage en substance l'opinion d'Amm. (22, 5). Les milieux tant païens que chrétiens trouvaient leur compte dans cette interprétation : les païens pouvaient ironiser sur la discorde des chrétiens luttant férocement, sous Constance, pour les sièges épiscopaux ; les chrétiens pouvaient noircir, par un trait d'extrême perfidie, l'image de l'Apostat. La seconde motivation – Julien aurait voulu attiser la haine contre son prédécesseur – paraît propre à Sozomène et ne manque pas de vraisemblance psychologique et politique.

2. Cette mesure fut prise dès que Julien eut gagné Constantinople (pour cette « purge », voir Amm. 22, 4 qui englobe les eunuques de la Chambre impériale sous le terme *palatini*), par réaction contre Constance qui, disait-on, avait été l'esclave de ses eunuques. Le grand chambellan Eusèbe, déjà mentionné en *H.E.* III, 1, 4 et IV, 16, 22, faisait partie de ceux qui furent justement condamnés par la haute Cour de Chalcédoine (cf. Amm. 22, 9, 12) : il avait intrigué contre Gallus et participé à l'exécution de la sentence impériale (Amm. 14, 11, 2 et 21).

Julien fut plus modéré que les persécuteurs de l'Église avant lui, mais que pour le reste il fut plus dur. Il apparaît en effet comme ayant maltraité l'Église en tout point, sauf qu'il rappela les évêques condamnés à l'exil sous le règne de Constance. **7** On dit pourtant qu'il prescrivit cela à leur égard non pour les épargner, mais pour que, en raison de leurs discordes mutuelles, l'Église fût en proie à la guerre civile[1] et s'éloignât de ses propres règles, ou encore parce qu'il accablait ainsi Constance. Il pensait en effet qu'il susciterait ainsi de la haine de la part de presque tous ses sujets contre Constance même après sa mort, d'un côté en honorant les païens comme partageant ses sentiments, de l'autre en prenant en pitié, comme ayant été injustement traités, ceux qui avaient souffert sous Constance à cause du Christ. **8** En tout cas, il chassa du palais même les eunuques, parce qu'ils avaient été chers à Constance ; il punit de mort Eusèbe, le grand chambellan : il avait en effet un ressentiment particulier contre lui, en ce qu'il soupçonnait qu'Eusèbe, par ses intrigues, avait fait exécuter son frère Gallus[2]. **9** Quant à Aèce, l'auteur de l'hérésie d'Eunome, en tant qu'il avait été condamné au bannissement par Constance et que, par ailleurs, il avait été suspect à Constance à cause de son amitié avec Gallus, il lui écrivit une lettre très gracieuse et le manda auprès de lui en lui fournissant les chevaux de la poste publique[3]. **10** Pour la

3. Aèce n'était pas évêque. Mais son rappel honorifique (JULIEN, *ep.* 46, éd. J. Bidez, I, 2, p. 65-66) prend place dans la réintégration des personnalités ecclésiastiques bannies par Constance. Sozomène la souligne parce qu'elle lui paraît confirmer la double motivation prêtée au § 7 à la politique de tolérance inaugurée par Julien : Aèce étant un fauteur de troubles, Julien pouvait espérer le voir continuer dans cette voie ; banni par Constance, il pouvait passer pour une victime innocente d'un prince cruel. La mention de Gallus, à propos de l'exécution du grand chambellan Eusébius, a également pu amener, par association, la mention d'Aèce : sur les relations étroites de celui-ci avec le César, voir *H.E.* III, 15, 8.

10 Ἐκ τοιαύτης δὲ αἰτίας καὶ Ἐλεύσιον τὸν Κυζίκου ἐπίσκοπον ὑπὸ βαρυτάτῳ ἐπιτιμίῳ προσέταξε τότε ταῖς αὐτοῦ δαπάναις ἐν δύο μόνοις μησὶν ἀνοικοδομῆσαι τὴν Ναυατιανῶν ἐκκλησίαν ἣν ἐπὶ Κωνσταντίου καθεῖλε. Καὶ ἄλλα δὲ πολλὰ ἂν εὕροι τις, ἃ διὰ μῖσος τοῦ πρὸ αὐτοῦ ἡγεμονεύσαντος τὰ μὲν αὐτὸς ἐποίησε, τὰ δὲ ἄλλων ποιούντων ἠνέσχετο.

6

1 Ἐν δὲ τῷ τότε καὶ Ἀθανάσιος τὸν πρὸ τοῦ χρόνον λανθάνων ὅπῃ διέτριβεν, ἀγγελθείσης τῆς Κωνσταντίου τελευτῆς ἀνεφάνη νύκτωρ ἐν τῇ Ἀλεξανδρέων ἐκκλησίᾳ. Ἦν δὲ τοῦτο εἰκότως παράδοξον, ἐξαπίνης ὧδε παρὰ προσδοκίαν συμβάν. Ἡνίκα γὰρ ἐξ ἐπιβουλῆς τῶν Γεωργίου ἐπιτηδείων προστάξαντος τοῦ βασιλέως σπουδάσας αὐτὸν **201** συλλαβέσθαι ὁ τῶν | ἐν Αἰγύπτῳ ταγμάτων ἡγεμὼν ἀπέτυχεν, ὡς ἐν τοῖς πρόσθεν εἴρηται, διαφυγὼν μέχρι τῆς παρούσης ἡγεμονίας παρά τινα παρθένον ἱερὰν ἐν

1. Éleusios fut l'un des évêques qui étendirent l'influence de Macédonius dans le Pont et en Paphlagonie. Il a été nommé plusieurs fois au l. IV, notamment en 23, 5. Déposé par le concile de Constantinople en 360, il retrouva son siège en 362 grâce à Julien, mais, à ce qu'il paraît, pour subir tracasseries et vexations. L'église des novatiens avait été détruite à Constantinople, à l'instigation de Macédonius, mais les fidèles, en emportant chacune de ses pierres, l'avaient reconstruite à l'identique à Sykae (*H.E.* IV, 20, 4-6, après SOCRATE *H.E.* II, 38, 14-28). Julien leur permit de rétablir leur église à son emplacement primitif. L'épisode ici évoqué doit s'interpréter dans le cadre de la persécution des novatiens, à Cyzique comme à Constantinople, par les macédoniens, et de la politique religieuse de Julien restituant leurs biens et notamment leurs temples à ceux qui en avaient été spoliés sous le règne précédent.

2. Le « 27e jour du mois de méchir », 21 février 362, après un exil de « soixante-douze mois et quatorze jours », d'après l'*Histoire « acéphale »* 3, 3 et 4, éd. A. Martin, *SC* 317, p. 150-151.

même raison, il prescrivit alors à Éleusios évêque de Cyzique, sous la menace d'une peine très grave, de rebâtir en deux mois seulement, à ses frais, l'église des novatiens qu'il avait détruite sous Constance[1]. On pourrait trouver bien d'autres choses que, par haine pour son prédécesseur, ou bien il fit lui-même ou bien il toléra que d'autres fissent.

Chapitre 6

Athanase, alors caché pendant sept ans chez une vierge sage et belle, réapparaît et rentre dans la ville d'Alexandrie.

1 En ce temps-là Athanase aussi, dont auparavant on ignorait l'endroit où il se trouvait, à la nouvelle de la mort de Constance, réapparut de nuit dans l'église d'Alexandrie[2]. C'était là une chose considérée à bon droit comme extraordinaire, puisqu'elle s'était produite ainsi soudainement contre toute attente[3]. De fait, quand, par les intrigues des amis de Georges, sur l'ordre de l'empereur, le commandant des troupes d'Égypte, malgré son zèle à le saisir, avait échoué, comme je l'ai dit plus haut[4], Athanase en fuite s'était caché à Alexandrie jusqu'au règne

3. L'édit de rappel des évêques exilés ayant été publié à Alexandrie « le 15e jour du mois de méchir », soit le 9 février 362 (*Histoire « acéphale »* 3, 2, éd. A. Martin, *SC* 317, p. 150-151), le retour d'Athanase, le 21 février, n'est pas en soi d'une rapidité extraordinaire. C'est son caractère imprévu qui est souligné : personne ne pensait que l'évêque, qu'on avait recherché si loin, fût resté caché à Alexandrie même.

4. Voir *H.E.* IV, 9, 8-10 et l'analyse complète des événements par A. MARTIN, p. 466 s.

Ἀλεξανδρείᾳ ἐκρύπτετο. **2** Ἦν ἐπὶ τοσοῦτον κάλλει τὰς τότε γυναῖκας ὑπερβαλέσθαι παρειλήφαμεν, ὡς θαῦμα μὲν αὐτὴν εἶναι τοῖς ὁρῶσι, φευκτέαν δὲ τοῖς ἐπιείκειαν καὶ σωφροσύνην ἐπαγγελλομένοις, ἵνα μή τινα ψόγον ἐξ ὑπονοίας αὐτοῖς προστρίψηται. Ἦν γὰρ καὶ ἐν ἀκμῇ τῆς ὥρας σεμνή τε καὶ σώφρων εἰσάγαν, ἃ μηδὲ τῆς φύσεως συλλαμβανούσης διακοσμεῖν εἴωθε τὸ σῶμα εἰς εὐπρέπειαν καὶ κάλλος. **3** Ἦ γὰρ ἀληθὲς εἰπεῖν οὐχ, ὥς τισι δοκεῖ, ὁποῖα τὰ σώματα, τοιαύτην εἶναι τὴν ψυχήν, ἀλλ' ἐν τοῖς

1232 τῆς | ψυχῆς ἐπιτηδεύμασιν ἀπεικονίζεσθαι τὸ τοῦ σώματος ἦθος, καὶ τὸν αὐτόν, ὅπῃ ἂν τύχῃ ἐπιτηδεύων, τοιοῦτον καὶ διαφαίνεσθαι καθ' ὃν ἂν ἐπιτηδεύῃ καιρόν· καὶ τούτῳ μὲν τῷ λόγῳ, εἴ τις ἀκριβῶς ἐξετάσειεν, οὐδεὶς οἶμαι ἀντερεῖ. **4** Ἀθανάσιον δὲ λόγος κατὰ θείαν ὄψιν ὡδὶ ὑποθεμένην αὐτῷ σωθήσεσθαι πρὸς ταύτην τὴν παρθένον καταφυγεῖν. Καί μοι δοκεῖ πρὸς τὴν ἀπόβασιν ὁρῶντι οὐκ ἀθεεὶ ταῦτα οἰκονομηθῆναι, ἀλλ' ὥστε καὶ τοὺς Ἀθανασίου ἐπιτηδείους μὴ ἔχειν πράγματα, εἴ τις αὐτοὺς πολυπραγμονεῖν περὶ αὐτοῦ ἐπεχείρησεν ἢ ὀμνύναι ἐβιάσατο, καὶ αὐτὸν διαλαθεῖν παρὰ ταύτῃ κρυπτόμενον, ἣ τῷ μὲν κάλλει οὐ συνεχώρει ὑπονοεῖσθαι ἐνθάδε διάγειν τὸν ἱερέα, **5** δι' ἀνδρείαν δὲ αὐτὸν ὑπεδέξατο καὶ διὰ φρόνησιν ἀπέσωσεν, ἐπὶ τοσοῦτον πιστοτάτη φύλαξ καὶ διάκονος σπουδαία γενομένη, ὡς πόδας αὐτοῦ νίπτειν καὶ τὰ περὶ τροφὴν καὶ τἆλλα πάντα, καὶ ὅσα φύσις ὑπομένειν βιάζεται ἐν ταῖς κατεπειγούσαις χρείαις, μόνην αὐτὴν διακονεῖσθαι, προσέτι δὲ καὶ βίβλους ὧν ἐδεῖτο παρ' ἄλλων κομίζειν, καὶ ἐπὶ πολλῷ χρόνῳ τούτων γινομένων μηδένα τῶν οἰκούντων τὴν Ἀλεξανδρέων πόλιν μαθεῖν.

1. Même récit dans PALLADIUS, *Histoire Lausiaque,* 63. Il s'agit sans doute de la vierge Eudaemonis que l'éparque d'Égypte et le duc Artemius étaient accusés d'avoir torturée pour lui faire révéler la cachette d'Athanase (cf. *Index des Lettres festales d'Athanase d'Alexandrie* XXXII, éd. M. Albert, *SC* 317, p. 261). Sozomène assortit son récit d'un commentaire psychologique inattendu, en retournant peut-être les termes d'un dicton.

de Julien chez une certaine vierge consacrée[1]. **2** Nous avons appris qu'elle surpassait tellement en beauté ses contemporaines qu'elle était sans doute objet d'admiration pour ceux qui la voyaient, mais une personne à fuir pour ceux qui font profession de modestie et de continence, afin qu'elle ne leur attirât nul blâme par un soupçon. Car elle était dans la fleur de l'âge, d'un maintien digne et très réservé, toutes choses qui, même sans que la nature y collabore, donnent usuellement au corps les ornements d'une noble apparence et de la beauté. **3** Car il est bien vrai de dire, non pas comme certains le pensent, «tel le corps telle l'âme», mais qu'il y a dans la façon d'être du corps un reflet des occupations de l'âme et que pour tout homme – quelle que soit son occupation – elle transparaît dans son physique au moment où il s'y livre. Cette réflexion, si on examine exactement la chose, nul, je pense, ne la contestera. **4** On dit qu'Athanase se réfugia chez cette vierge parce qu'une révélation divine lui avait appris qu'il serait ainsi sauvé. Et il me semble, quand je considère le résultat, que cet arrangement ne se fit pas sans un secours divin, mais de manière que les amis d'Athanase n'eussent pas d'ennuis, au cas où l'on eût tenté de leur poser des questions indiscrètes à son sujet ou qu'on les eût forcés à jurer, et en sorte qu'on ne le sût pas caché chez cette fille : car d'une part, vu sa beauté, elle ne donnait pas lieu de soupçonner que l'évêque vécût chez elle, **5** et d'autre part, grâce à son courage, elle l'accueillit et grâce à sa prudence elle le sauva ; et elle fut à ce point gardienne très sûre et servante zélée qu'elle lui lavait les pieds, le servait seule en ce qui regarde la nourriture et toutes les autres nécessités, même celles que la nature force de subir dans les besoins pressants, et en outre elle empruntait à d'autres les livres dont il avait besoin ; et cela dura très longtemps, mais nul des habitants d'Alexandrie ne l'apprit.

7

202 | **1** Ὁ μὲν οὖν Ἀθανάσιος ὧδε διασωθείς, ἀπροσδοκήτως ἐν τῇ ἐκκλησίᾳ φανείς, οὐδ' ὅθεν προῆλθεν ἐγιγνώσκετο· περιχαρὴς δὲ γενόμενος ὁ τῶν Ἀλεξανδρέων λαὸς τὰς ἐκκλησίας αὐτῷ παρέδωκεν. Ἐκβληθέντες δὲ οἱ τὰ Ἀρείου φρονοῦντες ἐν ἰδιωτῶν οἰκίαις καθ' ἑαυτοὺς ἐκκλησίαζον Λούκιον ἀντὶ Γεωργίου τῆς αὐτῶν αἱρέσεως ἐπίσκοπον προβαλλόμενοι. **2** Γεώργιος γὰρ ἔτυχεν ἤδη ἀναιρεθείς· ἅμα γὰρ δημοσίᾳ δῆλον ἐποίησαν οἱ ἄρχοντες τετελευτηκέναι Κωνστάντιον, αὐτοκράτορα δὲ Ἰουλιανὸν εἶναι, ἐστασίασε τὸ Ἑλληνικὸν πλῆθος τῶν Ἀλεξανδρέων· κεκραγότες τε καὶ λοιδορούμενοι ὥρμησαν ἐπ' αὐτὸν ὡς παραχρῆμα ἀναιρήσοντες, ἀνακοπέντες δὲ τῆς παραυτίκα ὁρμῆς τότε μὲν αὐτὸν ἐν δεσμοῖς εἶχον. **3** Οὐκ εἰς μακρὰν 1233 δὲ καταδραμόντες ἕωθεν εἰς τὸ | δεσμωτήριον ἀναιροῦσιν αὐτόν, καὶ καμήλῳ ἐπιθέντες, διημερεύσαντές τε ἐν ταῖς κατ' αὐτοῦ ὕβρεσι, περὶ δείλην ὀψίαν πυρὶ παρέδωκαν. **4** Οὐκ ἀγνοῶ δὲ ὡς οἱ ἀπὸ τῆς Ἀρείου αἱρέσεως τάδε λέγουσι παθεῖν τὸν Γεώργιον πρὸς τῶν τοῦ Ἀθανασίου σπουδαστῶν. Ἐγὼ δὲ τῶν Ἑλληνιστῶν ἡγοῦμαι μᾶλλον εἶναι τὸ δρᾶμα, λογιζόμενος ὡς μείζους οὗτοι καὶ πλείους ἀφορμὰς μίσους πρὸς αὐτὸν εἶχον, καὶ μάλιστα τὴν περὶ τὰ ξόανα καὶ τοὺς ναοὺς ὕβριν καὶ τὴν τῶν θυσιῶν καὶ

1. C'est la première mention de cet évêque arien que le compagnon d'Arius, Euzoius, devenu évêque d'Antioche, devait introniser très officiellement comme évêque d'Alexandrie à la mort d'Athanase (373), alors que ce dernier avait lui-même «désigné et investi son successeur en la personne de Pierre, un ancien du presbyterium, qui avait partagé ses tribulations» (MARTIN, p. 789).

2. Contre les accusations des ariens, Sozomène cherche à dégager les athanasiens de toute responsabilité dans l'arrestation, puis l'assassinat de Georges d'Alexandrie : celui-ci fut tué le 24 décembre 361 – voir déjà *H.E.* IV, 30, 1-2 – et il avait été emprisonné le 30 novembre, le jour où la mort de Constance fut annoncée par le préfet Gérontius. Il est pourtant avéré que les athanasiens se soulevèrent à l'instigation du duc d'Égypte

Chapitre 7

Le meurtre et le cortège « triomphal »
de l'évêque Georges d'Alexandrie
à cause de ce qui s'était passé dans le Mithréum;
ce qu'écrit Julien à ce sujet.

1 Athanase donc, ainsi sauvé, parut inopinément dans l'église et l'on ne savait pas d'où il avait surgi. Fou de joie, le peuple alexandrin lui rendit les églises. Les ariens, qui en avaient été chassés, tenaient leurs assemblées de culte entre eux dans des maisons privées; à la place de Georges, ils s'étaient donné Lucius comme évêque de leur secte[1]. **2** Georges en effet avait été déjà tué[2]. Car aussitôt que les magistrats avaient fait connaître publiquement la mort de Constance et que Julien était autocratôr, les païens d'Alexandrie s'étaient soulevés. Poussant des cris et des injures, ils s'étaient précipités sur Georges comme pour le tuer sur le champ, puis, arrêtés dans leur premier élan, ils l'avaient alors emprisonné. **3** Mais peu après, étant accourus de bon matin dans la prison, ils le tuèrent, le mirent sur un chameau, passèrent tout le jour à l'outrager, et le soir le brûlèrent. **4** Je n'ignore pas que les ariens disent que Georges subit ce sort de la part des fidèles d'Athanase. Mais je pense plutôt que ce fut un acte des païens, songeant qu'ils avaient de plus grandes et plus nombreuses raisons de le haïr, principalement son traitement injurieux des statues de culte et des temples et le fait qu'il eût empêché les sacrifices et les fêtes

Artémius et que, une fois celui-ci rappelé par le pouvoir central et exécuté (ce qui fit de lui un martyr), les mêmes athanasiens se retournèrent contre Georges. Au reste, Sozomène rejoint en substance le récit d'AMM. selon lequel si Georges « n'avait pas été l'objet de la haine générale », s'il n'avait pas fait preuve de cruauté aussi envers ses coreligionnaires, ceux-ci seraient venus à son secours (22, 11, 11).

πατρίων κώλυσιν. Ἐπέτεινε δὲ τὴν πρὸς αὐτὸν ἀπέχθειαν καὶ ἡ ἐν τοῖς βασιλείοις δύναμις· καὶ οἷα φιλεῖ δῆμος πρὸς τοὺς ἐν δυνάμει πάσχειν, οὐκ ἀνεκτὸν ἡγοῦντο. **5** Πρὸς δὲ τούτοις καὶ τοιόνδε τότε συνέβη περὶ τὸ καλούμενον παρ' αὐτοῖς Μίθριον· τοῦτον γὰρ τὸν τόπον ἔρημον πάλαι γενόμενον ἐδωρήσατο Κωνστάντιος τῇ Ἀλεξανδρέων ἐκκλησίᾳ. **6** Γεωργίου δὲ εἰς ἐπισκευὴν εὐκτηρίου οἴκου ἀνακαθαίροντος, ἄδυτον ἀνεφάνη, ἐν ᾧ ξόανα μὲν ἴσως καὶ ὄργανά τινα εὑρέθη τῶν ἐνθάδε τότε μυούντων ἢ τελουμένων, ἃ τοῖς ὁρῶσι γελοῖά τε καὶ ξένα ἐδόκει. Δημοσίᾳ δὲ ταῦτα προθέντες οἱ Χριστιανοὶ ἐπόμπευον ἐπιτωθάζοντες τοῖς Ἑλληνισταῖς. **7** Οἱ δὲ πλῆθος εἰς ταὐτὸν συλλεγέντες ἐπῆλθον τοῖς Χριστιανοῖς, οἱ μὲν ξίφεσιν ἢ λίθοις, οἱ δὲ ἑτέρῳ τῳ ὡς ἔτυχεν ὁπλισάμενοι· καὶ πολλοὺς ἀνελόντες, τοὺς δὲ καὶ **203** σταυρώσαντες ἐφ' ὕβρει τῆς θρησκείας, τραυματίας | τοὺς πλείστους κατέστησαν. Ἐκ δὲ τούτου Χριστιανοὶ μὲν τὸ ἀρχθὲν ἔργον ἀτελὲς ἐγκατέλιπον, οἱ δὲ Ἑλληνισταὶ ἐπιλαβούσης τῆς Ἰουλιανοῦ βασιλείας τὸν Γεώργιον ἀνεῖλον. **8** Μαρτυρεῖ δὲ καὶ βασιλεὺς αὐτὸς τοῦθ' οὕτως ἔχειν. Ὅπερ οὐκ ἂν ὡμολόγησεν, εἰ μὴ ὑπὸ τῆς ἀληθείας ἐβιάσθη· ἤθελε γάρ, οἶμαι, Χριστιανοὺς οἱουσδήποτε ἢ Ἕλληνας εἶναι τοὺς Γεωργίου φονέας. Ἀλλ' ὅμως οὐκ ἀπεκρύψατο· φαίνεται γοῦν ἐν τῇ περὶ τούτου πρὸς

1. Il n'y a pas lieu de douter que Georges se soit attaqué au Mithraeum d'Alexandrie (cf. MARTIN, p. 565). Certes, on attendrait plutôt ici un rappel de ses attaques contre le Sérapeum, le plus grand sanctuaire d'Alexandrie qu'il menaça de destruction d'après AMM. 22, 11, 7. Mais une expression allusive du même AMM. (*metuentesque ne illud quoque temptaret euertere* 22, 11, 7 : «craignant qu'il ne tentât de renverser *aussi* cet édifice») donne à penser que Georges avait déjà fait détruire d'*autres* sanctuaires païens, ce qui correspond au pluriel employé par Sozomène ici même au § 4, mais aussi déjà en IV, 30, 2 («il faisait enlever statues, offrandes et ornements des temples»). Les Alexandrins, dont Sozomène connaît bien les arguments, avaient tout intérêt à mettre en relief les agissements de Georges contre Mithra, le dieu solaire, pour

traditionnelles. Ce qui rendait plus intense l'animosité contre lui, c'était aussi son pouvoir au palais : et selon les sentiments ordinaires du peuple à l'égard des gens en pouvoir, ils tenaient la chose pour insupportable. **5** Outre cela, il s'était passé alors ceci au sujet de ce qu'ils appelaient le Mithréum[1]. Ce lieu en effet, désert depuis déjà longtemps, Constance en avait fait don à l'église d'Alexandrie. **6** Comme Georges le faisait nettoyer pour le disposer en maison de prière, il apparut une crypte, dans laquelle on découvrit probablement des statues de culte et des instruments de ceux qui autrefois donnaient là ou recevaient les initiations ; ces objets paraissaient aux yeux des spectateurs ridicules et étranges. Les chrétiens les produisirent au grand jour et ils les promenaient en se moquant des païens. **7** Ceux-ci, s'étant rassemblés en foule, attaquèrent les chrétiens ; ils s'étaient armés, les uns de glaives ou de pierres, les autres de ce qu'ils trouvaient sous la main. Ils en tuèrent beaucoup, en crucifièrent par raillerie de la religion, et blessèrent le plus grand nombre[2]. De ce moment, les chrétiens laissèrent inachevé le travail qu'ils avaient commencé, et les païens, le règne de Julien étant survenu, tuèrent Georges. **8** L'empereur témoigne lui-même que les choses se passèrent ainsi. Et il n'en eût pas convenu, s'il n'y avait été forcé par la vérité : car il aurait préféré, je pense, que les meurtriers de Georges fussent des chrétiens, n'importe lesquels, plutôt que des païens. Néanmoins il ne le cacha pas : on voit bien, en tout cas, dans sa lettre aux

lequel Julien avait une dévotion particulière : cf. le chap. 2 « Miles Mithrae » de P. ATHANASSIADI-FOWDEN, *Julian and Hellenism. An intellectual Biography,* Oxford 1981, p. 52-88.

2. Il s'agit probablement de l'émeute des païens réprimée par le *dux* Artémius (JULIEN, *ep.* 60, 379 a-b, éd. J. Bidez, I, 1, p. 69-70). AMM., en 22, 11, 8, évoque la joie provoquée chez eux par la nouvelle de l'exécution d'Artémius, ce qui se comprend s'il les avait durement châtiés auparavant.

Ἀλεξανδρέας ἐπιστολῇ δόξας χαλεπαίνειν. **9** Μέχρι δὲ γραμμάτων μόνον ἐμέμψατο καὶ τὴν τιμωρίαν συνεχώρησεν, αἰδοῖ, φησί, τῇ πρὸς Σάραπιν τὸν αὐτῶν πολιοῦχον καὶ Ἀλέξανδρον τὸν οἰκιστὴν καὶ Ἰουλιανὸν τὸν αὐτοῦ θεῖον, ὃς πρὸ τούτου Αἰγύπτου καὶ τῆς Ἀλεξανδρείας ἦρξεν, ἀνὴρ ἐς τὰ μάλιστα Ἑλληνισμῷ χαίρων καὶ τοὺς Χριστιανοὺς ὑπερφυῶς μισῶν, ὥς τό γε κατ' αὐτόν, ὑπεναντίον τῆς τοῦ κρατοῦντος γνώμης, καὶ μέχρις αἵματος κακῶς παθεῖν τοὺς Χριστιανούς.

8

1236 **1** | Λέγεται γοῦν σπουδάζοντος αὐτοῦ τότε ἀφελέσθαι καὶ εἰς τοὺς βασιλέως μεταθέσθαι θησαυροὺς πλεῖστα ὄντα καὶ τιμιώτατα τὰ ἀναθήματα τῆς Ἀντιοχέων Σύρων ἐκκλησίας καὶ τοὺς εὐκτηρίους τόπους ἀποκλεῖσαι, φυγεῖν μὲν πάντας τοὺς κληρικούς, μόνον δὲ Θεοδώρητον τὸν πρεσβύτερον μὴ ὑποχωρῆσαι τῆς πόλεως· ὃν ὡς φύλακα τῶν κειμηλίων τὴν τούτων γνῶσιν καταμηνῦσαι δυνάμενον συλλαβὼν δεινῶς ᾐκίσατο· καὶ τὸ τελευταῖον ἀναιρεθῆναι ξίφει προσέταξε, παρὰ πᾶσαν τὴν βάσανον ἀνδρείως

1. Sozomène invoque JULIEN, *ep.* 60, éd. J. Bidez, I, 2, p. 69-72. Ce témoignage invoqué *in fine* est, pour lui, irrécusable : il émane de celui-là même qui aurait dû soutenir la thèse contraire, si cela avait été possible. Les deux conclusions principales que l'historien tire du document – responsabilité sinon totale, du moins principale, des païens dans le meurtre de Georges, attitude ambiguë de Julien, blâmant les Alexandrins, mais avec une indulgence presque complice –, sont aujourd'hui généralement admises.

2. Cet oncle maternel de Julien (*P.L.R.E.,* p. 470-471, Iulianus 12), frère de Basilina, était le fils de Iulius Iulianus, préfet du prétoire de Licinius de 316 à 324. Gouverneur de Phrygie avant 362, il avait été nommé comte d'Orient par son neveu, avant juillet 362. Il apostasia pour lui complaire : très actif dans la restauration des temples, il aurait aussi brisé ou déshonoré les « vases » sacrés de l'église (cf. *infra* 8, 2) et jeté à bas la « grande église » d'Antioche. Encore en fonction en

Alexandrins à ce sujet[1], qu'il a jugé bon de montrer du courroux. **9** Mais ses reproches n'allèrent pas plus loin qu'une lettre et il leur épargna le châtiment, par respect, dit-il, pour Sarapis, protecteur de leur ville, pour leur fondateur Alexandre et pour Julien son oncle[2], qui, avant ce temps, avait gouverné l'Égypte et Alexandrie, un homme extrêmement attaché au paganisme et haïssant extraordinairement les chrétiens, au point que, pour ce qui du moins dépendait de lui, contrairement à l'avis du prince, les chrétiens avaient été persécutés jusqu'au sang.

Chapitre 8

Théodore, gardien des vases sacrés de l'église d'Antioche; Julien, oncle du renégat, à cause de ces vases, est mangé par les vers.

1 On raconte en tout cas ceci. Comme il mettait alors son zèle à enlever et à faire passer dans le trésor impérial les offrandes de l'église d'Antioche de Syrie, qui étaient très nombreuses et de grand prix, et à fermer les lieux de prière, tous les clercs avaient fui, seul le prêtre Théodoret ne s'était pas retiré de la ville. En tant que gardien des vases sacrés et donc capable de les lui signaler, Julien le fit saisir et lui fit subir de terribles outrages. Et à la fin il prescrivit qu'il pérît par le glaive, après que

février 363, il mourut à Antioche, avant le départ de Julien pour la Perse (cf. le sinistre quolibet épigraphique *Felix Iulianus Augustus* cité par AMM. en 23, 1, 5), le siège dévoré par les vers, comme beaucoup de persécuteurs (cf. *infra* 8, 2 et LACTANCE, *mort. pers.* 33, 6-10, éd. J. Moreau, *SC* 39, p. 116-117 pour Galère). Aucune autre source ne dit que ce personnage ait aussi gouverné l'Égypte et Alexandrie. Sozomène le confond avec Julius Julianus, le grand-père de Julien, *P.L.R.E.*, p. 478-479. Le martyre de Théodoret, prêtre d'Antioche, est retenu par Cassiodore dont l'*Hist. trip.* compile Socrate, Sozomène et Théodoret (cf. *LTK*, 10, 1966, c. 32, B. KÖTTING).

ἀποκρινάμενον καὶ ἐν ταῖς ὑπὲρ τοῦ δόγματος ὁμολογίαις εὐδοκιμηκότα. **2** Ἐπεὶ δὲ τὰ ἱερὰ σκεύη ἐληίσατο, περιστρέψας αὐτὰ κατὰ τοῦ ἐδάφους ἐπετώθασε, καὶ βλασφημήσας ὅσα γε ἠβούλετο τὸν Χριστὸν ἐκάθισεν ἐπ' αὐτῶν καὶ τὴν ὕβριν ἐπηύξησεν. Αὐτίκα δὲ τὸ αἰδοῖον καὶ τοὺς ἀμφὶ τοῦτο ἀναγκαίους πόρους διεφθάρη· κατασαπεῖσαί τε αἱ τῇδε σάρκες εἰς σκώληκας μετέβαλον, καὶ τὸ πάθος ἐκράτει τῆς τῶν ἰατρῶν τέχνης. **3** Καὶ **204** μέντοι τῇ πρὸς βασιλέα αἰδοῖ | καὶ δέει διὰ παντοδαπῆς φαρμάκων πείρας ἐληλύθεσαν· πολυτίμους τε καὶ πίονας ὄρνεις θύοντες, τῷ τούτων λίπει τὰ διεφθορότα μόρια ἐπέπλαττον καὶ εἰς τὴν ἐπιφάνειαν ἐξεκαλοῦντο τοὺς σκώληκας. Ἀλλ' οὐδὲν ἤνυον· ἐν βάθει γὰρ κατακρυπτόμενοι πρὸς τὰς ζώσας σάρκας εἷρπον, καὶ ἐσότε αὐτὸν ἀνεῖλον, οὐ διέλιπον κείροντες. **4** Ἐδόκει δὲ κατὰ θεομηνίαν τοιαύτῃ χρήσασθαι συμφορᾷ, καθότι καὶ ὁ τῶν βασιλικῶν 1237 ταμιείων φύλαξ | καὶ ἄλλοι τινὲς τῶν ἐν τοῖς βασιλείοις ἄρχειν ἐπιτετραμμένων, νεανιευσάμενοι κατὰ τῆς ἐκκλησίας, παραδόξως καὶ ἐλεεινῶς τὸν βίον κατέλυσαν, ὡς ὑπὸ θείας ὀργῆς καταδικασθέντες.

9

1 Ἐπεὶ δὲ εἰς τοῦτο προήχθην λόγου καὶ τὴν Γεωργίου καὶ Θεοδωρήτου ἀναίρεσιν διεξῆλθον, καιρὸν ἔχειν δοκῶ ποιήσασθαι μνήμην Εὐσεβίου καὶ Νεστάβου καὶ Ζήνωνος τῶν ἀδελφῶν· οὓς Χριστιανοὺς ὄντας κατὰ τοῦτο μισῶν

1. Félix, nommé comte des largesses sacrées, après avoir été en Gaule *notarius* de Julien et chargé par lui de négocier avec Constance, d'abord chrétien, fut amené par l'empereur à apostasier et périt peu de temps avant le comte d'Orient Julien (*P.L.R.E.*, p. 332, Felix 3).

Théodoret eut, malgré toutes les tortures, répondu avec courage et brillé comme confesseur de la foi. **2** Lorsqu'il eut ainsi pillé les objets sacrés, il les retourna sur le sol et se moqua d'eux, et, ayant lancé contre le Christ tous les blasphèmes qui lui plaisaient, il s'assit sur ces vases et rendit plus violent l'outrage. Mais aussitôt son membre viril et les conduits afférents se corrompirent, les chairs de l'endroit pourrirent et se changèrent en vers, et le mal était plus fort que l'art des médecins. **3** Et pourtant, par respect et crainte à l'égard de l'empereur, ils avaient fait l'essai de toutes sortes de remèdes : sacrifiant des oiseaux de haut prix et gras, ils oignaient de leur graisse les parties corrompues et essayaient d'attirer les vers à la surface. Mais cela ne servait à rien. Se cachant tout au fond, les vers rampaient vers les chairs vives et ne cessaient de les ronger jusqu'à ce qu'ils l'eussent tué. **4** Il paraissait avoir subi ce coup en vertu d'une colère divine, attendu que le trésorier aussi du fisc impérial[1] et d'autres parmi ceux qui avaient reçu des charges au palais, pour s'être exprimés avec impudence contre l'Église, périrent de façon extraordinaire et misérable, comme condamnés par une colère divine.

Chapitre 9

Le martyre des saints Eusèbe, Nestabos et Zénon dans la cité de Gaza.

1 Puisque j'en suis venu à ce sujet et que j'ai narré le meurtre de Georges et de Théodoret, c'est l'occasion, me semble-t-il, de faire mémoire d'Eusèbe, Nestabos et Zénon, trois frères. Ils étaient chrétiens et, pour cette

ὁ τῶν Γαζαίων δῆμος οἴκοι κρυπτομένους συνελάβοντο καὶ δεσμωτηρίῳ τὰ πρῶτα παρέδοσαν καὶ ἐμαστίγωσαν. **2** Ἔπειτα συνελθόντες εἰς τὸ θέατρον πλεῖστα αὐτῶν κατεβόησαν, ὡς κακουργησάντων τὰ ἱερὰ καὶ ἐπὶ καθαιρέσει καὶ ὕβρει τοῦ ἑλληνισμοῦ τῷ παρελθόντι χρόνῳ ἀποχρησαμένων. Ἐν δὲ τῷ κεκραγέναι καὶ παροτρύνειν ἀλλήλους εἰς τὸν κατ' αὐτῶν φόνον ἐνεπλήσθησαν θυμοῦ. **3** Καὶ παρακελευσάμενοι ἑαυτοῖς, οἷά γε δῆμος στασιάζων εἴωθε, κατέδραμον εἰς τὸ δεσμωτήριον· καὶ ἐξαγαγόντες αὐτοὺς ὠμότατα διεχρήσαντο πῇ μὲν πρηνεῖς, πῇ δὲ ὑπτίους ἕλκοντες καὶ τῷ ἐδάφει προσρηγνύντες καὶ ᾗ ἔτυχον παίοντες, οἱ μὲν λίθοις, οἱ δὲ ξύλοις, ἄλλοι δὲ ἄλλοις τισὶ τοῖς ἐπιτυχοῦσιν. **4** Ἐπυθόμην δὲ αὖ, ὡς καὶ αἱ γυναῖκες ἐκ τῶν ἱστῶν ἐξιοῦσαι ταῖς κερκίσιν αὐτοὺς κατεκέντουν καὶ τῶν ἐπ' ἀγορᾶς μαγείρων οἱ μὲν ὕδατι θερμῷ κοχλάζοντας τοὺς λέβητας ἐξαρπάζοντες τῶν χυτροπόδων κατέχεον, οἱ δὲ τοῖς ὀβελίσκοις διέπειρον. **5** Ἐπεὶ δὲ **205** αὐτοὺς | διεσπάραξαν καὶ τὰς κεφαλὰς ἔθλασαν, ὡς καὶ τὸν ἐγκέφαλον χαμαὶ ῥεῖν, ἤγαγον πρὸ τοῦ ἄστεως, ᾗ τὰ ἀποθνήσκοντα τῶν ἀλόγων ζῴων ῥίπτειν εἰώθεσαν· καὶ πῦρ ἀνάψαντες ἔκαυσαν αὐτῶν τὰ σώματα· καὶ τὰ περιλειφθέντα τῶν ὀστέων, ὅσα μὴ τὸ πῦρ ἐδαπάνησε, τοῖς ἐρριμμένοις αὐτόθι καμήλων τε καὶ ὄνων ὀστέοις ἀνέμιξαν, ὥστε μὴ ῥᾳδίαν αὐτῶν εἶναι τὴν εὕρεσιν. **6** Ἔλαθέ γε μὴν οὐκ ἐπὶ πολύ· γυνὴ γάρ τις Χριστιανὴ

1. Il n'y a pas lieu de mettre en doute le récit de Sozomène confirmé en substance par THÉODORET, *H.E.* III, 7, 1 (éd. Parmentier-Hansen, *GCS*, p. 182), même si on peut y suspecter quelque exagération complaisante (§ 4) et si les traitements infligés aux martyrs de Gaza (cf. *DHGE* 20, c. 158-159 D. et L. STIERNON) rappellent de fort près ceux que les païens d'Alexandrie firent subir à l'évêque Georges. L'épisode s'inscrit dans le cadre de la rivalité entre la population païenne de Gaza et la population chrétienne de son port, l'ex-Maïouma, baptisé Constantia par Constantin et pourvu du statut de ville libre (la prospérité de Gaza était due à ses productions agricoles et notamment à la qualité de son vin, exporté à partir de Maïouma : P.L. GATIER, « Le commerce maritime

raison, le peuple des Gazéens les haïssait[1]. Alors qu'ils se cachaient chez eux, on les saisit, les jeta d'abord en prison et les flagella. **2** Ensuite la foule se rassembla au théâtre et vociféra contre eux quantité d'injures, pour avoir profané les temples et profité de l'époque précédente pour ruiner et outrager le paganisme. Et à mesure qu'ils criaient et s'excitaient l'un l'autre à les massacrer, ils se remplissaient davantage de fureur. **3** Et après s'être encouragés mutuellement, comme fait une populace soulevée, ils coururent à la prison. Ils les en tirèrent et les maltraitèrent de la façon la plus cruelle, les traînant tantôt face contre terre, tantôt sur le dos et les fracassant contre le sol, et les frappant de ce qu'ils avaient sous la main, les uns de pierres, les autres d'épieux, d'autres de la première arme venue. **4** J'ai même appris que les femmes aussi, se levant de leur métiers, les piquaient de leur navettes et que, parmi les cuisiniers de l'agora, les uns, ayant saisi de dessus les réchauds les chaudrons bouillonnant d'eau chaude, la répandaient sur eux, les autres les perçaient de leurs broches. **5** Quand ils les eurent déchirés et qu'ils eurent broyé leurs têtes, au point que le cerveau coulait à terre, ils les portèrent devant la ville, là où ils avaient coutume de jeter les cadavres des bêtes dénuées de raison ; et, ayant allumé un bûcher, ils brûlèrent leurs corps. Ce qui restait de leurs os, tout ce que n'avait pas consumé le feu, ils le mêlèrent aux ossements jetés là des chameaux et des ânes, en sorte qu'on ne pût aisément les retrouver. **6** Mais ces os ne restèrent pas cachés longtemps. Une femme chrétienne, qui n'était

de Gaza au VIe siècle », dans *Cahiers d'Histoire,* t. 33, 1988, n° 3-4, Lyon, p. 361-370). Les privilèges de Constantin ayant été annulés par Julien, une rivalité politique entre voisins a dû se greffer sur le différend religieux. L'intérêt de Sozomène pour l'histoire de Gaza, sa patrie, provoque au § 9 une anticipation qui transporte le lecteur jusqu'à l'époque de Théodose, empereur à partir de 379.

οὐκ ἀπὸ Γάζης οὖσα, ἀλλ' ἐνθάδε τὴν οἴκησιν ἔχουσα, κατὰ θείαν σύνταξιν ἀνελέξατο ταῦτα νύκτωρ, καὶ ἐμβαλοῦσα χύτρᾳ Ζήνωνι τῷ αὐτῶν ἀνεψιῷ φυλάττειν ἔδωκεν. Ὧδε γὰρ ἐν τοῖς ὀνείροις ἔχρησεν ὁ θεός, καὶ τὸν ἄνδρα τῇ γυναικὶ κατεμήνυσεν ᾗ διάγοι· καὶ πρὶν ἰδεῖν ἐπέδειξε, καθότι ἀγνὼς ἦν αὐτῇ καὶ προσφάτως τοῦ διωγμοῦ κεκινημένου ἐκρύπτετο. **7** Ἐπεὶ καὶ αὐτὸς τότε μικροῦ συλληφθεὶς παρὰ τῶν Γαζαίων ἀνῃρέθη· ἀσχολουμένου δὲ τοῦ πλήθους περὶ τὸν φόνον | τῶν αὐτοῦ ἀνεψιῶν καιρὸν εὑρὼν ἔφυγεν εἰς Ἀνθηδόνα πόλιν ἐπὶ θάλασσαν, ἀφεστῶσαν Γάζης ὡσεὶ σταδίους εἴκοσι, παραπλησίως δὲ τηνικαῦτα τῷ Ἑλληνισμῷ χαίρουσαν καὶ περὶ τὴν θεραπείαν τῶν ξοάνων ἐπτοημένην. **8** Καταμηνυθεὶς δὲ ἐνταῦθα ὡς Χριστιανός, δεινῶς κατὰ νώτου ῥάβδοις ἐμαστιγώθη παρὰ τῶν Ἀνθηδονίων καὶ τῆς πόλεως ἐξηλάθη· καὶ εἰς τὸ τῶν Γαζαίων ἐπίνειον ἐλθὼν ἔλαθεν ἐκεῖσε κρυπτόμενος. **9** Ἔνθα δὴ περιτυχὸν αὐτῷ τὸ γύναιον τὰ λείψανα δέδωκεν· ὁ δὲ τέως μὲν οἴκοι ταῦτα ἐφύλαττεν· ἐπεὶ δὲ τὴν αὐτόθι ἐκκλησίαν ἔλαχεν ἐπισκοπεῖν (συνέβη δὲ τοῦτο ἐπὶ τῆς Θεοδοσίου βασιλείας), εὐκτήριον ἐδείματο οἶκον πρὸ τοῦ ἄστεως, καὶ θυσιαστήριον ἐν αὐτῷ ἐπήξατο, καὶ τὰ ὀστέα τῶν μαρτύρων ἀπέθετο πλησίον Νέστορος τοῦ ὁμολογητοῦ, ὃς τῷ βίῳ περιοῦσι τοῖς αὐτοῦ ἀνεψιοῖς συνῆν καὶ συλληφθεὶς ἅμα αὐτοῖς παρὰ τοῦ δήμου δεσμῶν καὶ μαστίγων ἐκοινώνησεν. **10** Ἐν δὲ τῷ ἕλκεσθαι καλὸν ἔχοντα τὸ σῶμα ἰδόντες οἱ ἕλκοντες ἠλέησαν· καὶ πρὸ τῶν πυλῶν ἔτι μὲν ἐμπνέοντα, ἀποθανεῖν δὲ προσδοκώμενον ἔρριψαν· ἀνελόμενοι δέ τινες πρὸς Ζήνωνα διεκόμισαν, παρ' ᾧ τὰ ἕλκη καὶ τὰς πληγὰς ἔτι θεραπευόμενος ἐτελεύτησεν. **11** Γαζαῖοι δὲ τὸ μέγεθος ἀναλογιζόμενοι τοῦ οἰκείου τολμήματος περιδεεῖς ἦσαν, μὴ οὐκ ἀνέξεται ὁ βασιλεὺς ἀτιμωρήτους σφᾶς αὐτοὺς καταλιπεῖν· ἤδη γὰρ

1240

1. Cette localité de Judée a déjà été mentionnée en *H.E.* III, 14, 28 comme la patrie d'Aurélius, un glorieux ascète.

pas de Gaza mais y habitait, sur un commandement divin les recueillit de nuit, et les ayant mis dans une marmite, les donna à garder à Zénon, leur cousin : tel avait été en effet l'oracle de Dieu en songe, et il avait indiqué à la femme l'endroit où logeait Zénon ; et il le lui avait montré en songe avant qu'elle ne le vît, attendu qu'il lui était inconnu, et que récemment, quand la persécution s'était déclenchée, il s'était caché. **7** De fait, il faillit lui aussi à ce moment être saisi et tué par les Gazéens. Mais tandis que la populace était occupée au massacre de ses cousins, profitant de l'occasion, il avait fui à Anthédon, ville au bord de la mer[1], distante de Gaza d'environ vingt stades, qui alors, comme Gaza, était attachée au paganisme et adonnée au culte des idoles. **8** Il avait été là dénoncé comme chrétien, cruellement flagellé sur le dos par les Anthédoniens et chassé de la ville ; il était allé alors au mouillage des Gazéens et s'y tenait caché à l'insu de tous. **9** C'est là que la femme l'avait trouvé et lui avait remis les reliques. Lui, pour l'instant, les garda chez lui ; mais quand il eut été désigné pour diriger comme évêque l'église de Maïoumas – cela se fit sous le règne de Théodose –, il bâtit une maison de prière devant la ville, y fixa un autel et déposa les os des martyrs à côté de ceux du confesseur Nestor, qui avait été l'intime de ses cousins durant leur vie, et qui, saisi avec eux, avait été emprisonné comme eux par le peuple et flagellé. **10** Mais pendant qu'on le tirait, ceux qui le tiraient, voyant qu'il avait un beau corps, l'avaient pris en pitié. Ils l'avaient jeté devant les portes alors qu'il respirait encore, mais qu'on s'attendait à ce qu'il mourût. Certains l'avaient enlevé et apporté chez Zénon, et là, bien qu'on eût encore soigné ses plaies et ses blessures, il mourut. **11** Les Gazéens, considérant la gravité de leur acte d'audace, étaient pris de crainte, ils redoutaient que l'empereur ne supportât pas de les laisser sans châtiment.

καὶ φήμη τις διεφοίτα, ὡς χαλεπῶς φέροι καὶ ἀποδεκατοῦν
206 τὸ πλῆθος σπου|δάζοι. **12** Ἦν δὲ ταῦτα ψεῦδος καὶ θρῦλος μόνον, ὡς εἰκός, δημώδης ὑπὸ δειλίας καὶ τοῦ συνειδέναι ἃ δεδράχασιν ἐν τοῖς πολλοῖς περιφερόμενος, ἐπειδὴ οὐδέ - τοῦτο δὴ τὸ πρὸς Ἀλεξανδρέας γεγονὸς ἐπὶ Γεωργίου - οὐδὲ ἐν γράμμασιν ἐμέμψατο τοῖς Γαζαίοις. **13** Ἀλλὰ καὶ τὸν ἡγούμενον τότε τοῦ ἔθνους τὴν ἀρχὴν ἀφείλετο καὶ ἐν ὑπονοίᾳ εἶχε· καὶ ἀγώγιμον ποιήσας τὸ μὴ θανάτου καταψηφίσασθαι φιλανθρωπίαν ἐλογίσατο· ἐπητιᾶτο δὲ αὐτόν, καθότι τινὰς τῶν Γαζαίων, οἳ τῆς στάσεως καὶ τῶν φόνων ἄρξαι ἐλέγοντο, συλλαβόμενος ἐν δεσμοῖς εἶχεν, ὡς κατὰ νόμους εὐθύνας ὑφέξοντας· τί γάρ, φησίν, ἔδει αὐτοὺς ἀπάγεσθαι, εἰ Γαλιλαίους ὀλίγους, ἀνθ' ὧν πολλὰ εἰς αὐτοὺς καὶ τοὺς θεοὺς ἠδίκησαν, ἠμύναντο; καὶ τὰ μὲν ὧδε λέγεται.

10

1241 **1** | Ἐν τούτῳ δὲ καὶ Ἱλαρίων ὁ μοναχὸς ἐπιζητούμενος παρὰ τῶν Γαζαίων ἔφυγεν εἰς Σικελίαν. Ἔνθα δὴ ξύλα συλλέγων ἐκ τῶν ἐρήμων ὀρῶν καὶ ἐπὶ τῶν ὤμων φέρων ἐν τῇ πόλει διεπώλει· καὶ ὅσον ἀποζῆν, τούτῳ τῷ τρόπῳ

1. Comme menaça de le faire Théodose lors de l'affaire des statues à Antioche en 387 (*H.E.* VII, 23) et comme il le fit dans le cirque de Thessalonique en 390 (cf. Rufin, *H.E.* XI, 18; *H.E.* VII, 25; Théodoret, *H.E.* V, 17, 3). Peut-être Sozomène projette-t-il ce comportement de Théodose sur Julien. Mais comme il est invraisemblable que Julien ait puni aussi sévèrement des païens favorables à sa politique religieuse, il présente le châtiment comme une rumeur, tout en tirant argument contre l'empereur du fait que cette rumeur ne fut pas suivie du moindre effet, malgré l'atrocité du crime.

2. Cet épisode est retenu dans la liste des persécutions caractérisées de Julien par Piganiol, p. 156. Le rapprochement est particulièrement étroit avec Grégoire, *disc.* 4, 93, éd. J. Bernardi, *SC* 309, p. 234-235, qui précise que le gouverneur, après avoir failli être exécuté, fut condamné à l'exil. Ce gouverneur sanctionné par Julien est Cyrille, consulaire de Palestine I (*P.L.R.E.*, p. 237-238, Cyrillus 1).

Déjà le bruit courait qu'il était irrité et qu'il s'apprêtait à décimer le peuple[1]. **12** Mais ce n'était que mensonge et rumeur populaire, comme il est naturel, largement propagée par la pusillanimité et la conscience du crime qu'ils avaient commis. Car pas même – ce qui avait eu lieu à l'égard des Alexandrins dans le cas de Georges – pas même par une lettre, Julien ne fit de reproche aux Gazéens. **13** Mieux encore : il priva alors de sa charge le gouverneur de la province et il le tint en suspicion[2]. Et l'ayant fait comparaître en jugement, il considéra comme un acte d'humanité de ne l'avoir pas condamné à mort. Il se plaignait de lui, de ce qu'il s'était saisi de certains Gazéens, qui passaient pour avoir mis le branle au soulèvement et aux meurtres, et les tenait en prison, comme devant rendre des comptes selon les lois : « Quel besoin », dit-il, « qu'ils soient emmenés en prison, pour s'être vengés d'un petit nombre de Galiléens, en retour des nombreux outrages qu'ils leur ont fait subir, à eux et aux dieux ? » Voilà ce qu'on raconte à ce sujet.

Chapitre 10

Saint Hilarion ;
les vierges d'Héliopolis tuées par des porcs ;
l'extraordinaire martyre de Marc, évêque d'Aréthuse.

1 En ce temps-là, le moine Hilarion aussi, recherché par les Gazéens, s'enfuit en Sicile[3]. Là, il allait ramasser du bois sur les montagnes désertes et, le portant sur ses épaules, il le vendait dans la ville : c'est de cette façon

3. Sozomène prend ici la suite de ce qu'il a rapporté, en *H.E.* III, 14, 21-27, de la vie d'ascèse du « merveilleux Hilarion », l'un des initiateurs du monachisme palestinien (cf. *SC* 418, p. 126-127, note 1). La vie de ce moine a été racontée en détail par Jérôme (voir de VOGÜÉ, t. 2, 1993, p. 163-236).

τὴν καθ' ἡμέραν τροφὴν ἐπορίζετο. **2** Καταμηνυθεὶς δὲ ὅστις εἴη καὶ οἷος ὑπὸ δαιμονῶντος ἀνδρὸς τῶν ἐπισήμων, τοῦ δαιμονᾶν αὐτὸν ἀπαλλάξας ἦλθεν εἰς Δαλματίαν. Μέγιστά τε καὶ παράδοξα σὺν θείᾳ δυνάμει κἀνταῦθα κατορθώσας, ὡς καὶ τὴν θάλασσαν εὐχῇ στῆσαι ἐξ ὑπονοστήσεως ἐπικλύσαι τὴν ξηρὰν κατατρέχουσαν, πάλιν ἔνθεν ἀνεχώρησεν. **3** Οὐ γὰρ καταθύμιον ἦν αὐτῷ διατρίβειν παρὰ τοῖς ἐπαινοῦσιν, ἀλλ' ἐν τῷ τοὺς τόπους ἀμείβειν ἐσπούδαζεν ἄδηλος εἶναι καὶ τὴν κρατοῦσαν περὶ αὐτοῦ δόξαν διαλύειν ταῖς συχναῖς μετοικήσεσι. **4** Τὸ δὴ τελευταῖον παραπλέων τὴν Κύπρον κατῆρεν εἰς Πάφον. Προτραπείς τε παρὰ τοῦ τότε Κυπρίων ἐπισκόπου ἠγάπησε τὴν ἐνθάδε διατριβὴν καὶ περὶ Χάρυβριν, χωρίον οὕτως ἐπονομαζόμενον, ἐφιλοσόφει. Τοῦ μὲν οὖν μὴ μαρτυρῆσαι τὸν ἄνδρα τοῦτον αἴτιον ἡ φυγή· ἔφυγε δέ, καθότι πρόσταγμά ἐστιν ἱερὸν μὴ περιμένειν τοὺς διώκοντας, εἰ δὲ ληφθεῖεν διωκόμενοι, ἀνδρείους γίνεσθαι καὶ κρείττους τῆς τῶν διωκόντων ἀνάγκης.

207 | **5** Οὐ παρὰ μόνοις δὲ Γαζαίοις καὶ Ἀλεξανδρεῦσι τὰ εἰρημένα κατὰ τῶν Χριστιανῶν ἐτολμήθη· φαίνονται δὲ καὶ τούτους ὠμότητος ὑπερβολῇ νενικηκότες οἱ τὴν πρὸς 1244 τῷ Λιβάνῳ Ἡλιούπολιν καὶ τὴν Ἀρέθουσαν | τῆς Συρίας οἰκοῦντες. **6** Οἱ μὲν γάρ (ἄπιστον δὲ καὶ λέγειν εἰ μή τινες τῶν κατ' ἐκεῖνο καιροῦ γεγονότων ἀνήγγειλαν) παρθένους ἱερὰς ἀήθεις ὁρᾶσθαι παρὰ πλήθους, δημοσίᾳ

1. Jérôme ne dit rien, dans sa *Vie d'Hilarion,* d'un tel raz de marée qui est censé s'être produit en Dalmatie, région qui lui était pourtant familière puisqu'il était lui-même originaire de Stridon, aux confins de la Dalmatie et de la Pannonie. Mais l'auteur anonyme d'une autre *Vie d'Hilarion* (éd. Papadopoulos-Kerameus, *Analecta Hiérosolumitikès Stachyologias,* t. IV, p. 130 sq.) décrit bien un séisme suivi d'un raz de marée formidable qui se produisit dans la région d'Épidaurum (Ragusa vecchia), au sud de la Dalmatie. Sozomène a pu connaître aussi cette autre version de la vie du célèbre moine.

qu'il se procurait la nourriture de chaque jour, assez pour sa subsistance. **2** Comme son identité et sa qualité avaient été signalées par un personnage de marque possédé du démon, après l'avoir libéré du démon, il passa en Dalmatie. Il fit là aussi de très grands miracles par la force divine, au point que, par sa prière, il arrêta la mer qui, par un raz de marée, allait envahir la terre et la submerger[1] ; puis, de nouveau, il se retira. **3** Car il n'aimait pas vivre près des gens qui le louaient, mais il s'employait, en changeant de lieu, à rester inconnu et, par ses fréquents déplacements, à mettre fin à la réputation qui régnait sur lui. **4** À la fin, il fit voile vers Chypre[2] et aborda à Paphos. Encouragé par l'évêque chypriote d'alors, il chérit ce lieu de séjour et menait la vie d'ascèse à Charybris, ainsi se nomme ce bourg. La cause assurément de ce que cet homme n'ait pas été martyr est sa fuite. Il avait fui en effet, vu que c'est un précepte sacré (*Mtth* 10, 23) de ne pas attendre les poursuivants ; si cependant l'on est poursuivi et pris, il faut se montrer courageux et s'élever au-dessus de la contrainte des poursuivants.

5 Ce n'est pas seulement chez les Gazéens et les Alexandrins que furent commis contre les chrétiens les actes d'audace cités plus haut : il apparaît que, pour les excès de cruauté, ces populations furent même dépassées par les habitants d'Héliopolis au Liban et d'Aréthuse en Syrie. **6** Ces gens – chose incroyable même à dire, si certains de ceux qui ont vécu en ce temps ne l'avaient rapportée – forcèrent des vierges sacrées qui n'étaient pas habituées à être vues de la foule à se tenir nues en

2. C'est dans cette île, où il séjourna deux années pour fuir la renommée (JÉRÔME, *Vit. Hil.* 29, 7, éd. A.A.R. Bastiaensen, 1975, dans *Vite dei Santi,* t. IV, p. 69-143, à la p.134) que mourut Hilarion. Sozomène veut en fait expliquer pourquoi Hilarion, qui était pourtant de Gaza, ne figure pas parmi les martyrs de cette ville.

γυμνὰς ἐσθῆτος ἵστασθαι κατηνάγκασαν εἰς κοινὸν τῶν βουλομένων θέατρόν τε καὶ ὕβριν· ἐμπαροινήσαντες δὲ πρότερον ἢ ἐδόκει τὸ τελευταῖον ἀνέκειραν αὐτάς· καὶ διχῇ ἀνατεμόντες, ἐπὶ τὴν βρῶσιν τῶν ἐγκάτων προσεκαλοῦντο τοὺς χοίρους, συνήθει τούτοις τροφῇ ἐπιπολῆς τὰ σπλάγχνα καλύψαντες, ὥστε μὴ ῥᾳδίως τοὺς ὗς διακρίνειν, ἀλλ' ἐξ ἀνάγκης τῆς εἰωθυίας τροφῆς ὀρεγομένους καὶ τὰ ἀνδρόμεα κρέα σπαράττειν. **7** Ὡς δὲ συμβάλλω, εἰς τοσαύτην ὠμότητα κατὰ τῶν ἱερῶν παρθένων προήγαγε τοὺς Ἡλιουπολίτας τὸ κωλυθῆναι, καθὸ πάτριον ἦν αὐτοῖς πρότερον, ἐκπορνεύεσθαι παρὰ τοῦ προστυχόντος τὰς ἐνθάδε παρθένους, πρὶν τοῖς μνηστῆρσι συνελθεῖν εἰς γάμον. Ὁ γὰρ Κωνσταντῖνος καθελὼν τὸν ἐν Ἡλιουπόλει τῆς Ἀφροδίτης νεών, τότε πρῶτον παρ' αὐτοῖς ἐκκλησίαν ἐδείματο, καὶ νόμῳ διεκώλυσε τὰς συνήθεις ἐπιτελεῖν πορνείας.

8 Ἀρεθούσιοι δὲ Μᾶρκον τὸν γενόμενον αὐτῶν ἐπίσκοπον, γηραλέον ὄντα, πολιάν τε καὶ βίον αἰδέσιμον, ἐλεεινῶς διεχειρίσαντο. Τοῦτον δὲ καὶ πρότερον ἐν ὀργῇ εἶχον· προθυμότερον γὰρ ἢ κατὰ πειθὼ Κωνσταντίου βασιλεύοντος τοὺς Ἑλληνιστὰς εἰς Χριστιανισμὸν ἐπανῆγε καὶ τὸν παρ'

1. Même si certains détails tirés directement de GRÉGOIRE, *disc.* 4, 87 (éd. J. Bernardi, p. 219-220) peuvent paraître outrés, il n'y a pas de raison décisive de mettre en doute le fanatique esprit de revanche des habitants d'Héliopolis-Baalbek, privés par Constantin de l'une des coutumes qui faisaient la renommée religieuse (et la prospérité touristique) de leur cité, la prostitution sacrée de leurs vierges (cf. *H.E.* I, 8, 6).

2. Marc était déjà évêque d'Aréthuse en Syrie, près d'Apamée, en 342, quand il fut envoyé par Constance auprès de son frère Constant. En IV, 12, 4, Sozomène écrit que Georges de Laodicée et Marc d'Aréthuse étaient vers 356/357 « les plus distingués des évêques de Syrie » (voir *SC* 418, p. 241, note 4). Les supplices infligés à l'évêque sont décrits avec le même luxe de détails horribles que les mauvais traitements infligés aux trois moines de Gaza (*H.E.* V, 9, 1-5). Là aussi, Sozomène dépend étroitement de GRÉGOIRE, *disc.* 4, 88-91, éd. J. Bernardi, *SC* 309, p. 221-231, y compris pour les jeux cruels des enfants et les coups de stylet : d'après la note 2, p. 221, le supplice de Marc d'Aréthuse, éga-

public pour offrir un spectacle et un objet commun d'outrages au bon plaisir de chacun; et après les avoir d'abord insultées à leur guise, finalement ils les tondirent[1]. Puis ils les coupèrent en deux et ils invitèrent les porcs à manger leurs entrailles; ils avaient caché ces viscères en les recouvrant, à la surface, de la nourriture accoutumée de ces animaux; de la sorte, les porcs ne pouvaient aisément distinguer entre les aliments, mais, en cherchant nécessairement leur nourriture accoutumée, ils déchiraient aussi les chairs humaines. **7** À ce que je conjecture, ce qui poussa les Héliopolitains à une telle cruauté contre les vierges sacrées, c'est qu'il leur avait été défendu de livrer en prostitution au premier venu, selon leur coutume traditionnelle, les filles du lieu, avant qu'elles ne s'unissent en mariage à leurs prétendants. Constantin en effet, après avoir démoli le temple d'Aphrodite à Héliopolis, y avait alors pour la première fois construit une église, et il leur avait défendu par une loi d'accomplir leurs prostitutions habituelles.

8 Quant aux Aréthusiens, ils firent périr misérablement leur évêque Marc, qui était un vieillard, respectable pour ses cheveux blancs et sa vie[2]. Auparavant déjà, ils étaient en colère contre lui. Car, sous le règne de Constance, il avait usé de moyens plus énergiques que la seule persuasion pour pousser les païens au christianisme, et il

lement rapporté par Libanius, *ep.* 819 et par Théodoret, *H.E.* III, 7, 6-10, pourrait être daté du printemps 363 (donc quand Julien était déjà parti en campagne?). Théodoret ajoute que, par sa constance, il convertit les païens (éd. Parmentier-Hansen, *GCS*, p. 183-185). Sur le martyre de Marc et, d'une manière générale, les martyrs à l'époque de Julien, voir l'étude très complète, d'après les textes historiques, les Passions, les Martyrologes et les Synaxaires, de F. Scorza Barcellona, «Martiri e confessori dell'età di Giuliano l'Apostata : dalla storia alla leggenda», dans *Pagani e cristiani da Giuliano l'Apostata al sacco di Roma*, F.E. Consolino éd., Soveria Mannelli, 1995 (Studi di Filologia antica e moderna 1), p. 53-83.

αὐτοῖς σεμνότατον καὶ πολυτελέστατον νεὼν καθεῖλεν. **9** Ἐπεὶ δὲ μετέπεσεν εἰς Ἰουλιανὸν ἡ ἀρχή, κεκινημένον ἐπ' αὐτὸν τὸν δῆμον ὁρῶν, ἅμα δὲ καὶ κατὰ πρόσταγμα βασιλέως καταδικασθεὶς ἢ τὴν ἀποτίμησιν τοῦ ναοῦ ἐκτῖσαι ἢ τοῦτον ἀνοικοδομῆσαι, λογισάμενος ὡς ἀδύνατον ἑκάτερον, Χριστιανῷ δὲ καὶ ἄλλως ἀθέμιτον τὸ δεύτερον, **208** μή τί γε δὴ ἱερεῖ, ἔφυγε τὰ πρῶτα· **10** μαθὼν | δὲ δι' αὐτὸν κινδυνεύειν πολλούς, ἑλκυσμάτων τε καὶ δικαστηρίων καὶ τῶν ἐν τούτοις πειρᾶσθαι δεινῶν, ἐπανῆλθεν ἀπὸ τῆς φυγῆς καὶ ἐθελοντὴς ὅ τι βούλοιντο αὐτὸν δρᾶν τῷ πλήθει προσήγαγεν. **11** Οἱ δὲ ἐξ ὧν ἔδει πλέον ἐπαινεῖν αὐτὸν ὡς φιλοσόφῳ πρέπουσαν πρᾶξιν ἐπιδειξάμενον, 1245 ὑπερ|πεφρονῆσθαι νομίσαντες πᾶς ὁ δῆμος ἐπ' αὐτὸν ἐχώρησε· καὶ διὰ τῶν ἀγυιῶν εἷλκον ὠθοῦντες καὶ τίλλοντες καὶ ᾗ ἔτυχε τῶν μελῶν ἕκαστος παίοντες· ἐσπουδάζετο δὲ τὸ δρᾶμα ἀνδράσι καὶ γυναιξὶ καὶ πάσῃ ἡλικίᾳ μετὰ προθυμίας καὶ ὀργῆς, ὡς καὶ σπαρτίοις λεπτοῖς τὰ ὦτα αὐτοῦ διατεμεῖν· παῖδες δὲ εἰς διδασκάλους φοιτῶντες παίγνιον ἐποιοῦντο τὸ πρᾶγμα, καὶ μετεωρίζοντες αὐτὸν καὶ πρὸς ἑαυτὸν κυλίοντες ἀντέπεμπόν τε καὶ ἀντεδέχοντο ταῖς γραφίσι καὶ ἀφειδῶς κατεκέντουν. **12** Ἐπεὶ δὲ ἅπαν τὸ σῶμα τραυματίας ἐγένετο, ἔτι δὲ ὅμως ἐνέπνεε, μέλιτι καὶ γάρῳ ἀλείψαντες αὐτὸν καὶ σαργάνῃ ἐμβαλόντες (πλέγμα δὲ τοῦτο ὁλόσχοινον) εἰς ὕψος ἦραν. Ἡνίκα δὴ λέγεται σφηκῶν καὶ μελισσῶν ἐφιπταμένων αὐτῷ καὶ τὰς σάρκας κατεσθιουσῶν πρὸς τοὺς Ἀρεθουσίους εἰπεῖν, ὡς αὐτὸς μὲν ὑψηλὸς εἴη, τοὺς δὲ ταπεινοὺς ὁρᾷ καὶ χαμαὶ ἐρχομένους, καὶ κατὰ τοῦτο ἑαυτῷ τε κἀκείνοις συμβάλλειν ἔσεσθαι τὰ μετὰ ταῦτα. **13** Λόγος δὲ τὸν τότε ὕπαρχον, Ἑλληνιστὴν μὲν ἐς τὰ

avait détruit leur temple, qui était très révéré et magnifique. **9** Quand l'Empire eut passé à Julien, comme il voyait le peuple soulevé contre lui, et qu'en même temps, par ordre impérial, il avait été condamné soit à payer une indemnité pour le temple soit à le rebâtir, ayant considéré que l'une et l'autre chose étaient impossibles, et la seconde au surplus interdite à un chrétien, à plus forte raison à un évêque, d'abord il prit la fuite. **10** Mais, ayant appris que beaucoup, à cause de lui, étaient en danger, qu'on les tirait de chez eux, qu'ils faisaient l'épreuve des tribunaux et des sévices qu'on y pratique, il revint de la fuite et volontairement se présenta à la foule pour qu'elle le traitât comme elle voudrait. **11** Mais ces gens, qui auraient dû le louer davantage pour ce geste parce qu'il faisait montre d'une action convenable à un philosophe, se jugèrent au contraire méprisés et tout le peuple se précipita contre lui. Ils le tiraient par les rues, le poussant, lui arrachant les poils, le frappant chacun selon le membre qu'il rencontrait. Tous s'appliquaient à l'affaire, hommes, femmes, gens de tout âge, avec ardeur et colère, au point qu'on lui coupa les oreilles avec des cordons très minces ; les enfants qui allaient à l'école faisaient de la chose un jeu, ils le lançaient en l'air et, le faisant se rouler sur lui-même, le renvoyaient en l'air, puis le recevaient sur leurs stylets et le perçaient sans pitié. **12** Quand tout son corps ne fut plus que blessures, et que pourtant il respirait encore, ils l'enduisirent de miel et de garum, et, l'ayant jeté dans une corbeille, – c'était une nasse de jonc –, ils le hissèrent en l'air. Alors, dit-on, comme les guêpes et les abeilles volaient à lui et lui dévoraient les chairs, il dit aux Aréthusiens qu'il était, lui, haut perché, mais qu'il les voyait en bas et marchant à terre, et qu'il en concluait qu'il en serait ainsi, et pour lui et pour eux, dans l'avenir. **13** On raconte d'autre part que le préfet d'alors, qui était extrêmement

μάλιστα ὄντα, γενναῖον δὲ τὸ ἦθος, ὡς καὶ εἰσέτι νῦν τὴν περὶ αὐτοῦ δόξαν κρατεῖν, θαυμάσαντα Μᾶρκον τῆς ἐγκρατείας παρρησιάσασθαι πρὸς βασιλέα καὶ μέμψασθαι, ὡς εἰκότως αἰσχύνην ὀφλισκάνουσι, κεκρατημένοι παρ' ἑνὸς γέροντος πρὸς τοσαύτας βασάνους ἀνδρείως ἀντιταξαμένου· καὶ κινδυνεύειν αὐτοὺς γελοίους εἶναι, ἐνδοξοτέρους δὲ οὓς ταῦτα δρῶσιν. **14** Ὁ μὲν οὖν Μᾶρκος ἐπὶ τοσοῦτον γενναίως πρὸς τὸν τῶν Ἀρεθουσίων θυμὸν καὶ τὰς πολλὰς βασάνους ἀντέσχεν, ὡς καὶ πρὸς αὐτῶν ἐπαινεθῆναι τῶν Ἑλληνιστῶν.

11

1 Ἐν δὲ τῷ τότε καὶ Μακεδόνιος Θεόδουλός τε καὶ
1243 Τατιανὸς οἱ Φρύγες ἀνδρείως ἐμαρτύρησαν. Ἐπεὶ | γὰρ ἐν
209 Μηρῷ (πόλις δὲ ἥδε Φρυγῶν) τὸν ἐν|θάδε ναὸν ἠνέῳξε καὶ ὑπὸ χρόνου ῥυπῶντα ἐξεκάθηρεν ὁ τοῦ ἔθνους ἡγούμενος, νύκτωρ ἐπεισελθόντες τὰ ἀγάλματα συνέτριψαν. **2** Ὡς αἰτίων δὲ τούτου συλληφθέντων ἄλλων καὶ τιμωρεῖσθαι μελλόντων σφᾶς αὐτοὺς κατεμήνυσαν. **3** Ἐξὸν δέ, εἴ γε θύειν ἠνέσχοντο, μηδὲν παθεῖν, ὡς ἐν τούτῳ

1. Le préfet du prétoire d'Orient Saturninius Secundus Salutius, l'un des amis et collaborateurs les plus proches de Julien, est l'auteur probable du catéchisme païen « Des dieux et du monde » (éd. G. Rochefort, *CUF*, 1960). Il était hautement estimé de tous, y compris de GRÉGOIRE, *disc.* 4, 91, éd. J. Bernardi, *SC* 309, p. 228-231, puisque l'Empire lui fut unanimement proposé après la mort de Julien en Perse et qu'il fut maintenu en poste par Jovien, Valentinien et Valens, peu suspects de complaisance envers les fidèles de l'Apostat (voir *P.L.R.E.*, p. 814-817, Saturninius Secundus Salutius 3). Il sera encore mentionné (*infra* 20, 1-3) comme l'auteur d'un conseil salutaire suivi par Julien contrairement à son intention première.

2. Ces martyrs phrygiens, également mentionnés par SOCRATE, *H.E.* III, 15, restent assez obscurs. Cependant, J. ZEILLER, *Les origines chrétiennes dans les provinces danubiennes de l'Empire romain,* Paris 1918, Bibl. des Écoles franç. d'Athènes et de Rome n° 112, réimpr. 1967, p. 127,

païen[1], mais homme de noble caractère, au point que sa bonne réputation dure encore, ayant admiré Marc pour sa maîtrise de soi, fit librement des reproches à l'empereur, disant que les païens s'exposaient à juste titre à la honte, du fait qu'ils étaient vaincus par un seul pauvre vieux qui avait courageusement résisté à de tels supplices; quant à eux, ils risquaient de faire rire d'eux, en rendant plus illustres ceux qu'ils traitaient ainsi. **14** Marc donc résista avec tant de noblesse à la fureur des Aréthusiens et à ses nombreux supplices qu'il fut loué par les païens eux-mêmes.

Chapitre 11

Macédonius, Théodule, Gratien, Busiris, Basile et Eupsychius, qui furent martyrs en ces temps-là.

1 En ce temps-là, Macédonius aussi, Théodule et Tatien, tous trois Phrygiens, subirent courageusement le martyre. Alors que, à Méros – c'est une ville de Phrygie –, le gouverneur de la province avait rouvert le temple local et l'avait nettoyé des saletés accumulées par le temps, ils y étaient entrés de nuit et avaient brisé les statues[2]. **2** Comme d'autres avaient été saisis comme coupables de la chose et allaient subir un châtiment, ils se dénoncèrent eux-mêmes. **3** Il leur eût été permis de ne rien souffrir s'ils avaient accepté de sacrifier. Alors qu'il leur offrait,

reprenant H. Delehaye, *Saints de Thrace et de Mésie,* p. 260 s., croit pouvoir discerner ici, chez Socrate et Sozomène, l'écho du martyre d'Émilien de Durostorum, soldat condamné par Capitolinus, vicaire de Thrace, à être brûlé vif pour avoir brisé un autel, en 362 ou 363 (*Bibliotheca Hagiographica Graeca* 2, 23 et *Act. SS,* 18 juillet). Mèros ou Meiros (Merus) est une localité de Phrygie II (*Phrygia Salutaris :* voir *PW,* XV 1, 1931, c. 359 Ruge). Flauius Amachius, nommé aussi par Socrate, *H.E.* III, 15 (éd. G.C. Hansen, *GCS,* p. 209-210), est enregistré comme gouverneur de Phrygie II par la *P.L.R.E.,* p. 50.

μόνῳ ἀπολογεῖσθαι ὑπὲρ τῶν ἡμαρτημένων ὁ ἄρχων οὐκ ἔπειθε, πολλοῖς αὐτοὺς ᾐκίσατο τρόποις· τελευταῖον δὲ ἐσχάραις ἐπιθεὶς πῦρ ὑφῆπτεν· οἱ δὲ καιόμενοι «Εἰ κρεῶν ὀπτῶν», ἔφασαν, «ἐπιθυμεῖς, ὦ Ἀμάχιε (τοῦτο γὰρ ἦν ὄνομα τῷ ἄρχοντι), καὶ ἐπὶ τὰς ἑτέρας πλευρὰς πρὸς τὸ πῦρ ἡμᾶς στρέψον, ἵνα μή σοι γευομένῳ ἡμίοπτοι γενόμενοι ἀηδεῖς φαινώμεθα.» Καὶ οἱ μὲν ὧδε γενναίως διαγενόμενοι ἐν ταῖς τιμωρίαις τὸν βίον ἀπέθεντο.

4 Φασὶ δὲ καὶ Βούσιριν ἐν Ἀγκύρᾳ τῆς Γαλατίας λαμπρὰν καὶ ἀνδρειοτάτην ὁμολογίαν ὑπομεῖναι διὰ τὴν θρησκείαν· ὃν τῆς αἱρέσεως ὄντα τότε τῶν καλουμένων Ἐγκρατιτῶν συλλαβὼν ὁ τοῦ ἔθνους ἄρχων ὡς νεανιευσάμενον κατὰ τῶν Ἑλληνιστῶν αἰκίζεσθαι ἠβούλετο. Καὶ δημοσίᾳ προαγαγὼν πρὸς τὸ βασανιστήριον ξύλον αἰωρεῖσθαι προσέταττεν. **5** Ὁ δὲ Βούσιρις ἀνασχὼν τὼ χεῖρε πρὸς τὴν κεφαλὴν ἐγύμνωσε τὰς πλευράς· καὶ μὴ μάτην χρῆναι πονεῖν τοὺς δημίους πρὸς τὸν ἄρχοντα ἔφη, ἀνάγοντας αὐτὸν ἐπὶ τὸ ξύλον καὶ πάλιν κατάγοντας· ἑτοίμως γὰρ καὶ δίχα τούτου, ἐφ' ὅσον βούλεται, παρέξειν τὰς πλευρὰς τοῖς βασανισταῖς. **6** Θαυμάσας δὲ τὴν ὑπόσχεσιν ὁ ἄρχων μᾶλλον τῇ πείρᾳ κατεπλάγη. Αἰκιζόμενος γὰρ τοῖς ὄνυξι τὰς πλευρὰς μέχρις ὅτε τῷ ἄρχοντι ἐδόκει, διεκαρτέρησε τὼ χεῖρε ἀνέχων καὶ τὰς πληγὰς προθύμως δεχόμενος. Ἐν δεσμοῖς δὲ μετὰ ταῦτα γενόμενος ἀνείθη οὐκ εἰς μακρὰν ἀγγελθέντος ἀνῃρῆσθαι

1. Les encratites, secte d'un ascétisme extrême, refusaient le mariage et la nourriture carnée : cf. EPIPH. *Panar.* 45-47 (notice dans *DECA,* p. 808-809 F. BOLGIANI). Ils sont inclus sous le nom de «manichéens» dans l'édit de confiscation émis par Théodose le 8 mai 381 (*Code Théodosien* XVI, 5, 7). Cet édit, puis celui de mars 382 qui punissait de mort les encratites (*Code Théodosien* XVI, 5, 9) et la loi de juillet 383 (*Code Théodosien* XVI, 5, 11) interdisant aux eunomiens ou ariens, aux macédoniens ou pneumatomaques et aux encratites de posséder des lieux de culte – cf. PIGANIOL, p. 239 et 242 – ont dû engager, sinon contraindre, bien des gens comme Bousiris à «condamner leur

à cette seule condition, de se justifier de leur crime, et qu'il n'arrivait pas à les persuader, le gouverneur les tourmenta de diverses manières ; à la fin, il les plaça sur des réchauds et y mit le feu. Mais eux, en train de brûler, dirent : « Si tu as envie de viande grillée, Amachius » – tel était le nom du gouverneur –, « tourne-nous aussi de l'autre côté sur le feu, pour que nous ne te paraissions pas désagréables au goût si nous ne sommes qu'à demi-grillés quand tu nous mangeras. » Telle est la noblesse qu'ils montrèrent dans les supplices avant de mourir.

4 On dit que Bousiris aussi, à Ancyre de Galatie, soutint, pour la religion, un martyre glorieux et très courageux. Il appartenait alors à la secte de ceux qu'on nomme encratites[1]. Le gouverneur de la province le fit saisir comme déblatérant contre les païens et voulut le torturer. Il le fit conduire en public au bois de torture et prescrivit qu'il y fût suspendu. **5** Bousiris leva les deux mains à sa tête pour découvrir ses côtes ; et il dit au gouverneur que les bourreaux ne devaient pas prendre une peine inutile, à l'amener sur le poteau et à l'en descendre : il était prêt, sans cela, pour autant que le gouverneur le voudrait, à présenter ses côtes aux bourreaux. **6** Étonné de cette promesse, le gouverneur fut plus encore frappé de stupeur par l'événement. Comme en effet on lui lacérait les côtes avec des crochets de fer aussi longtemps qu'il plaisait au gouverneur, il supporta patiemment la chose, les bras levés, acceptant avec empressement les coups. Mis en prison après cela, il fut libéré peu après, à la

hérésie antérieure » (§ 6). Le prêtre d'Ancyre Basile, dont le martyre peut être précisément daté du 29 juin 362 (*LTK* 2, 1958, c. 31 O. VOLK), est naturellement différent de l'évêque du même lieu, chef du parti homéousien. Le dialogue qu'il aurait eu avec Julien, de passage à Ancyre sur la route d'Antioche, est rapporté dans BAUDOT-CHAUSSIN, t. III (mars), 1941, p. 487-490 (le gouverneur se nommait Frumentinus). Eupsychios, martyr de Césarée de Cappadoce, mort en 362, est fêté le 9 avril : cf. BAUDOT-CHAUSSIN, t. IV, 1946, p. 207-208.

τὸν Ἰουλιανόν· καὶ μέχρι τῆς Θεοδοσίου βασιλείας ἐπεβίω, καὶ πρὸς τὴν καθόλου ἐκκλησίαν μετέθετο καταγνοὺς τῆς προτέρας αἱρέσεως.

7 Λόγος δὲ κατὰ τοῦτον τὸν χρόνον μαρτυρίᾳ τὸν βίον μετελθεῖν Βασίλειον πρεσβύτερον τῆς ἐν Ἀγκύρᾳ ἐκκλησίας **210** καὶ Εὐψύχιον Καισαρέα Καπ|παδόκην τῶν εὐπατριδῶν, ἔναγχος γαμετὴν ἀγαγόμενον καὶ οἷον ἔτι νυμφίον ὄντα. **8** Συμβάλλω δὲ τὸν μὲν Εὐψύχιον ἀναιρεθῆναι διὰ τὸν ναὸν τῆς Τύχης, ἐφ' ᾧ τότε καθαιρεθέντι, ὡς ἐν τοῖς πρόσθεν εἴρηται, κοινῇ πάντες Καισαρεῖς τῆς τοῦ βασιλέως 1249 ὀργῆς ἐπειράθησαν· οἱ δὲ τῆς καθαιρέσεως αὐτουρ|γοὶ δίκην ἔδοσαν οἱ μὲν θάνατον, οἱ δὲ τὴν πατρίδα φεύγειν καταδικασθέντες. **9** Ὁ δὲ Βασίλειος σπουδαῖος περὶ τὸ δόγμα γεγονώς, ἐφ' ὅσον μὲν ἦρχε Κωνστάντιος, τοῖς τὰ Ἀρείου φρονοῦσιν ἀντέπραττε· καὶ διὰ τοῦτο ψήφῳ τῶν ἀμφὶ τὸν Εὐδόξιον ἐκωλύθη ἐκκλησιάζειν. **10** Ἐπεὶ δὲ Ἰουλιανὸς μόνος τὴν ἀρχὴν διεῖπεν, ὁ Βασίλειος περιιὼν τοὺς Χριστιανοὺς δημοσίᾳ καὶ περιφανῶς προὐτρέπετο τῶν οἰκείων ἔχεσθαι δογμάτων καὶ μὴ τοῖς Ἑλλήνων θύμασι καὶ σπονδαῖς μιαίνεσθαι, ἀντ' οὐδενὸς δὲ ἡγεῖσθαι τὰς γινομένας εἰς αὐτοὺς παρὰ τοῦ βασιλέως τιμάς, προσκαίρους ταύτας ἀποφαίνων ἐπὶ μισθῷ διηνεκοῦς ἀπωλείας. **11** Ταῦτα δὲ σπουδάζων ἐν ὑπονοίᾳ τε καὶ μίσει παρὰ τοῖς Ἑλληνισταῖς ὤν, δημοσίᾳ θύοντας ἰδὼν ἔστη, καὶ μέγα ἀνοιμώξας ηὔξατο μηδένα Χριστιανῶν τῆς τοιαύτης πειραθῆναι πλάνης. Ἐκ τούτου δὲ συλληφθεὶς παρεδόθη τῷ ἡγουμένῳ τοῦ ἔθνους· καὶ πολλὰς βασάνους ὑπομείνας παρὰ πάντα τὸν ἀγῶνα ἀνδρείως τὴν μαρτυρίαν διήνυσε.

12 Καὶ τὰ μὲν ὧδε, εἰ καὶ παρὰ γνώμην τῷ βασιλεῖ ἀπέβη, οὐκ ἀγεννεῖς οὐδὲ ὀλίγους μάρτυρας καὶ ἐπὶ τῆς

1. Voir *H.E.* V, 4, 2-5.

2. Sur l'arien Eudoxe, voir *H.E.* III, 5 10 (*SC* 418, p. 74, note 4) : d'abord évêque de Germanicie (dans la province de Syrie III *Euphratensis*), puis d'Antioche en 357, il s'empara du siège de Constantinople en 360. C'est sans doute à cette époque, quand l'influence des eudoxiens

nouvelle de la mort de Julien. Il survécut jusqu'au règne de Théodose et passa à l'Église catholique, ayant condamné son hérésie antérieure.

7 On dit que vers ce temps-là perdirent la vie par le martyre Basile, prêtre de l'église d'Ancyre et Eupsychios de Césarée de Cappadoce, de famille noble, qui venait tout juste d'amener chez lui une épouse et qui était comme un jeune marié. **8** Je conjecture qu'Eupsychios périt à cause du temple de Tyché, dont la démolition à ce moment, ainsi qu'il a été dit plus haut[1], fit essuyer à tous les Césaréens en commun la colère de l'empereur. Les acteurs de la démolition furent punis, les uns de mort, les autres par une condamnation à l'exil. **9** Quant à Basile, il avait été zélé pour le dogme et, aussi longtemps que régna Constance, il s'était opposé aux ariens : pour cette raison, par une décision des eudoxiens[2], il avait été empêché de célébrer le culte. **10** Quand Julien exerça seul le pouvoir, Basile, courant de chrétien en chrétien, les exhortait en public et ouvertement à rester attachés à leurs dogmes et à ne pas se souiller par les sacrifices et les libations des païens, à tenir pour rien les honneurs accordés par l'empereur aux païens, les déclarant momentanés et payés du prix d'une perte éternelle. **11** Pour ce zèle, il était tenu en suspicion et haï par les païens. Or un jour qu'il les voyait sacrifier en public, il s'arrêta, et, poussant un grand gémissement, pria pour qu'aucun des chrétiens ne fît l'essai d'une telle erreur. Là-dessus, il fut arrêté et remis au gouverneur de la province. Il subit beaucoup de tortures et tout au long de son combat soutint courageusement le martyre.

12 Ces événements ont beau s'être produits contrairement à l'intention du prince, ils montrèrent que, sous son règne aussi, il y eut des martyrs qui ne furent pas

était la plus forte, que le prêtre Basile avait « été empêché de célébrer le culte ».

αὐτοῦ ἡγεμονίας ἀπέδειξε γεγενῆσθαι · σαφηνείας δὲ χάριν συναγαγὼν πάντας ὁμοῦ διεξῆλθον, εἰ καὶ διάφορος ἦν ὁ καιρὸς τῆς ἑκάστου μαρτυρίας.

12

1 Μετὰ δὲ τὴν Ἀθανασίου κάθοδον Λουκίφερ ὁ Καράλων τῆς Σαρδανίας ἐπίσκοπος καὶ Εὐσέβιος ὁ Βερκέλλων τῶν ἐν Ἰταλίᾳ Λιγύων ἐκ τῶν ἄνω Θηβῶν ἐπανῆλθον · ἐνθάδε γὰρ ἐπὶ Κωνσταντίου διηνεκῶς φεύγειν προσετάχθησαν. Ἐπὶ διορθώσει τε τῶν ἐκκλησιαστικῶν πραγμάτων κοινῇ συνθήκῃ Εὐσέβιος μὲν ἧκεν εἰς Ἀλεξάνδρειαν, ὅπως σὺν **211** Ἀθανασίῳ σύνοδον ἀθροίσῃ | ἐπὶ βεβαιώσει τῶν ἐν Νικαίᾳ δοξάντων, **2** Λουκίφερ δὲ διάκονον τῷ Εὐσεβίῳ 1252 συναποστείλας, ὃς ἀντ' αὐτοῦ παρέστη τῇ συνόδῳ, | παραγενόμενος εἰς Ἀντιόχειαν ἐν ταραχαῖς τὴν ἐνθάδε ἐκκλησίαν κατέλαβεν · ἐσχίζετο μὲν γὰρ τοῖς ἀπὸ τῆς

1. Retour à 6, 1 : Athanase reparaît à Alexandrie le 21 février 362. Eusèbe, évêque de Verceil en Ligurie et Lucifer, évêque de Cagliari en Sardaigne, avaient été exilés pour s'être, avec quelques autres, opposés à la condamnation d'Athanase au concile de Milan en 355 : cf. *H.E.* IV, 9, 3-4, *SC* 418, p. 220-221, note 1 sur Lucifer et Eusèbe.

2. Sur ce concile qui ne réunit qu'une vingtaine d'évêques, voir, outre HEFELE - LECLERCQ, t. 3, p. 963-967 et les résumés de PIGANIOL, p. 152 (« il s'agissait de prendre une revanche sur les hommes de Constance et de condamner la formule de Rimini... ») et de BARDY, p. 239-244, la mise au point d'A. MARTIN, p. 542 s., qui souligne aussi, p. 545, que « la question de la réintégration des clercs qui avaient accepté la formule de Rimini retint... toute l'attention des évêques présents ». Dans le compte rendu succinct qu'il donne des décisions de ce concile aux §§ 3-4, Sozomène se fonde sur ATHANASE, *Tome aux Antiochiens* (*PG* 26 801 A - 804 A), effectivement la meilleure source (MARTIN, p. 548), et il en extrait les points principaux : réaffirmation du credo de Nicée contre la formule arienne de Rimini, condamnation de la doctrine pneumatomaque qui niait la divinité du Saint-Esprit, rejet du sabellianisme. Y.M. DUVAL, « La place et l'importance du concile d'Alexandrie ou de

sans noblesse ni en petit nombre. Pour la clarté, je les ai regroupés et passés en revue tous ensemble, bien que le temps de chaque martyre ait été différent.

Chapitre 12

Lucifer et Eusèbe, évêques d'Occident;
Eusèbe, en même temps qu'Athanase le Grand
et les autres évêques,
rassemble un concile à Alexandrie;
on y confirme la foi de Nicée,
on y définit que l'Esprit saint est de même nature
que le Père et le Fils,
et on décrète sur l'ousia et l'hypostase.

1 Après le retour d'Athanase[1], Lucifer, évêque de Cagliari en Sardaigne, et Eusèbe, évêque de Verceil en Ligurie d'Italie, revinrent de Thèbes en Haute Égypte : c'est là en effet qu'ils avaient été condamnés sous Constance à un bannissement perpétuel. En vue du redressement des affaires ecclésiastiques, par un commun accord, Eusèbe d'une part vint à Alexandrie afin d'y rassembler avec Athanase un concile pour la confirmation des dogmes de Nicée[2], **2** Lucifer d'autre part envoya un diacre avec Eusèbe pour le représenter au concile, et il se rendit lui-même à Antioche. Il y trouva l'église du lieu en proie à des troubles : d'une part, il y avait schisme chez les

362 dans l'*Histoire de l'Église* de Rufin d'Aquilée», dans *Revue des Études augustiniennes* 2001, 47/2, p. 283-302, remarque que, «à la différence de ce qu'ils ont fait pour les conciles de Rimini, de Séleucie et de Constantinople de 359 à 360», les historiens grecs du ve s. ont «réduit» le récit du présent concile. Ont-ils sous-estimé son importance? N'est-ce pas plutôt qu'ils ne disposaient pas sur lui de documents, comme ceux que leur fournissait le *Synodikon* de Sabinos d'Héraclée pour les conciles ariens?

Ἀρείου αἱρέσεως, ὧν ἡγεῖτο Εὐζώιος, διεφέροντο δέ, ὡς πρόσθεν εἴρηται, καὶ πρὸς τοὺς σφίσιν ὁμοδόξους οἱ Μελετίου σπουδασταί· μήπω δὲ τούτου ἀπὸ τῆς φυγῆς ἐπανελθόντος ἐχειροτόνησε Παυλῖνον ἐπίσκοπον.

3 Ἐν τούτῳ δὲ πολλῶν πόλεων ἐπίσκοποι συνελθόντες ἀνὰ τὴν Ἀλεξάνδρειαν ἅμα Ἀθανασίῳ καὶ Εὐσεβίῳ τὰ δεδογμένα ἐν Νικαίᾳ κρατύνουσιν. Ὁμοούσιόν τε τῷ πατρὶ καὶ τῷ υἱῷ καὶ τὸ ἅγιον πνεῦμα ὡμολόγησαν, καὶ τριάδα ὠνόμασαν· οὐ μόνῳ τε σώματι, ἀλλὰ καὶ ψυχῇ τέλειον χρῆναι δοξάζειν ἄνθρωπον, ὃν ὁ θεὸς λόγος ἀνέλαβεν, εἰσηγήσαντο, καθὰ καὶ τοῖς πάλαι ἐκκλησιαστικοῖς φιλοσόφοις ἐδόκει. **4** Ἐπεὶ δὲ ἡ περὶ τῆς οὐσίας καὶ ὑποστάσεως ζήτησις τὰς ἐκκλησίας ἐτάραττεν καὶ συχναὶ περὶ τούτων ἔριδες καὶ διαλέξεις ἦσαν, εὖ μάλα σοφῶς μοι δοκοῦσιν ὁρίσαι μὴ ἐξ ἀρχῆς εὐθὺς ἐπὶ θεοῦ τούτοις χρῆσθαι τοῖς ὀνόμασι, πλὴν ἡνίκα τις τὴν Σαβελλίου δόξαν ἐκβάλλειν πειρῷτο, ἵνα μὴ ἀπορίᾳ ὀνομάτων ταὐτὸν δόξῃ

1. Ce compagnon historique d'Arius avait d'abord été diacre d'Alexandrie (*H.E.* I, 15, 7; II, 27, 1, 6 et 12), puis intronisé évêque d'Antioche par Eudoxe et ses partisans quand ils se furent débarrassés de Mélèce (IV, 28, 10, *SC* 418, p. 349, avec la note 3).

2. En *H.E.* IV, 28, 10 – 11.

3. Mélèce avait été exilé en Arménie mineure par Constance en 360. Le silence observé sur lui par Athanase dans le *Tome aux Antiochiens,* principale source sur ce synode, montre que cet évêque, qui se révéla orthodoxe après avoir été intronisé par les ariens, n'était pas plus pour l'évêque d'Alexandrie que pour Eusèbe de Verceil et Lucifer de Cagliari la personnalité capable de faire l'unanimité chez les orthodoxes à Antioche : cf. MARTIN, p. 548. Au chap. 13, 3, Sozomène indiquera le retour effectif de Mélèce... mais Lucifer avait déjà intronisé le prêtre Paulin!

4. Le concile d'Alexandrie condamnait la doctrine pneumatomaque de Macédonius de Constantinople et de ses partisans. Le *Tome aux Antiochiens,* adressé par Athanase aux orthodoxes de la métropole syrienne pour les informer des décisions du concile, spécifie : «Tous ceux qui voudront être en paix avec nous devront anathématiser ceux qui disent que le Saint-Esprit est une créature et une division de l'*ousia* du Christ» (MARTIN, p. 549). De fait, «ce concile marque l'irruption du Saint-Esprit dans le débat conciliaire» (MARTIN, p. 550).

ariens, que dirigeait Euzoïus[1], d'autre part, comme il a été dit plus haut[2], les partisans de Mélèce étaient en différend même avec ceux qui pensaient comme eux. Alors que Mélèce n'était pas encore revenu de l'exil[3], Lucifer ordonna Paulin évêque.

3 À ce moment, des évêques de beaucoup de villes, s'étant réunis à Alexandrie avec Athanase et Eusèbe, confirmèrent les dogmes de Nicée. Ils professèrent que le Saint-Esprit aussi est consubstantiel au Père et au Fils[4], et ils employèrent le nom de Trinité. Ils établirent qu'il faut regarder l'homme, que le Dieu Logos a assumé, comme complet non seulement sous le rapport du corps, mais sous le rapport de l'âme, ainsi qu'en avaient jugé les anciens docteurs de l'Église[5]. **4** Puisque la question disputée sur l'*ousia* et l'*hypostasis* troublait les églises et qu'il y avait continuellement querelles et discussions à ce sujet, le concile, d'une façon très sage à mon avis, définit que, dès le début, il ne fallait pas user tout de go de ces mots dans le cas de Dieu, sauf si l'on cherchait à écarter l'opinion de Sabellius[6], pour ne pas paraître, par manque de mots, désigner la même chose par trois

5. On pourrait être tenté de voir ici une condamnation de la doctrine d'Apollinaire de Laodicée, qui «excluait de l'être du Christ la raison *(noûs)* ou l'âme supérieure» (*DECA,* p. 185-188 C. KANNENGIESSER). Ce serait sans doute anticiper sur les débats ultérieurs : dans le *Tome aux Antiochiens,* «la question de la réalité de l'âme humaine du Christ ne s'était tout simplement pas posée à Athanase» (MARTIN, p. 553-555). Plus tard, l'apollinarisme déclencha une grande crise doctrinale – dont il sera longuement question au l. VI, 25-27 – qui ne prit fin qu'avec les conciles d'Éphèse (431) et de Chalcédoine (451).

6. Le monarchianisme de tendance modaliste de Sabellius, théologien du début du IIIe s. (*H.E.* II, 18, 3, *SC* 306, p. 304-305, note 1), s'opposait à la doctrine trinitaire puisque, derrière les «masques», πρόσωπα, manifestant la divinité, l'hérésiarque n'admettait en réalité qu'une seule personne. A. MARTIN, p. 550-552 souligne la préoccupation des orthodoxes, manifestée dans le *Tome,* de se garder du danger représenté par le sabellianisme, symétrique du danger arien.

τις τρισὶ προσηγορίαις καλεῖν, ἀλλ' ἕκαστον ἰδίᾳ νοοῖτο τριχῇ. **5** Καὶ τὰ μὲν ὧδε τοῖς τότε ἐν Ἀλεξανδρείᾳ συνελθοῦσιν ἔδοξεν· ἀπολογούμενος δὲ ἐν τούτοις Ἀθανάσιος περὶ τῆς αὐτοῦ φυγῆς διεξῆλθε τὸν λόγον ὃν περὶ τούτου ἔγραψε.

13

1 Καὶ διαλυθείσης τῆς συνόδου παραγενόμενος Εὐσέβιος εἰς Ἀντιόχειαν εὗρεν ἐν διχονοίᾳ τὸν λαόν. Οἱ γὰρ Μελετίῳ χαίροντες εἰς ταὐτὸν συνιέναι Παυλίνῳ οὐκ ἠνείχοντο, ἀλλ' **212** ἰδίᾳ ἐκκλησίαζον. **2** Χαλεπῶς δὲ ἐνεγκών, | ὅτι μὴ δέον παρὰ τὴν πάντων συναίνεσιν ἡ χειροτονία ἐγεγόνει, οὐδὲν εἰς τὸ φανερὸν ἐμέμψατο, Λουκίφερα τιμῶν, οὐδετέρῳ δὲ μέρει κοινωνήσας ὑπέσχετο τὰ λυποῦντα ἑκατέρους ἐν συνόδῳ διορθώσειν. **3** Ἐν ᾧ δὲ τὸ πλῆθος πρὸς ὁμόνοιαν συνάπτειν ἐσπούδαζεν, ἐπανελθὼν Μελέτιος ἐκ τῆς ὑπερορίας, κεχωρισμένους εὑρὼν τοὺς τὰ αὐτοῦ φρονοῦντας,

1. Le risque de confusion s'était introduit dans le vocabulaire doctrinal par le fait que, pour le sens, *ousia* correspondait à *substantia*, mais que, pour l'étymologie, c'est *hypostasis* qui correspondait à *substantia*.

2. C'est l'*Apologia pro fuga sua* (OPITZ, *Athanasius Werke*, II, 68-86 et éd. J.M. Szymusiak, *Athanase, Deux Apologies*, *SC* 56 bis, 2e éd. 1987), composée en 357 par l'évêque fugitif pour se disculper, auprès de ses fidèles, des accusations de lâcheté lancées par ses adversaires ariens, Léonce d'Antioche, Narcisse de Néronias-Eirénopolis et Georges de Laodicée. Sur la date, voir A. MARTIN, p. 505. Sozomène ne doit pas être taxé pour autant d'erreur chronologique : Athanase a dû lire solennellement au «concile des confesseurs», pour marquer sa réintégration et son triomphe, l'œuvre qu'il avait composée étant proscrit et fugitif et qui n'avait pu, jusque là, circuler que sous le manteau.

3. Lucifer, en ordonnant précipitamment Paulin, compliqua encore la situation à Antioche. Il fut parmi les principaux responsables du «schisme d'Antioche» qui se prolongea jusqu'à Théodose : cf. CAVALLERA, p. 111-117 ; C.B. ARMSTRONG, «The synode of Alexandria and the schism of Antioch in AD 362», dans *Journal of Theol. Studies* 22, 1920-1921,

dénominations[1], mais pour que chaque terme, pris isolément, fût conçu en un triple sens. **5** Telles furent les décisions du concile d'Alexandrie. A cette occasion, Athanase, en façon d'apologie au sujet de sa fuite, exposa tout du long l'ouvrage qu'il a composé sur ce sujet[2].

Chapitre 13

Les évêques d'Antioche Paulin et Mélèce;
discorde entre Eusèbe et Lucifer;
Eusèbe et Hilaire fortifient la foi de Nicée.

1 Le concile une fois dissous, Eusèbe, arrivé à Antioche, y trouva le peuple en discorde. Car les fervents de Mélèce n'acceptaient pas de s'unir à Paulin, mais ils tenaient leurs assemblées de culte à part. **2** Fâché que l'ordination de Paulin ait eu lieu de manière vicieuse, sans le consentement unanime[3], Eusèbe ne fit pourtant nul reproche public, par respect pour Lucifer; mais, sans être entré en communion avec aucun des deux partis, il promit de régler dans un concile les questions qui chagrinaient les uns et les autres. **3** Tandis qu'il s'efforçait d'amener le peuple à la concorde, Mélèce revint de l'exil[4]; comme il avait trouvé ses partisans séparés, il célébrait le culte

p. 206 et 347; et A. Martin, p. 564. Pour éviter de condamner Lucifer, Sozomène a joué en 12, 2 sur l'ambiguïté de l'ablatif absolu μήπω δὲ τούτου... ἐπανέλθοντος, dont la nuance peut être temporelle ou causale. Il est plus clair ici, tout en laissant à Eusèbe de Verceil le soin de juger négativement l'action de Lucifer. Voir le jugement de Bardy, p. 226-227 sur Lucifer « personnage excessif... dont le rôle fut... fort nuisible ».

4. Bien qu'on ne puisse pas fixer une date exacte, d'après Cavallera, p. 100, « l'exilé de Mélitène ne mit pas longtemps à profiter de la permission de Julien » (février ou mars 362?). En tout cas, l'arrivée d'Eusèbe de Verceil à Antioche est postérieure au retour de Mélèce (*ibid.*, p. 116).

ἰδίᾳ σὺν τούτοις ἔξω τῆς πόλεως ἐκκλησίαζεν, ὁ δὲ Παυλῖνος ἔνδον μετὰ τῶν οἰκείων· πρᾶον γὰρ ὑπό τε βίου καὶ γήρως αἰδοῖον ὄντα τιμῶν Εὐζώιος ὁ τῆς Ἀρείου αἱρέσεως προεστὼς οὔτ' ἐξέβαλε καὶ μίαν αὐτῷ ἐκκλησίαν ἀπένειμεν. **4** Εὐσέβιος δὲ ἀποτυχὼν τῆς σπουδῆς ἐξεδήμησεν Ἀντιοχείας. Ὑβρισμένος δὲ παρ' αὐτοῦ Λουκίφερ, ὅτι μὴ τὴν Παυλίνου χειροτονίαν ἐδέξατο, 1253 ἐχαλέπαινέ τε καὶ κοινωνεῖν αὐτῷ διεφέρετο· καὶ | ὡς ἐξ ἔριδος τὰ δόξαντα τῇ συνόδῳ ἐν Ἀλεξανδρείᾳ διαβάλλειν ἐπεχείρει. Ὃ δὴ πρόφασις ἐγένετο τῆς αἱρέσεως τῶν ἀπ' αὐτοῦ καλουμένων Λουκιφεριανῶν· οἱ γὰρ ἐπὶ τούτοις αὐτῷ συναχθόμενοι σφᾶς τῆς ἐκκλησίας ἀπέσχισαν. **5** Αὐτὸς δὲ καίπερ ὑπὸ τῆς λύπης κρατούμενος, ἐπειδὴ διὰ τοῦ διακόνου, ὃν Εὐσεβίῳ συναπέστειλεν, ὡμολόγησεν ἐμμεῖναι τοῖς ἐν Ἀλεξανδρείᾳ παρὰ τῆς συνόδου πραχθεῖσι, ὁμοφρονῶν τῇ καθόλου ἐκκλησίᾳ εἰς Σαρδανίαν ἀφίκετο.

6 Εὐσέβιος δὲ κατὰ τὴν ἕω περιιὼν τοὺς ἠμεληκότας τῆς πίστεως ἐπηνωρθοῦτο καὶ ᾗ χρὴ φρονεῖν ἐδίδασκεν· ἔπειτα δὲ σπουδάζων καὶ Ἰλλυριοὺς διῆλθε καὶ εἰς Ἰταλίαν ἧκεν. **7** Ἔνθα δὴ ταῦτα προκατωρθωκότα κατέλαβεν Ἱλάριον, ὃς Πικτάβων (πόλις δὲ ἥδε Ἀκοιτανίας) ἐπίσκοπος ἦν· ἔτυχε γὰρ πρότερος ἐκ τῆς ὑπερορίας ἐπανελθὼν Ἰταλούς τε καὶ Γάλλους διδάξας, ποῖα μὲν χρὴ τῶν δογμάτων προσίεσθαι, ποῖα δὲ φεύγειν· καὶ γὰρ δὴ καὶ

1. Sozomène reste fidèle à la présentation apaisante déjà donnée de l'action de Lucifer. En fait, à son retour en Occident, ce dernier refusa de pardonner aux «faillis» de Rimini-Nikè et rompit la communion avec l'Église romaine. Après sa mort (c. 370), son schisme se prolongea plus de vingt ans, avec Éphésius à Rome, Grégoire d'Elvire en Espagne et les prêtres Faustin et Marcellin qui adressèrent le *Libellus precum* à Théodose vers 384 (*Coll. Avell.* II, éd. O. Günther, *CSEL* 35, 1, 1895 et *CC SL* 69, éd. M. Simonetti, p. 361-392) : cf. BARDY, p. 226-227. Sur le témoignage de Jérôme sur Lucifer, sa doctrine et son action, voir A. CANELLIS, *Débat entre un Luciférien et un orthodoxe, SC* 473, introd. p. 20-24.

privément avec eux hors de la ville ; Paulin le célébrait avec les siens dans la ville : en effet, comme il était doux et vénérable par sa vie et par l'âge, Euzoïus, le chef de l'hérésie arienne, le respectait et il ne l'avait pas chassé, mais lui avait attribué une église. **4** Ayant donc échoué dans sa tentative, Eusèbe quitta Antioche. Mais Lucifer, qu'il avait outragé en ne reconnaissant pas l'ordination de Paulin, était irrité et refusait d'entrer en communion avec lui ; et par esprit de querelle, il tentait d'attaquer les décisions du concile d'Alexandrie. Ce fut là l'origine de la secte nommée d'après lui secte des Lucifériens : ceux qui, en effet, furent avec lui peinés de ces événements se séparèrent de l'Église. **5** Quant à Lucifer, bien qu'en proie au chagrin, comme, par le diacre qu'il avait envoyé avec Eusèbe, il avait convenu de respecter les décisions prises à Alexandrie par le concile, en restant uni de sentiment avec l'Église catholique, il partit pour la Sardaigne[1].

6 Eusèbe de son côté, parcourant l'Orient, remettait dans le droit chemin ceux qui avaient négligé la foi et il leur enseignait comment il fallait croire. Ensuite il traversa en hâte l'Illyrie et arriva en Italie. **7** Là donc il trouva Hilaire qui, avant lui, avait travaillé avec succès dans le même sens[2]. Hilaire était évêque de Poitiers, une ville d'Aquitaine. Il était revenu, avant Eusèbe, de l'exil et il avait instruit les Italiens et les Gaulois, leur montrant quels des dogmes il fallait accepter, quels il fallait

2. Eusèbe de Verceil, déjà nommé avec éloge en compagnie d'Hilaire en III, 15, 6, ne s'offusqua pas de l'activité de l'évêque de Poitiers sur ses terres. Sozomène justifie discrètement la raison toute chronologique de l'intervention d'Hilaire : il était revenu directement d'exil, tandis qu'Eusèbe s'efforçait, sans doute assez longuement, de ramener la concorde à Antioche. Il en laisse voir aussi la raison spirituelle : pour ramener les égarés à l'orthodoxie, les vrais évêques savent dépasser – c'est le cas d'Hilaire – et admettre que soient dépassées – c'est celui d'Eusèbe – les limites territoriales de leur compétence.

ἐλλόγιμος τῇ Ῥωμαίων γλώττῃ ἐγένετο καὶ λόγους ἀξιοχρέους, ὡς εἴρηται, συνέγραψεν, ἀπομαχομένους τοῖς Ἀρείου δόγμασιν. Ὧδε μὲν Ἱλάριος οὗτος καὶ Εὐσέβιος ἐν τῇ πρὸς δύσιν ἀρχομένῃ τὸ δόγμα τῆς ἐν Νικαίᾳ συνόδου συνεκρότουν.

14

213 | **1** Ἐν τούτῳ δὲ οἱ ἀμφὶ Μακεδόνιον, ὧν ἦν Ἐλεύσιός τε καὶ Εὐστάθιος καὶ Σωφρόνιος, ἤδη εἰς τὸ προφανὲς Μακεδονιανοὶ καλεῖσθαι ἀρξάμενοι ὡς εἰς ἴδιον διακριθέντες σύστημα, ἀδείας τετυχηκότες τῇ Κωνσταντίου τελευτῇ, συγκαλέσαντες τοὺς ἐν Σελευκείᾳ ὁμόφρονας αὐτοῖς γενομένους, συνόδους τινὰς ἐποιήσαντο. **2** Καὶ τοὺς ἀμφὶ Ἀκάκιον καὶ τὴν βεβαιωθεῖσαν ἐν Ἀριμήνῳ πίστιν ἀπεκήρυξαν, τῇ δὲ ἐν Ἀντιοχείᾳ ἐκτεθείσῃ, ὕστερον δὲ ἐν

1. Voir *H.E.* III, 15, 6. «Les écrits importants» anti-ariens d'Hilaire sont principalement le *De Trinitate* (= *De fide aduersus Arianos* l. I-III, *SC* 443, 1999 et l. IV-VIII, *SC* 448, 2000), le *De Synodis (seu de fide Orientalium)* et le *Contra Arianos uel Auxentium Mediolanensem* (cf. *SC* 418, p. 142-144, note 1).

2. Sur Macédonius et ses satellites, voir Dagron, p. 438-442. Sur Éleusios, évêque de Cyzique, cf. *H.E.* IV, 13, 5, *SC* 418, p. 247 avec la note 4. Il joua un rôle de premier plan au concile de Séleucie (sept. 359) où il débattit victorieusement contre Acace. Sur Eustathe, évêque de Sébaste, voir *H.E.* III, 14, 31-37 (*SC* 418 p. 132-133 et la note 1) et IV, 13, 5 (*SC* 418, p. 246-247 et la note 3). Dès les années 340, il avait une grande influence sur Macédonius, alors prétendant à l'épiscopat de Constantinople et il figurait déjà parmi les macédoniens destitués à Séleucie aux côtés d'Éleusios et de Sophronios (*H.E.* IV, 24, 9-16). Sur Sophronios, évêque de Pompéiopolis, voir *H.E.* IV, 22, 19 (au concile de Séleucie).

3. Sur le concile de Séleucie d'Isaurie, voir *H.E.* IV, 22. Les macédoniens conduits par Georges de Laodicée, Éleusios et Sophronios y formaient un groupe, suivi par la majorité, qui s'opposait à celui des ariens les plus déterminés, Eudoxe, Acace, Patrophile, Georges d'Alexandrie (*H.E.* IV, 22, 7). Sur les «petits conciles» tenus ultérieurement par les macédoniens, voir Hefele - Leclercq, I, 2 p. 970-971 : «Ils mirent à profit le règne de Julien, pour tenir notamment à Zelé

fuir. Il avait acquis en effet une grande réputation en la langue latine et il avait composé, ainsi qu'il a été dit, des écrits importants, où il luttait contre les doctrines d'Arius[1]. C'est ainsi donc que cet Hilaire et Eusèbe fortifiaient dans la partie occidentale de l'Empire le dogme du concile de Nicée.

Chapitre 14

Le différend entre les partisans de Macédonius et ceux d'Acace; ce qu'ils disent pour se défendre.

1 En ce temps-là, les partisans de Macédonius, dont étaient Éleusios, Eustathe et Sophronius[2], que l'on commençait déjà ouvertement à appeler macédoniens parce qu'ils s'étaient séparés pour former un groupe particulier, ayant obtenu sécurité par la mort de Constance, convoquèrent ceux qui avaient partagé leur sentiment à Séleucie[3] et formèrent quelques synodes. **2** Ils repoussèrent les partisans d'Acace et le credo confirmé à Rimini, et votèrent en faveur de la formule d'Antioche[4] qui avait

dans le Pont des conciles où ils se séparèrent expressément et des ariens et des orthodoxes.» Basile de Césarée nomme également ce concile de Zelé dans sa *Lettre* 251, 4 (éd. Y. Courtonne, *CUF*, t. 3, p. 92) après ceux de Séleucie (359) et de Constantinople (360) et avant celui de Lampsaque (364). Voir aussi SOCRATE *H.E.* III, 10, 3-10 (éd. G.C. Hansen, *GCS*, p. 205). Sozomène, qui cite comme Socrate l'intervention décisive de Sophronios, paraît être, comme lui, aussi bien renseigné (par la *Synodikon* de Sabinos d'Héraclée?) sur ces «petits conciles» que sur le grand concile de Séleucie pour lequel il cite des interventions brèves mais décisives de Sophronios (*H.E.* IV, 22, 19) et d'Éleusios (*H.E.* IV, 22, 20 et 22).

4. Sozomène désigne ainsi la deuxième formule adoptée au synode «des Encaénies», nom de la Grande église d'Antioche, au cours de l'été 341 (*H.E.* III, 5, 8-9). Eleusios de Cyzique avait défendu et fait triompher cette formule des «quatre-vingt-dix-sept anciens Pères d'Antioche» au concile de Séleucie (*H.E.* IV, 22, 20 et 22).

Σελευκείᾳ πρὸς αὐτῶν κυρωθείσῃ, ἐπεψηφίσαντο. Ἐγκαλούμενοι δὲ τί δή ποτε πρὸς τοὺς ἀμφὶ Ἀκάκιον διαφέρονται, πρότερον αὐτοῖς ὡς ὁμοδόξοις κοινωνοῦντες, τάδε διὰ Σωφρονίου τοῦ Παφλαγόνος ἀπεκρίναντο, ὡς **3** « Οἱ κατὰ τὴν δύσιν τὸ ὁμοούσιον ἐδόξαζον, Ἀέτιος δὲ ἐν τῇ ἕῳ τὸ κατ' οὐσίαν ἀνόμοιον · ἃ ἀμφότερα ἔκνομα · καὶ οἱ μὲν ἀτάκτως τὰς ἰδιαζούσας ὑποστάσεις πατρὸς καὶ υἱοῦ συνέπλεκον εἰς ἑνότητα τῷ τοῦ ὁμοουσίου ὀνόματι, ὁ δὲ σφόδρα τῆς τοῦ υἱοῦ πρὸς τὸν πατέρα φύσεως διΐστα τὴν οἰκειότητα · » σφᾶς δὲ εὐσεβεῖν, ὅμοιον εἶναι τῷ πατρὶ τὸν υἱὸν καθ' ὑπόστασιν λέγοντας, καὶ μέσην ἀμφοῖν ταύτην τὴν ὁδὸν ἐπιλέξασθαι ἑκατέρων πρὸς ἄκρον τοῦ ἐναντίου χωρησάντων. Καὶ οἱ μὲν ὧδε ἀπολογεῖσθαι τοῖς μεμφομένοις ἐπειρῶντο.

15

1 | Ὁ δὲ βασιλεὺς πυθόμενος ἐκκλησιάζειν Ἀθανάσιον 1256 ἐν τῇ Ἀλεξανδρέων ἐκκλησίᾳ καὶ ἀδεῶς διδάσκειν τὰ πλήθη καὶ πολλοὺς Ἑλλήνων πείθειν εἰς χριστιανισμὸν μετατίθεσθαι, προσέταξεν αὐτὸν ἐξιέναι τῆς Ἀλεξανδρείας. **2** Μένοντι δὲ ἐν ταύτῃ μεγίστας προηγόρευσε ζημίας, πρόφασιν ἐγκλημάτων ποιησάμενος, ὡς παρὰ τῶν πρὸ αὐτοῦ βασιλέων φεύγειν καταδικασθείς, μὴ ἐπιτραπεὶς ἀντελάβετο τοῦ θρόνου τῆς ἐπισκοπῆς · μὴ γὰρ συγχωρῆσαι αὐτὸν εἰς τὰς ἐκκλησίας κάθοδον τοῖς παρὰ Κωνσταντίου

1. Athanase, auquel l'édit impérial fut présenté par l'envoyé spécial de Julien, le thébain Pythiodore, membre de l'entourage impérial venu conforter les cercles païens (cf. GRÉGOIRE, *disc.* 4, 86, éd. J. Bernardi, *SC* 309, p. 218-219), sortit d'Alexandrie le 24 octobre 362, sur ordre du préfet Ecdicius Olympus (*Histoire « acéphale»* 3, 5, éd. A. Martin, *SC* 317, p. 150).

été plus tard sanctionnée par eux à Séleucie. Comme on leur faisait reproche d'être en différend avec les partisans d'Acace alors qu'ils s'étaient d'abord associés à eux comme à gens de même opinion, ils répondirent ceci par Sophronius le Paphlagonien : **3** « Les Occidentaux tiennent pour le terme *homoousios*, Aèce en Orient pour la formule 'dissemblable quant à l'essence', choses toutes deux illégitimes. Les uns, par le terme de *homoousios*, confondent irrégulièrement en une unité les hypostases différentes du Père et du Fils, l'autre sépare totalement la parenté de nature du Fils par rapport au Père. » Eux en revanche tenaient la vraie foi, en disant que le Fils est semblable au Père quant à l'hypostase, et ils avaient choisi cette voie comme médiane entre les deux autres, chacun d'eux étant allé à la pointe extrême de l'opposition. C'est ainsi donc que les macédoniens tentaient de se défendre contre les reproches.

Chapitre 15

Athanase est de nouveau exilé;
Eleusios évêque de Cyzique et Titus évêque de Bostra;
mention des ancêtres de l'auteur.

1 L'empereur ayant appris qu'Athanase tenait des assemblées de culte à l'église d'Alexandrie, qu'il y enseignait les foules librement et persuadait beaucoup de païens de passer au christianisme, il lui prescrivit de sortir d'Alexandrie[1]. **2** Il le menaça, s'il y demeurait, des pires châtiments, alléguant pour prétexte de ses accusations qu'Athanase, qui avait été condamné à l'exil par les empereurs d'avant lui, avait repris sans permission le siège de l'épiscopat : il n'avait pas, disait-il, permis aux évêques exilés par Constance de rentrer dans leurs églises, mais

214 φυγαδευθεῖσιν, | ἀλλ' εἰς τὰς πατρίδας μόνον. **3** Διὰ τοῦτο δὲ τὸ βασιλέως πρόσταγμα μέλλων φεύγειν, δεδακρυμένην ἰδὼν ἀμφ' αὐτὸν τὴν τῶν Χριστιανῶν πληθύν « Θαρρεῖτε, ἔφη, νεφύδριον γάρ ἐστι, καὶ θᾶττον παρελεύσεται » · καὶ τοῦτο εἰπὼν συνετάξατο, καὶ τοῖς σπουδαιοτέροις τῶν φίλων τὴν ἐκκλησίαν παραθέμενος ἐξῆλθε τῆς Ἀλεξανδρέων πόλεως.

4 Ἐν τούτῳ δὲ Κυζικηνῶν πρεσβευσαμένων πρὸς βασιλέα περὶ οἰκείων πραγμάτων καὶ τῆς ἐπανορθώσεως τῶν Ἑλληνικῶν ναῶν, ἐπαινέσας αὐτοὺς τῆς περὶ τὰ ἱερὰ προνοίας, πάντα παρέσχεν ὧνπερ ἐδέησαν. **5** Καὶ Ἐλεύσιον δὲ τὸν παρ' αὐτοῖς ἐπίσκοπον τῆς πόλεως εἶρξεν, ὡς λυμηνάμενον τοῖς ναοῖς καὶ τοῖς τεμένεσιν ἐνυβρίσαντα καὶ χηροτροφεῖα κατασκευάσαντα καὶ παρθενῶνας ἱερῶν παρθένων συστησάμενον καὶ τοὺς Ἑλληνιστὰς πείθοντα τῶν πατρίων ἀμελεῖν. **6** Ἀπηγόρευσε δὲ καὶ τοῖς σὺν αὐτῷ

1. Citation de JULIEN, *ep.* 110 aux Alexandrins (éd. J. Bidez, I, 2, p. 187), moins les formules désobligeantes pour « l'outrecuidant Athanase » et pour les « Galiléens ». Quoi qu'en dise Sozomène, entre l'empereur et l'évêque les responsabilités étaient partagées. Le motif invoqué pour justifier l'expulsion n'était pas dépourvu de tout fondement, comme l'admet A. MARTIN, p. 540. D'un côté, l'édit de Julien (9 février 362) avait été suivi immédiatement d'un décret d'application du préfet d'Égypte Gérontius « invitant l'évêque Athanase à revenir dans son Église » (*Histoire « acéphale »*, 3, 3 éd. A. Martin, *SC* 317, p. 150-151) : le préfet avait peut-être outrepassé la pensée de l'empereur qui pouvait prétendre avoir autorisé les évêques exilés « à rentrer dans leurs patries, mais non dans leurs églises ». De son côté, Athanase avait notoirement abusé de l'autorisation impériale à des fins de prosélytisme (*Lettre* 112 de Julien à Ecdicius, éd. J. Bidez I, 2, p. 192 : Athanase avait « osé baptiser sous son règne des femmes grecques de distinction »). Sur la détérioration des relations entre l'empereur et l'évêque, voir BIDEZ, p. 291-293, pour qui Athanase agit en « provocateur » et en « agitateur », et l'interprétation plus nuancée d'A. MARTIN, p. 565-571.

2. Ce mot « prophétique » est repris et légèrement adapté de RUFIN, *H.E.* X, 35 (éd. Schwartz-Mommsen, *GCS* 9, 2, p. 995) : *Nolite, inquit, o filii, conturbari quia nubecula est et cito pertransit* (« Ne soyez pas troublés, mes enfants, parce que c'est un petit nuage et il passe vite »). Socrate le cite également en III, 14, 1.

seulement de rentrer dans leurs patries[1]. **3** En vertu de cet édit du prince, Athanase était sur le point de fuir et comme il voyait autour de lui la foule des chrétiens en larmes : «Ayez bon courage, leur dit-il, c'est un nuage, et il passera bien vite»[2]. Sur ces mots il leur dit adieu, et, après avoir confié l'église aux plus zélés de ses amis[3], il quitta la ville d'Alexandrie[4].

4 En ce temps-là, les Cyzicéniens envoyèrent une ambassade à l'empereur sur leurs affaires et au sujet de la reconstruction des temples païens[5]; il loua leur attention pour le culte et leur accorda tout ce qu'ils avaient demandé. **5** De plus, il chassa leur évêque Éleusios de la ville comme ayant endommagé les temples, profané les enclos sacrés, construit des asiles pour les veuves, établi des refuges pour les vierges consacrées, et parce qu'il engageait les païens à négliger les traditions ancestrales. **6** Il interdit aussi aux chrétiens du parti d'Éleusios

3. Il s'agit sans doute de ses prêtres Paul et Astéricius qui furent à leur tour, quelques jours plus tard, le 6 novembre 362, exilés par le préfet Ecdicius Olympus et assignés à résidence dans la ville d'Andropolis, à une centaine de km d'Alexandrie (*Histoire «acéphale»* 3, 6, éd. A. Martin, *SC* 317, p. 150-152).

4. Athanase s'arrêta dans un premier temps à Chairéou, à une trentaine de km au sud-est d'Alexandrie. Puis, sans doute à la suite des deux rescrits impériaux (*ep.* 111 et 112 de Julien) qui, pour toute réponse aux demandes des partisans d'Athanase, bannissaient ce dernier de toute l'Égypte, l'évêque «monta vers les contrées supérieures de l'Égypte jusqu'à Hermoupolis supérieure de Thébaïde et jusqu'à Antinoé» : cf. *Histoire «acéphale»* 4, 3, *SC* 317, p. 152-153 et MARTIN, p. 572.

5. Sous le lien vaguement temporel «en ce temps-là» et la simple juxtaposition de deux épisodes contemporains, A. MARTIN, p. 569, discerne un «lien évident» entre «les deux séries de faits», la persécution d'Athanase à Alexandrie et celle d'Éleusios à Cyzique et en déduit que, comme les Cyzicéniens, les Alexandrins, au moins leur «partie saine», c'est-à-dire pour Julien les païens, et d'autre part les ennemis chrétiens d'Athanase, avaient envoyé à l'empereur une lettre dénonçant les menées de l'évêque : la *lettre* 110 de Julien, citée en 15, 2, apparaît alors comme une réponse à la demande de certains des Alexandrins.

ξένοις Χριστιανοῖς μὴ ἐπιβαίνειν Κυζίκῳ, αἰτίαν ἐπαγαγὼν ὡς εἰκὸς αὐτοὺς τῆς θρησκείας ἕνεκα στασιάσαι, συναιρομένων αὐτοῖς καὶ παραπλησίως περὶ τὸ θεῖον φρονούντων τῶν ἀπὸ τῆς πόλεως Χριστιανῶν καὶ τῶν δημοσίων ἐριουργῶν καὶ τῶν τεχνιτῶν τοῦ νομίσματος. **7** Οἳ πλῆθος ὄντες καὶ εἰς δύο τάγματα πολυάνθρωπα διακεκριμένοι ἐκ 1257 προστά | γματος τῶν πρὶν βασιλέων ἅμα γυναιξὶ καὶ οἰκείοις ἀνὰ τὴν Κύζικον διέτριβον, ἔτους ἑκάστου ῥητὴν ἀποφορὰν τῷ δημοσίῳ κατατιθέντες, οἱ μὲν στρατιωτικῶν χλαμύδων, οἱ δὲ νεουργῶν νομισμάτων. **8** Ἐπεὶ γὰρ ἐκ παντὸς τρόπου δέδοκτο αὐτῷ συστῆσαι τὸν ἑλληνισμόν, βιάζεσθαι μὲν ἢ τιμωρεῖσθαι τοὺς δήμους μὴ ἐθέλοντας θύειν ἀβουλίας νενόμικε. Σχολῇ γὰρ ἂν τοσούτων καθ' ἑκάστην πόλιν οἱ ἄρχοντες τὸν ἀριθμὸν μόνον ἀπεγράψαντο · οὐ μὴν οὐδὲ συνιέναι καὶ κατὰ γνώμην εὔχεσθαι διεκώλυε. Ἤιδει γὰρ ὡς οὐκ ἀνάγκῃ ποτὲ κατορθωθείη τὰ προαιρέσεως ἑκουσίας εἰς σύστασιν δεόμενα. **9** Τοὺς δὲ κληρικοὺς καὶ τοὺς προεστῶτας τῶν ἐκκλησιῶν ἀπελαύνειν **215** τῶν πόλεων ἔσπευδε, τὸ μὲν ἀληθὲς | εἰπεῖν, τῇ τούτων ἀπουσίᾳ πραγματευόμενος διαλῦσαι τῶν λαῶν τὰς συνόδους, ὥστε μήτε τοὺς ἐκκλησιάζοντας μήτε τοὺς διδάσκοντας

17. La cité de Cyzique possédait des ateliers d'État pour le tissage de vêtements, sans doute militaires et officiels, et pour la frappe de monnaie, spécialité de la ville avant même l'époque de Philippe de Macédoine, grâce au monopole de l'or de la presqu'île de Panticapée. Cyzique était aussi, d'après AMM. 26, 8, 6-11, le siège de l'un des *thesauri* de l'Empire, entrepôts d'or, d'argent et vraisemblablement de vêtements : cf. A.H.M. JONES, *The Later Roman Empire,* p. 428-429 sur les *thesauri* et p. 437 et 836 sur Cyzique. La crainte exprimée par Julien n'est pas sans fondement : soumis à un travail rigoureux et durement taxés, les lainiers et les métallurgistes aspiraient à échapper à l'esclavage du pouvoir impérial et pouvaient constituer une masse de mécontents prêts aux séditions, comme le confirma leur soutien ultérieur à l'usurpateur Procope.

18. Sozomène a compris la tactique de Julien : distendre, voire couper, le lien entre le clergé et le peuple (*Lettres* aux Alexandrins, aux Bostréniens, aux Cyzicéniens). L'empereur obtint certains succès en

étrangers à la ville de mettre le pied dans Cyzique, alléguant que vraisemblablement ils fomenteraient des séditions pour cause de religion et qu'ils trouveraient des complices et des gens proches de leur sentiment concernant la divinité chez les chrétiens de la ville, ainsi que chez les lainiers de l'État et les ouvriers de l'atelier de frappe des monnaies[1]. **7** Ces ouvriers, qui sont une foule et divisés en deux corps de métier bien fournis d'hommes, vivaient, par ordre des empereurs précédents, avec femmes et parents à Cyzique, payant chaque année au trésor une redevance fixe, les premiers de chlamydes militaires, les autres de monnaies nouvellement faites. **8** Bien que l'empereur eût résolu d'établir par tout moyen le paganisme, il jugea qu'il serait imprudent de contraindre ou punir les peuples des villes qui refuseraient de sacrifier : car c'est avec peine que les magistrats auraient pu inscrire en chaque ville seulement le nombre de telles multitudes. L'empereur n'empêchait même pas qu'on se réunît et priât à sa guise. Il savait en effet que ne réussissait jamais par contrainte ce qui avait besoin pour s'établir d'une volonté libre. **9** Mais pour ce qui est des clercs et des chefs des églises, il s'empressait de les chasser des villes. Pour dire le vrai, il cherchait ainsi, par l'absence des clercs, à dissoudre les assemblées des fidèles[2]; de la sorte, ils n'auraient personne pour tenir les réunions

récompensant les cités qui abandonnaient leurs prêtres et en excitant le peuple fidèle contre tel évêque qui avait proféré une parole ambiguë, comme Titus de Bostra, en Arabie (*H.E.* V, 15, 11-12). Sur cet aspect sournois de Julien, voir BIDEZ, p. 294-297. Plus généralement sur la «politique religieuse de l'Apostat», en rupture avec celle de Constantin et Constance, voir, après H. RAEDER, «Kaiser Julian als Philosopher und religiöser Reformator», dans *Classica et Mediaevalia* VI, 1944, p. 179-193, H. LEPPIN, *Von Constantin dem Grossen zu Theodosius II,* p. 72-85 et, sur sa représentation par les historiens de l'Église, R.J. PENELLA, «Julian the Persecutor in fifth Century Church Historians», dans *The Emperor Julian and the Rebirth of Hellenism, The Ancien World,* t. 24, 1, 1993, p. 45-53.

ἔχειν μήτε μυστηρίων μεταλαμβάνειν καὶ τῷ πολλῷ χρόνῳ εἰς λήθην ἐμπεσεῖν τῆς οἰκείας θρησκείας, σκηπτόμενος δὲ ὡς οἱ κληρικοὶ εἰς διάστασιν τὰ πλήθη ἄγουσιν. **10** Οὕτως οὖν οὔτε στάσεως γενομένης οὔτε γίνεσθαι προσδοκωμένης ἐξιέναι Κυζίκου τὸν Ἐλεύσιον καὶ τοὺς σὺν αὐτῷ προσέταξε.

11 Βοστρηνοὺς δὲ δημοσίῳ κηρύγματι προὐτρέψατο διῶξαι τῆς αὐτῶν πόλεως Τίτον τὸν τότε τῆς ἐνθάδε ἐκκλησίας ἐπίσκοπον. Ὡς γὰρ ἠπείλησεν αὐτὸν καὶ τοὺς κληρικοὺς ἐν αἰτίᾳ ποιήσειν εἰ στασιάσοι τὸ πλῆθος, βιβλίον πρὸς βασιλέα διεπέμψατο Τίτος καὶ διεμαρτύρατο ἐφάμιλλον μὲν εἶναι τῷ Ἑλληνικῷ πλήθει τὸ Χριστιανικόν, ἠρεμεῖν δὲ τοῦτο καὶ ταῖς αὐτοῦ παραινέσεσιν ἀγόμενον μηδὲν στασιῶδες ἐννοεῖν. **12** Ἐκ τοιούτων δὲ ῥημάτων εἰς ἔχθραν καταστῆσαι τῷ δήμῳ τὸν Τίτον κατασκευάζων, γράφων Βοστρηνοῖς διέβαλλεν αὐτὸν ὡς κατήγορον τοῦ πλήθους γεγενημένον, οἷα δὴ μὴ ἀπὸ γνώμης οἰκείας, διὰ δὲ τὰς αὐτοῦ παραινέσεις μὴ στασιάζοντος· καὶ ὡς δυσμενῆ ἀπελαύνειν αὐτὸν τῆς πόλεως ἀνεκίνει τὸν δῆμον.

13 Τοιαῦτα δὲ πολλὰ καὶ ἀλλαχόσε συμβῆναι εἰκός, τὰ μὲν κατὰ πρόσταγμα τοῦ βασιλέως, τὰ δὲ ἐξ ὀργῆς καὶ προπετείας δήμων· ἐφ' οἷς καὶ οὕτως τῷ κρατοῦντι τὴν αἰτίαν τις ἀναθήσει τῶν γεγενημένων· οὐ γὰρ ὑπῆγε τοῖς νόμοις τοὺς ὧδε παρανομοῦντας, ἀλλὰ μίσει τῷ πρὸς τὴν θρησκείαν μέμφεσθαι λόγοις δοκῶν ἔργοις προὐτρέπετο τοὺς τὰ τοιαῦτα δρῶντας· ὅθεν καὶ μὴ διώκοντος αὐτοῦ
1260 κατὰ πόλεις καὶ κώμας ἔφευγον οἱ | Χριστιανοί.

14 Ταύτης δὲ τῆς φυγῆς μετέσχον πολλοὶ τῶν ἐμῶν

1. Le prétexte invoqué pour cette expulsion – les menées des clercs sèment la division et troublent l'ordre public – reproduit probablement l'argumentaire d'une lettre aujourd'hui perdue de Julien : cf. BIDEZ, p. 293.

2. Résumé fidèle de la *lettre* 114 adressée d'Antioche et datée du 1er août 362 (éd. J. Bidez, t. I, 2, p. 193-195).

de culte et enseigner, ils ne participeraient plus aux mystères, et à la longue ils en viendraient à oublier leur religion ; mais il prétextait comme excuse que les clercs poussaient les populations à la division. **10** De cette façon, sans qu'il y eût eu sédition et sans qu'on s'attendît à en voir une, il prescrivit à Éleusios et à ses partisans de quitter Cyzique[1].

11 Quant aux Bostréniens, il les exhorta par une proclamation publique à chasser de leur ville Titus qui était alors évêque de l'église locale. Comme il avait menacé Titus et ses clercs de les rendre responsables s'il y avait sédition du peuple, Titus envoya une requête à l'empereur et soutint que, sans doute, il y avait rivalité entre les chrétiens et les païens, mais que les chrétiens étaient tranquilles et que, sous l'influence de ses conseils, ils ne songeaient nullement à se révolter. **12** Profitant de ces mots pour mettre Titus en inimitié avec le peuple, dans une lettre aux Bostréniens[2], Julien accusait Titus de s'être fait le calomniateur de la population, attendu que ce n'était pas par conviction personnelle, mais à cause des conseils de l'évêque qu'elle ne se révoltait pas ; et il poussait le peuple à chasser Titus de la ville comme étant malveillant à son égard.

13 Il y eut bien d'autres événements de cette sorte ailleurs aussi, naturellement, soit par ordre de l'empereur, soit par colère et précipitation des populations ; mais même en ces derniers cas, on devra rapporter au prince la cause des événements. Car il ne soumettait pas aux lois ceux qui agissaient ainsi contre les lois et, par sa haine de la religion, tout en se donnant l'apparence de les blâmer verbalement, il encourageait en fait ceux qui agissaient ainsi. D'où vient que, même sans persécution de sa part, dans les villes et les bourgades, les chrétiens prenaient la fuite.

14 À cette fuite ont participé beaucoup de mes ancêtres,

προγόνων καὶ ὁ ἐμὸς πάππος. Καθότι πατρὸς Ἕλληνος ὤν, αὐτός τε πανοικὶ καὶ οἱ ἀπὸ τοῦ γένους Ἀλαφίωνος Χριστιανοὶ πρῶτοι ἐγένοντο ἐν Βηθελέᾳ κώμῃ Γαζαίᾳ, πολυανθρώπῳ τε οὔσῃ καὶ ἱερὰ ἐχούσῃ ἀρχαιότητι καὶ κατασκευῇ σεμνὰ τοῖς κατοικοῦσι, καὶ μάλιστα τὸ πάνθεον **216** ὡς ἐπὶ ἀκροπόλεως χειροποιήτου | τινὸς λόφου κείμενον καὶ πανταχόθεν πάσης τῆς κώμης ὑπερέχον. Συμβάλλων δὲ οἶμαι τὸ χωρίον ἔνθεν λαχεῖν τὴν προσηγορίαν καὶ ἐκ τῆς Σύρων φωνῆς εἰς τὴν Ἑλλήνων ἑρμηνευόμενον θεῶν οἰκητήριον ὀνομάζεσθαι, διὰ τὸν τοῦ πανθέου ναόν. **15** Λέγεται δὲ Χριστιανισμοῦ αἴτιος γενέσθαι τοῖς τούτων οἴκοις Ἱλαρίων ὁ μοναχός· δαιμονῶντος γὰρ Ἀλαφίωνος τούτου, <ἐπεὶ> ἐπὶ πολύ τινες Ἕλληνες καὶ Ἰουδαῖοι ἐπῳδαῖς καὶ περιεργίαις τισὶ χρησάμενοι οὐδὲν ἤνυον, ὁ δὲ μόνον τὸ τοῦ Χριστοῦ ὄνομα ἐπιβοησάμενος τὸ δαιμόνιον ἀπήλασεν, εἰς τὴν Χριστιανῶν μετεβάλοντο θρησκείαν. **16** Διέπρεψε δὲ ὁ μὲν ἐμὸς πάππος ἐν ταῖς ἐξηγήσεσι

1. Cette fuite – dans le désert de Syrie auprès des moines? – du grand-père de Sozomène et de sa famille a donc eu lieu en 362/363. Inspiré par la fierté familiale, l'*excursus* fournit de précieux renseignements historiques et permet, à travers l'itinéraire d'une famille qu'on peut croire typique, de jalonner l'histoire de la lente christianisation de la Syrie et de la Palestine principalement grâce à l'action spirituelle des moines (cf. F.R. TROMBLEY, *Hellenic Religion and Christianization,* c. 370-529, Leiden 1993, vol. II, p. 143 s. «Monks and Christianization in Syria»). Les biographies de plusieurs de ces moines ont été rédigées, principalement par Cyrille de Scythopolis, au VIe s. : FESTUGIÈRE, *Les moines d'Orient,* III, 1, 2 et 3 *(Les moines de Palestine),* Paris 1962-1963.

2. L'explication «maison de(s) dieu(x)» que donne Sozomène du nom de sa patrie, la bourgade de Béthéléa, en rapprochant le sens de ce toponyme syriaque de l'existence d'un panthéon, est plus que plausible. Il semble que, par «panthéon», Sozomène puisse désigner le Marneion, sanctuaire du dieu Marnas, identifié au Zeus originaire de Crète (art. Gaza dans *DHGE* 20, c. 158 D. et L. STIERNON). Ce temple, qui rivalisait avec le Sérapeum d'Alexandrie, fut restauré ou construit vers 130-133 par l'empereur Hadrien qui visita plusieurs fois Gaza. La fermeture et la destruction du Marneion vers 400 sont attestés par JÉRÔME, *ep.* 107 à Laeta (éd. J. Labourt, *CUF,* t. IV, p. 146). Voir F.R. TROMBLEY, *Hellenic Religion and Christianization* c. 370-529, Leiden,

et en particulier mon grand-père[1]. Né d'un père païen, lui-même avec toute sa famille, ainsi que les membres de la lignée d'Alaphion furent les premiers chrétiens à Béthéléa, bourgade de Gaza, qui est populeuse et qui a des temples vénérables aux yeux des habitants par leur antiquité et leur architecture, et surtout le panthéon situé, comme sur une acropole, sur une colline bâtie de main d'homme et qui de tout côté domine tout le bourg. Je conjecture que le lieu a reçu de là sa dénomination et que, traduit du syriaque en grec, il est appelé «demeure des dieux», à cause de ce panthéon[2]. **15** On dit que l'auteur du christianisme pour les familles de ces gens fut le moine Hilarion[3]. Comme cet Alaphion était possédé du démon, alors que, pendant longtemps, des païens et des juifs n'avaient, avec leurs incantations et leurs opérations magiques, rien obtenu, Hilarion, par la seule invocation du nom du Christ, chassa le démon, et ils se convertirent à la religion chrétienne. **16** Mon grand-père brilla dans l'explication et l'interprétation des Saintes

1993, vol. I, p. 188-245 sur les cultes à Gaza (sur Marnas, p. 188-191, sur la destruction du Marneion, p. 213-218, d'après Marc le Diacre, *Vie de Porphyre évêque de Gaza,* éd. trad. H. Grégoire et M.A. Kugener). Sa «résurrection» sous la forme d'une église est annoncée en 408-410 par le même Jérôme dans son *Commentaire d'Isaïe* VII, 17.

3. Sozomène met au compte du «merveilleux Hilarion» (291-371) la conversion de sa famille et celle de «toute la lignée d'Alaphion» : cf. déjà *H.E.* III, 14, 21-27 (*SC* 418 p. 126-129 et la note 1) . La relation d'amitié étroite ou même de parenté entre la «famille» de Sozomène et la «lignée» d'Alaphion est difficile à préciser (cf. B. GRILLET, SC 306, Introd., p. 11). Né à Thabata, à proximité du bastion païen de Gaza, Hilarion, après avoir connu le christianisme à Alexandrie, revint en Syrie et établit sa cellule à trois km de Tabatha à partir de 329/330. C'est entre cette date et 356, quand le moine quitta définitivement son pays natal, qu'eut lieu l'exorcisme d'Alaphion, donc la conversion au christianisme de la famille de Sozomène. La guérison d'Alaphion ne figure pas parmi les onze miracles d'Hilarion retenus par Jérôme, dont trois pourtant concernent la délivrance de possédés du démon (cf. de VOGÜÉ, II, p. 194 sq.).

καὶ ἐν ταῖς ἑρμηνείαις τῶν ἱερῶν γραφῶν, εὐφυής τε ὢν καὶ οἷος γνῶναι <ὧν> δεῖ, καὶ κατὰ λόγον μετρίως ἡγμένος, ὡς καὶ ἀριθμητικῆς μὴ εἶναι ἄμοιρος. Ὅθεν κεχαρισμένος εἰσάγαν ἐτύγχανε τοῖς ἀνὰ τὴν Ἀσκάλωνα καὶ Γάζαν καὶ τοῖς πέριξ Χριστιανοῖς ὡς ἀναγκαῖος τῇ θρησκείᾳ καὶ τὰ ἀμφίβολα τῶν ἱερῶν γραφῶν εὐμαρῶς διαλύων. **17** Τῶν δὲ ἀπὸ τοῦ ἑτέρου γένους σχολῇ γ' ἄν τις τὴν ἀρετὴν διηγήσαιτο· πρῶτοι γὰρ οὗτοι ἐνθάδε ἐκκλησίας καὶ μοναστήρια συνεστήσαντο καὶ σεμνότητι καὶ φιλοφροσύνῃ ξένων καὶ δεομένων συνεκόσμησαν. Ἐκ ταύτης δὲ τῆς γενεᾶς μέχρι καὶ εἰς ἡμᾶς περιῆσαν ἄνδρες ἀγαθοί, οἷς ἤδη πρεσβύταις νέος ὢν συνεγενόμην. Ἀλλὰ τῶν μὲν ὕστερον ἐπιμνησθῆναι δεῖ.

16

1 Ὁ δὲ βασιλεὺς πάλαι σπουδάζων τὸν Ἑλληνισμὸν
1261 κρατεῖν κατὰ πᾶσαν τὴν ὑπήκοον, χαλεπῶς ἔφερε | παρευδοκιμούμενον ὁρῶν ὑπὸ τοῦ Χριστιανισμοῦ. Ναοὶ μὲν γὰρ ἠνεῴγεισαν, καὶ θυσίαι καὶ Ἑλλήνων πάτριοι ἑορταὶ τῶν πόλεων κατὰ γνώμην αὐτῷ προχωρεῖν ἐδόκουν· ἠνιᾶτο δὲ λογιζόμενος ὡς, εἰ γυμνωθείη ταῦτα τῆς αὐτοῦ σπουδῆς, ταχεῖαν ἕξει τὴν μεταβολήν· οὐχ ἥκιστα δὲ ἤχθετο καὶ πολλῶν ἱερέων χριστιανίζειν ἀκούων τὰς γαμετὰς καὶ τοὺς

1. Anticipation de *H.E.* VI, 32, 5 (voir aussi *H.E.* VIII, 15, 2). Sozomène fait allusion aux quatre moines-frères Salamanes, Phouskon, Malachion et Crispion qui étaient, sous Valens (364-378), dans la phase la plus brillante de leur vie d'ascèse dans les monastères fondés à Bethéléa. D'après Photius, *Bibl.* cod. 30, le nom complet de Sozomène était Salamanès Hermias Sozomenos : Henri Valois (*PG* 67 c. 854) a pu supposer avec vraisemblance que le nom Salamanes avait été donné à Sozomène, ou adopté par lui, parce qu'il aurait suivi les leçons de l'un des quatre descendants de la « race d'Alaphion ». Pour un essai de reconstitution chronologique des relations entre le jeune Sozomène et

Écritures, car il était bien doué, capable de connaître ce qu'il faut et quant à la culture générale passablement instruit, au point que la science des nombres ne lui était pas inconnue. De là vient qu'il était très aimé des chrétiens d'Ascalon, de Gaza et des lieux d'alentour car il était naturellement proche d'eux par la religion et résolvait sans peine les difficultés des Saintes Écritures. **17** Quant aux membres de la lignée d'Alaphion, il serait malaisé de décrire leur vertu. Ils furent les premiers en effet à fonder en ce lieu des églises et des monastères et ils les illustrèrent par leur dignité de vie et leur humanité à l'égard des étrangers et des indigents. Il a subsisté jusqu'à nous, de ce lignage, des hommes de mérite, que dans ma jeunesse j'ai fréquentés quand ils étaient déjà vieillards. Mais de cela il convient de faire mention plus tard[1].

Chapitre 16

Le zèle que met Julien à établir le paganisme et abolir notre religion ; la lettre qu'il adresse à un grand-prêtre païen.

1 L'empereur, qui depuis longtemps mettait son zèle à ce que le paganisme l'emportât dans tout l'Empire, supportait avec peine de le voir surpassé en renommée par le christianisme. Sans doute les temples avaient été rouverts, et les sacrifices et les fêtes païennes traditionnelles des cités paraissaient prospérer à son gré. Mais il était chagriné à la pensée que, si ces pratiques venaient à être privées de son zèle, le changement serait rapide : ce qui le fâchait le plus était d'apprendre que, de beaucoup de prêtres païens, les femmes, les enfants et

les quatre descendants d'Alaphion déjà fort âgés autour de 390, voir B. GRILLET, *SC* 306, p. 12-13.

παῖδας καὶ τοὺς οἰκέτας. **2** Ὑπολαβὼν δὲ τὸν Χριστιανισμὸν τὴν σύστασιν ἔχειν ἐκ τοῦ βίου καὶ τῆς πολιτείας τῶν **217** αὐτὸν μετιόντων, διενοεῖτο | πανταχῇ τοὺς Ἑλληνικοὺς ναοὺς τῇ παρασκευῇ καὶ τῇ τάξει τῆς Χριστιανῶν θρησκείας διακοσμεῖν, βήμασί τε καὶ προεδρίαις καὶ Ἑλληνικῶν δογμάτων καὶ παραινέσεων διδασκάλοις τε καὶ ἀναγνώσταις, ὡρῶν τε ῥητῶν καὶ ἡμερῶν τεταγμέναις εὐχαῖς, φροντιστηρίοις τε ἀνδρῶν καὶ γυναικῶν φιλοσοφεῖν ἐγνωκότων καὶ καταγωγίοις ξένων καὶ πτωχῶν καὶ τῇ ἄλλῃ περὶ τοὺς δεομένους φιλανθρωπίᾳ τὸ Ἑλληνικὸν δόγμα σεμνῦναι, **3** ἑκουσίων τε καὶ ἀκουσίων ἁμαρτημάτων κατὰ τὴν τῶν Χριστιανῶν παράδοσιν ἐκ μεταμελείας σύμμετρον τάξαι σωφρονισμόν· οὐχ ἥκιστα δὲ ζηλῶσαι λέγεται τὰ συνθήματα τῶν ἐπισκοπικῶν γραμμάτων, οἷς ἔθος ἀμοιβαδὸν τοὺς ξένους ὅποι δή ποτε διιόντας, καὶ παρ' οἷς ἂν ἀφίκωνται, πάντως κατάγεσθαι καὶ θεραπείας ἀξιοῦσθαι οἷά γε γνωρίμους καὶ φιλαιτάτους διὰ τὴν τοῦ συμβόλου μαρτυρίαν. **4** Ταῦτα διανοούμενος ἐσπούδαζε τοὺς Ἑλληνιστὰς προσεθίζειν τοῖς τῶν Χριστιανῶν ἐπιτηδεύμασιν. Ἀλλ' ἐπειδὴ τοῖς πολλοῖς ἴσως ἀπίθανον εἶναι τοῦτο δοκεῖ, οὐκ ἄλλοθεν ἢ ἀπ' αὐτῶν τῶν τοῦ βασιλέως ῥημάτων παρέξομαι τῶν εἰρημένων τὴν ἀπόδειξιν. Γράφει γὰρ ὧδε·

1. Voir la *lettre* 89 (302 ab) de Julien, adressée aux prêtres : « Il faut prier souvent les dieux, en particulier et en public, de préférence trois fois le jour, sinon, à tout le moins, matin et soir. Car un prêtre ne peut décemment passer un jour ou une nuit sans un hommage aux dieux » (éd. J. Bidez, I, 2, p. 170).

2. Chez Sozomène comme dans toute la littérature spirituelle et monastique, φιλοσοφεῖν signifie « mener la vie d'ascèse ». Sozomène, qui a donné une définition enthousiaste de cette existence et affirmé sa supériorité sur toutes les prétendues philosophies en I, 12 (*SC* 306, p. 162-169), attribue son origine soit au prophète Élie et à Jean-Baptiste, soit aux Thérapeutes de Philon, soit aux persécutions successives infligées aux chrétiens.

3. Cf. JULIEN, *ep.* 89 à Théodore, grand-prêtre (éd. J. Bidez, *Lettres* I, 2, p. 151-174).

les serviteurs étaient chrétiens. **2** Comme il avait compris que le christianisme tirait sa consistance du genre de vie et de la conduite de ceux qui le pratiquaient, il conçut l'idée de pourvoir partout les temples païens de l'appareil et de l'organisation de la religion chrétienne, de tribunes, de sièges d'honneur, de maîtres et de lecteurs pour les doctrines et les sermons païens, de prières imposées à des heures et jours fixes[1], de lieux de méditation pour des hommes et des femmes qui auraient résolu de mener la vie philosophique[2], d'hospices pour les étrangers et les pauvres et de rehausser la religion païenne des autres formes d'humanité à l'égard des indigents. **3** Pour les fautes volontaires et involontaires, il eut aussi l'idée de fixer après repentance, à l'exemple de la tradition des chrétiens[3], une méthode de correction appropriée. Ce qu'il voulut surtout imiter, dit-on, ce sont les lettres de recommandation des évêques[4], grâce auxquelles il est d'usage, par manière d'échange, que les étrangers, en tout lieu où ils passent et dans toute maison où ils arrivent, trouvent de toute façon logement et reçoivent des soins, comme des gens de connaissance et amis très chers, grâce au témoignage du signe de reconnaissance. **4** Avec ces idées en tête, il mettait son zèle à accoutumer les païens aux pratiques des chrétiens. Mais comme cela peut sembler peut-être peu croyable à la plupart, je fournirai la preuve de ce que je dis par nul autre témoignage que les paroles mêmes de l'empereur. Voici ce qu'il écrit[5] :

4. Dans son édition de la même *lettre* 89 (à Théodore), J. Bidez, I, 2, p. 98 traduit συνθήματα par «tessères», en proposant comme équivalent «signes de reconnaissance» : «Ce qui provoqua, dit-on, son émulation, ce fut la coutume qu'avaient les évêques d'échanger entre eux des tessères accompagnant les lettres de recommandation dont ils munissaient ceux qui partaient en voyage.» Il voit dans ces συνθήματα des signes qui, comme les σύμβολα, «servaient à établir l'authenticité de la lettre» (*ib.*, note 1).

5. Dans la *lettre* 84, à Arsace, grand-prêtre de la Galatie (éd. J. Bidez, I, 2, p. 144).

5 «Ἐπιστολὴ Ἰουλιανοῦ βασιλέως Ἀρσακίῳ ἀρχιερεῖ Γαλατίας.

Ὁ Ἑλληνισμὸς οὔπω πράττει κατὰ λόγον ἡμῶν ἕνεκα τῶν μετιόντων αὐτόν· τὰ γὰρ τῶν θεῶν λαμπρὰ καὶ μεγάλα καὶ κρείττονα πάσης μὲν εὐχῆς, πάσης δὲ ἐλπίδος (ἵλεως δὲ ἔστω τοῖς λόγοις ἡμῶν Ἀδράστεια)· τὴν γὰρ ἐν ὀλίγῳ τοσαύτην καὶ τηλικαύτην μεταβολὴν οὐδὲ εὔξασθαί τις ὀλίγῳ πρότερον ἐτόλμα. **6** Τί οὖν; Ἡμεῖς οἰόμεθα ταῦτα ἀρκεῖν, οὐδὲ ἀποβλέπομεν, ὡς μάλιστα τὴν ἀθεότητα συνηύξησεν ἡ περὶ τοὺς ξένους φιλανθρωπία καὶ ἡ περὶ τὰς ταφὰς τῶν νεκρῶν προμήθεια καὶ ἡ πεπλασμένη σεμνότης κατὰ τὸν βίον; Ὧν ἕκαστον οἴομαι χρῆναι παρ' ἡμῶν ἀληθῶς ἐπιτηδεύεσθαι. **7** Καὶ οὐκ ἀπόχρη τὸ σὲ μόνον εἶναι τοιοῦτον, ἀλλὰ πάντας ἁπαξαπλῶς οἳ περὶ τὴν Γαλατίαν εἰσὶν ἱερεῖς· οὓς ἢ **218** δυσώπησον, ἢ πεῖσον εἶναι σπουδαίους, | ἢ τῆς ἱερατικῆς λειτουργίας ἀπόστησον, εἰ μὴ προσέρχοιντο μετὰ γυναικῶν 1264 καὶ παίδων καὶ | θεραπόντων τοῖς θεοῖς, ἀλλ' ἀνέχοιντο τῶν οἰκετῶν ἢ <τῶν> υἱέων ἢ τῶν Γαλιλαίων γαμετῶν ἀσεβούντων μὲν εἰς τοὺς θεούς, ἀθεότητα δὲ θεοσεβείας προτιμώντων. **8** Ἔπειτα παραίνεσον ἱερέα μήτε θεάτρῳ παραβάλλειν μήτε ἐν καπηλείῳ πίνειν ἢ τέχνης τινὸς καὶ ἐργασίας αἰσχρᾶς καὶ ἐπονειδίστου προΐστασθαι· καὶ τοὺς μὲν πειθομένους τίμα, τοὺς δὲ ἀπειθοῦντας ἐξώθει.

9 Ξενοδοχεῖα καθ' ἑκάστην πόλιν κατάστησον πυκνά, ἵν' ἀπολαύσωσιν οἱ ξένοι τῆς παρ' ἡμῶν φιλανθρωπίας, οὐ τῶν ἡμετέρων μόνον, ἀλλὰ καὶ τῶν ἄλλων ὅστις ἂν δεηθῇ. **10** Χρημάτων δ' ὅθεν εὐπορήσεις, ἐπινενόηταί μοι τέως. Ἑκάστου γὰρ ἐνιαυτοῦ τρισμυρίους μοδίους κατὰ

1. Cette divinité, identifiée depuis longtemps à Némèsis (AMM. 14, 11, 25), était censée punir les paroles présomptueuses. Julien l'invoque aussi dans la *lettre* 9 à Alypius (éd. J. Bidez I, 2, p. 16) et dans la *lettre* 82 contre Nilus (I, 2, p. 139). Plus largement, elle est liée à la Justice. Pour AMM. (14, 11, 25), Adrastée est «une divinité puissante habitant au-dessus du cercle de la lune» ou «la tutelle personnifiée... fille de la Justice» (trad. E. Galletier - J. Fontaine).

5 «Lettre de l'empereur Julien à Arsace, grand prêtre de la Galatie.

Si l'hellénisme ne fait pas encore les progrès que l'on devait attendre, c'est nous qui en sommes cause, nous qui le professons. Le culte des dieux, par son éclat et sa grandeur, a dépassé tous les vœux, tous les espoirs : puisse Adrastée être propice à nos paroles[1]! Un tel changement en si peu de temps et si considérable, nul n'eût osé en effet, peu auparavant, même le souhaiter. **6** Mais quoi? Pensons-nous que cela suffise, et ne voyons-nous pas que ce qui a le plus contribué à développer l'athéisme, c'est l'humanité envers les étrangers, la prévenance pour l'enterrement des morts et une gravité simulée dans la vie? Voilà des manières d'agir dont il nous faut, à mon sens, mettre chacune véritablement en pratique. **7** Et ce n'est pas assez que toi seul te comportes ainsi. Il faut que tous les prêtres de la Galatie, sans exception, agissent de même. En leur faisant honte ou par persuasion, fais qu'ils soient zélés, ou bien écarte-les du service du culte, s'ils ne vont pas aux dieux avec femmes, enfants, et serviteurs, mais tolèrent que leurs serviteurs ou leurs fils ou leurs épouses galiléennes soient impies à l'égard des dieux et préfèrent l'athéisme à la piété. **8** Ensuite, engage le prêtre à ne pas fréquenter le théâtre, à ne pas boire au cabaret, à ne pas présider à un métier ou à un travail honteux et mal famé : honore ceux qui obéissent, et ceux qui désobéissent, chasse-les.

9 Établis dans chaque cité de nombreux hospices, afin que les étrangers jouissent de notre humanité, non seulement ceux qui sont des nôtres, mais tous les autres aussi, quiconque en a besoin. **10** Pour te procurer les ressources nécessaires, voici les dispositions que j'ai prises pour l'instant. J'ai ordonné que chaque année, pour toute

πᾶσαν τὴν Γαλατίαν ἐκέλευσα δοθῆναι σίτου καὶ ἑξακισμυρίους οἴνου ξέστας· ὧν τὸ πέμπτον μὲν εἰς τοὺς πένητας τοὺς τοῖς ἱερεῦσιν ἐξυπηρετουμένους ἀναλίσκεσθαί φημι χρῆναι, τὰ δὲ ἄλλα τοῖς ξένοις καὶ τοῖς μεταιτοῦσιν ἐπινέμεσθαι παρ' ἡμῶν. **11** Αἰσχρὸν γάρ, εἰ τῶν μὲν Ἰουδαίων οὐδὲ εἷς μεταιτεῖ, τρέφουσι δὲ οἱ δυσσεβεῖς Γαλιλαῖοι πρὸς τοῖς ἑαυτῶν καὶ τοὺς ἡμετέρους, οἱ δὲ ἡμέτεροι τῆς παρ' ἡμῶν ἐπικουρίας ἐνδεεῖς φαίνοιντο. **12** Δίδασκε δὲ καὶ συνεισφέρειν τοὺς Ἑλληνιστὰς εἰς τὰς τοιαύτας λειτουργίας, καὶ τὰς Ἑλληνικὰς κώμας ἀπάρχεσθαι τοῖς θεοῖς τῶν καρπῶν, καὶ τοὺς Ἑλληνικοὺς ταῖς τοιαύταις εὐποιίαις προσέθιζε, διδάσκων αὐτοὺς ὡς τοῦτο πάλαι ἦν ἡμέτερον ἔργον. Ὅμηρος γοῦν αὐτὸ πεποίηκεν Εὔμαιον λέγοντα·

«ξεῖν', οὔ μοι θέμις ἔστ', οὐδ' εἰ κακίων σέθεν ἔλθοι,
ξεῖνον ἀτιμῆσαι· πρὸς γὰρ Διός εἰσιν ἅπαντες
ξεῖνοί τε πτωχοί τε· δόσις δ' ὀλίγη τε φίλη τε.»

Μὴ δὴ τὰ παρ' ἡμῖν ἀγαθὰ παραζηλοῦν ἄλλοις ξυγχωροῦντες αὐτοὶ τῇ ῥαθυμίᾳ καταισχύνωμεν, μᾶλλον δὲ **219** καταπροώμεθα τὴν εἰς τοὺς θεοὺς | εὐλάβειαν. **13** Εἰ ταῦτα πυθοίμην ἐγώ σε πράττοντα, μεστὸς εὐφροσύνης ἔσομαι.

Τοὺς ἡγεμόνας ὀλιγάκις ἐπὶ τῆς οἰκίας ὅρα, τὰ πλεῖστα δὲ αὐτοῖς ἐπίστελλε. Εἰσιοῦσι δὲ εἰς τὴν πόλιν ὑπαντάτω μηδεὶς αὐτοῖς ἱερέων, ἀλλ' ὅταν εἰς τὰ ἱερὰ φοιτῶσι τῶν θεῶν, εἴσω τῶν προθύρων. Ἡγείσθω δὲ μηδεὶς αὐτῶν

1. *Od.* XIV, 56-58. Le vieux berger Eumée s'adresse ainsi à Ulysse méconnaissable qui le remercie pour son accueil. Après Platon, Homère est l'auteur le plus cité par Julien, plus souvent pour l'*Iliade* que pour l'*Odyssée*, ce qui correspond à la norme de l'École : cf. BOUFFARTIGUE, p. 143-146.

2. C'est interdire aux prêtres, en raison de l'éminente dignité de leur fonction, la pratique habituelle qui est aussi dénoncée par LIBANIUS, *disc.* 51 et 52 (éd. Förster, t. 4, p. 6-22 et 25-50). Cette interdiction est reprise dans les *lettres* 89 a et 89 b à Théodore, grand-prêtre d'Asie (éd. J. Bidez I, 2, p. 170-171), projet d'une encyclique s'adressant à chaque prêtre d'un clergé païen rénové : «Qu'il ne voie aucun magistrat si ce n'est dans le temple. Le nombre de jours (de son service sacré)

la Galatie, on livre trente mille boisseaux de blé et soixante mille setiers de vin. Je déclare qu'il faut en dispenser le cinquième aux pauvres qui sont au service des prêtres, et distribuer le reste aux étrangers et aux mendiants qui s'adressent à nous. **11** Il serait honteux en effet, quand il n'y a chez les juifs pas un seul mendiant et que les impies galiléens, outre les leurs, nourrissent aussi les nôtres, qu'on voie les nôtres manquer des secours que nous leur devons. **12** Enseigne aux Hellènes à contribuer aussi à ces services publics, enseigne aux bourgades hellènes à offrir aux dieux les prémices de leurs fruits, accoutume les Hellènes à de tels actes de bienfaisance, en leur enseignant que c'était là notre pratique depuis longtemps. En tout cas, c'est ce qu'Homère fait dire à Eumée[1] :

'Étranger, il ne m'est point permis, quand même il en viendrait de plus misérables que toi, de mépriser un hôte : c'est de Zeus qu'ils viennent tous, étrangers et mendiants. J'offre peu, mais de bon cœur.'

N'allons pas, en permettant à d'autres d'imiter jalousement ce qu'il y a de bien chez nous, nous déshonorer par notre négligence, que dis-je, ne laissons pas se perdre la piété envers les dieux. **13** Si j'apprends que tu agis selon ces préceptes, j'en serai rempli de joie.

Visite rarement les gouverneurs dans leur maison[2]; le plus souvent envoie-leur tes communications par écrit. Lorsqu'ils entrent dans la ville, qu'aucun prêtre n'aille à leur rencontre[3], mais seulement quand ils pénètrent dans les temples des dieux, à l'intérieur des portes. Qu'aucun

étant révolu,... il n'y aura plus rien de choquant... à ce qu'il s'adresse au gouverneur ou au commandant de sa province... »

3. Julien envisage une réforme totale, sur le modèle chrétien, du rituel païen de l'*aduentus* dans lequel les prêtres jouaient un rôle important : cf. P. DUFRAIGNE, *Aduentus Augusti, aduentus Christi,* 1994, Coll. des Études Augustiniennes 141, par exemple p. 183 : « L'aspect religieux des *aduentus* et des *profectiones* en fait des moments privilégiés de la présence divine. »

εἴσω στρατιώτης, ἐπέσθω δὲ ὁ βουλόμενος· ἅμα γὰρ εἰς τὸν οὐδὸν ἦλθε τοῦ τεμένους καὶ γέγονεν ἰδιώτης. **14** Ἄρχεις γὰρ αὐτός, ὡς οἶσθα, τῶν ἔνδον, ἐπεὶ καὶ ὁ θεῖος ταῦτα ἀπαιτεῖ θεσμός. Καὶ οἱ μὲν πειθόμενοι κατὰ ἀλήθειάν εἰσι θεοσεβεῖς, οἱ δὲ ἀντεχόμενοι τοῦ τύφου δοξοκόποι εἰσὶ καὶ κενόδοξοι.

15 Τῇ Πισσινοῦντι βοηθεῖν ἕτοιμός εἰμι, εἰ τὴν μητέρα τῶν θεῶν ἵλεων καταστήσουσιν ἑαυτοῖς· ἀμελοῦντες δὲ

1265 αὐτῆς <οὐ> μόνον οὐκ ἄμεμπτοι, ἀλλά, μὴ | πικρὸν εἰπεῖν, μὴ καὶ τῆς παρ' ἡμῶν ἀπολαύσωσι δυσμενείας.

« Οὐ γάρ μοι θέμις ἐστὶ κομιζέμεν οὐδ' ἐλεαίρειν
ἄνδρας, οἵ καὶ θεοῖσιν ἀπέχθονται ἀθανάτοισιν. »

Πεῖθε τοίνυν αὐτούς, εἰ τῆς παρ' ἐμοῦ κηδεμονίας ἀντέχονται, πανδημεὶ τῆς μητρὸς τῶν θεῶν ἱκέτας γενέσθαι. »

17

1 Ὁ μὲν δὴ βασιλεὺς τοιαῦτα ποιῶν καὶ γράφων ἡγεῖτο ῥᾳδίως τοὺς ἀρχομένους ἑκόντας μεταθήσειν τοῦ δόγματος. Καὶ πάντα σπουδάζων ἐπὶ καθαιρέσει τῆς τῶν Χριστιανῶν θρησκείας οὔτε πείθειν παντελῶς οἷός τε ἦν περιφανῶς τε

1. Apparemment, Julien répond à une demande de secours, peut-être en relation avec le tremblement de terre de Nicomédie en 357, dont Pessinonte, cité voisine, aurait subi le contre-coup. Cette demande a pu être formulée par les porte-parole des habitants ou transmise plus tard par le grand-prêtre Arsace. En allant de Constantinople à Antioche, Julien, dévot de Cybèle (cf. son discours mystique *Sur la Mère des Dieux*), avait fait un détour par Pessinonte (AMM. 22, 9, 5). Mais la ville sainte de la Grande Déesse, au culte de laquelle Julien consacre la prêtresse Callixéna (*lettre* 81), était déjà fortement christianisée : dans la *lettre* 84, Julien reproche à ses habitants leur négligence à honorer la Mère des Dieux. Les chrétiens avaient brûlé l'autel de la déesse et le principal responsable de cet acte comparut en justice comme un triomphateur, aux dires de GRÉGOIRE, *disc.* 5, 40, éd. J. Bernardi, *SC* 309, p. 376-379. La transaction proposée par Julien et ses menaces voilées sont-elles antérieures ou postérieures à la destruction de l'autel de Cybèle? La deuxième hypothèse paraît plus vraisemblable.

soldat, à l'intérieur, ne les précède; les suive qui voudra. Dès que le magistrat a franchi le seuil de l'enceinte sacrée, il n'est plus qu'un simple particulier. **14** C'est toi le maître, tu le sais, au dedans : ainsi l'exige la loi divine. Ceux qui lui obéissent font preuve d'une vraie piété, ceux qui s'obstinent dans leur orgueil sont des ambitieux d'honneurs et de vaine gloire.

15 Je suis prêt à secourir Pessinonte[1], s'ils se rendent propice la Mère des dieux. S'ils la négligent, non seulement ils ne seront pas sans reproche, mais encore – j'évite les mots trop durs – ils pourraient bien aussi goûter de ma défaveur :

'Car il ne m'est pas permis d'accueillir ou de prendre en pitié des hommes que les dieux immortels ont en haine'[2].

Persuade-les donc que, s'ils tiennent à ma sollicitude, c'est à la Mère des dieux que la ville en corps doit adresser ses supplications. »

Chapitre 17

Pour ne pas passer pour un tyran,
Julien persécute adroitement les chrétiens;
la destruction du symbole de la Croix;
il fait en sorte que les soldats sacrifient contre leur gré.

1 L'empereur donc, en agissant et écrivant ainsi, pensait qu'il lui serait facile d'amener ses sujets à changer volontairement de croyance. Cependant, malgré tout son zèle pour détruire la religion chrétienne, il ne pouvait les persuader complètement et il rougissait de les contraindre

2. Adaptation de ce que dit Éole à Ulysse en *Od.* X, 73-74 : cf. le commentaire de cette citation, modifiée par Julien pour les besoins de la cause... et au mépris de la régularité métrique, dans Bouffartigue, p. 147-148.

βιάζεσθαι ᾐσχύνετο, μὴ τυραννικὸς εἶναι δόξῃ· οὐ μὴν καθυφῆκε τῆς προθυμίας, ἀλλὰ πάντα ἐμηχανᾶτο, πρὸς Ἑλληνισμὸν τὸ ὑπήκοον, μᾶλλον δὲ τὸ στρατιωτικόν, τὸ μὲν δι' ἑαυτοῦ, τὸ δὲ διὰ τῶν ἀρχόντων ἐπαγόμενος. **2** Ἀτεχνῶς δὲ διὰ πάντων ἑλληνίζειν προσεθίζων |
220 μεταποιεῖν ἔγνωκεν εἰς τὸ πρότερον σχῆμα τὸ κορυφαῖον τῶν Ῥωμαϊκῶν συνθημάτων, ὅπερ Κωνσταντῖνος κατὰ θεῖον πρόσταγμα, ὡς ἐν τοῖς πρόσθεν εἴρηται, εἰς σταυροῦ σύμβολον μετετύπωσεν. **3** Ἐν δὲ ταῖς δημοσίαις εἰκόσιν ἐπιμελὲς ἐποιεῖτο παραγράφειν αὐτῷ Δία μὲν οἷά γε ἐκ τοῦ οὐρανοῦ προφαινόμενον καὶ στέφανον καὶ ἁλουργίδα τὰ σύμβολα τῆς βασιλείας παρέχοντα, Ἄρεα δὲ καὶ τὸν Ἑρμῆν εἰς αὐτὸν βλέποντας καὶ καθάπερ τῷ ὀφθαλμῷ

1. Julien, aimé de ses soldats, eut pourtant des relations difficiles avec eux, en Gaule comme en Perse. A cause de leur répugnance à obéir à un Apostat, puis à un persécuteur? AMM. ne le laisse pas supposer. Mais, sur ce point, son témoignage n'est pas entièrement fiable. Les chrétiens comme GRÉGOIRE, *disc.* 5, 12, éd. J. Bernardi, *SC* 309, p. 316-317, ont peut-être majoré l'opposition et la résistance des soldats : les «martyrs militaires» Juventinus et Maximinus, suppliciés à Antioche le 29 janvier 363, sont les héros, que JEAN CHRYSOSTOME laisse dans l'anonymat, de son *Homilia in SS martyres Iuuentinum et Maximinum* (*PG* 50 c. 571-578), tandis que THÉODORET, *H.E.* III, 15, 4-15 fait connaître finalement leur nom. D'après SULPICE SÉVÈRE, *Vit. Mart.* 4, 6, éd. J. Fontaine *SC* 133, 1967, t. 1, p. 260-261, l'officier Martin fut jeté en prison par Julien pour avoir proclamé sa foi. Valentinien aurait été exilé d'après *H.E.* VI, 6, 3-6 pour avoir refusé d'escorter Julien dans un temple. Jovien, Valentinien et Valens auraient été mal vus parce qu'ils refusaient d'abjurer, d'après SOCRATE *H.E.* IV, 1, 8-10 (éd. G.C. Hansen, *GCS*, p. 229-230). DOWNEY, p. 392, regroupe les militaires, Bonosus et Maximilianus, Romanus et Vincentius, Juventinus et Maximinus, accusés d'avoir comploté d'assassiner Julien. La passion du soldat Émilien de Durosturum nous a également été transmise (ZEILLER, *Les origines chrétiennes...*, p. 127 : cf. *supra* note à 11, 1). Pour D. WOODS, «The Emperor Julian and the *Passio* of Sergius and Bacchus», dans *Journal of early Christian Studies,* 1997 n° 5, 3, p. 335-367, deux autres militaires, confesseurs mais non martyrs, exilés sous le règne de Julien, étaient l'objet d'un récit (perdu), composé entre 363 et 425, à l'origine de la Passion de Sergius et de Bacchus, éditée par I. van den Ghein, «Passio antiquior SS Sergii et Bacchi Graece nunc primum

ouvertement, craignant de paraître agir en tyran. Néanmoins, il ne renonça pas à son dessein, mais imaginait tout moyen en vue d'amener au paganisme ses sujets, et particulièrement l'armée, soit par lui-même, soit par les magistrats. **2** Pour accoutumer absolument l'armée à paganiser en toutes choses[1], il décida de ramener à sa première forme le sommet des étendards romains, que Constantin, sur un ordre divin comme je l'ai dit plus haut[2], avait transformé en symbole de la Croix. **3** Sur les images officielles, il avait soin de faire peindre à côté de lui Jupiter comme apparaissant du haut du ciel et lui présentant couronne et pourpre, symboles de la royauté, ainsi que Mars et Mercure les yeux tournés vers lui[3] et témoi-

edita», dans *Analecta Bollandiana* 14, 1895, p. 373-395. Ce dernier exemple confirme que Julien appliqua aux soldats chrétiens le principe majeur de sa politique – éviter de faire des martyrs – en préférant les exiler, réservant le supplice capital aux plus réfractaires et aux récidivistes comme Juventinus et Maximinus.

2. En I, 4, 1, pour faire l'éloge de Constantin, « l'empereur ordonna... de changer en une image de la Croix ornée d'or et de pierres précieuses l'étendard que les Romains nomment labarum». La raison donnée de ce changement – «par la vue continuelle de cette image désaccoutumer les sujets de leurs traditions ancestrales...» – est symétrique de l'intention prêtée ici à Julien – «habituer l'armée à paganiser en toutes choses». Les deux empereurs ont bien mesuré la force persuasive de l'image symbolique, caractéristique de l'Antiquité tardive.

3. Ce sont bien des divinités favorites de Julien. Zeus est aussi Hélios «au gré des textes. Car Hélios et Zeus sont indissociables» (BOUFFARTIGUE, p. 648). Arès et Hermès «figurent parmi les dieux majeurs liés au système olympien» (*ib.*, p. 646). Dans le «quatuor de divinités majeures» gravitant autour d'Hélios-Zeus-Apollon, figure Hermès ὁ λόγιος le maître de la parole (*ib.*, p. 649). Dans le mythe final du *Discours contre le cynique Héracleios* 231b-234c, Hermès est chargé par Hélios de guider Julien, l'enfant orphelin et abandonné (*Discours de Julien Auguste,* II, 1, éd. G. Rochefort, *CUF*, p. 80-84). AMM. corrobore ces préférences. En Gaule déjà, Julien est le «jeune protégé de Mars» (17, 1, 1), il adresse la nuit des supplications à Mercure (16, 5, 5). Auguste, il sacrifie, à Antioche, à Zeus du mont Casios (22, 14, 4) et, par prédilection, à Mars et à Bellone : le refus par Mars de son dernier sacrifice présage son échec et sa mort (24, 6, 16).

ἐπιμαρτυροῦντας ὡς ἀγαθὸς εἴη περὶ λόγους καὶ πολεμικός. **4** Ἐκέλευσε δὲ ταῦτα καὶ ὅσα ἄλλα πρὸς Ἑλληνικὸν ὁρᾷ σέβας παρεμμίγνυσθαι ταῖς εἰκόσιν, ὥστε προφάσει τῆς εἰς βασιλέα νενομισμένης τιμῆς λεληθότως προσκυνεῖν τοῖς συγγεγραμμένοις. **5** Ἀποχρώμενός τε τοῖς ἀρχαίοις ἔθεσι πάσῃ περινοίᾳ ἐσπούδαζε κλέπτειν τῶν ὑπηκόων τὴν προαίρεσιν · ἐνενόει γὰρ ὡς, εἰ πείσειεν, ἑτοιμότερον οἷς ἂν ἐθέλῃ τὸ λοιπὸν ἐπιχειρήσειεν · εἰ δὲ ἀπειθοῦντας εὕροι, συγγνώμης ἐκτὸς κολάσειν ὡς περὶ τὰ ἔθη Ῥωμαίων νεωτερίζοντας καὶ εἰς πολιτείαν καὶ βασιλείαν ἐξαμαρτάνοντας. **6** Ὀλίγοι μὲν οὖν, οἳ καὶ δίκην εἰσεπράχθησαν, συνῆκαν τὸν δόλον, καὶ ὡς ἔθος ἦν οὐκ ἠνείχοντο προσκυνεῖν · τὸ δὲ πλῆθος, οἷα φιλεῖ, ὑπ' ἀγνοίας ἢ γνώμης ἀπεριέργου νόμῳ ἁπλῶς παλαιῷ ἡγοῦντο πείθεσθαι καὶ ἁπλούστερον ταῖς εἰκόσι προσῄεσαν. Βασιλεῖ δὲ πλέον οὐδὲν ἠνύετο. **7** Καὶ ταύτης τῆς τέχνης εἰς πεῖραν 1268 προελθούσης οὐ μὴν ἐν | εδίδου, ἀλλὰ πάντα ἐπινοῶν διετέλει, ὡς ἂν προσαγάγοιτο τοὺς ἀρχομένους παραπλησίως αὐτῷ θρησκεύειν. Οἷον δὲ καὶ τότε ἐμηχανήσατο, οὐκ ἀπᾴδει τοῦ εἰρημένου · περιφανέστερον μέντοι τοῦ προτέρου καὶ βιαιότερον ἐπεχειρήθη, καὶ πρόφασις ἀνδρείας οὐκ

1. Le culte des *signa* et des *uexilla* est traditionnel dans l'armée romaine : ils étaient même oints et parfumés (cf. PLINE, *nat.* XIII, 23). Ces « images officielles » sont les portraits impériaux, raillés par GRÉGOIRE, *disc.* 4, 80-81, éd. J. Bernardi *SC* 309, p. 202-207, surmontant les étendards ou représentés sur les monnaies et les monuments. Dans l'optique de Grégoire et de Sozomène, ces étendards qui portaient dans leur partie supérieure, avec le nom de la légion ou de l'unité et son numéro d'ordre, les images de l'empereur et des dieux, étaient des instruments de tromperie et de propagande.

2. L'expression est vague. Peut-être désigne-t-elle les martyrs militaires Juventinus et Maximinus qui ne sont pas mentionnés ailleurs explicitement dans ce livre V, pas plus du reste que Bonosus et Maximilianus ni que Romanus et Vincentius (DOWNEY, p. 392 ; BOWERSOCK, p. 107). Officiers de la Garde impériale, les deux premiers critiquaient les lois anti-chrétiennes, affirmant aimer mieux mourir que profaner les choses saintes. Leurs biens confisqués, ils furent emprisonnés, flagellés et mis

gnant en quelque sorte par ce regard qu'il était bien instruit dans les lettres et bon guerrier. **4** Il ordonna que ces figures et toutes autres qui ont en vue le culte païen fussent mêlées à ses images; de la sorte, sous le couvert de l'honneur accoutumé rendu à l'empereur, les soldats, à leur insu, adoreraient les figures peintes à côté de la sienne[1]. **5** Tirant parti des anciens usages, il s'efforçait par toute espèce d'invention de s'emparer par surprise de la manière de penser de ses sujets : il se disait en effet que, s'il les persuadait, il entreprendrait plus facilement désormais ce qui lui plairait; et s'il les trouvait récalcitrants, il les châtierait sans pardon comme révolutionnaires à l'égard des usages romains et comme coupables envers l'État et l'Empire. **6** Un petit nombre de soldats, certes, – et ils furent punis pour cela[2] –, comprirent la ruse et refusèrent ce geste d'adoration que voulait l'usage. Mais la masse, comme elle fait couramment, par ignorance ou défaut de jugement, croyait naïvement suivre la coutume antique et s'approchait plus naïvement encore des images. Cependant, l'empereur n'obtenait rien de plus. **7** Après avoir expérimenté cette technique, loin de renoncer, l'empereur ne cessait d'imaginer toute sorte de choses pour amener ses sujets à pratiquer sa religion. Ce qu'il machina alors ne s'écarte pas de ce que j'ai dit; cependant ce fut une tentative plus franche que la précédente et plus violente, et elle fut pour beaucoup de

à mort à Antioche (d'après BAUDOT-CHAUSSIN, t. 1, 1935, p. 499-500, leur martyre aurait pris place en janvier 363; donc leur arrestation pourrait avoir eu lieu avant la fin de 362). Si leur histoire ne lui était connue que par l'homélie antiochienne de JEAN CHRYSOSTOME (*PG* 50, c. 571-578), où leur nom n'apparaît que dans le titre, rajouté postérieurement (sur la coquetterie sophistique consistant à taire les noms propres, voir H. DELEHAYE, *Les passions des martyrs et les genres littéraires,* 1966, 2e éd., *Subsidia Hagiographica* 13 B, p. 152), Sozomène ne pouvait guère donner les noms de ce « petit nombre de soldats » courageux.

ὀλίγοις ἐγένετο τῶν ἐν τοῖς βασιλείοις στρατευομένων. **8** Ἐπεὶ γὰρ καιρὸς παρῆν βασιλέα δωρεῖσθαι τοῖς στρατιώταις (γίνεται δὲ τοῦτο ὡς ἐπίπαν ἐν ταῖς Ῥωμαίων ἱερομηνίαις καὶ βασιλέων καὶ βασιλίδων πόλεων ἐν γενεθλίοις ἡμέραις), λογισάμενος ὡς ἁπλοῦν φύσει καὶ εὔηθές ἐστι τὸ στρατιωτικὸν καὶ ὑπὸ συνήθους πλεονεξίας **221** ῥᾳδίως ἡττᾶται χρημάτων, καθέζεται ἐπὶ τῇ | δόσει τῶν χρημάτων. Τῶν δὲ ἐπὶ ταύτῃ παριόντων ἕκαστον οἱ τῷ βασιλεῖ παρεστῶτες ἐκέλευον πρότερον θυμιᾶν. Προὔκειτο γὰρ πλησίον λίβανος καὶ πῦρ, ὡς δὴ τοῦτο πάλαι Ῥωμαίοις νενομισμένον. **9** Ἐνταῦθα οἱ μὲν ἀδεῶς τὴν ἀνδρείαν ἐπεδείξαντο καὶ οὔτε θυμιᾶσαι οὔτε δῶρον παρὰ τοῦ βασιλέως λαβεῖν ἠνέσχοντο, οἱ δὲ προσχήματι νόμου καὶ ἀρχαιότητος οὐδὲ εἰς νοῦν ἔλαβον ὃ ἡμάρτανον, οἱ δὲ τῷ φαινομένῳ κέρδει δελεασθέντες ἢ δέει καὶ θορύβῳ προκατειλημμένοι ἐκ τῆς παραυτίκα ἀναφανθείσης σκηνῆς, εἰ καὶ συνῆκαν ἑλληνίζοντες, τὸ μὴ τοῦτο παθεῖν οὐ διέφυγον. **10** Τῶν δ' αὖ ἀγνοίᾳ περιπεσόντων ταύτῃ τῇ ἁμαρτίᾳ λέγονταί τινες, τὴν δαῖτα ὡς εἱστιῶντο, φιλοφρονούμενοι οἷά γε ἐν τοῖς πότοις γίνεσθαι φιλεῖ, καὶ προπίνοντες ἀλλήλοις, Χριστὸν ἐπονομάσαι ταῖς κύλιξιν · ὑπολαβόντα δέ

1 A ces grandes occasions s'ajoutent l'anniversaire de l'avènement de l'empereur, les festivités de ses *quinquennalia*, *decennalia*..., l'inauguration du consulat, la célébration d'une victoire, la nécessité de s'assurer, par une générosité opportune, le dévouement des troupes en une circonstance critique. Le *donatiuum* remonte à Sylla. César y recourut copieusement et cette «largesse» fut sous l'Empire considérée de plus en plus comme un dû par les soldats. Peut-on dater ce *donatiuum* de Julien, distribution solennelle dont le cérémonial ordonné est assez semblable à la *largitio* impériale figurée sur la colonne trajane et l'arc de Constantin? On peut penser, en croisant les données politiques et religieuses, à l'inauguration du consulat de Julien et de Salluste, le 1er janvier 363, qui se situe bien entre le 19 juillet 362 (arrivée de Julien à Antioche et durcissement de sa politique religieuse) et le départ pour la Perse (le 5 mars 363).

2. Ce geste symbolique, dont Trajan se serait contenté de la part des chrétiens de Bithynie (PLINE, *ep.* X, 96, 5 et 97), fut aussi l'enjeu ou l'élément déclenchant de l'affaire de l'Autel de la Victoire en Occident

ceux qui servaient au palais une occasion de montrer leur courage. **8** Le moment était venu pour l'empereur de faire les dons aux soldats ; cela a lieu en général aux jours de fête des Romains, aux anniversaires de la naissance de l'empereur et des jours de fondation des capitales[1]. Or considérant que la soldatesque est naturellement naïve et sotte et que, mue par son amour habituel du gain, elle se laisse facilement vaincre par l'argent, il s'assit pour distribuer l'argent et ses assistants ordonnaient à chaque soldat qui se présentait pour le don de brûler d'abord de l'encens[2]. Il y avait là, en effet, tout à côté, de l'encens et du feu, comme c'est depuis longtemps l'usage chez les Romains. **9** Alors donc les uns sans crainte manifestèrent leur courage, ils n'acceptèrent ni de brûler de l'encens, ni de recevoir un don de l'empereur ; d'autres, par la raison spécieuse de la coutume et de son antiquité, ne se rendaient même pas compte de la faute qu'ils commettaient ; d'autres, séduits par le gain visible, ou saisis d'avance de crainte et de trouble en raison de cette mise en scène soudain parue à leurs yeux, même s'ils comprirent qu'ils faisaient acte de paganisme, n'évitèrent pas d'en passer par là. **10** On raconte que certains de ceux qui tombèrent en cette faute par ignorance, durant le festin qu'ils faisaient, se témoignant une bienveillance réciproque, comme il arrive d'ordinaire dans les beuveries, et se portant des santés, invoquèrent le nom du Christ sur leurs coupes. L'un des convives alors, prenant

(le principal épisode, opposant Symmaque à Ambroise, se situe en 384). Le « couplage » de ce geste symbolique et du *donatiuum* est une innovation de Julien... ou bien une invention de GRÉGOIRE, *disc.* 4, 82-84, éd. J. Bernardi, *SC* 309, p. 206-215, auquel est empruntée aussi la description pathétique (§§ 10-12) du repentir des soldats chrétiens abusés (*disc.* 4, 84, p. 210-215). Sozomène s'adressant, moins d'un siècle après le règne de Julien, à un public grec, lui donne des informations assorties de commentaires qui montrent le caractère déjà étranger et désuet de ces coutumes aux yeux des « Romains » de Constantinople.

τινα τῶν δαιτυμόνων «Θαυμαστόν», ἔφη, «ὑπομένετε Χριστὸν ἐπικαλούμενοι, ὃν πρὸ βραχέος ἠρνήσασθε, ἡνίκα τὸ δῶρον παρὰ τοῦ βασιλέως δεξάμενοι τῷ πυρὶ τὸν λίβανον ἐπιτεθείκατε.» **11** Ἅμα δὲ τοῦτο ἤκουσαν καὶ συνῆκαν ὅπερ εἰργάσαντο, αὐτίκα ἀναπηδήσαντες δημοσίᾳ ἔθεον βοῶντες καὶ δεδακρυμένοι καὶ θεὸν αὐτὸν καὶ πάντας ἀνθρώπους μαρτυρόμενοι Χριστιανοὺς εἶναι σφᾶς καὶ διαμεῖναι, ἐν ἀγνοίᾳ δὲ τοῦ γεγονότος, εἴ γε ὅλως εἰπεῖν ἔστι, μόνην ἑλληνίσαι τὴν χεῖρα μὴ συμπραξάσης τῆς διανοίας. **12** Ἐπεὶ δὲ ὡς βασιλέα ἦλθον, προσρίψαντες ὃν δεδώκει χρυσὸν εὖ μάλα ἀνδρείως τὸ οἰκεῖον δῶρον ἀπολαβεῖν ἤτουν, αὐτοὺς δὲ ἀνελεῖν· μὴ μεταμεληθήσεσθαι γάρ, εἰ ὑπὲρ ὧν προνοίας ἐκτὸς ἥμαρτεν ἡ δεξιὰ τῷ παντὶ σώματι δίκην δοῖεν διὰ Χριστόν. Ὁ δὲ βασιλεὺς καίπερ χαλεπῶς ἐνεγκὼν κτεῖναι μὲν αὐτοὺς ἐφυλάξατο, μὴ μαρτυρίας γερῶν ἀξιωθεῖεν· ἀφελόμενος δὲ τῆς στρατείας ἐξεώσατο τῶν βασιλείων.

18

1269 **1** | Ταύτης δὲ τῆς γνώμης καὶ περὶ πάντας τοὺς Χριστιανοὺς ὑπῆρχεν ἀφορμῆς λαβόμενος· ὅπου γε καὶ

1. Sozomène interprète inexactement ce que dit GRÉGOIRE, *disc.* 4, 84, éd. J. Bernardi, *SC* 309, p. 212-215. En fait, Julien expulse ces soldats de sa garde personnelle et les renvoie du palais. Il s'agit donc de membres des Scholes palatines, la plupart du temps composées des soldats les plus fidèles, Gaulois et Germains, de Julien, peut-être ceux-là mêmes dont les beuveries – il y est fait discrètement allusion ici – sont condamnées par AMM. (22, 12, 6).

la parole, dit : « C'est bien étonnant. Vous continuez à invoquer le Christ, qu'il y a un instant seulement vous avez renié, lorsque vous avez reçu le don de l'empereur et que vous avez mis l'encens sur le feu. » **11** À peine entendus ces mots, ils comprirent ce qu'ils avaient fait. Ils bondissent aussitôt, courent par les rues, criant, tout en larmes, prenant à témoin Dieu lui-même et tous les hommes qu'ils sont chrétiens et le sont restés, que par ignorance de ce qui s'était passé, leur main seule – s'il est permis en bref de parler ainsi – avait paganisé, sans que l'entendement y eût collaboré. **12** Quand ils furent arrivés devant l'empereur, ils jetèrent à ses pieds l'or qu'il avait donné et demandèrent avec un très grand courage qu'il reprît son don, et les tuât : ils ne reviendraient pas sur leur décision, disaient-ils, si, pour la faute qu'imprudemment avait commise leur droite, ils payaient du corps entier pour le Christ. L'empereur, bien qu'il fût fâché, se garda de les tuer, de peur qu'ils ne fussent jugés dignes de l'auréole du martyre. Il leur enleva seulement leur rang militaire et les chassa du palais[1].

Chapitre 18

Julien écarte les chrétiens des places publiques et des tribunaux et les empêche de bénéficier de l'éducation païenne ; Basile le Grand, Grégoire le théologien, Apollinaire, qui s'opposent à l'empereur et traduisent en grec les livres saints ; et plus précisément : Apollinaire et Grégoire de Nazianze, l'un prosateur très éloquent, l'autre poète épique et imitateur de toute sorte de poètes.

1 Ce sentiment, c'est à l'égard de tous les chrétiens aussi qu'il saisissait l'occasion de le manifester. Là où il

222 μηδὲν ἐγκαλεῖν ἔχων παραιτουμένοις θύειν | ἰσοπολιτείας ἐφθόνει καὶ συλλόγων καὶ ἀγορῶν μετέχειν, καὶ τοῦ δικάζειν ἢ ἄρχειν ἢ ἀξιωμάτων κοινωνεῖν οὐ μετεδίδου· οὐ μὴν οὐδὲ τοὺς αὐτῶν παῖδας ξυνεχώρει ἐκδιδάσκεσθαι τοὺς παρ' Ἕλλησι ποιητὰς καὶ συγγραφέας οὐδὲ τοῖς τούτων διδασκάλοις φοιτᾶν. **2** Ἐλύπει γὰρ αὐτὸν οὐ μετρίως Ἀπολινάριος ὁ Σύρος, πρὸς παντοδαπὴν εἴδησιν καὶ λόγων ἰδέαν παρεσκευασμένος, Βασίλειός τε καὶ Γρηγόριος οἱ Καππαδόκαι, παρευδοκιμοῦντες τοὺς τότε ῥήτορας, ἄλλοι τε ἐπὶ τούτοις πλεῖστοι ἐλλόγιμοι, ὧν οἱ μὲν ἐζήλουν τὴν ἐν Νικαίᾳ δόξαν, οἱ δὲ ἐκ τῆς Ἀρείου ὥρμηντο αἱρέσεως.

1. Cette politique discriminatoire, contraire aux lois, provoque l'indignation de GRÉGOIRE, *disc.* 4, 96, éd. J. Bernardi, *SC* 309, p. 240-243, source directe de Sozomène. Comparer RUFIN, *H.E.* X, 33 (éd. Schwartz-Mommsen, *GCS,* p. 994-995 : «Il ordonne de ne pas donner le baudrier à ceux qui ne sacrifient pas; il établit l'interdiction de confier aux chrétiens le soin de gouverner des provinces et de rendre la justice, étant donné que même leur loi propre leur interdit d'user du glaive») et SOCRATE, *H.E.* III, 13, 1. La *lettre* 83 de Julien à Atarbius, éd. J. Bidez I, 2, p. 143-144, donne bien des instructions générales dans ce sens : « Je ne veux pas qu'on mette à mort les Galiléens... Toutefois, je déclare qu'il faut absolument leur préférer les adorateurs des dieux.» Mais PIGANIOL, p. 156, note 1, a raison de douter qu'il y ait eu «une loi expresse excluant les chrétiens de l'armée et des gouvernements».

2. Julien n'a pas interdit l'accès des écoles aux élèves chrétiens, malgré ce que disent GRÉGOIRE, *disc.* 4, 101-105; RUFIN, *H.E.* X, 33; SOCRATE, *H.E.* III, 12, 7 et THÉODORET, *H.E.* III, 8. Sa seule «loi scolaire» conservée (*Code Théodosien,* XIII, 3, 5), fort générale, *peut* viser les maîtres chrétiens : les professeurs devant se distinguer «par les mœurs d'abord et ensuite par l'éloquence», il remet leur examen aux curies municipales et se réserve leur nomination finale. Dans la *Lettre* 61, éd. J. Bidez I, 2, p. 73-75, il soutient que les professeurs, pour être honnêtes, ne doivent pas enseigner ce à quoi ils ne croient pas. Ainsi leur est moralement interdit d'expliquer les auteurs classiques, d'Homère à Lysias, qui reconnaissaient les dieux «pour les guides de toute éducation». Ceux qui ne partageraient pas leur vénération sont renvoyés «aux églises des Galiléens, pour y commenter Matthieu et Luc».

3. Sozomène attribue à Apollinaire le fils, évêque de Laodicée, puis hérésiarque, la totalité des œuvres écrites pour répliquer aux mesures

n'avait rien à reprocher à des gens qui n'acceptaient pas de sacrifier, il leur refusait l'égalité de droits civils et de participer aux réunions et assemblées publiques, il ne leur accordait pas d'être juges ou magistrats ou d'avoir part aux dignités[1]; et en vérité, il ne permettait pas même à leurs enfants d'être instruits dans les poètes et prosateurs grecs et de fréquenter les écoles païennes[2]. **2** Certaines gens l'irritaient considérablement : Apollinaire de Syrie, formé à toute espèce de savoir et toute forme de culture littéraire[3], Basile et Grégoire, de Cappadoce, qui surpassaient en renommée les orateurs d'alors[4], et un grand nombre, en outre, d'autres hommes de grande réputation, dont les uns favorisaient le dogme de Nicée, les autres sortaient de la secte

anti-chrétiennes de Julien concernant l'École. En fait, il faut envisager soit une répartition de ces œuvres avec son père et homonyme, d'abord grammairien à Béryte (il était prêtre et son fils lecteur à Laodicée avant 341, quand ils furent sanctionnés par l'évêque Théodote pour avoir suivi les conférences du sophiste Épiphane, d'après SOCRATE, *H.E.* II, 46 et SOZ. *H.E.* VI, 25, 9-11), soit, plutôt, une collaboration entre eux dont nous ne pouvons pas définir exactement la forme : voir les notices de R. AIGRAIN, dans *DHGE,* III, 1922, p. 962-985 sur les deux Apollinaire et dans *DECA* celle de C. KANNENGIESSER, p. 185-188, pour Apollinaire le fils et celle de E. CAVALCANTI, p. 188, pour le père.

4. Sozomène anticipe. Basile, né vers 330, était encore loin de posséder la notoriété qu'il acquit sous Valens comme prêtre, puis comme évêque à partir de 370, tout comme Grégoire de Nazianze, né lui aussi vers 330, qui n'avait, à l'époque de Julien, écrit que ses tout premiers discours et n'était prêtre que depuis 361. Mais Sozomène suit, ici encore, fidèlement GRÉGOIRE, *disc.* 5, 39 : «On ne peut pas enchaîner la langue des chrétiens qui stigmatise votre conduite. Voilà le présent de Basile et de Grégoire, ces obstacles et ces adversaires de ton entreprise comme tu le déclarais et comme tu en persuadais autrui, en rehaussant nos personnes par tes menaces... Nous que notre vie, que nos paroles, que notre entente distinguaient,... tu nous réservais pour mettre un point final à ta persécution», trad. J. Bernardi, *SC* 309, p. 375-377.

3 Ἐντεῦθεν οὖν μόνον δημιουργεῖσθαι τὸ πεῖθον οἰόμενος οὐ συνεχώρει τοῖς Χριστιανοῖς ἐν τοῖς τῶν Ἑλλήνων ἀσκεῖσθαι μαθήμασιν· ἡνίκα δὴ Ἀπολινάριος οὗτος εἰς καιρὸν τῇ πολυμαθείᾳ καὶ τῇ φύσει χρησάμενος, ἀντὶ μὲν τῆς Ὁμήρου ποιήσεως ἐν ἔπεσιν ἡρῴοις τὴν Ἑβραϊκὴν ἀρχαιολογίαν συνεγράψατο μέχρι τῆς Σαοὺλ βασιλείας καὶ εἰς εἰκοσιτέσσαρα μέρη τὴν πᾶσαν πραγματείαν διεῖλεν, ἑκάστῳ τόμῳ προσηγορίαν θέμενος ὁμώνυμον τοῖς παρ' Ἕλλησι στοιχείοις κατὰ τὸν τούτων ἀριθμὸν καὶ τάξιν. **4** Ἐπραγματεύσατο δὲ καὶ τοῖς Μενάνδρου δράμασιν εἰκασμένας κωμῳδίας, καὶ τὴν Εὐριπίδου τραγῳδίαν καὶ τὴν Πινδάρου λύραν ἐμιμήσατο. Καὶ ἁπλῶς εἰπεῖν ἐκ τῶν θείων γραφῶν τὰς ὑποθέσεις λαβὼν τῶν ἐγκυκλίων καλουμένων μαθημάτων, ἐν ὀλίγῳ χρόνῳ ἐπόνεσεν ἰσαρίθμους καὶ ἰσοδυνάμους πραγματείας ἤθει τε καὶ φράσει καὶ χαρακτῆρι καὶ οἰκονομίᾳ ὁμοίας τοῖς παρ' Ἕλλησιν ἐν τούτοις εὐδοκιμήσασιν· **5** ὥστε εἰ μὴ τὴν ἀρχαιότητα ἐτίμων οἱ ἄνθρωποι καὶ τὰ συνήθη φίλα ἐνόμιζον, ἐπίσης, οἶμαι, τοῖς παλαιοῖς τὴν Ἀπολιναρίου σπουδὴν ἐπήνουν καὶ ἐδιδάσκοντο, ταύτῃ πλέον αὐτοῦ τὴν εὐφυΐαν θαυμάζοντες, **223** ὅσῳ γε τῶν μὲν ἀρχαίων ἕκαστος περὶ ἓν μόνον | ἐσπούδασεν, ὁ δὲ τὰ πάντων ἐπιτηδεύσας ἐν κατεπειγούσῃ

1. Sozomène mentionne ici plus correctement l'interdiction (ou la mise en garde?) adressée aux professeurs chrétiens, qui entraîna quelques apostasies. AMM. condamne sévèrement par deux fois la loi «injuste» et «inclémente» de Julien (22, 10, 7 et 25, 4, 20). T.M. BANCHICH, «Julian's School Laws : *Cod. Theod.* 13, 5, 5 et *Ep.* 42», dans *The Emperor Julian and the Rebirth of Hellenism, The Ancient World*, 24, 1, 1993, p. 5-14, replace la loi et la lettre de Julien dans les conditions de l'enseignement public et privé de l'époque. Voir aussi l'opinion équilibrée de C. DUPONT, «La politique de Julien à l'égard du christianisme dans les sources littéraires des IVe et Ve s. après J.C.», *Atti dell'Accademia romanistica constantiniana, 3e Convegno intern.*, Perugia, 1979,

d'Arius. **3** Aussi, estimant que leur art de persuader tirait uniquement de là sa force, il ne permettait pas aux chrétiens d'exercer dans les disciplines des Grecs[1]. C'est alors que cet Apollinaire, usant pour l'occasion de son vaste savoir et de ses dons naturels, pour remplacer la poésie d'Homère, composa en vers héroïques l'histoire ancienne des Hébreux jusqu'au règne de Saül et qu'il divisa tout son ouvrage en vingt-quatre chapitres, ayant dénommé chaque tome par une des lettres de l'alphabet grec, selon le nombre de ces lettres et leur ordre. **4** Il travailla aussi à des comédies à la ressemblance des pièces de Ménandre, et il imita l'art tragique d'Euripide et la poésie lyrique de Pindare. Et, pour le dire en bref, ayant emprunté aux Saintes Écritures les sujets de ce qu'on nomme le cercle entier des connaissances, il produisit en peu de temps des ouvrages égaux en nombre et en valeur et qui, par la peinture des sentiments, le style, le caractère et la disposition, sont comparables aux œuvres renommées chez les Grecs pour ces qualités. **5** Si bien que, si les hommes ne vénéraient pas ce qui est ancien, s'ils ne chérissaient pas ce qu'ils connaissent d'habitude, ils loueraient, à mon sens, autant que les écrivains du passé, le zèle d'Apollinaire et s'en instruiraient, admirant d'autant plus ses dons naturels que chacun des Anciens ne s'est consacré qu'à un seul genre, tandis que lui, dans la nécessité qui le pressait, a pratiqué ceux de tous et a

p. 197-216, aux p. 208-209, tandis que S. PRICOCO, «L'editto di Giuliano sui maestri (*CTh* 13, 3, 5)», dans *Orpheus* N. S., 1, fasc. 2, 1980, 348-370, minimise à l'excès l'importance et la gravité des dispositions scolaires de Julien.

1272 χρείᾳ | τὴν ἑκάστου ἀρετὴν ἀπεμάξατο. **6** Οὐκ ἀγεννὴς δὲ καὶ πρὸς αὐτὸν τὸν βασιλέα ἤτοι τοὺς παρ' Ἕλλησι φιλοσόφους ἐστὶν αὐτοῦ λόγος, ὃν Ὑπὲρ ἀληθείας ἐπέγραψεν · ἐν ᾧ καὶ δίχα τῆς τῶν ἱερῶν λόγων μαρτυρίας ἔδειξεν αὐτοὺς ἀποϐουκοληθέντας τοῦ δέοντος περὶ θεοῦ φρονεῖν. **7** Τάδε γὰρ ἐπιτωθάζων ὁ βασιλεὺς τοῖς τότε διαπρέπουσιν ἐπισκόποις ἐπέστειλεν · «Ἀνέγνων, ἔγνων, κατέγνων», τοὺς δὲ πρὸς ταῦτα ἀντιγράψαι · «Ἀνέγνως, ἀλλ' οὐκ ἔγνως · εἰ γὰρ ἔγνως, οὐκ ἂν κατέγνως.» **8** Εἰσὶ δὲ οἳ Βασιλείῳ τῷ προστάντι τῶν ἐν Καππαδοκίᾳ ἐκκλησιῶν ταύτην τὴν ἐπιστολὴν ἀνατιθέασι, καὶ οὐκ ἀπεικός · ἀλλ' εἴτε αὐτοῦ εἴτε ἄλλου ταῦτά ἐστι, δίκαιον ἀνδρείας καὶ παιδεύσεως ἄγασθαι τὸν γράψαντα.

1. L'œuvre littéraire surabondante des deux Apollinaire – une adaptation du Pentateuque en hexamètres, une *Archéologie,* ou *Anthologie hébraïque,* vaste poème de type homérique, traitant les livres historiques de l'Ancien Testament, des compositions lyriques et dramatiques à la manière de Pindare, Ménandre et Euripide et des Dialogues évangéliques à la manière de Platon ou des rhéteurs du temps (voir *DECA,* p. 188 E. Cavalcanti) – était de pure circonstance. Elle devint caduque dès que Jovien, en abolissant la «loi scolaire» de Julien, eut rendu la liberté d'enseigner aux professeurs chrétiens (*Code Théodosien,* XIII, 3, 6 du 11 janvier 364; cf. Piganiol, p. 166). Elle a disparu, sauf peut-être une paraphrase des Psaumes en hexamètres (cf. *DHGE,* III, 1922, p. 924 R. Aigrain). Le texte de Sozomène ne permet pas de discerner si une partie plus importante de cette œuvre avait survécu jusqu'à son époque. Socrate *H.E.* III, 16, quant à lui, déclare qu'elle fut vite périmée par la loi de Jovien (et par la Providence divine) et qu'elle n'était plus entre les mains de personne à son époque : P. Allen, «Some Aspects of Hellenism in the early Greek Church Historians», dans *Traditio,* 43, 1987, p. 368-381.

2. Ce discours *Pour (la défense de) la vérité,* étant donné le caractère philosophique du sujet et la manière exclusivement logique de le traiter «sans le témoignage des saintes Lettres», est une œuvre maîtresse, malheureusement perdue, d'Apollinaire le Jeune, évêque de Laodicée dès 361, et redoutable dans l'«art des discours», d'après *H.E.* VI, 25, 13 : voir R. Aigrain dans *DHGE,* III, 1922, p. 963. L'ouvrage était aussi estimé que la réfutation par ce même Apollinaire du *Contre les chrétiens* du néo-platonicien Porphyre, en 30 livres également perdus :

reproduit l'excellence de chacun d'entre eux[1]. **6** N'est pas sans distinction non plus son discours adressé à l'empereur lui-même et aux philosophes grecs, qu'il a intitulé *Pour la défense de la Vérité*[2]. Dans ce discours, même sans le témoignage des Saintes Lettres, il a prouvé que les païens se sont laissés détourner de la manière correcte de penser sur Dieu. **7** Voici ce qu'écrivit l'empereur, par moquerie, aux évêques alors éminents : « J'ai lu, j'ai compris, j'ai condamné[3]. » Ils lui écrivirent en réponse : « Tu as lu, mais tu n'as pas compris ; si tu avais compris, tu n'aurais pas condamné. » **8** Certains rapportent cette lettre à Basile, qui fut à la tête des églises de Cappadoce, et ce n'est pas invraisemblable[4]. Mais que ce soit de lui ou d'un autre, il est juste d'admirer l'auteur pour son courage et pour sa leçon.

d'après PHILOSTORGE, *H.E.* VIII, 14, elle surpassait les ouvrages d'Eusèbe de Césarée et de Méthode d'Olympe sur le même sujet. Sur l'œuvre ultérieure d'Apollinaire, comme exégète et théologien, voir, parmi les ouvrages généraux, G. VOISIN, *L'apollinarisme. Étude historique, littéraire et dogmatique sur le début des controverses théologiques au* IV*e s.*, Louvain et Paris 1901 ; H. LIETZMANN, *Apollinaris von Laodicea und seine Schule,* Tübingen 1904, Texte und Untersuchungen I, réimpr. 1970 ; E. MUEHLENBERG, *Apollinaris von Laodicea,* Göttingen 1960.

3. Nous n'avons plus cette lettre. On en trouve peut-être un écho à la fin de la pseudo-lettre de Julien à Basile (recueillie dans les *lettres* de Basile, au n° 40, éd. Y. Courtonne, *CUF*, 1957, p. 94-96, à la p. 96) : menaçant de détruire Césarée, Julien conclut : « En effet, ce que j'ai lu, je l'ai condamné Ἃ γὰρ ἀνέγνων κατέγνων. » Cette *lettre* 40 et la *lettre* 41, réplique de Basile à Julien, sont à l'évidence des faux d'origine scolaire dus à la réputation d'excellents écrivains commune à Julien et à Basile. Cf. J.R. POUCHET, *Basile le Grand et son univers d'amis d'après sa correspondance. Une stratégie de communion,* Instit. Patrist. August., 1992 (Studia Ephemeridis « Augustinianum » 36), p. 175.

4. La *lettre* 41, pseudo-réponse de Basile à Julien, ne contient ni le mot de Julien, ni la réplique qu'elle est censée lui apporter. Peut-être cette réponse se trouvait-elle dans une autre composition scolaire qui existait à l'époque de Sozomène, mais qui n'a pas été retenue ultérieurement, quand se constituait la collection des *Lettres,* authentiques ou non, de Basile.

19

1 Ὁ δὲ βασιλεὺς Πέρσαις ἐπιστρατεῦσαι σπουδάζων ἧκεν εἰς Ἀντιόχειαν τὴν Σύρων· ἐκβοήσαντος δὲ τοῦ πλήθους, ὡς πολλὰ μέν ἐστι τὰ ἐπιτήδεια, πολλοῦ δὲ πωλοῖτο, ὑπὸ φιλοτιμίας, οἶμαι, τὸν δῆμον ἐπαγόμενος ἐπὶ ἥττονι ἢ ἔδει τιμήματι τὰ ἐπ' ἀγορᾶς ὤνια πωλεῖσθαι προσέταξεν. **2** Ἐκφυγόντων δὲ τῶν καπήλων τὰ μὲν ἐπιτήδεια ἐπέλιπεν, Ἀντιοχεῖς δὲ δεινὸν τοῦτο ποιούμενοι τὸν βασιλέα ὕβριζον καὶ εἰς τὸν πώγωνα αὐτοῦ ὡς βαθὺς εἴη ἐπέσκωπτον καὶ εἰς τὸ νόμισμα, ὅτι ταύρου εἶχεν εἰκόνα. Τὸν γὰρ κόσμον ἐπίσης τῶν ὑπτίων ταύρων ὑπ' αὐτῷ ἡγεμόνι ἀνατετράφαθαι ἐπετώθαζον. **3** Ὁ δὲ τὰ πρῶτα ὀργισθεὶς ἠπείλει Ἀντιοχέας κακῶς ποιήσειν, καὶ

1. Son arrivée coïncida avec la célébration des cérémonies funèbres en l'honneur d'Adonis le 19 juillet 362. AMM. (22, 9, 14) laisse voir dans cette coïncidence un présage funeste.

2. Le récit de JULIEN, *Misopogon* 41-42, 368c (*Discours de Julien empereur* II, 2, éd. C. Lacombrade, *CUF,* p.195-198) est orienté, mais constitue un témoignage direct et immédiat : ce pamphlet amer a été composé dans la seconde quinzaine de février 363, dans la fièvre des préparatifs de l'expédition en Perse. Le récit d'AMM. 22, 14, 1-2, plus impartial, reconnaît que le dirigisme, pourtant bien intentionné, de Julien a méconnu les lois du marché. L'épisode a été maintes fois commenté : voir P. PETIT, p. 109-118; FESTUGIÈRE, *Antioche païenne et chrétienne,* p. 78-79; DOWNEY, p. 386; J.H.W.G. LIEBESCHUETZ, *Antioch. City and imperial Administration...,* p. 129-131.

3. Le port de la barbe proclame le choix de la «vie philosophique». Sozomène reproduit ici littéralement JULIEN, *Misop.* 3, 338 c (*Discours de Julien empereur,* II, 2, éd. C. Lacombrade, *CUF,* p. 157), mais sans les variations amères d'auto-dérision qui suivent chez Julien l'indication du thème : voir J. LONG, «Structures of Irony in Julian's *Misopogon*», dans *The Emperor Julian and the Rebirth of Hellenism, The Ancient World* 23, 1993, p. 15-23.

4. Julien fait allusion, en les reproduisant ironiquement, aux critiques des Antiochiens contre l'expédition en Perse, considérée comme un bouleversement inutile et dangereux (*Misop.* 32, 360d, p. 186 : «J'ai bouleversé les affaires du monde» et *Misop.* 43, 371, p. 199 : «Il est

Chapitre 19

Le discours que Julien intitula Misopogon; Daphné, faubourg d'Antioche; description du lieu; le transfert des reliques du martyr Babylas.

1 Comme l'empereur s'employait à préparer une expédition contre les Perses, il vint à Antioche de Syrie[1]. La populace ayant crié que les choses nécessaires abondaient, mais qu'on les vendait trop cher, il prescrivit pour se concilier, je pense, le peuple par un geste de libéralité, qu'on vendît les marchandises du marché à un prix moindre que leur valeur. **2** Mais les marchands de détail disparurent, les choses nécessaires vinrent à manquer[2] et les Antiochiens, outrés de la chose, insultaient l'empereur, ils se moquaient de l'épaisseur de sa barbe[3] ainsi que de sa monnaie, parce qu'elle représentait l'image d'un taureau. Ils disaient par raillerie que le monde avait été, sous son règne, mis sens dessus dessous tout comme les taureaux renversés sur le dos[4]. **3** L'empereur se mit d'abord en colère; il menaçait les Antiochiens de les

normal que je vous apparaisse comme un perturbateur universel»). Les monnaies en cause devaient porter une image de taureau immolé : le sarcasme s'en prenait à l'un des aspects principaux de la piété de Julien, la pratique assidue des sacrifices (cf. AMM. 22, 12, 6; 25, 4, 17). Le *Misopogon* 27, 355 (éd. C. Lacombrade, *CUF*, p.180) – «ce sont vos princes que vous brocardez, riant des poils de leur menton ou des empreintes sur leurs monnaies» – garde peut-être une trace plus précise de cette raillerie car χαράγματα, plus large que «titres», peut désigner les devises, mais aussi les effigies monétaires, ici celles de taureaux immolés. Les «monnaies au taureau» de Julien sont bien connues des historiens, sans toutefois qu'ils s'accordent sur le sens de l'image. Sur le monnayage de Julien, voir J.P.C. KENT, «An introduction to the coinage of Julian the Apostate (A.D. 360-363)», dans *Numismatic Chronicle* 19, 1959, p. 109-117 et, dans BOWERSOCK, la planche 9 avec deux «monnaies au taureau» provenant des ateliers d'Arles et d'Antioche, avec la devise *Securitas rei p.*

εἰς Ταρσὸν μετοικίζεσθαι παρεσκευάζετο. Ὑπερφυῶς δέ πως τοῦ θυμοῦ μεταβαλλόμενος λόγοις μόνοις τὴν ὕβριν ἠμύνατο, κάλλιστον καὶ μάλα ἀστεῖον λόγον, ὃν 1273 Μισοπώγωνα ἐπέγραψε, κατὰ Ἀντιοχέων διεξελ|θών.

4 Χριστιανοῖς δὲ κἀνταῦθα ὁμοίως ἐχρῆτο καὶ τὸ Ἑλληνικὸν κρατύνειν ἐσπούδαζεν. Οἷα γοῦν τότε συνέβη **224** περὶ τὴν θήκην Βαβύλα τοῦ μάρτυρος | καὶ τὸν ἐν Δάφνῃ νεὼν τοῦ Ἀπόλλωνος, ἄξιον ἀφηγήσασθαι · ἄρξομαι δὲ ἐντεῦθεν. **5** Δάφνη, τὸ ἐπίσημον τῆς Ἀντιοχείας προάστειον, κομᾷ μὲν ἄλσει κυπαρίσσων πολλῶν, ποικίλλεται δὲ καὶ τοῖς ἄλλοις φυτοῖς ἀναμὶξ ταῖς κυπαρίσσοις. Ὑπὸ δὲ τοῖς δένδροισιν ἀμοιβαδὸν τῶν ὡρῶν εὐώδη καὶ παντοδαπὰ εἴδη ἀνθέων ἡ γῆ φέρει. Ὀροφὴ δέ τις μᾶλλον ἢ σκιὰ πανταχῇ τὸν χῶρον περίκειται, τῇ πυκνότητι τῶν κλάδων καὶ τῶν φύλλων μὴ συγχωροῦσα τὴν ἀκτῖνα τῷ ἐδάφει ἐμβάλλειν · ἡδύς τε καὶ λίαν ἐπέραστός ἐστιν ἀφθονίᾳ τε καὶ κάλλει ὑδάτων καὶ ὡρῶν εὐκρασίᾳ καὶ προσηνῶν ἀνέμων πνοιαῖς. **6** Ἐνταῦθα δὲ παῖδες Ἑλλήνων μυθεύουσι Δάφνην τὴν Λάδωνος τοῦ ποταμοῦ ἐξ Ἀρκαδίας φεύγουσαν Ἀπόλλω τὸν ἐραστὴν εἰς ὁμώνυμον αὐτῇ φυτὸν μεταβαλεῖν, τὸν δὲ μηδὲ οὕτως ἀπαλλαγέντα τοῦ πάθους στεφανωθῆναι τοῖς

1. Libanius essaya, après le départ de Julien pour la Perse, de le dissuader de cette intention contraire aux intérêts et au prestige d'Antioche (*discours* 15). Tarse, capitale de la Cilicie, était un séjour agréable, baigné par le Cydnus, où Julien, avant d'arriver à Antioche, avait été bien accueilli (AMM. 22, 9, 13). Cette résidence ne l'éloignait pas trop du front perse. Mais elle n'offrait pas les mêmes ressources qu'Antioche en marchés, locaux d'état-major, bureaux, entrepôts, stationnements militaires... En quittant la ville, Julien déclara à la foule suppliante qui lui faisait escorte qu'il n'y reviendrait pas et s'établirait à Tarse (BIDEZ, p. 316). Il fut enseveli à proximité de cette ville, ce qui réalisa sa volonté d'une manière aussi tragique qu'inattendue (AMM. 25, 10, 5).

2. L'ouvrage intitulé «L'ennemi de la barbe», quelquefois aussi *Antiochikos,* était un pamphlet qu'AMM., antiochien lui-même, critique en 22, 14, 2 pour l'excès de ses insultes *(conuicia).* Sur cette œuvre riche de renseignements sur le séjour impérial à Antioche, Sozomène se contente

traiter durement et il se préparait à passer à Tarse[1]. Puis, de façon quelque peu extraordinaire, il renonça à son emportement et ne se vengea de l'outrage qu'en paroles, ayant composé contre les Antiochiens un très beau et très élégant discours, qu'il intitula *Misopogon*[2].

4 À Antioche aussi, il traitait pareillement les chrétiens et mettait son zèle à fortifier le paganisme. Ce qui en tout cas se produisit alors touchant la tombe du martyr Babylas et le temple d'Apollon à Daphné, il vaut la peine de le raconter. Je commencerai ainsi. **5** Daphné, le célèbre faubourg d'Antioche, se glorifie d'un bois d'abondants cyprès, s'orne aussi de la bigarrure d'autres plantes mêlées aux cyprès. Sous les arbres, changeant avec les saisons, la terre porte toute sorte de fleurs parfumées. C'est plutôt un toit que de l'ombre qui partout couvre le lieu, un toit qui, par la densité des branches et des feuilles, ne permet pas aux rayons de frapper le sol. Plaisant est le lieu et tout à fait délicieux par l'abondance et la beauté des eaux, l'heureux équilibre des saisons, le souffle de douces brises[3]. **6** C'est là, disent les Grecs en leurs fables, qu'Apollon, qui en était épris, changea Daphné fille du fleuve Ladon, en fuite depuis l'Arcadie, en l'arbuste qui porte son nom; mais, même ainsi, il ne fut pas délivré de sa passion; il se couronna des rameaux de sa bien-

d'un jugement littéraire et ne se prononce pas sur la valeur historique du témoignage. Il n'est pas sûr qu'il l'ait vraiment lue.

3. Une telle description de *locus amoenus,* fréquente chez les sophistes, mais rare chez Sozomène, s'explique peut-être par la volonté de rivaliser avec LIBANIUS, auteur de l'*Antiochikos,* dont la longue et enthousiaste description de Daphné est traduite par FESTUGIÈRE, *Antioche païenne et chrétienne,* p. 31-33, alors que JEAN CHRYSOSTOME, à partir d'ici source principale de Sozomène, est, pour une fois, beaucoup plus rapide et sobre (*Discours sur Babylas,* 68, éd. M.A. Schatkin, *SC* 362, p. 178-181). Cette homélie antiochienne, prononcée une vingtaine d'années après les événements, constituait, malgré sa partialité, une excellente source pour un historien; d'où les points de contact nombreux et étroits entre les deux textes.

κλάδοις τῆς ἐρωμένης καὶ δένδρον οὖσαν περιπτύξασθαι καὶ τῇ προσεδρείᾳ τὰ μάλιστα τιμῆσαι τὸ χωρίον εἴπερ τι ἄλλο κεχαρισμένον αὐτῷ. **7** Τοιούτῳ δὲ ὄντι τῷ προαστείῳ τῇ Δάφνῃ ἐπιβαίνειν τοῖς ἐπιεικέσιν αἰσχρὸν ἐνομίζετο. Ἥ τε γὰρ θέσις καὶ ἡ φύσις τοῦ χωρίου πρὸς ῥᾳστώνην ἐπιτηδεία καὶ ἡ ὑπόθεσις τοῦ μύθου ἐρωτική τις οὖσα, μικρᾶς λαβομένη ἀφορμῆς διπλοῦν ἀπετέλει τὸ πάθος τοῖς διεφθαρμένοις νέοις. **8** Εἰς παραίτησιν γὰρ προϊσχόμενοι τὰ μυθευόμενα χαλεπῶς ἐξεκαίοντο καὶ ἀνέδην εἰς ἀκολάστους πράξεις ἐχώρουν, οὐ σωφρονεῖν δυνάμενοι οὔτε σώφρονας κατὰ ταὐτὸν ὁρᾶν ἀνεχόμενοι. Ὧι γὰρ ἡ διατριβὴ ἐκτὸς ἐρωμένης ἐν Δάφνῃ ἐτύγχανεν, ἠλίθιός τε καὶ ἄχαρις ἐδόκει καὶ ὥσπερ τι ἄγος ἢ ἀποτρόπαιος φευκτέος ἦν. **9** Καὶ ἄλλως δὲ σεβάσμιος καὶ περὶ πολλοῦ τοῖς Ἑλληνισταῖς ὁ χῶρος οὗτος ἐτύγχανεν· ἦν γὰρ ἐνθάδε Δαφναίου Ἀπόλλωνος περικαλλὲς ἄγαλμα καὶ νεὼς μεγαλοφυῶς τε καὶ φιλοτίμως ἐξειργασμένος, ὃν λόγος οἰκοδομῆσαι Σέλευκον τὸν Ἀντιόχου πατέρα, ᾧ ἐπώνυμός ἐστιν ἡ Ἀντιοχέων πόλις. **10** Ἐπιστεύετο δὲ παρὰ τοῖς

225 τάδε πρεσβεύουσι ῥεῖν | αὐτόθι καὶ ὕδωρ μαντικὸν ἀπὸ Κασταλίας τῆς πηγῆς, ὁμοίως τῆς ἐν Δελφοῖς ἐνεργείας τε καὶ προσηγορίας λαχούσης. Ἀμέλει τοι καὶ Ἀδριανῷ ἔτι ἰδιωτεύοντι τὰ περὶ τῆς βασιλείας αὐχοῦσιν ἐνθάδε προμηνυθῆναι. **11** Φασὶ γὰρ αὐτὸν φύλλον δάφνης ἐμβάψαντα τῇ πηγῇ ἀρύσασθαι τὴν τῶν ἐσομένων γνῶσιν

1. La complaisance avec laquelle Sozomène rappelle les détails du mythe païen pourrait être mise en rapport avec le renouveau de la culture classique sous l'impulsion du préfet Cyrus et de l'impératrice Eudocie. Mais Sozomène utilise de très près le récit du même mythe par JEAN CHRYSOSTOME, *Discours sur Babylas,* 68, éd. M.A. Schatkin, *SC* 362, p. 180-183, tout en le dépouillant de son intention férocement polémique. En fait, les deux explications ne s'excluent pas.

2. Séleucus (c. 355-280), l'un des diadoques d'Alexandre, satrape de Babylonie, fonda la dynastie des Séleucides et faillit reconstituer à son profit l'empire du Conquérant. Il fut divinisé par son fils et successeur Antiochos Ier sous le nom de Zeus Nicator. Antiochos Ier Sôter (c. 325-

aimée, il l'embrassa, bien qu'elle fût un arbre, et par son assiduité il honora tout particulièrement ce lieu, qu'il chérissait plus que tout autre[1]. **7** Tel était le faubourg de Daphné ; y pénétrer était tenu par les gens honnêtes comme une honte. La position en effet et la nature du lieu conduisaient à la vie facile, et le sujet du mythe, qui était érotique, n'avait besoin que d'une incitation légère pour doubler la passion chez les jeunes dépravés. **8** Prenant en effet la fable pour excuse, ils brûlaient d'une violente ardeur et se précipitaient sans mesure dans les actes licencieux, incapables de rester chastes et ne souffrant pas de voir en ce même lieu des garçons chastes. Arrivait-il qu'on séjournât à Daphné sans bien-aimée, on passait pour sot et déplaisant, un être à fuir comme une souillure, dont on se détourne avec horreur. **9** Par ailleurs, ce lieu se trouvait être en vénération et en grand honneur chez les païens. Il y avait là, en effet, une très belle statue d'Apollon Daphnéen, et un temple, magnifique et somptueuse construction, bâti, dit-on, par Séleucus, le père d'Antiochus qui avait donné son nom à la ville d'Antioche[2]. **10** On croyait, chez ceux qui cultivent ces légendes, que là coulait aussi une eau mantique issue de la fontaine Castalie, douée de la même efficacité que celle de Delphes et portant le même nom. En tout cas, ils se glorifient qu'à Hadrien, encore homme privé, son futur destin d'empereur fut là révélé. **11** On raconte en effet qu'il avait plongé une feuille de laurier dans la source, et en avait retiré la connaissance de son avenir

261) régna de -280 à -261. C'est lui qui transféra la capitale du royaume de Seleucia Pieria à Antioche pour des raisons de sécurité, Antioche étant moins exposée à une attaque par mer : cf. DOWNEY, p. 87. Il y avait à Daphné plusieurs temples, celui d'Apollon, mais aussi ceux d'Artémis, de Zeus et de Némèsis, les « démons » dénoncés par JEAN CHRYSOSTOME, *Discours sur Babylas,* 68, éd. M.A. Schatkin, *SC* 362, p. 180-181.

ἐγγράφως ἐπὶ τοῦ φύλλου δηλωθεῖσαν. Παρελθόντα δὲ εἰς τὴν ἡγεμονίαν καταχῶσαι τὴν πηγήν, ὥστε μὴ ἐξεῖναι καὶ ἄλλοις προμανθάνειν τὸ μέλλον.

12 Ἀλλὰ ταῦτα μέν, οἷς τούτων μέλει, ἀκριβῶς μυθολογούντων· ἐπεὶ δὲ Γάλλος ὁ Ἰουλιανοῦ ἀδελφὸς Καῖσαρ καταστὰς παρὰ Κωνσταντίου ἐν Ἀντιοχείᾳ διῆγε, Χριστιανὸς ὢν καὶ ἐς τὰ μάλιστα πρεσβεύων τοὺς ὑπὲρ τοῦ δόγματος μεμαρτυρηκότας, ἔγνωκεν Ἑλληνικῆς δεισιδαιμονίας καὶ ὕβρεως ἀκολάστων ἀνθρώπων τοῦτον ἐκκαθᾶραι τὸν χῶρον. **13** Ὑπολαβὼν δὲ ῥᾳδίως περιέσεσθαι, εἰ εὐκτήριον ἐνθάδε ἀντικαταστήσειεν οἶκον, μετέθηκεν εἰς Δάφνην τὴν 1276 λάρ|νακα Βαβύλα τοῦ μάρτυρος, ὃς εὖ μάλα λαμπρῶς ἐπετρόπευσε τὴν Ἀντιοχέων ἐκκλησίαν καὶ ἐμαρτύρησεν. **14** Ἐξ ἐκείνου δὲ λόγος μὴ χρησμῳδῆσαι συνήθως τὸ

1. La source de Castalie appartient aux traditions les plus anciennes de Delphes. Celle qui portait ce nom à Daphné, évoquée par Libanius dans l'*Antiochikos*, est représentée sur la mosaïque de Yakto, sous la forme d'un personnage féminin au torse nu (la même mosaïque appelle Pallas une autre des nombreuses sources de Daphné) : voir le commentaire archéologique de R. MARTIN, dans FESTUGIÈRE, *Antioche païenne et chrétienne,* p. 54. L'anecdote concernant Hadrien est évoquée dans le même contexte d'histoire antiochienne par AMM. en 22, 12, 8. Mais son interprétation est une invention inspirée par l'actualité, c'est-à-dire la remise en eau de la source par Julien. En fait, c'est en 129 que «la source a été fermée, probablement parce qu'elle avait cessé de couler, pendant la réorganisation de l'alimentation de Daphné en eau par Hadrien» (cf. DOWNEY, p. 387). Du reste, Sozomène prend ses distances par rapport à la tradition, en la présentant comme purement orale.

2. Antioche fut la résidence habituelle de Gallus pendant tout son règne (15 mars 351 - fin 354), marqué par de nombreux troubles et actes de tyrannie (d'après AMM. 14, 1; 14, 7 et 14, 9). Sa piété chrétienne, déjà soulignée à propos du tombeau du martyr Mamas (*H.E.* V, 2, 12), est attestée comme celle de son épouse Constantina, même s'ils tombèrent sous la coupe de Théophile l'Indien, thaumaturge suspect, et d'un arien radical, l'anoméen Aèce. On peut donc croire que la translation de la châsse de Babylas eut lieu dès le début du règne de Gallus, en 351.

3. Sozomène suit de très près, en le résumant, le *Discours sur Babylas,* 67 (éd. M.A. Schatkin, *SC* 362, p. 179) où, par élégance sophistique, Gallus

marqué par écrit sur la feuille. Une fois parvenu au pouvoir, il fit combler la source, pour qu'il ne fût plus possible à d'autres de connaître d'avance l'avenir[1].

12 Mais laissons aux amateurs de ces fables le soin de les raconter en détail. Alors que Gallus, frère de Julien, créé César par Constance, vivait à Antioche[2], comme il était chrétien et honorait au plus haut point les martyrs pour la foi, il résolut de purifier le lieu de la superstition païenne et des outrages d'hommes dévergondés. **13** Ayant conçu l'idée qu'il y arriverait facilement s'il y établissait une maison de prières qui fît opposition au temple, il transféra à Daphné la châsse du martyr Babylas[3], qui dirigea très brillamment l'église des Antiochiens et subit le martyre[4]. **14** De ce temps-là, dit-on, le dieu ne rendit

n'est pas nommé. Il s'agit du premier exemple attesté de translation de reliques : voir DOWNEY, p. 364, notes 217 et 218. Le *martyrium* construit pour recevoir les restes du saint était voisin à la fois du temple d'Apollon et de la source de Castalie, eux-mêmes proches l'un de l'autre.

4. L'histoire de l'évêque d'Antioche Babylas est rapportée dans le *Discours sur Babylas,* 30-66 (éd. M.A. Schatkin, *SC* 362, p. 128-177), sans que soit nommé l'empereur persécuteur (Philippe l'Arabe, Numérien ou Dèce?). Selon EUSÈBE, *H.E.* VI, 29, 4 et VI, 39, 4, Babylas se place parmi les évêques d'Antioche au IIIe s. entre Zébennus (mort vers 240) et Fabius. Il mourut plus probablement pendant la persécution de Dèce en 251 que sous le règne de Philippe l'Arabe (244-249), bien qu'Eusèbe prétende que c'est à ce dernier qu'un évêque, identifé par Jean Chrysostome avec Babylas, aurait réclamé une pénitence publique : cf. *DECA*, p. 328 J. M. SAUGET. Babylas fut d'abord enterré au cimetière chrétien d'Antioche « au delà de la porte daphnitique ». Transféré à Daphné par Gallus en 351, renvoyé dans le cimetière chrétien par Julien en 362, son cercueil fut installé finalement vers 379-380 dans une nouvelle basilique, face à Antioche, sur la rive opposée de l'Oronte, par l'ordre de l'évêque Mélèce qui fit aussi de cette basilique son propre tombeau (l'« homélie encomiastique » de Jean Chrysostome, pour célébrer le cinquième anniversaire de la mort de Mélèce – *PG* 50, c. 515-520 – y fut sans doute prononcée). Elle a été identifiée par J. LASSUS, « L'église cruciforme d'Antioche-Kaoussié 12-F », dans *Antioch-on-the-Orontes,* t. 2, The Excavations, Princeton, 1938, p. 44.

δαιμόνιον· ἐδόκει δὲ τὰ μὲν πρῶτα τοῦτο παθεῖν ὡς θυσιῶν ἀμοιροῦν καὶ θεραπείας ἧς πρότερον ἠξίωτο, ἔδειξε δὲ τὰ μετὰ ταῦτα, ὡς ἐκ γειτόνων γενόμενος ὁ μάρτυς οὐ ξυνεχώρει τοῦτο ποιεῖν. **15** Καὶ γὰρ Ἰουλιανοῦ μόνου κρατοῦντος τῆς Ῥωμαίων οἰκουμένης, σπονδῶν καὶ κνίσσης καὶ ἀφθονίας θυμάτων μετέχων οὐδὲν ἧττον ἠρέμει, καὶ τὸ τελευταῖον χρήσας ἤλεγξε καὶ αὐτὸς τῆς προτέρας σιωπῆς τὴν αἰτίαν. **16** Ἐπειδὴ γὰρ ἐβεβούλευτο ὁ βασιλεύς, περὶ ὧν οἱ ἐδόκει, πειραθῆναι τοῦ ἐνθάδε μαντείου, παραγενόμενος εἰς τὸ ἱερὸν ἀναθήμασι καὶ θυσίαις φιλοτίμως ἐτίμα τὸ δαιμόνιον καὶ ἐδεῖτο περὶ ὧν ἐσπούδαζε μὴ ἀμελεῖν. Ὁ δὲ περιφανῶς μὲν ὧδὶ οὐκ ἐδήλωσε μὴ δύνασθαι χρησμῳδεῖν διὰ Βαβύλαν τὸν μάρτυρα γειτνιῶντα τῇ θήκῃ· νεκρῶν δέ, ἔφη, ἀνάπλεών ἐστι τὸ χωρίον, καὶ κατὰ τοῦτο κωλύεσθαι προϊέναι τοὺς χρησμούς. **17** Πολλῶν δὲ καὶ ἄλλων κειμένων ἐν Δάφνῃ νεκρῶν συμβαλὼν ὁ βασιλεὺς τὸν μάρτυρα μόνον ἐμποδὼν γίνεσθαι τοῖς

226 χρησμοῖς, προσέταξε μετακινηθῆναι τὴν θήκην. | Συνελθόντες οἱ Χριστιανοὶ εἵλκυσαν τὴν θήκην ἐπὶ τὴν πόλιν ὡσεὶ στάδια τεσσαράκοντα, οὗ νῦν ὁ μάρτυς κεῖται,

1. Sozomène suit de très près le *Discours sur Babylas,* 73-74 (éd. M.A. Schatkin, *SC* 362, p. 191), à la fois pour le contenu, l'expression et la progression : « Celui qui autrefois avait la primauté dans le monde grec » – la périphrase, justifiée, désigne Apollon –, « réprimandé par le martyr comme par un maître, mit un terme à ses aboiements et ne dit plus rien... D'abord, il parut agir ainsi parce qu'il ne recevait pas sa part des sacrifices et des autres cérémonies du culte. »

2. Le parallèle est étroit avec le *Discours sur Babylas* 80-81 (éd. M.A. Schatkin, *SC* 362, p. 201-202) : « Cet empereur montait continuellement à Daphné avec beaucoup d'offrandes et beaucoup de victimes pour les sacrifices et faisait couler par l'immolation de bestiaux des torrents de sang. »

3. Même question de Julien et même réponse d'Apollon dans le *Discours sur Babylas,* 81 (éd. M.A. Schatkin, *SC* 362, p. 200-201) : « Cet endroit est plein de morts et c'est ce qui empêche l'oracle. » Dans le passage correspondant (22, 12, 8), AMM. emploie lui aussi le pluriel : *Iulianus.... circumhumata corpora statuit exinde transferri* (« Julien

plus d'oracles à sa manière habituelle : on crut d'abord que ce qui lui arrivait était dû au fait qu'il était privé des sacrifices et du culte qu'on lui rendait auparavant[1], mais la suite montra que c'est le martyr, devenu son voisin, qui ne lui permettait plus de rendre des oracles. **15** Et de fait, quand Julien fut seul souverain de l'Empire romain, bien que le dieu jouît de libations, de l'odeur des viandes brûlées et d'une surabondance de victimes, il ne restait pas moins muet, et enfin, par une réponse oraculaire, il incrimina lui-même la cause de son silence antérieur. **16** Comme en effet l'empereur avait délibéré de consulter l'oracle local sur les questions qui lui semblaient bonnes, il se rendit au sanctuaire, honora le dieu d'offrandes et de sacrifices à profusion[2] et lui demanda de ne pas négliger ce à quoi il mettait son zèle. Le dieu ne révéla pas tout de go, ouvertement, qu'il ne pouvait rendre des oracles parce que le martyr Babylas était son voisin par son cercueil, mais, dit-il, « le lieu est plein de cadavres » : là était la raison qui l'empêchait d'émettre des oracles[3]. **17** Bien qu'il y eût beaucoup d'autres cadavres à Daphné, l'empereur considéra que seul le martyr faisait obstacle aux oracles et il prescrivit qu'on déplaçât le cercueil[4]. Les chrétiens, s'étant rassemblés, traînèrent le cercueil vers la ville sur une distance d'environ quarante stades à l'endroit où repose aujourd'hui le martyr, qui a

ordonna de transférer de là les corps qui étaient enterrés alentour »). Pour les païens, les cadavres constituent une souillure. Au contraire, Jean Chrysostome, *Discours sur Babylas* 64-66, éd. A.M. Schatkin, p. 171-177, exalte l'action efficace exercée *post mortem* par les martyrs grâce à leurs reliques.

4. Voir le *Discours sur Babylas*, 82-87 (éd. M.A. Schatkin, *SC* 362, p. 202-209). Sozomène résume en une seule phrase, d'une concision tout historique, la cause (la compréhension de l'oracle par Julien) et la conséquence (l'ordre de ramener le cercueil à son point de départ), développées dans un style hautement rhétorique par son modèle.

δεδωκὼς ἀπ' αὐτοῦ τὴν προσηγορίαν τῷ τόπῳ. **18** Φασὶ δὲ τότε ἄνδρας καὶ γυναῖκας καὶ νέους καὶ παρθένους, γέροντάς τε καὶ παῖδας, οἳ τὴν σορὸν εἷλκον, παρακελευομένους ἀλλήλοις παρὰ πᾶσαν τὴν ὁδὸν διατελέσαι ψάλλοντας, πρόφασιν μὲν τῇ ᾠδῇ τοὺς ἱδρῶτας ἐπικουφίζοντας, τὸ δὲ ἀληθὲς ὑπὸ ζήλου καὶ προθυμίας κεκινημένους τῷ μὴ τὴν αὐτὴν γνώμην ἔχειν αὐτοῖς τὸν κρατοῦντα περὶ τὸ θεῖον. **19** Ἐξῆρχον δὲ τῶν ψαλμῶν τοῖς ἄλλοις οἱ τούτους ἀκριβοῦντες, καὶ ξυνεπήχει τὸ πλῆθος ἐν συμφωνίᾳ καὶ ταύτην τὴν ῥῆσιν ἐπῇδεν· «Ἠισχύνθησαν πάντες οἱ προσκυνοῦντες τοῖς γλυπτοῖς καὶ οἱ πεποιθότες τοῖς εἰδώλοις.»

20

1277 **1** | Ἐκ τούτου δὲ κινηθεὶς πρὸς ὀργὴν ὁ βασιλεὺς ὡς ὑβρισμένος τιμωρεῖσθαι τοὺς Χριστιανοὺς ἐβεβούλευτο. Σαλούστιος δὲ ὁ τὴν ὕπαρχον ἐξουσίαν ἐπιτετραμμένος, καίπερ Ἕλλην ὑπάρχων, οὐκ ἐπήνεσε τὴν βούλησιν, ἀντιτείνειν δὲ μὴ ἔχων τὸ βασιλέως ἐπίταγμα εἰς ἔργον ἤγαγεν. **2** Καὶ τῇ ὑστεραίᾳ πολλοὺς συνελάμβανεν ἐκ τῶν Χριστιανῶν καὶ δεσμίους ἐποίησεν· ἕνα δέ τινα νεανίαν

1. Inversement, alors que Jean Chysostome évoque brièvement, aux §§ 87 et 90 (éd. M.A. Schatkin, *SC* 362, p. 209 et p. 213), le retour en procession du cercueil de Babylas, Sozomène enrichit la scène pour en faire un véritable *aduentus* chrétien en puisant d'autres éléments chez RUFIN, *H.E.* X, 35, soit directement, soit par l'intermédiaire de SOCRATE, *H.E.* III, 18 (éd. G.C. Hansen, *GCS*, p. 213-214) : le cortège du peuple d'Antioche, la citation du *Psaume* 96, 7 et la précision de distance (les 40 stades de Sozomène sont l'équivalent des 6000 pas de Rufin, à peu près 8 km). Voir F. THELAMON, p. 286-287.

2. S'agit-il ici d'une erreur orthographique imputable aux copistes ou d'une confusion de Sozomène, explicable par la quasi homonymie et surtout par les similitudes des deux personnages, également amis intimes et collaborateurs talentueux et dévoués de Julien? En tout cas, il ne s'agit pas ici de Flauius Sallustius, préfet des Gaules de 361

donné son nom au lieu. **18** On dit qu'alors hommes, femmes, jeunes gens, jeunes filles, vieillards et enfants, tous ceux qui traînaient la châsse, s'encourageant l'un l'autre tout au long de la route, l'accomplirent en chantant des psaumes, en apparence pour soulager leurs fatigues par le chant, en réalité parce qu'ils étaient mus de zèle et d'ardeur, du fait que le prince n'avait pas la même croyance qu'eux sur la divinité. **19** Les psaumes étaient entonnés pour les autres par ceux qui les connaissaient exactement, la foule y faisait écho en accord, et elle chantait ce verset (*Ps.* 96,7) : « Ils ont été jetés dans la honte, tous ceux qui adorent les images, et ceux qui ont foi dans les idoles »[1].

Chapitre 20

A cause de ce transfert,
Julien maltraite de nombreux chrétiens;
saint Théodore le confesseur;
un feu tombé du ciel embrase le temple d'Apollon à Daphné.

1 L'empereur en fut ému d'une grande colère, il se considéra comme outragé et il avait délibéré de châtier les chrétiens. Saloustios[2], le préfet du prétoire, bien que païen, n'approuva pas son dessein : mais, comme il ne pouvait s'y opposer, il mit à exécution l'ordre du prince. **2** Le lendemain, il fit saisir beaucoup des chrétiens et les jeta en prison. Ayant fait comparaître d'abord un ado-

à 363 et consul avec l'empereur en 363 (*P.L.R.E.*, p. 797, Flavius Sallustius 5), mais d'un autre haut dignitaire, Saturninius Secundus Salutius (cf. *P.L.R.E.*, p. 814-817), déjà nommé *supra* en V, 10, 3, très versé en littérature et en philosophie, païen pieux, surtout s'il est bien l'auteur du catéchisme païen « Des dieux et du monde », mais aussi très apprécié pour sa bonté, même par les chrétiens : voir les témoignages de SOCRATE, *H.E.*, IV, 19, 35, THÉODORET, *H.E.*, III, 11 et surtout GRÉGOIRE, *disc.* 4, 91.

πρῶτον προαγαγών (Θεόδωρος δ' ὄνομα ἦν αὐτῷ) τῷ βασανιστηρίῳ ξύλῳ προσῆψεν. Ὁ δὲ ἐπὶ πολὺ τοῖς ὄνυξι πληττόμενος οὐχ ἡττήθη τῶν βασάνων οὐδὲ τὸν ὕπαρχον ἐλιπάρησεν, ἀλλ' ἀνώδυνον ἑαυτὸν φαίνεσθαι παρασχόμενος ὡς θεατὴς τῶν ἐπ' αὐτῷ γινομένων καρτερικῶς τὰς πληγὰς ἐδέχετο· αὖθίς τε τὸν αὐτὸν μελῳδῶν ψαλμὸν ὃν καὶ τῇ προτεραίᾳ, μὴ μεταμέλειν αὐτῷ τούτων, ἐφ' οἷς ἐκρίνετο, τοῖς ἔργοις ἐπέδειξε. **3** Καταπλαγεὶς δὲ τὴν ἔνστασιν τοῦ νεανίου ὁ ὕπαρχος ἐλθὼν πρὸς τὸν βασιλέα εἶπε τὰ γενόμενα, καὶ εἰ μὴ θᾶττον παύσαιτο τῆς ἐπιχειρήσεως, σφᾶς αὐτοὺς καταγελάστους ἔσεσθαι, τοὺς δὲ Χριστιανοὺς ἐνδοξοτέρους ποιήσειν. Ἄμεινον δὲ τοῦτο δόξαν, οἱ συλληφθέντες ἀφείθησαν τῶν δεσμῶν. **4** Λέγεται δὲ πυνθανομένων μετὰ ταῦτά τινων, εἴπερ αἴσθησιν τῶν βασάνων **227** ἐκείνων | εἶχεν, εἰπεῖν τὸν Θεόδωρον ὡς πάντη μὲν ἀνώδυνος οὐκ ἦν, παρεστὼς δέ τις αὐτῷ νεανίας κατέπαυε τὰς ἀλγηδόνας, ὑφάσματι λεπτοτάτῳ τοὺς ἱδρῶτας ἀπομάττων καὶ ὕδωρ ἐπιχέων ψυχρότατον, ᾧ τὰς φλεγμονὰς ἔπαυε καὶ τῶν πόνων ἀνέψυχε. Δοκεῖ δέ μοι οὐκ ἀνθρώπου μόνου, εἰ καὶ μάλα γενναῖος ἦν, μὴ καὶ θείᾳ ῥοπῇ ἐπικουρουμένου, τοσοῦτον ὑπεριδεῖν τοῦ σώματος.

5 Ὁ μὲν δὴ μάρτυς Βαβύλας ἐκ τῆς εἰρημένης αἰτίας κατῳκίσθη ἐν Δάφνῃ καὶ πάλιν μετετέθη· οὐκ εἰς μακρὰν δὲ τούτου γενομένου ἀπροόπτως ἐμπεσὸν πῦρ τῷ νεῷ τοῦ Δαφναίου Ἀπόλλωνος πᾶσαν τὴν ὀροφὴν καὶ αὐτὸ τὸ

1. L'épisode se trouve aussi chez SOCRATE, *H.E.* III, 19, 4-9 et THÉODORET, *H.E.*, III, 11, 1-3. Au § 4, l'expression «comme certains, dit-on, après cela demandaient à Théodore...», fait clairement référence à l'expérience personnelle rapportée par RUFIN *H.E.* X, 37 : *hunc Theodorum ipsi nos postmodum apud Antiochiam uidimus et cum requireremus ab eo si sensum doloris habuisset...* («ce Théodore, nous l'avons vu nous-même quelque temps après à Antioche et comme nous lui demandions s'il avait éprouvé quelque sensation de douleur...»). En effet, Rufin avait séjourné à Antioche autour de 380 (PROSOPOGRAPHIE CHRÉTIENNE, p. 926). Pour l'analyse de sa méthode et de ses intentions, voir F. THELAMON,

lescent – il se nommait Théodore –, il l'attacha au bois de supplice. Bien que longtemps torturé par les crocs de fer, il ne céda pas aux tourments ni ne supplia le préfet, mais, donnant à croire qu'il ne souffrait pas, comme s'il était spectateur de ce qui lui arrivait, il acceptait stoïquement les coups : chantant de nouveau le même psaume que la veille, il montra par ses actes qu'il ne se repentait pas du crime qu'on lui imputait[1]. **3** Frappé de stupeur par la résistance du jeune homme, le préfet vint trouver le prince, lui dit ce qui était arrivé, et que s'il ne mettait pas rapidement fin à son entreprise, ils se couvriraient eux-mêmes de ridicule et donneraient plus de gloire aux chrétiens. Ce conseil parut meilleur et les chrétiens qui avaient été saisis furent relâchés. **4** Comme certains, dit-on, après cela, demandaient à Théodore s'il avait ressenti ces tortures, il répondit qu'en vérité il n'avait pas été absolument exempt de douleur, mais qu'un jeune homme, présent auprès de lui, calmait ses souffrances, essuyant d'un mouchoir très fin ses sueurs et versant sur lui de l'eau très froide, par laquelle il arrêtait les inflammations et le soulageait de ses peines. Et il me semble à moi qu'il n'appartient pas au seul pouvoir d'un homme, fût-il très vaillant, sans le secours d'une assistance divine, de mépriser à ce point le corps.

5 Le martyr Babylas fut donc pour la raison susdite établi à Daphné puis à nouveau changé de place. Peu de temps après cet événement, un feu, tombant à l'improviste sur le temple d'Apollon Daphnéen, consuma tout

p. 283 et p. 288 : en ne mentionnant pas ici l'incendie du temple de Daphné, qui fut la cause de la rafle, Rufin présente Julien comme un persécuteur dépourvu de tout discernement. Voir aussi R.J. PENELLA, «Julian the Persecutor in fifth Century Church Historians», dans *The Emperor Julian and the Rebirth of Hellenism, The Ancien World,* t. 24, 1, 1993, p. 45-53.

ἄγαλμα κατέφλεξε, γυμνοὺς δὲ μόνους τοὺς τοίχους καὶ τοὺς περιβόλους εἴασε καὶ τοὺς κίονας, οἳ τὰ προπύλαια καὶ τὸν ὀπισθόδομον ἀνεῖχον. Ἐδόκει δὲ τοῖς μὲν Χριστιανοῖς κατὰ αἴτησιν τοῦ μάρτυρος θεήλατον ἐμπεσεῖν τῷ δαίμονι πῦρ· οἱ δὲ Ἕλληνες ἐλογοποίουν Χριστιανῶν εἶναι τὸ δρᾶμα. **6** Ταύτης δὲ τῆς ὑπονοίας κρατούσης ἄγεται εἰς δικαστήριον ὁ τοῦ Ἀπόλλωνος ἱερεὺς ὡς φανερώσων τὸν τολμήσαντα τὸν ἐμπρησμόν· δεσμώτης τε | γενόμενος καὶ πολλὰς ὑπομείνας πληγὰς χαλεπῶς τε αἰκισθεὶς οὐδένα κατεμήνυσεν· ᾧ δὴ μάλιστα ἰσχυρίζοντο οἱ Χριστιανοὶ μὴ κατ' ἐπιβουλὴν ἀνθρωπείαν, ἀλλὰ κατὰ θείαν μῆνιν ἐνσκῆψαι τῷ νεῷ οὐράνιον πῦρ.

1280

7 Καὶ τὰ μὲν ὧδε ἔσχεν· ὡς οἶμαι δὲ ἐκ τῶν συμβάντων ἐν Δάφνῃ διὰ τὸν μάρτυρα Βαβύλαν, πυθόμενος ὁ βασιλεὺς ἐπὶ τιμῇ μαρτύρων εὐκτηρίους οἴκους εἶναι πλησίον τοῦ ναοῦ τοῦ Διδυμαίου Ἀπόλλωνος, ὃς πρὸ τῆς Μιλήτου ἐστίν, ἔγραψε τῷ ἡγεμόνι Καρίας, εἰ μὲν ὄροφόν τε καὶ τράπεζαν

1. L'incendie se produisit le 22 octobre 362. Il détruisit la gigantesque statue chryséléphantine d'Apollon, œuvre ou copie de l'œuvre du grand sculpteur athénien Bryaxis. Il commença par le toit. Le retentissement de l'événement fut immense chez les païens, comme en témoigne la *Monodie* de Libanius, dont des fragments éloquents sont abondamment cités par Jean Chrysostome dans le *Discours sur Babylas* 98, 104, 105, 106, 112.

2. Péribole, propylées, opisthodome sont les termes techniques d'architecture désignant, avec naos, les principales parties d'un temple grec classique. Sozomène les a repris exactement du *Discours sur Babylas,* 94 où Jean Chrysostome dit avoir vu lui-même, vingt ans plus tard, le temple dans l'état où l'avait laissé l'incendie, y compris une colonne restée en suspens et de travers dans l'opisthodome. AMM. (22, 13, 2) fait connaître une circonstance importante : Julien avait fait tout récemment entourer le temple d'un « majestueux péristyle » *(ambitioso peristylio)* qui avait pu susciter la jalousie (des chrétiens).

3. Jean Chrysostome donne, à partir du § 92, p. 214 sq., l'interpré-

le toit et réduisit en cendres la statue elle-même[1], ne laissant indemnes que les murs, le péribole et les colonnes qui soutenaient les propylées et l'opisthodome[2]. Les chrétiens pensaient que, à la demande du martyr, un feu envoyé du ciel s'était abattu sur le dieu[3]; les païens en revanche faisaient courir le bruit que les chrétiens étaient cause du drame[4]. **6** Comme ce soupçon s'accréditait, le prêtre d'Apollon est amené au tribunal pour dénoncer celui qui avait osé l'incendie. Bien que jeté en prison, frappé de nombreux coups et cruellement torturé, il ne dénonça personne. À la suite de quoi, les chrétiens soutenaient avec grande force qu'il n'y avait pas là machination humaine, mais qu'en vertu d'une colère divine un feu céleste avait fondu sur le temple.

7 Tel fut donc cet événement. D'après, je pense, ce qui s'était passé à Daphné à cause du martyr Babylas, l'empereur, ayant appris qu'il y avait des maisons de prière en l'honneur de martyrs dans le voisinage du temple d'Apollon Didyméen, qui est devant Milet, écrivit au gouverneur de la Carie, dans le cas où elles auraient

tation chrétienne de l'événement : Babylas ayant prié Dieu d'envoyer son feu sur le temple, ce «feu intelligent» (§ 94) a dévoré l'idole, mais laissé les murs debout pour donner une leçon aux générations suivantes. Sozomène a repris ces détails, mais sans en tirer, du moins explicitement, le même enseignement, ce qui eût entraîné trop ouvertement le récit historique vers l'apologétique.

4. Les païens et d'abord Julien (*Misop.* 33, 361c, éd. Y. Courtonne, *CUF*, p. 187) croyaient naturellement à la culpabilité de chrétiens ulcérés par le transfert du corps de Babylas. Les gardiens du temple furent torturés sur l'ordre de Julius Julianus, le comte d'Orient. Mais l'enquête n'aboutit pas : cf. PETIT, p. 206-207. AMM. 22, 13, 1-3 conclut aussi à un *non liquet*, mais laisse voir finalement sa préférence pour un incendie accidentel dû à une imprudence du philosophe Asclépiades.

ἱερὰν ἔχουσι, πυρὶ καταφλέξαι, εἰ δὲ ἡμίεργά ἐστι τὰ οἰκοδομήματα, ἐκ βάθρων ἀνασκάψαι.

21

1 Ἐμοὶ δὲ τῶν ἐπὶ Ἰουλιανοῦ συμβάντων κἀκεῖνο ῥητέον, σημεῖον μὲν τῆς τοῦ Χριστοῦ δυνάμεως, τεκμήριον δὲ τῆς εἰς τὸν κρατοῦντα θεομηνίας. Ἐπεὶ γὰρ ἔγνω ἐν Καισαρείᾳ **228** τῇ Φιλίππου (Φοίνισσα δὲ αὕτη | πόλις ἣν Πανεάδα ὀνομάζουσιν) ἐπίσημον εἶναι Χριστοῦ ἄγαλμα, ὃ τοῦ πάθους ἀπαλλαγεῖσα ἀνέθηκεν ἡ αἱμορροοῦσα, καθελὼν τοῦτο ἴδιον ἀντέστησε. **2** Βίαιον δὲ πῦρ ἐξ οὐρανοῦ πεσὸν τὰ περὶ τὸ στῆθος τοῦ ἀνδριάντος διέτεμε καὶ τὴν κεφαλὴν σὺν τῷ αὐχένι κατέβαλε καὶ ἐπὶ πρόσωπον ἐνέπηξεν ᾗ τὸ διερρωγὸς τοῦ στέρνου ἐστί· καὶ τὸ ἐξ ἐκείνου εἰσέτι νῦν τοιοῦτος ἕστηκε τῆς κεραυνίας αἰθάλης πλήρης. **3** Τὸν δὲ τοῦ Χριστοῦ ἀνδριάντα τότε μὲν οἱ Ἑλληνισταὶ σύροντες κατέαξαν, μετὰ δὲ ταῦτα οἱ Χριστιανοὶ συλλέξαντες ἐν τῇ

1. Outre le sanctuaire delphique, on connaît surtout les sanctuaires de Claros et de Didymes. La lettre au gouverneur de la Carie est peut-être le n° 88 de J. Bidez, p. 149-151. Elle aurait alors été envoyée d'Antioche après l'incendie du temple : l'empereur, alerté par le flamine de la cité de Milet, s'en prend violemment au gouverneur de Carie, coupable d'avoir fait fustiger un prêtre païen, et le sanctionne par une suspension religieuse de trois mois, en sa double qualité de souverain Pontife et de « prophète de Didymes ». La lettre est tronquée (par un copiste chrétien?) de son début : peut-être contenait-il l'ordre de détruire les sanctuaires chrétiens dans la région de Milet ou même dans l'ensemble de la province.

2. Césarée Panias ou Césarée de Philippe est une localité de Phénicie au pied du Mont Hermon aux sources du Jourdain. Panias (ou Panion), le nom grec le plus ancien, vient de l'existence d'une grotte consacrée au dieu Pan. C'est Philippe, tétrarque de Trachonitis et fils d'Hérode – auquel Auguste avait fait don en -20 de la ville et de son territoire –, qui en fit une cité importante et lui donna, en l'honneur d'Auguste, le nom de Césarée. Pour la distinguer des cités du même

toit et autel, de les brûler et, dans le cas où les bâtiments seraient à demi-achevés, de les détruire de fond en comble[1].

Chapitre 21

La statue du Christ à Panéas que Julien fait abattre et réduit à néant pour ériger sa propre statue; cette statue est détruite, frappée par la foudre; la source d'Emmaüs, où le Christ se lava les pieds; l'arbre Persis qui en Égypte adora le Christ; les miracles accomplis grâce à lui.

1 Parmi les événements du temps de Julien, il me faut dire encore celui-ci, qui est un signe de la puissance du Christ, et d'autre part une preuve de la colère divine contre le prince. Comme il avait appris qu'à Césarée de Philippe[2] – c'est une ville phénicienne qu'on nomme Panéas – il y avait une statue célèbre du Christ, qu'avait offerte l'hémorroïsse après qu'elle eut été délivrée de son mal[3], il l'abattit et dressa à sa place la sienne propre. **2** Or un feu violent tombé du ciel coupa en deux la statue à hauteur de la poitrine, renversa la tête avec le cou, et la ficha au sol, face contre terre, au point de la brisure du sternum; et depuis lors maintenant encore tel se dresse Julien, couvert de la suie de la foudre. **3** Quant à la statue du Christ, les païens alors la tirèrent et la brisèrent, mais après cela les chrétiens en rassemblèrent les morceaux et les déposèrent dans l'église, où

nom, les auteurs, à partir du Ier siècle, l'appellent Césarée de Philippe. Au IVe s., c'était le siège d'un évêché. C'est aujourd'hui le village de Bânyas : *PW*, III, 1, 1897, c. 1290-1291, Caesarea 9 BENZINGER.

3. Cette femme, souffrant depuis douze ans d'un mal que les médecins étaient impuissants à guérir, fut « sauvée par sa foi » : voir les récits de *Mt* 9-20-22, de *Mc* 5, 25-34 – le plus détaillé –, de *Lc* 8, 43-48.

ἐκκλησίᾳ ἀπέθεντο, ἔνθα καὶ νῦν φυλάττεται. Ἀπὸ δὲ τῆς βάσεως ἐφ' ᾗ ἵστατο οὗτος ὁ ἀνδριάς, ὡς ἱστορεῖ Εὐσέβιος, παντοίων παθῶν καὶ νοσημάτων ἀλεξίκακον φάρμακον βοτάνη τις ἔφυεν, ἧς τὸ εἶδος οὐδὲ εἷς ἔγνω τῶν ἐν τῇ καθ' ἡμᾶς οἰκουμένῃ ἰατρῶν ἢ ἐμπείρων. **4** Ἐμοὶ δὲ δοκεῖ μηδὲν εἶναι θαῦμα τοῦ θεοῦ τοῖς ἀνθρώποις ἐπιδημήσαντος καὶ τὰς εὐεργεσίας συμβῆναι ξένας. Ἐπεὶ καὶ ἄλλα πλεῖστα παράδοξα κατὰ πόλεις καὶ κώμας, ὡς εἰκός, μόνοις ἠκρίβωται τοῖς ἐπιχωρίοις ἐκ τῆς ἀρχῆθεν παραδόσεως ἐγνωσμένα · καὶ ὡς ἀληθὲς τοῦτο, αὐτίκα ἐπιδείξω ἐντεῦθεν.

5 Πόλις ἐστὶ τῆς Παλαιστίνης ἡ νῦν καλουμένη Νικόπολις. Ταύτην δὲ ἔτι κώμην οὖσαν οἶδεν ἡ θεία τῶν εὐαγγελίων βίβλος καὶ Ἐμμαοῦς προσαγορεύει, Ῥωμαῖοι δὲ μετὰ τὴν ἅλωσιν Ἱεροσολύμων καὶ τὴν κατὰ τῶν 1281 Ἰουδαίων νίκην | Νικόπολιν ἀνηγόρευσαν, ἐκ δὲ τοῦ συμβάντος οὕτως ὠνόμασαν. **6** Πρὸ ταύτης τῆς πόλεως παρὰ τὴν τριοδίαν, ἔνθα συμβαδίζων ὁ Χριστὸς τοῖς περὶ Κλεόπαν μετὰ τὴν ἐκ νεκρῶν ἀνάστασιν συνετάττετο ὡς ἐπὶ ἑτέραν κώμην σπεύδων, πηγή τίς ἐστι σωτήριος, ἐν

1. On peut croire que la tradition s'est élaborée précisément autour de cette église (l'église épiscopale de Césarée de Philippe?). En tout cas, la même tradition est rapportée par PHILOSTORGE *H.E.* VII 3 et VII 3a *Artemii Passio* 57 (éd. Bidez-Winkelmann, *GCS*, p. 78-80). EUSÈBE, *H.E.* VII, 17 et 18, mentionné un peu plus loin comme source de l'histoire de la miraculeuse plante panacée, rapporte en les enchaînant l'une à l'autre les trois histoires : celle d'Astyrius, sénateur romain, qui détourna par un miracle les païens de leur superstition, à «Césarée de Philippe que les Phéniciens appellent Paneas»; celle de l'hémoroïsse et des deux statues se faisant face, représentant l'une l'hémorroïsse, l'autre une figure masculine (le Christ?); et, pour finir, celle de la plante guérisseuse.

2. Cette ville de Palestine, anciennement Emmaus/Ammaus, était devenue à l'époque chrétienne une «cité remarquable» d'après Eusèbe et le siège d'un évêché : cf. *PW,* XVII, 1, 1936, c. 533-535, Nicopolis 6 HÖLSCHER.

3. L'Évangile de Luc 24, 13 est le seul à rapporter, «sans doute à partir d'une tradition ancienne, l'apparition de Jésus à deux disciples inconnus par ailleurs» (Nouveau Testament, TOB, p. 277, note a). Ceux-ci se rendaient à un village du nom d'Emmaüs, «à deux heures de

on la conserve aujourd'hui encore[1]. De la base sur laquelle se dressait cette statue, poussait une plante, comme le raconte Eusèbe, qui servait d'antidote à toutes sortes de maux et de maladies : de cette plante, pas un seul des médecins ou gens compétents de notre Empire n'a su reconnaître l'espèce. **4** Il me semble à moi qu'il n'y a rien d'étonnant, puisque Dieu est venu résider chez les hommes, que ses bienfaits aussi se produisent de façon étrange. Aussi bien, un très grand nombre d'autres faits extraordinaires dans les villes et les bourgades ne sont connus exactement, comme il est naturel, que par les habitants du lieu, transmis par la tradition qui remonte aux origines : que ce soit vrai, je vais le montrer aussitôt par ceci.

5 Il y a une ville de Palestine aujourd'hui appelée Nicopolis[2]. Le divin livre des Évangiles la connaît – elle n'était alors que bourgade – et il la nomme Emmaüs[3]; les Romains, après la prise de Jérusalem et la victoire sur les juifs, l'appelèrent Nicopolis : c'est d'après l'événement qu'ils la nommèrent ainsi[4]. **6** Devant cette ville, au carrefour où le Christ, marchant avec Cléophas et ses compagnons après la résurrection d'entre les morts, lui faisait ses adieux comme s'il se rendait à un autre village, il y a une source guérisseuse où les hommes, en se

marche de Jérusalem». On identifie souvent Emmaüs avec l'actuelle localité de Amwas à une trentaine de km à l'ouest de Jérusalem. Mais la leçon la plus couramment attestée du texte biblique dit «à 60 stades», ce qui correspond à 12 km. Cependant, quelques témoins manuscrits disent « à 160 stades», ce qui correspondrait à la distance de Amwas à Jérusalem.

4. Sozomène croit pouvoir se fonder sur FLAVIUS JOSÈPHE, *bell. iud.* VII, 217 (éd. B. Niese, Berlin, 1955, p. 598-599), alors que celui-ci rapporte seulement que «Vespasien donna à ses soldats, pour qu'ils établissent une colonie, un lieu qu'on appelle Ammaus, à trente stades de Jérusalem». En fait, l'application à Emmaus/Ammaus du nom de Nicopolis ne date que de l'époque d'Élagabale ou d'Alexandre Sévère (milieu du IIIe siècle) : cf. *PW* XVII, 1, 1936, c. 534, N. 6 HÖLSCHER.

ᾗ τὰ πάθη ἀπολούονται ἄνθρωποί τε καὶ τὰ ἄλλα ζῷα διαφόροις νόσοις κάμνοντα. **7** Λέγεται γὰρ ἐξ ὁδοιπορίας ποθὲν ἐπὶ τὴν πηγὴν ἐλθόντα τὸν Χριστὸν ἅμα τοῖς **229** μαθηταῖς | ἐνθάδε ἀπονίψασθαι τοὺς πόδας, καὶ τὸ ἐξ ἐκείνου ἀλεξίκακον παθημάτων γενέσθαι τὸ ὕδωρ.

8 Καὶ δένδρου δὲ τῆς καλουμένης περσίδος ἐν Ἑρμουπόλει τῆς Θηβαΐδος φασὶ πολλῶν ἀπελάσαι τὰς νόσους κάρφος ἢ φύλλον ἢ τοῦ φλοιοῦ μικρόν τι τοῖς κάμνουσι προσαπτόμενον. **9** Λέγεται γὰρ παρ' Αἰγυπτίοις, ἡνίκα διὰ τὸν Ἡρῴδην ἔφυγεν ὁ Ἰωσὴφ παραλαβὼν τὸν Χριστὸν καὶ Μαρίαν τὴν ἁγίαν παρθένον, ἐλθεῖν εἰς τὴν Ἑρμούπολιν, ἅμα δὲ εἰσιόντι παρὰ τὴν πύλην μὴ ἐνεγκὸν τοῦτο τὸ δένδρον μέγιστον ὂν τοῦ Χριστοῦ τὴν ἐπιδημίαν ἐπὶ τὸ ἔδαφος κλῖναι καὶ προσκυνῆσαι. **10** Καὶ ταῦτα μὲν περὶ τούτου τοῦ φυτοῦ παρὰ πολλῶν ἀκούσας εἶπον· ἡγοῦμαι δὲ ἢ σημεῖον τοῦτο γενέσθαι τῆς ἐν τῇ πόλει τοῦ θεοῦ παρουσίας, ἢ ὡς εἰκὸς Ἑλληνικῷ νόμῳ διὰ μέγεθος καὶ κάλλος θρησκευόμενον τὸ δένδρον παρὰ τῶν ἐνοικούντων, ἐσείσθη τοῦ θεραπευομένου δι' αὐτοῦ δαίμονος φρίξαντος τὸν τῶν τοιούτων καθαιρέτην· ἐπεί φασιν αὐτομάτως σεισθῆναι καὶ πάντα τὰ ξόανα τῶν Αἰγυπτίων ἐπιδημήσαντος αὐτοῖς τότε τοῦ Χριστοῦ κατὰ τὴν τοῦ Ἡσαΐου προφητείαν. **11** Ἀπελαθέντος δὲ τοῦ δαίμονος εἰς

1. Sozomène se fonde encore sur une tradition orale, qui enregistre un miracle en le mettant en rapport avec un épisode de la vie du Christ. L'Évangile de Luc, 24, 13 donne bien le nom de Cléophas et rapporte bien aussi que Jésus, ayant l'intention de se rendre dans un autre village, s'apprêtait à quitter ses deux compagnons, mais qu'accédant à leurs prières, il les accompagna à Emmaüs et, fractionnant le pain, fut alors reconnu d'eux. Mais il n'indique pas que le Christ s'y lava les pieds à une fontaine, la rendant ainsi guérisseuse.

2. S'agit-il d'un arbre unique nommé Persis ou d'un arbre persique, autrement dit d'origine perse, le pêcher? Là encore, Sozomène précise qu'il rapporte une tradition orale en faveur chez les Égyptiens (dans l'Église copte?). On peut, comme lui, en rapprocher le miracle rapporté dans l'*Historia monachorum in Aegypto* 8, 1 (éd. A.-J. FESTUGIÈRE, dans *Subsidia hagiographica* 53, p. 46) : «Nous avons vu aussi un autre saint

lavant, se débarrassent de leurs maux, et pareillement les bêtes atteintes de diverses maladies. **7** On dit en effet qu'un jour le Christ, au terme d'une marche, étant arrivé à cette fontaine avec ses disciples, s'y lava les pieds, et depuis ce temps, l'eau est devenu un antidote contre les maladies[1].

8 De même pour l'arbre appelé Persis qui se trouve à Hermoupolis de Thébaïde[2] : on chasse les maladies de beaucoup de gens, dit-on, si l'on en applique un brin, une feuille, un petit morceau d'écorce aux mal portants. **9** Voici en effet ce qu'on raconte chez les Égyptiens : quand, à cause d'Hérode, Joseph s'enfuit avec le Christ et la Sainte Vierge Marie, il arriva à Hermoupolis et, comme il allait y entrer, près de la porte, cet arbre, qui est très grand, incapable de soutenir la venue du Christ, s'inclina jusqu'au sol et se prosterna. **10** Voilà ce que j'ai entendu dire à beaucoup de gens sur cet arbre et je le rapporte. Mais, à mon avis, ou bien ce fut un signe de la présence de Dieu dans la ville, ou bien, comme il est vraisemblable, l'arbre était objet de vénération par les habitants, selon l'usage païen, pour sa taille et sa beauté, et il fut pris de tremblement, le démon honoré à travers l'arbre ayant frissonné à la vue du destructeur des démons : aussi bien, dit-on, toutes les statues aussi des Égyptiens tremblèrent d'elles-mêmes lorsque le Christ vint chez eux, selon la prophétie d'Isaïe[3]. **11** Le démon une

homme du nom d'Apollô, aux confins d'Hermoupolis en Thébaïde où le Sauveur est allé avec Marie et Joseph, en accomplissement de la prophétie d'Isaïe... De fait nous avons vu la-bas le temple où, à l'entrée du Sauveur, toutes les idoles tombèrent face contre terre. » Sur Hermoupolis magna en Thébaïde, la ville du dieu égyptien Toth, voir *PW*, VIII, 1, 1912, c. 902 PIEPER.

3. Sozomène peut se référer directement à l'interprétation chrétienne du texte d'Isaïe, 19, 1 : « Voici, l'Éternel est monté sur une nuée rapide, il vient en Égypte ; et les idoles de l'Égypte tremblent devant lui », mais, plus probablement, il passe par l'intermédiaire de l'*Historia monachorum* 8, 1 qui donne aussi le texte du prophète.

μαρτυρίαν τοῦ συμβεβηκότος ἔμεινε τὸ φυτόν, τοὺς πίστει χρωμένους ἰώμενον. Καὶ τούτων μὲν Αἰγύπτιοι καὶ Παλαιστῖνοι τοῦ παρ' αὐτοῖς ὄντος ἕκαστοι μάρτυρες.

22

1 Ὁ δὲ βασιλεὺς εἰ καὶ Χριστιανοὺς ἐμίσει καὶ χαλεπῶς
1284 πρὸς αὐτοὺς εἶχεν, ἀλλ' οὖν Ἰουδαίοις εὔνους ἦν | καὶ πρᾶος, καὶ πατριάρχαις καὶ ἀρχηγοῖς αὐτῶν καὶ αὐτῷ δὲ τῷ πλήθει ἔγραφεν εὔχεσθαι ὑπὲρ αὐτοῦ καὶ τῆς αὐτοῦ βασιλείας. **2** Ἐποίει δὲ τοῦτο οὐ τὴν θρησκείαν, ὡς εἰκάζω, ἐπαινῶν (ᾔδει γὰρ μητέρα ταύτην, ὡς εἰπεῖν, τοῦ Χριστιανῶν

1. Étant donné l'emploi du pluriel, il ne s'agit pas du Patriarche suprême (*nassi*), pris dans la famille de Hillel (à l'époque de Julien, Hillel II, fils de Judah III, auquel la tradition juive médiévale attribue la divulgation des secrets de l'intercalation dans le calendrier juif en 358-359) et résidant à Tibériade, mais des membres du Sanhédrin qu'il préside, eux aussi nommés honorifiquement «patriarches» (voir la lettre 1097 de Libanius adressée «aux patriarches» et M. STERN, *Greek and Latin Authors on Jews and Judaism*, t. II, Jérusalem, 1980, p. 562-567 et 594). Pour donner le plus large écho à son projet et lui obtenir le plus vaste soutien, l'empereur dut s'adresser au grand Sanhédrin, instance juridique et religieuse couvrant toute la Palestine, plutôt qu'au seul Sanhédrin de la cité d'Antioche, malgré l'importance numérique et la prospérité de la communauté juive qui y était établie depuis des siècles.

2. Cette démarche de Julien trouve confirmation dans une lettre adressée au «koinon des Juifs» (*lettre* 204, 396d-398, dans *Iuliani Imperatoris Epistulae Leges Poematia Fragmenta uaria*, éd. J. Bidez - F. Cumont, 1922) dont l'authenticité est discutée. Le texte est donné, traduit et commenté par M. STERN, *Greek and Latin Authors...*, p. 559, n° 486 a : après avoir indiqué qu'il a demandé à son «frère» le patriarche, nommé ici Iulos, de renoncer à taxer ses coreligionnaires, l'empereur conclut : «Ainsi, vous pourrez offrir des prières plus ferventes pour mon règne au Dieu Très Haut.» Cela paraît signifier : «Vous pourrez consacrer l'économie de la taxe au financement de la restauration du Temple.» La lettre serait un faux forgé par un juif d'après Bidez-Cumont (elle est indiquée comme Ps. Iul. dans l'apparat des sources de l'éd. Bidez-Hansen de Sozomène). J. BOUFFARTIGUE, p. 395 est

fois chassé, l'arbre resta là pour témoigner de ce qui s'était passé, et il guérit ceux qui font preuve de foi. Égyptiens et Palestiniens attestent ces prodiges, chacun de ces peuples témoignant pour ce qui se trouve chez lui.

Chapitre 22

En rage contre les chrétiens,
Julien va jusqu'à permettre aux juifs
de relever le temple de Jérusalem ;
tandis que les juifs y mettent la main avec tout leur zèle,
un feu jaillissant soudain fait périr beaucoup de gens.
Des signes de la Croix apparaissent alors
sur les vêtements de ceux qui s'appliquent au travail.

1 L'empereur, malgré sa haine des chrétiens et son hostilité à leur égard, était du moins bienveillant et doux à l'égard des juifs et il écrivait à leurs patriarches et dirigeants[1], et aussi au peuple même, de prier pour lui et pour son règne[2]. **2** Il agissait ainsi, non, comme je le conjecture, par estime pour leur religion – il savait bien qu'elle était mère, pour ainsi dire, du christianisme et que

du même avis. En revanche, Cl. AZIZA, «Julien et le judaïsme», dans *L'empereur Julien...* t. 1, édd. R. Braun - J. Richer, p. 141-158, penche pour l'authenticité du seul écrit où «se trouve l'essentiel des mesures politiques prises par Julien en faveur de ses sujets juifs» (p. 150 s.). A. FREUND, «Which Christians, Pagans and Jews? Varying Responses to Julian's Attempt to rebuild the Temple of Jerusalem in the fourth Century C. E», dans *Journal of Religious Studies*, 18, 1992, p. 67-93, notamment p. 68-70, invoque des documents récemment découverts, épigraphiques, papyrologiques, ainsi que l'interprétation de textes et d'allusions rabbiniques contenus dans le Talmud de Jérusalem, en faveur de l'authenticité de cette *lettre* de Julien (qui pourrait être datée de février 363). Remarquer que Julien y exprime l'intention de favoriser la reconstruction de Jérusalem et non pas spécialement celle du Temple.

δόγματος καὶ προφήταις καὶ πατριάρχαις τοῖς αὐτοῖς χρωμένην), ἀλλ' ὅτι μίσους ἀσπόνδως πρὸς αὐτοὺς εἶχον οἱ 'Ιουδαῖοι · καὶ τῇ πρὸς τούτους θεραπείᾳ λυπεῖν **230** ἐσπούδαζεν | οἷς ἀπηχθάνετο. **3** Ἴσως δὲ καὶ πρὸς Ἑλληνισμὸν καὶ θυσίας ἑτοιμότερον αὐτοὺς ἐπάγεσθαι ᾤετο πρὸς ῥητὸν μόνον ἐκδεχομένους τὰς ἱερὰς βίβλους, οὐ πρὸς θεωρίαν, ὡς οἱ Χριστιανοὶ καὶ αὐτῶν Ἑβραίων οἱ σοφώτεροι. Ἔδειξε δὲ ταύτην ἔχων τὴν γνώμην οἷς ἐπεχείρησε. **4** Μετακαλεσάμενος γὰρ τοὺς ἐξάρχους τοῦ ἔθνους προὐτρέψατο θύειν, Μωσέως νόμων καὶ πατρίων ἐθῶν ὑπομιμνήσκων. Τῶν δὲ φησάντων κατερριμμένου τοῦ ἐν Ἱεροσολύμοις ναοῦ μὴ θεμιτὸν μηδὲ πάτριον ἐκπεπτωκόσι τῆς μητροπόλεως ἑτέρωθι τοῦτο ποιεῖν,

1. Dans la faveur de Julien pour le judaïsme, la haine contre le christianisme jouait un rôle, peut-être le principal. Mais il compatissait aussi à la situation des juifs et admirait leur fidélité à leur Dieu (*lettre* 89a 453d), «ethnarque», à ses yeux légitime, et leurs coutumes ancestrales, notamment la pratique des sacrifices. Il admirait aussi leur solidarité charitable : «Les juifs n'ont pas un mendiant» (*lettre* 84 430 b-d, éd. J. Bidez I, 2, p. 145). Dans son *Contre les Galiléens* 306 B, il écrit : «Tout le reste» – sauf leur monothéisme – «nous est commun, à eux et à nous, les temples, les enceintes sacrées, les autels, les purifications et certaines observances au sujet desquelles nous ne différons entre nous ou pas du tout ou presque pas.» Dans le cadre d'une politique générale de restauration des temples, des intentions pragmatiques liées à l'actualité – s'appuyer sur les juifs d'Antioche pour contrecarrer les chrétiens de cette cité, renforcer le loyalisme des juifs de l'Empire, désarmer la résistance des juifs de Mésopotamie qui vivaient en paix dans la Perse qu'il s'apprêtait à envahir – ne sont pas exclues : voir C. AZIZA, «Julien et le judaïsme», dans BRAUN-RICHER, p. 141-158 et R.A. FREUND, «Which Christians, Pagans and Jews?...», dans *Journal of Religious Studies,* 18, 1992, p. 67-93, notamment p. 79-80.

2. Julien n'a jamais eu l'espoir de convertir les juifs farouchement monothéistes au polythéisme des Hellènes, contrairement à ce qui est dit ici à la suite de JEAN CHRYSOSTOME, *Contre les Juifs,* Homélie 5,

juifs et chrétiens avaient mêmes prophètes et patriarches –, mais parce que les juifs haïssaient les chrétiens d'une haine implacable ; et de la sorte, par sa sollicitude envers les juifs, il mettait son zèle à chagriner ceux qu'il abominait[1]. **3** Peut-être aussi pensait-il les amener plus facilement au paganisme et aux sacrifices du fait qu'ils ne prennent les Saints Livres que selon la lettre du texte, non selon l'exégèse allégorique, comme font les chrétiens et les plus sages parmi les Hébreux eux-mêmes[2]. Il montra qu'il avait cette idée par les choses qu'il entreprit. **4** Ayant convoqué en effet les exarques du peuple[3], il les exhorta à sacrifier, leur remettant en mémoire lois de Moïse et coutumes ancestrales. Comme ils lui avaient répondu que, le Temple de Jérusalem ayant été renversé, il ne leur était ni permis ni traditionnel, puisqu'ils avaient été rejetés de la métropole, de sacrifier ailleurs, il leur

11 : « Il ne négligea rien... pour faciliter aux Juifs l'offrande de leurs sacrifices, dans l'espoir de les amener aisément de là au culte des idoles. » Il aurait compté, prétend Sozomène, sur leur incapacité à dépasser l'interprétation littérale des Écritures. L'opposition entre τὸ ῥητόν et θεωρία, synonyme d'ἀλληγορία chez les Pères alexandrins et cappadociens, dévalorise l'interprétation historique au profit de l'exégèse allégorique – celle d'Origène (cf. « comme font les chrétiens ») et celle de Philon (cf. « les plus sages parmi les Hébreux eux-mêmes »).

3. Exarque n'a pas le sens technique d'un titre ou d'une fonction propre aux juifs, contrairement à exilarque, ethnarque, patriarche(s), archonte, apôtre... Le mot est employé ici au sens général de « chef », d'« autorité », comme il a été utilisé en *H.E.* IV, 23, 3 pour désigner les chefs du Sénat de Constantinople. Sozomène ne pourrait pas appliquer sans anachronisme ni impropriété aux juifs le sens que prend le titre d'exarque à partir du ve s. dans les églises orientales, celui de dignitaire religieux intermédiaire entre le patriarche et l'archevêque (ou métropolitain).

χρήματα δοὺς κοινὰ ἐκέλευσεν ἐγείρειν τὸν νεὼν καὶ τοῖς προγόνοις ἐπίσης θρησκεύειν, τὸν παλαιὸν τρόπον θύοντας. **5** Οἱ μὲν οὖν μὴ λαβόντες εἰς νοῦν, ὡς οὐκ ἐνεχώρει κατὰ τὰς ἱερὰς προφητείας τοῦτο γενέσθαι, σπουδῇ τοῦ ἔργου εἴχοντο. Καὶ τοὺς ἐπιστήμονας τῶν τεκτόνων ἀγείραντες τὰς ὕλας παρεσκευάζοντο καὶ τὸν χῶρον ἐκάθαιρον. Σὺν τοσαύτῃ τε προθυμίᾳ περὶ ταῦτα ἐπόνουν, ὡς καὶ τὰς αὐτῶν γυναῖκας τὸν χοῦν τοῖς κόλποις ἐκφορεῖν, περιδέραιά τε καὶ πάντα τὸν ἄλλον γυναικεῖον κόσμον συνεισφέρειν ἑτοίμως τῇ δαπάνῃ τοῦ ἔργου. **6** Πάντα δὲ δεύτερα ἦν τοῦ πονουμένου βασιλεῖ καὶ τοῖς ἄλλοις Ἕλλησι καὶ πᾶσιν Ἰουδαίοις· οἱ μὲν γὰρ οὔτε Ἰουδαίοις εὐνοοῦντες ἐκοινώνουν αὐτοῖς τῆς σπουδῆς, ὑπολαβόντες δύνασθαι κατορθοῦν τὸ ἐγχείρημα καὶ ψευδεῖς ἀπελέγξαι τοῦ Χριστοῦ τὰς προρρήσεις, οἱ δὲ ἅμα τοῦτο διενοοῦντο καὶ καιρὸν ἔχειν ᾤοντο ἀναστήσειν τὸ ἱερόν. **7** Ἐπεὶ δὲ

1. Julien ne se contenta pas de faire détaxer les juifs par le patriarche de Palestine (peut-être Iulos mentionné dans une inscription de Tibériade datée du IVe s.), pour leur permettre de consacrer la somme non déboursée à la reconstruction du Temple. Il puisa lui-même plus que largement dans le trésor public (cf. AMM. 23, 1, 2 *ambitiosum quondam apud Hierosolyma templum... instaurare sumptibus cogitabat immodicis* : « Il songeait à restaurer avec des dépenses immodérées le temple autrefois magnifique de Jérusalem »), il affecta des ouvriers à l'ouvrage, le fit superviser par une haute personnalité d'Antioche, Alypius, secondé par le gouverneur de Palestine (AMM. 23, 1, 3). Dans le même sens, JEAN CHRYSOSTOME, *Contre les juifs,* V, 11 : « Julien ne ménagea pas l'argent; il mit à la tête de cette entreprise les personnages les plus distingués; il rassembla les ouvriers de tous côtés. »

2. Cette résolution est attestée non seulement par la conclusion de la très discutée *lettre* 204 (« Quand j'aurai conclu victorieusement la guerre avec la Perse, je reconstruirai par mes propres efforts la cité sacrée de Jérusalem... et avec vous, je pourrai glorifier le Dieu très Haut »), mais par le fragment de la lettre, écrite au cours de l'expédition en Perse (avril 363?), conservé par Jean Lydus, *de mens.* 4, éd. Wünsch, p. 110, 4, reproduit par J. Bidez, I, 2, p. 197 : « Je mets tout mon zèle à relever le temple du Dieu très Haut. »

3. Celle de Daniel 9, 27 – « le peuple d'un chef qui viendra détruira la ville et le sanctuaire, et sa fin arrivera comme une dévastation » –,

donna de l'argent du trésor public[1], ordonna de restaurer le Temple[2] et d'y pratiquer leur religion comme leurs ancêtres, en sacrifiant selon l'ancien mode. **5** Eux alors, sans se rappeler que, d'après les saintes prophéties[3], la chose ne pouvait avoir lieu, se mirent en hâte à l'ouvrage. Ayant rassemblé des architectes experts, ils préparaient les matériaux et nettoyaient l'emplacement. Ils y travaillaient avec tant d'ardeur que même leurs femmes emportaient les déblais dans les plis de leurs robes, et qu'elles offraient avec empressement leurs colliers et le reste des parures féminines en contribution à la dépense de l'ouvrage[4]. **6** Tout était, par rapport à cette peine, secondaire pour l'empereur, pour les autres païens et pour tous les juifs : les uns s'associaient à leur zèle non par bienveillance pour les juifs, mais parce qu'ils pensaient que l'entreprise pourrait réussir et ainsi convaincrait de mensonge les prédictions du Christ ; les autres avaient cela en tête et en même temps ils jugeaient l'occasion bonne pour restaurer le Temple. **7** Quand ils eurent

mais plutôt celle du Christ – *Mt* 24, 2 « Il leur dit : Voyez-vous tout cela (= les constructions du Temple) ? Je vous le dis en vérité, il ne restera pas ici pierre sur pierre qui ne soit renversée » ; *Mc* 13, 2 : « Jésus lui répondit : Vois-tu ces grandes constructions ? Il ne restera pas pierre sur pierre qui ne soit renversée » ; *Lc* 19, 44 Jésus pleurant sur Jérusalem : « Il viendra sur toi des jours où tes ennemis t'environneront de tranchées, t'enfermeront et te serreront de toutes parts ; ils te détruiront, toi et tes enfants au milieu de toi, et ils ne laisseront pas en toi pierre sur pierre. »

4. La source est GRÉGOIRE, *disc.* 5, 4, éd. J. Bernardi, *SC* 309, p. 298-303 : « On raconte – ce sont leurs admirateurs qui le disent – que non seulement les femmes firent immédiatement le sacrifice de toutes leurs parures... mais qu'elles allèrent jusqu'à porter la terre dans les plis de leurs robes. » Les travaux de déblaiement et de fondation du nouveau temple sont aussi décrits ou évoqués par JEAN CHRYSOSTOME, *Contre les juifs,* Homélie 5, 11 ; *Discours sur Babylas,* 119 ; RUFIN, *H.E.* X, 38-39 ; PHILOSTORGE, *H.E.* VII 9 et 9a ; SOCRATE, *H.E.* III, 20, 3-6 ; THÉODORET, *H.E.* III, 20, 1-3.

τῆς προτέρας οἰκοδομίας τὰ λείψανα καθεῖλον καὶ ἀνέσκαψαν καὶ τὸ ἔδαφος ἐξεκάθηραν, λέγεται τῆς ἐπιούσης, καθ' ἣν πρῶτον θεμέλιον ἤμελλον ὑποτίθεσθαι, σεισμὸν
231 γενέσθαι μέγαν, ὑπὸ δὲ κλόνου | τῆς γῆς ἐκ βάθρων
1285 ἀναδο|θῆναι τοὺς λίθους, Ἰουδαίων δ' ἀπολέσθαι οἳ τὸ ἔργον ἐπετρόπευον καὶ ἐπὶ θέᾳ τούτου παρεγένοντο. **8** Αἵ τε γὰρ πλησίον τοῦ ἱεροῦ οἰκίαι τε καὶ δημόσιαι στοαὶ ἐν αἷς κατέλυον ἀθρόαι κατερρύησαν· καὶ οἱ πλείους ἐγκαταληφθέντες οἱ μὲν αὐτίκα ἀπώλοντο, οἱ δὲ ἡμιθνῆτες ηὑρέθησαν καὶ πεπηρωμένοι τὰ σκέλη ἢ τὰς χεῖρας, ἄλλοι δὲ περὶ ἄλλα μέρη τοῦ σώματος ἐδυστύχησαν.

9 Ὡς δὲ σείων ἔληξεν ὁ θεός, αὖθις ἐπειρῶντο τοῦ ἔργου οἱ περιλειφθέντες, οἷά γε ἀπαραιτήτου τυγχάνοντος διὰ τὸ τοῦ βασιλέως πρόσταγμα καὶ αὐτοῖς κατὰ νοῦν ὄντος. **10** Φιλεῖ γάρ πως ἡ ἀνθρωπεία φύσις ἐν τοῖς καθ' ἡδονὴν πρὸς τὸ ἀσύμφορον ῥέπειν καὶ τοῦτο μόνον συνοίσειν οἴεσθαι ὃ κατορθοῦν βούλεται· ἀτεχνῶς τε ὑπὸ τῆς ἐντεῦθεν ἀπάτης κεκρατημένη οὔτε προμηθείᾳ τινὶ τὸ συμφέρον ἰδεῖν δύναται οὔτε πείρᾳ κινδύνων σωφρονιζομένη πρὸς τὸ δέον ἀνανήφει· ὁποῖον καὶ τοῖς Ἰουδαίοις τότε συμβεβηκέναι ἡγοῦμαι. **11** Ἱκανοῦ γὰρ ὄντος τοῦ προτέρου κωλύματος καὶ φανερῶς ἐπιδείξαντος, ὡς χαλεπαίνει τὸ θεῖον ἐπὶ τῷ γινομένῳ, πάλιν ἀνήνυτα ἐσπούδαζον. Λόγος

1. En mai 363, le lendemain du début des travaux de reconstruction, et quand Julien était en plein milieu de l'expédition en Perse (J. MATTHEWS, *The Roman Empire of Ammianus*, p. 495, note 5, croit pouvoir dater le séisme précisément du 19 mai, malgré l'opinion réservée de BOWERSOCK, Appendix I, p. 120-122). A partir du récit de RUFIN, *H.E.* X, 38-40 (éd. Schwartz-Mommsen-Winkelmann, *GCS*, p. 997-998), F. THELAMON, p. 306, admet la même date et constate, p. 304 : « La réalité des phénomènes physiques n'est pas contestable » ; le séisme aurait déclenché une ou plusieurs explosions de gaz accumulés dans un local souterrain, les « écuries de Salomon », à l'angle S/E de l'Esplanade du Temple. Le témoignage d'AMM. (23, 1, 3) est, pour l'essentiel, concordant.

enlevé les restes de l'ancien bâtiment et qu'ils eurent défoncé et nettoyé le sol, on dit que le lendemain, jour où ils devaient poser les premières fondations, il y eut un grand séisme[1], que par l'agitation de la terre les pierres furent projetées hors des fondements et que périrent ceux des juifs qui dirigeaient le travail et ceux qui étaient venus pour le voir. **8** De fait, les maisons voisines du Temple et des portiques publics où ils logeaient s'effondrèrent tout d'une masse. De ceux qui y furent surpris, la plupart périrent sur le champ, d'autres furent trouvés à demi-morts et mutilés des jambes ou des mains, d'autres furent touchés en d'autres parties du corps[2].

9 Dès que Dieu eut cessé d'ébranler le sol, ceux qui avaient été épargnés se remirent à l'ouvrage, attendu qu'on ne pouvait s'y dérober vu l'ordre de l'empereur et parce qu'il répondait à leurs vœux. **10** Car d'ordinaire la nature humaine, quand elle recherche son plaisir, se laisse aller à ce qui lui est nuisible et s'imagine que rien d'autre ne lui sera utile que ce qu'elle veut réaliser : complètement dominée par l'illusion qui en résulte, ni elle n'est capable d'user de prévoyance et de voir ce qui est utile, ni elle ne se laisse assagir par l'expérience des périls et ne recouvre ses sens pour ce qu'il faudrait faire ; c'est ce qui, je pense, arriva alors aussi aux juifs. **11** Bien que le premier empêchement fût suffisant et qu'il eût ouvertement marqué que la Divinité s'irritait de ce qui s'était passé, de nouveau ils mettaient leur zèle à une entreprise irréalisable. En tout cas, dit-on, à peine avaient-ils

2. Cf. GRÉGOIRE, *disc.* 5,4, éd. J. Bernardi, *SC* 309, p. 300-301 : « Un feu venu du temple les arrêta, consuma et détruisit les uns... et laissa les autres amputés comme un vivant monument de la menace que les mouvements de Dieu font planer sur les pécheurs. »

οὖν, ἅμα τε τὸ δεύτερον ἐνεχείρουν τῷ ἔργῳ, καὶ πῦρ ἐξαίφνης ἐκ τῶν θεμελίων τοῦ ἱεροῦ ἀνέθορεν καὶ πολλοὺς ἀνάλωσε· καὶ τοῦτο πρὸς πάντων ἀδεῶς λέγεταί τε καὶ πιστεύεται καὶ παρ' οὐδενὸς ἀμφιβάλλεται, πλὴν ὅτι οἱ μέν φασιν ὅτι βιαζομένους αὐτοὺς εἰς τὸ ἱερὸν παριέναι φλὸξ ἀπαντήσασα τὸ εἰρημένον εἰργάσατο, οἱ δέ, ἅμα ἤρξαντο τὸν χοῦν ἐκφορεῖν. Ἀλλ' εἴτε τοῦτό τις εἴτε τὸ πρότερον δέξαιτο, ἑκάτερον εἰς θαῦμα παραπλήσιον.

12 Ἐπὶ τούτῳ δὲ καὶ ἄλλο ξυνηνέχθη τοῦ προτέρου σαφέστερόν τε καὶ παραδοξότερον. Αὐτομάτως γὰρ πάντων ἡ ἐσθὴς τῷ σημείῳ τοῦ σταυροῦ κατεσημάνθη, καὶ τρόπον τινὰ ἄστρασι πεποικιλμένα τὰ ἐσθήματα εἶχον ὡς ἀπὸ ἱστουργικῆς περινοίας κατεστιγμένα. **13** Ἐκ τούτου δὲ τοῖς μὲν αὐτίκα ἐκρίθη θεὸν εἶναι τὸν Χριστὸν καὶ μὴ **232** ἀρεσθῆναι τῇ ἀνανεώσει τοῦ | ναοῦ, οἱ δὲ οὐκ εἰς μακρὰν προσέθεντο τῇ ἐκκλησίᾳ καὶ ἐμυήθησαν καὶ ὕμνοις καὶ ἱκεσίαις ὑπὲρ τῶν τετολμημένων αὐτοῖς τὸν Χριστὸν

1. Ni Grégoire, ni Jean Chrysostome, ni Rufin ni Socrate ne parlent d'une seconde tentative caractérisée, signe de l'entêtement sacrilège des juifs. Pour eux – et ils sont plus proches de la vérité –, d'abord se produisit un tremblement de terre, la nuit qui précéda le début des travaux, puis le jour suivant, quand commencèrent les travaux, le jaillissement de globes de feu les interrompit de façon définitive.

2. Rufin distingue bien lui aussi, en *H.E.* X, 39, le séisme qui projeta de tout côté les blocs des fondations et démolit tous les édifices, en particulier deux portiques sous lesquels se tenaient les juifs qui furent écrasés et, en *H.E.* X, 40, un globe de feu qui, jailli d'une resserre où se trouvaient les outils et tout le nécessaire pour la construction, brûla les juifs qui se tenaient sur la place, le feu ne cessant pas de toute la journée.

3. Un autre prodige est ajouté par GRÉGOIRE, *disc.* 5, 4, éd. J. Bernardi, *SC* 309, p. 300-301 : les juifs essayèrent de se réfugier dans un des temples, mais la porte de celui-ci leur fut fermée «par une force invisible».

4. Voir GRÉGOIRE, *disc.* 5, 4 (apparition au ciel du signe de la Croix) et 7 (constellation de croix apparues sur les vêtements) :

mis pour la deuxième fois la main à l'ouvrage[1] qu'un feu soudain jaillit des fondations du Temple[2] et dévora beaucoup de gens : cela est conté et cru avec assurance par tous et n'est contesté par personne, sauf que, selon les uns, les gens s'ouvraient de force un chemin vers le Temple quand la flamme vint à leur rencontre et produisit ce que j'ai raconté, et, selon d'autres, ce fut au moment où ils commencèrent d'enlever les déblais[3]. Qu'on accepte cette version ou la précédente, l'une et l'autre tiennent également du miracle.

12 À cela s'ajouta encore un autre signe plus clair et plus extraordinaire que le précédent. Spontanément, le vêtement de tous fut marqué du signe de la Croix et d'une certaine manière leurs vêtements étaient ornés d'une bigarrure d'astres comme s'ils avaient été tachetés par une invention de l'art des tisserands[4]. **13** Par cela, les uns jugèrent aussitôt que le Christ était Dieu et qu'il était fâché de la restauration du Temple, les autres, peu après, s'adjoignirent à l'Église, furent baptisés, et, par des hymnes et des supplications, ils cherchaient à apaiser le Christ

« Que les spectateurs et les témoins de ce miracle montrent aujourd'hui encore leurs habits qui ont été alors constellés de croix. Au moment en effet où quelqu'un racontait ces événements..., il voyait le prodige s'accomplir sur lui-même ou sur son voisin, il était lui-même couvert de signes ou il les voyait sur les vêtements de l'autre avec des couleurs dont la variété défiait ce que peut produire n'importe quel travail de tisserand ou de peintre » (éd. J. Bernardi, *SC* 309, p. 304-305). Sozomène n'a retenu des deux signes (l'un dans le ciel, l'autre sur terre) que le second, plus propre à une description frappante dont il a emprunté les termes mêmes (la comparaison avec le travail des tisserands) à Grégoire. THÉODORET, *H.E.* III, 20, (éd. Parmentier-Hansen, *GCS*, p. 198-200), surenchérit : les croix apparues sur les vêtements des juifs n'étaient pas brillantes, mais de couleur sombre !

ἱλάσκοντο. **14** Ταῦτα ὅτῳ πιστὰ οὐ καταφαίνεται, πιστούσθωσαν οἱ παρὰ τῶν θεασαμένων ἀκηκοότες ἔτι τῷ βίῳ περιόντες, πιστούσθωσαν δὲ καὶ Ἰουδαῖοι καὶ Ἕλληνες ἡμιτελὲς τὸ ἔργον καταλιπόντες, μᾶλλον δὲ οὐδὲ ἄρξασθαι τοῦ ἔργου δυνηθέντες.

1. Sozomène adopte un cliché du prosélytisme chrétien, fondé sur le *topos* de la peur salutaire, que lui impose sa source principale, GRÉGOIRE, *disc.* 5, 7 : « Peu s'en fallut que tous sans exception, comme s'ils obéissaient à un même mot d'ordre... n'invoquent le Dieu des chrétiens, ne s'efforcent de l'apaiser en le comblant de louanges et de supplications. Beaucoup sans différer davantage coururent auprès de nos prêtres : ils entrèrent dans l'Église... sauvés par la peur » (éd. J. Ber-

pour leur forfait[1]. **14** S'il en est qui trouvent la chose incroyable, que la rendent croyable ceux qui l'ont entendue de la bouche des spectateurs et qui vivent encore, que la rendent croyable aussi juifs et païens qui ont laissé l'ouvrage demi-achevé, ou plutôt qui n'ont même pas pu commencer l'ouvrage.

nardi, *SC* 309, p. 304-307). D'autant que le pamphlétaire est conforté par l'historien RUFIN, *H.E.* X, 40 : « La peur immense et le tremblement firent que tous les assistants épouvantés étaient forcés de confesser que seul Jésus-Christ était le vrai Dieu » (voir le commentaire de F. THELAMON, p. 294-309, particulièrement les p. 304-309 : « Les signes de la puissance de Dieu »).

Α΄. Περὶ τῆς εἰς Πέρσας ἐκστρατείας Ἰουλιανοῦ, καὶ ὡς ἡττήθη καὶ κακῶς ἐξέρρηξε τὴν ψυχήν · καὶ οἷα Λιβάνιος γράφει περὶ τοῦ ἀνελόντος αὐτόν.

Β΄. Ὅτι κατὰ θεομηνίαν ἀνῃρέθη · καὶ περὶ τῶν ὁράσεων ἃς ἄνδρες τινὲς περὶ τῆς τελευτῆς αὐτοῦ ἐθεάσαντο, καὶ περὶ τῆς ἀποκρίσεως τοῦ υἱοῦ τοῦ τέκτονος · καὶ ὅτι τὸ αἷμα Ἰουλιανὸς τῷ Χριστῷ ἀνέπεμπε · καὶ ὅσα κακὰ δημοσίᾳ τῇ Ῥωμαίων ἐπεγένετο δι᾽ αὐτόν.

Γ΄. Περὶ τῆς βασιλείας Ἰοβιανοῦ, καὶ ὅσα ἔννομα παρελθὼν εἰς τὴν ἀρχὴν διεπράξατο.

Δ΄. Ὅτι πάλιν τὰ τῶν ἐκκλησιῶν ἀνεκινοῦντο · καὶ περὶ τῆς ἐν Ἀντιοχείᾳ συνόδου, ἥτις τὴν ἐν Νικαίᾳ πίστιν ἐκύρωσε · καὶ ὅσα ἡ τοιαύτη σύνοδος τῷ βασιλεῖ Ἰοβιανῷ ἔγραψε.

Ε΄. Περὶ τοῦ μεγάλου Ἀθανασίου, ὡς διαφερόντως ἠγαπήθη τῷ βασιλεῖ, καὶ τῶν ἐν Αἰγύπτῳ ἐκκλησιῶν ἐκράτησε · καὶ περὶ τοῦ ὁράματος τοῦ μεγάλου Ἀντωνίου.

Ϛ΄. Θάνατος Ἰοβιανοῦ, καὶ περὶ τοῦ βίου καὶ τῆς εἰς Θεὸν παρρησίας Οὐαλεντινιανοῦ · καὶ ὅπως εἰς βασιλείαν προεβλήθη, καὶ τὸν ἀδελφὸν Οὐάλεντα συμβασιλεύειν αὐτῷ εἵλετο · καὶ περὶ τῆς διαφορᾶς ἀμφοτέρων.

Ζ΄. Ὅτι καὶ πάλιν τὰ τῶν ἐκκλησιῶν ἀνεκινοῦντο · καὶ σύνοδος ἐν Λαμψάκῳ γίνεται · καὶ ὡς οἱ περὶ Εὐδόξιον Ἀρειανοὶ κρατοῦσι, καὶ τοὺς ὀρθὰ φρονοῦντας τῶν ἐκκλησιῶν ἀπελαύνουσιν, ἐν οἷς καὶ τὸν Ἀντιοχείας Μελέτιον.

Voici ce que contient le livre VI de l'*Histoire ecclésiastique*

I. L'expédition de Julien contre les Perses; comment il fut vaincu et rendit l'âme misérablement. Ce que Libanios écrit au sujet de celui qui le tua.

II. Une colère divine enlève Julien; les visions qu'eurent certains hommes concernant sa mort. La réponse concernant le fils du charpentier. Julien lance en l'air son sang à l'adresse du Christ. Les maux qui frappent l'ensemble des Romains à cause de lui.

III. L'accession au trône de Jovien et tous les actes justes qu'il accomplit à son arrivée au pouvoir.

IV. De nouveau, troubles dans les Églises; le concile d'Antioche qui confirme le credo de Nicée. Lettre du dit concile à l'empereur Jovien.

V. Le grand Athanase : comment il devient particulièrement cher à l'empereur et se rend maître des églises d'Égypte. Le songe du grand Antoine.

VI. Mort de Jovien. La vie et le franc-parler de Valentinien en parlant de Dieu. Comment il est élevé à l'empire et choisit son frère Valens pour régner avec lui. La différence entre les deux.

VII. De nouveau, troubles dans les églises. Un concile a lieu à Lampsaque. Victoire des ariens d'Eudoxe, qui chassent des églises les orthodoxes, parmi lesquels Mélèce d'Antioche.

XVI. Après Eusèbe, Basile reçoit la charge de l'église de Cappadoce, son franc-parler à l'égard de Valens.

XVII. Alliance de Basile et de Grégoire le théologien; parvenus au sommet de la sagesse, ils défendent le dogme de Nicée.

XVIII. La persécution survenue à Antioche sur l'Oronte; le lieu de prière de l'apôtre Thomas à Édesse; le rassemblement en ce lieu et la profession de foi des Édesséniens.

XIX. La mort du grand Athanase et l'accession au trône épiscopal de Lucius, partisan d'Arius. Les malheurs qui frappent les églises d'Égypte. Pierre, successeur d'Athanase, prend la fuite et se rend à Rome.

XX. La persécution contre les moines d'Égypte et les disciples de saint Antoine. A cause de leur orthodoxie, ils sont déportés dans une petite île; les miracles qu'ils accomplissent.

XXI. Liste des lieux où le dogme de Nicée est vénéré; la foi des Scythes; Vétranion à la tête de ce peuple.

XXII. En ce temps-là le problème du Saint-Esprit est soulevé et on ratifie qu'il soit dit consubstantiel au Père et au Fils.

XXIII. La mort de Libère de Rome; Damase et Ursicios ses successeurs. L'Occident tout entier est orthodoxe, excepté Milan et son évêque Auxence; le concile de Rome qui dépose Auxence; la définition qu'il rédige.

XXIV. Saint Ambroise ; comment il est élevé à l'épiscopat et persuade les peuples d'avoir la vraie piété. Et encore les novatiens de Phrygie et la Pâque.

XXV. Les Apollinaire, père et fils, et le prêtre Vitalien. Quel motif particulier les a poussés aux hérésies.

XXVI. Eunome et son maître Aèce ; ce qui les concerne, quelles sont leurs croyances. Ils sont les premiers à avoir songé à une seule immersion pour le baptême.

XXVII. Apollinaire et Eunome ; ce qu'écrit Grégoire le théologien dans sa lettre à Nectaire. C'est grâce à la sagesse des moines qui vivaient alors que leur hérésie s'est éteinte ; l'hérésie de ces deux hommes, en effet, divisa à peu près tout l'Orient.

XXVIII. Les saints hommes qui en ces temps fleurirent en Égypte : Jean, Or, Ammon, Bénos, Théonas, Copras, Hellès, Élias, Apellos, Isidore, Sérapion, Dioscore et Eulogios.

XXIX. Les moines de Thébaïde : Apollôs, Dorothée, Piammon, Jean, Marc, Macaire, Apollonios, Moïse, Paul de Phermé, Pachôn, Étienne et Pior.

XXX. Les moines de Scété : Origène, Didyme, Croniôn, Arsisios, Poutoubastès, Arsiôn, les trois frères Ammônios, Eusèbe et Dioscore qu'on appelle 'les Longs', Évagre le philosophe.

XXXI. Les monastères de Nitrie et ceux qu'on appelle les 'Cellia' ; le monastère de Rhinokoroura ; Mélas, Denys et Solon.

ΛΒʹ. Περὶ τῶν ἐν Παλαιστίνῃ μοναχῶν, Ἡσυχᾶ, Ἐπιφανίου τοῦ ὕστερον γενομένου Κύπρου, Ἀμμωνίου καὶ Σιλβανοῦ.

ΛΓʹ. Περὶ τῶν ἐν Συρίᾳ μοναχῶν, Βατθαίου, Εὐσεβίου, Βαργῆ, Ἀλᾶ, Ἀββῶ, Λαζάρου, Ἀβδάλεως, Ζήνωνος, Ἡλιοδώρου, Εὐσεβίου τοῦ ἐν Κάραις, καὶ Πρωτογένους, καὶ Ἀώνου.

ΛΔʹ. Περὶ τῶν ἐν Αἰδέσῃ μοναχῶν, Ἰουλιανοῦ, Ἐφραὶμ τοῦ Σύρου, Βάρας καὶ Εὐλογίου. Ἔτι δὲ καὶ περὶ τῶν ἐν κοίλῃ Συρίᾳ, Οὐαλεντίνου, Θεωδόρου, Μερώσα, Βάσσου, Βασσωνίου, Παύλου. Καὶ περὶ τῶν ἐν Γαλατίᾳ καὶ Καππαδοκίᾳ, καὶ ἀλλαχοῦ ἁγίων ἀνδρῶν· καὶ τίνος χάριν μακρόβιοι οἱ πρώην ἅγιοι ἐγίνοντο.

ΛΕʹ. Περὶ τοῦ ξυλίνου τρίποδος, καὶ τῆς τοῦ βασιλέως διαδοχῆς, τῆς τῶν στοιχείων εἰδήσεως, καὶ περὶ τοῦ φόνου τῶν φιλοσόφων, καὶ περὶ ἀστρονομίας.

ΛϚʹ. Περὶ τῆς τῶν Σαυροματῶν ἐκστρατείας, καὶ περὶ τοῦ θανάτου Οὐαλεντινιανοῦ ἐν Γαλλίᾳ· καὶ ἀναγόρευσις τοῦ νέου Οὐαλεντινιανοῦ· καὶ περὶ τοῦ διωγμοῦ τῶν ἱερέων, καὶ περὶ τοῦ λόγου τοῦ φιλοσόφου Θεμιστίου, δι' ὃν φιλανθρωπότερος πρὸς αὐτοῦ διαφερομένους διετέθη.

ΛΖʹ. Περὶ τῶν πέραν Ἴστρου βαρβάρων, ὡς ὑπὸ τῶν Οὔννων ἐξελαθέντες, Ῥωμαίοις προσεχώρησαν· καὶ ὡς χριστιανοὶ ἐγένοντο· καὶ περὶ Οὐλφίλα, καὶ Ἀθαναρίχου, καὶ μεταξὺ τούτων συμβάντα, καὶ ὅθεν τὸν ἀρειανισμὸν εἰσεδέξαντο.

ΛΗʹ. Περὶ Μανίας τῆς τῶν Σαρακηνῶν φυλάρχου καὶ ὡς διαλυθεισῶν τῶν μετὰ Ῥωμαίων σπονδῶν, Μωσῆς ὁ ἐπίσκοπος αὐτῶν παρὰ χριστιανῶν χειροτονηθείς, αὐτὰς ἀνενέωσε. Καὶ διήγησις περὶ τῶν Ἰσμαηλιτῶν καὶ τῶν Σαρακηνῶν, καὶ τῶν τούτοις θεῶν· καὶ ὡς διὰ Ζοκόμου τοῦ αὐτῶν φυλάρχου χριστιανίζειν ἤρξαντο.

XXXII. Les moines de Palestine : Hésychâs, Épiphane qui fut plus tard évêque de Chypre, Ammonios et Silvain.

XXXIII. Les moines de Syrie : Batthaios, Eusèbe, Bargès, Halâs, Abbôs, Lazare, Abdaleos, Zénon, Héliodore, Eusèbe de Carrhae, Protogène, Aônès.

XXXIV. Les moines d'Édesse : Julien, Éphrem le syrien, Barsès et Eulogios ; et encore les moines de Coélèsyrie : Valentin, Théodore, Marôsas, Bassos, Bassônès, Paul. Et les saints hommes de Galatie et de Cappadoce et d'autres régions ; pourquoi vécurent très vieux ces saints hommes d'autrefois.

XXXV. Le trépied de bois et la succession de l'empereur, l'interprétation des lettres ; l'exécution des philosophes ; et l'astrologie.

XXXVI. L'expédition contre les Sarmates et la mort de Valentinien en Gaule ; proclamation de Valentinien le jeune ; la persécution contre les évêques et le discours du philosophe Thémistios qui met Valens dans des dispositions plus humaines envers ceux qui étaient en désaccord avec lui.

XXXVII. Les barbares d'au-delà du Danube ; chassés par les Huns, ils passent chez les Romains ; ils deviennent chrétiens. Ulphilas et Athanaric et les événements survenus entre temps. Pourquoi ils embrassent l'arianisme.

XXXVIII. Mavia, la phylarque des Sarrasins ; la trêve avec les Romains étant rompue, l'évêque Moïse ordonné par les chrétiens la rétablit. Récit concernant les Ismaélites et les Sarrasins, ainsi que leurs dieux ; grâce à Zocomos, leur phylarque, ils commencent à devenir chrétiens.

ΛΘ΄. Ὅτι ἐπανελθὼν Πέτρος ἐκ Ῥώμης, τὰς τῆς Αἰγύπτου ἐκκλησίας κατέσχε, Λουκίου ἀναχωρήσαντος · καὶ περὶ τῆς κατὰ Σκυθῶν ἐκστρατείας εἰς δύσιν Οὐάλεντος.

Μ΄. Περὶ τοῦ ἁγίου Ἰσαακίου μοναχοῦ τοῦ προφητεύσαντος διὰ Οὐάλεντα · καὶ ὡς φεύγων Οὐάλης, ἐν ἀχυρῶνι εἰσελθὼν κατεκαύθη, καὶ οὕτως ἀπέρρηξε τὴν ψυχήν.

XXXIX. Pierre, de retour de Rome, occupe les églises d'Égypte, Lucius s'étant retiré. L'expédition de Valens en Occident contre les Scythes.

XL. Le saint moine Isaac qui prophétise à propos de Valens; Valens, en fuite, réfugié dans une grange, est brûlé vif et rend l'âme ainsi.

ΕΡΜΕΙΟΥ ΣΩΖΟΜΕΝΟΥ
ΕΚΚΛΗΣΙΑΣΤΙΚΗΣ ΙΣΤΟΡΙΑΣ
ΤΟΜΟΣ ΕΚΤΟΣ

1

233

1288 | Ὅσα μὲν δὴ ἐν τῇ Ἰουλιανοῦ βασιλείᾳ συγκυρῆσαι ταῖς ἐκκλησίαις ἔγνων, ἐν τοῖς πρόσθεν δεδήλωται. Ἅμα δὲ ἦρι ἀρχομένῳ δόξαν αὐτῷ ἐπιστρατεῦσαι Πέρσαις, ἐν τάχει διέβη τὸν Εὐφράτην ποταμόν· παραδραμών τε τὴν Ἔδεσσαν διὰ μῖσος ἴσως τῶν ἐνοικούντων, ἐπεὶ ἀρχῆθεν πανδημεὶ χριστιανίζειν ἔλαχεν ἥδε ἡ πόλις, ἧκεν εἰς

1. Julien, parti d'Antioche dès le 5 mars 363 pour surprendre l'ennemi (AMM. 23, 2, 6), franchit l'Euphrate à Zeugma. Sozomène ne mentionne pas l'étape de Batné indiquée par AMM. (23, 2, 7) et détaillée par Julien dans la *Lettre* 98 (399b-402b) à Libanius (éd. J. Bidez I, 2, p. 180-184). Parmi les nombreux commentaires sur l'expédition de Julien : W.R. CHALMERS, «Eunapius, Ammianus Marcellinus and Zosimus on

D'HERMIAS SOZOMÈNE
HISTOIRE ECCLÉSIASTIQUE

LIVRE VI

(Règnes de Julien [I-II], de Jovien [III-VI 1], de Valentinien I et Valens [VI 2-fin])

Chapitre 1

L'expédition de Julien contre les Perses; comment il fut vaincu et rendit l'âme misérablement. Ce que Libanios écrit au sujet de celui qui le tua.

1 Tout ce qui, à ma connaissance, est arrivé aux églises sous le règne de Julien a été indiqué plus haut. Comme il avait décidé de marcher contre les Perses dès le début du printemps, il traversa rapidement l'Euphrate[1]. Passant, sans s'arrêter, le long d'Édesse, par haine peut-être des habitants puisque, dès l'origine, cette ville avait eu le pri-

Julian's Persian Expedition», dans *Classical Quarterly* 10, 1960, p. 152-160; J. RIDLEY, «Notes on Julian's Persian Expedition», dans *Historia*, 22, 1973, p. 317-330; G. WIRTH, «Julians Perserkrieg. Kriterien einer Katastrophe», dans *Julianus Apostata*, éd. R. Klein, Darmstadt, 1978, p. 455-507. Les notes de J. FONTAINE dans l'édition d'Ammien Marcellin, *CUF*, t. IV, 2, 1977, et de F. PASCHOUD dans l'édition de Zosime, *CUF*, t. II, 1, 1979, constituent en fait des commentaires détaillés.

Κάρρας· ἔνθα δὴ Διὸς ἱερὸν εὑρὼν ἔθυσε καὶ ηὔξατο. **2** Τὸ δὲ ἀπὸ τούτου ἐκ τῶν ἑπομένων στρατευμάτων ἀμφὶ δισμυρίους ὁπλίτας ἐπὶ Τίγρητα ποταμὸν ἔπεμψε, φυλακῆς τε ἕνεκα τῶν τόπων καὶ εἰς καιρὸν αὐτῷ παρεσομένους, ἡνίκα καλέσοι· Ἀρσακίῳ δὲ τῷ Ἀρμενίων ἡγουμένῳ συμμαχοῦντι Ῥωμαίοις ἔγραψε συμμῖξαι περὶ τὴν πολεμίαν. **3** Ἀπαυθαδιασάμενός τε πέρα τοῦ μέτρου ἐν τῇ ἐπιστολῇ καὶ ἑαυτὸν μὲν ἐξάρας ὡς ἐπιτήδειον πρὸς ἡγεμονίαν καὶ φίλον οἷς ἐνόμιζε θεοῖς, Κωνσταντίῳ δὲ ὃν διεδέξατο ὡς ἀνάνδρῳ καὶ ἀσεβεῖ λοιδορησάμενος, ὑβριστικῶς μάλα ἠπείλησεν αὐτῷ· καὶ ἐπεὶ Χριστιανὸν ὄντα ἐπυνθάνετο, ἐπιτείνων τὴν ὕβριν ἢ βλασφημεῖν ἃ μὴ θέμις σπουδάζων εἰς τὸν Χριστόν (τοῦτο γὰρ εἰώθει παρ' ἕκαστα τολμᾶν)

1. Édesse (= Urfa), principale cité d'Osrohène (cf. *H.E.* II, 14, 5 ; III, 6, 1 ; 14, 29-30 et 16, 13), chrétienne depuis le IIIe siècle, se vantait d'avoir été évangélisée par Thaddée, un des soixante-douze disciples du Christ, envoyé par l'apôtre Thomas pour réaliser la promesse de Jésus (EUSÈBE, *H.E.* I, 13 prétend que les archives d'Édesse contenaient une lettre d'Abgar Ier dit le Noir à Jésus et une réponse de Jésus à Abgar). En fait, l'évangélisation semble avoir commencé avec Addaï, qui paraît être un personnage historique dans la seconde moitié du IIe s. Le premier roi chrétien fut Abgar IX vers 206. La ville arriva à compter plus de trois cents monastères, de nombreuses églises et une École célèbre, qui devint plus tard l'« École des Perses » : cf. *DHCL*, 14, 1960, c. 1421-1424, R. JANIN. Ses rapports avec un empereur païen devaient donc être détestables (cf. *Iuliani imperatoris Epistulae, Leges, Poematia, Fragmenta uaria*, éd. Bidez-Cumont, 1922, Lettre n° 115 : Julien annonce la confiscation des biens de l'Église et lance un sévère avertissement contre tout désordre). D'après BIDEZ, p. 294-297, Édesse et Nisibe furent même menacées d'être laissées sans protection contre les Perses.

2. Julien arrive à Carrhae (= Harran, à 60 km de Batné) le 18 mars. D'après AMM. 23, 3, 2, il sacrifia à la Lune (en fait au dieu lunaire Sîn, appelé *Lunus* par les *SHA*, *Ant. Car.* 6, 6 et 7, 3) et non à Zeus,

vilège d'être complètement chrétienne[1], il arriva à Carrhae[2] : là, ayant trouvé un temple de Zeus, il sacrifia et pria. **2** Après cela, des troupes qui le suivaient, il envoya environ vingt mille hoplites vers le Tigre[3], pour garder ces lieux et pour lui venir à l'occasion en aide, s'il les appelait ; et il écrivit à Arsace, souverain d'Arménie, allié des Romains, de se joindre à lui en pays ennemi. **3** Mais, poussant en cette lettre l'arrogance au-delà de la mesure[4], il s'y exaltait comme propre au commandement et cher aux dieux qu'il reconnaissait, il y insultait Constance son prédécesseur comme lâche et impie, et il menaça de façon très outrageante Arsace ; et, quand il apprit qu'il était chrétien, aggravant l'outrage ou ayant à cœur de lancer des blasphèmes impies contre le Christ – il osait cela habituellement en chaque occasion –

comme le dit Sozomène, suivant peut-être LIBANIUS, *disc.* 18, 214. Voir PIGANIOL, p. 141.

3. A Carrhae, la route vers la Perse se divise en deux, vers « la gauche par l'Adiabène et le Tigre », « vers la droite, par l'Assyrie et l'Euphrate » (AMM. 23, 3, 1). Mais les source divergent sur le nombre des soldats envoyés en diversion par Julien : AMM. (23, 3, 5) dit 30 000, LIBANIUS, *disc.* 18, 214 dit 20 000 et ZOSIME III, 12, 5, 18 000. Cette seconde armée était commandée par le comte Procope et le duc Sébastien.

4. Julien adressa une lettre à Arsace *avant* son départ (AMM. 23, 2, 2). Il s'agit donc ici de la seconde lettre qu'annonçait la première. Mais Julien ne peut pas l'avoir assortie de menaces et d'outrages alors qu'il avait le plus grand besoin de cet allié qu'il privilégiait. Sur Arsace, marié à la romaine Olympias, fille d'Ablabius, préfet du prétoire de Constantin, et qui resta jusqu'au bout fidèle à Rome, nombreuses références chez AMM. (depuis 20, 11, 1 jusqu'à 27, 12, 12) Voir la *P.L.R.E.*, p. 109 Arsaces 3, qui place son règne entre 350 et 364 ou entre 339 et 369.

ἀπεκόμπασεν ὑποδηλῶν ὡς οὐκ ἐπαμυνεῖ αὐτῷ ὃν ἡγεῖται θεὸν ὀλιγωροῦντι τῶν προστεταγμένων.

234 | **4** Ἐπεὶ δὲ ταῦτα καλῶς ἔχειν ἐνόμισε, παραλαβὼν τὴν Ῥωμαίων στρατιὰν ἦγε διὰ τῆς Ἀσσυρίων. Καὶ πόλεις 1289 τινὰς καὶ φρούρια τὰ μὲν προδοσίᾳ, τὰ δὲ | πολέμῳ εἷλεν, ἀπερισκέπτως τε εἰς τὸ πρόσθεν ᾔει μηδὲν τῶν κατόπιν προνοῶν καὶ ὅτι γε δεήσει τὴν αὐτὴν πάλιν ἐπανελθεῖν· ἀλλ' ὅπερ ᾕρει, δεινῶς ἐπόρθει, ταμιεῖα τε καὶ τὰ ἄλλα τὰ μὲν κατέσκαπτε, τὰ δὲ ἐνεπίμπρα. **5** Πορευόμενος δὲ παρὰ τὸν Εὐφράτην οὐ πόρρωθεν ἀφίκετο Κτησιφῶντος. Πόλις δὲ αὕτη μεγάλη καὶ τὰ Περσῶν βασίλεια νῦν ἀντὶ Βαβυλῶνος ἔχουσα· ῥεῖ δὲ αὐτῆς οὐκ ἀπὸ πολλοῦ ὁ Τίγρης. Ὡς δὲ ταῖς ναυσὶν οὐκ ἐνεχώρει διὰ τὴν μέσην γῆν τῇ Κτησιφῶντι προσελθεῖν, ἀλλ' ἐπάναγκες ἐφαίνετο ἢ τὴν πόλιν παριέναι ἢ τῶν πλοίων

1. Pour la plupart des historiens, la lettre «de Julien au satrape Arsace» est un faux d'origine chrétienne (cf. Bidez-Cumont, *Iuliani Imperatoris Epistulae*..., Lettre 202, p. 277). Cependant W.C. Wright, dans son édition, *The Works of the Emperor Julian*, t. III, 1961, Coll. Loeb (1re éd. 1923), p. XXX-XXXVII, tout en la considérant comme d'authenticité douteuse, ne la place pas parmi les apocryphes et en donne le texte aux p. 176-181 sous le n° 51 (396d-398). On n'y trouve aucune trace d'une «arrogance sans mesure» ni de «blasphèmes impies contre le Christ». Sozomène a vu une version différente ou bien a déformé la lettre (ou pseudo-lettre) de Julien dans un sens polémique.

2. L'Assyrie désigne ici l'ensemble de la Mésopotamie, l'Asorestan des Perses Sassanides, le «territoire circonscrit par la Mésène, la Susiane, la Médie, l'Adiabène, l'Arbayestan, le désert et le golfe persique» (J. Fontaine, Ammien Marcellin, *Histoire* t. IV, 2, p. 24, note 45). L'Assyrie figure en tête des principales satrapies perses décrites par AMM (23, 6, 15-24).

3. Par «trahison», il faut entendre que ces villes et forteresses se rendirent, en abandonnant le souverain perse. Sozomène résume en deux lignes sèches ce qu'Ammien développe tout au long de ses livres 23 et 24. Certes, son propos n'est pas l'histoire militaire, mais on reconnaît ici une quasi prétérition, moyen classique de la *deminutio*, pour ravaler les succès ou les mérites de l'adversaire.

4. Pour prouver la «folie» de Julien, Sozomène exagère sa tactique de la terre brûlée. En fait, les vivres et greniers ennemis étaient livrés

il s'esclaffa en insinuant que le dieu qu'il honorait ne viendrait pas à son secours s'il montrait de la négligence à l'égard de ses propres ordres[1].

4 Quand il crut que tout allait bien pour lui, il prit en charge l'armée romaine et la conduisit à travers l'Assyrie[2]; il s'empara de diverses villes et forteresses, les unes par trahison, les autres par fait de guerre[3], et il allait inconsidérément de l'avant sans se soucier en rien de ce qui devait venir ensuite et sans se dire qu'il lui faudrait faire au retour le même chemin; au contraire, ce qu'il prenait, il le dévastait terriblement, détruisant de fond en comble ou incendiant les greniers et les autres ressources[4]. **5** Marchant le long de l'Euphrate, il arriva non loin de Ctésiphon. C'est une ville importante et qui possède aujourd'hui, à la place de Babylone, le palais des Perses[5] : le Tigre coule non loin de là. Comme il n'était pas possible aux navires de s'approcher de Ctésiphon à cause de la terre qui s'interposait[6], mais qu'il paraissait inévitable ou de laisser la ville de côté ou de renoncer à la flotte, ayant interrogé certains prisonniers,

au feu une fois seulement que les soldats avaient prélevé le ravitaillement utile et transportable (AMM. 24, 1,14-15 et 24, 2, 22).

5. La cité, située en face de Séleucie, sur la rive gauche du Tigre, était devenue, à l'époque sassanide, la capitale perse. Fondée par Vardanes, avant le milieu du Ier siècle de notre ère, elle fut agrandie par Pacorus (Ier ou IIe s.), qui lui aurait donné son nom grec, à la fin du même siècle (AMM. 23, 6, 23). Pour la topographie historique des trois villes voisines Séleucie, Coche (= Veh Ardeshir) et Ctésiphon, voir J. MATTHEWS, *The Roman Empire of Ammianus Marcellinus*, 1989, p. 140-143, avec carte (carte également dans l'éd. J. Fontaine, Ammien Marcellin, t. IV, 2).

6. L'expression est vague, Sozomène s'intéressant assez peu à la tactique militaire et à la géographie historique. Le problème était de faire passer une flotte comportant plus de mille unités de l'Euphrate dans le Tigre sur la rive gauche duquel se dressait Ctésiphon. Julien parvint à remettre en eau le canal que Trajan, puis Septime Sévère avaient fait creuser et que les Perses avaient obstrué par une masse de rochers par crainte d'une telle opération (AMM. 24, 6, 1-2).

καταφρονεῖν, ἀνακρίνας τινὰς τῶν αἰχμαλώτων εὗρε διώρυχα ναυσίπορον ἀναχωσθεῖσαν τῷ χρόνῳ · καὶ διατεμὼν τὸ διεῖργον εἵλκυσε τὸν Εὐφράτην ἐπὶ τὸν Τίγρητα. **6** Ταύτῃ τε τῷ στρατῷ παραπλεούσας ἔχων τὰς ναῦς ἐπὶ τὴν πόλιν ἐχώρει. Σὺν πολλῇ δὲ παρασκευῇ ἱππέων καὶ ὁπλιτῶν καὶ ἐλεφάντων τῶν Περσῶν φανέντων ἐπὶ τῆς ὄχθης τοῦ Τίγρητος, ἰδὼν ἐν πολεμίᾳ γῇ μέσον δύο μεγίστων ποταμῶν μονονουχὶ πολιορκουμένην αὐτῷ τὴν στρατιὰν καὶ λιμῷ διαφθαρῆναι κινδυνεύουσαν, ἤν τε μένοιεν αὐτόθι ἤν τε τὴν αὐτὴν ὁδὸν ὑποστρέφοιεν, τῶν πόλεων καὶ τῶν κωμῶν δι' ὧν ἦλθον κατηρειμμένων καὶ τὰ ἐπιτήδεια μὴ ἐχουσῶν, κέλησιν ἆθλα προθεὶς ἐπὶ θέαν ἱπποδρομίας τοὺς στρατιώτας ἐκάθισεν. **7** Ἐν τούτῳ δὲ τοὺς προεστῶτας τῶν πλοίων ἐκέλευσεν ἀποβαλεῖν τὰ φορτία καὶ τὸ σιτηρέσιον τῆς στρατιᾶς, ὅπως ἐν κινδύνῳ σφᾶς ἰδόντες οἱ στρατιῶται, ὡς ἐπυθόμην, ἀπορίᾳ τῶν ἐπιτηδείων εἰς θράσος τράπωνται καὶ προθυμότερον τοῖς πολεμίοις μαχέσωνται. Συγκαλέσας δὲ τοὺς στρατηγοὺς καὶ τοὺς ταξιάρχους μετὰ τὸ δεῖπνον, ἐνεβίβασε τοὺς στρατιώτας εἰς τὰς ναῦς. Οἱ δὲ ἐν νυκτὶ τὸν Τίγρητα πλεύσαντες ἤδη πρὸς ταῖς πέραν ὄχθαις ἦσαν καὶ ἐξέβαινον. **8** Τῶν δὲ Περσῶν οἱ μὲν αἰσθόμενοι ἠμύνοντο καὶ ἀλλήλοις παρεκελεύοντο, τοῖς δὲ ἔτι **235** καθεύδουσιν ἐπέστησαν | οἱ Ῥωμαῖοι. Καὶ ἡμέρας ἐπιγενομένης εἰς μάχην καθίσταντο, πολλούς τε ἀποβαλόντες καὶ κτείναντες διέβησαν τὸν ποταμόν · καὶ τότε μὲν πρὸ τῆς Κτησιφῶντος ἐστρατοπεδεύοντο.

1. La source semble être LIBANIUS, *disc.* 18, 249 qui ne donne pas les mêmes motivations à Julien. Ammien, qui participa à l'expédition, ne mentionne aucun spectacle, mais indique qu'avant la traversée du Tigre, l'empereur accorda une halte bienvenue à ses soldats dans une campagne plantureuse (24, 6, 3).

2. Ammien ne fait pas état d'une telle mesure, présente chez Libanius, *disc.* 18, 250, mais assortie d'une motivation plus flatteuse pour Julien. L'incise «comme je l'ai appris» montre que Sozomène doute de la réalité d'une intention aussi machiavélique.

3. Y a-t-il un doublet, voire une contradiction, entre ce que Sozomène

il apprit qu'un canal accessible aux navires avait été comblé par le temps; il fit alors couper en deux ce qui faisait obstacle et tira ainsi l'Euphrate vers le Tigre. **6** De la sorte, avec la flotte qui naviguait à côté de l'armée, il s'approchait de la ville. Mais comme les Perses étaient apparus sur la rive du Tigre avec un grand dispositif de cavaliers, d'hoplites et d'éléphants, voyant que son armée était quasi assiégée en terre ennemie entre deux très grands fleuves et qu'elle risquait de périr de faim, et si elle restait sur place et si l'on retournait par la même route, puisque les villes et bourgades par où l'on était passé étaient détruites et n'avaient plus les ressources nécessaires, il fit s'arrêter les troupes, ayant proposé des prix pour les chevaux en vue d'un spectacle de course d'hippodrome[1]. **7** Durant ce temps, il ordonna aux commandants des navires de jeter par dessus bord leurs cargaisons et les fournitures de vivres de l'armée, pour que les soldats se voyant en péril, comme je l'ai appris, par le manque des vivres, fussent poussés à l'audace et combattissent avec plus d'ardeur l'ennemi[2]. Puis, ayant convoqué, après le dîner, les généraux et les tribuns militaires, il embarqua les troupes sur les navires. Durant la nuit même, ayant franchi le Tigre, déjà ils étaient à la rive opposée et débarquaient[3]. **8** Parmi les Perses, les uns s'étant aperçus de la chose résistaient et s'encourageaient entre eux, les autres dormaient encore quand survinrent les Romains. Le jour arriva et on se disposa à la bataille. Les Romains traversèrent le fleuve, en subissant et en infligeant de lourdes pertes. A ce moment-là, ils dressèrent le camp devant Ctésiphon.

écrit ici et ce qu'il écrira au § 8 : si les troupes ont franchi le Tigre la nuit, comment peuvent-elles à nouveau le traverser le jour suivant? En fait, un commando de 400 hommes, embarqués sur cinq vaisseaux, franchit d'abord le Tigre de nuit (AMM. 24, 6, 5) et établit une tête de pont, puis le gros de l'armée traversa plus tard, de jour (AMM. 25, 6, 6-7), pour engager le vrai combat contre les Perses.

9 Δόξαν δὲ τῷ βασιλεῖ μηκέτι περαιτέρω χωρεῖν, ἀλλ' εἰς τὴν ἀρχομένην | ἐπανελθεῖν, τὰς ναῦς ἐμπρήσαντες, ὡς διὰ τὴν φυλακὴν τούτων πολλῶν ἀπομάχων ὄντων, τὴν ἐπάνοδον ἐποιοῦντο ἐν ἀριστερᾷ Τίγρητα τὸν ποταμὸν ἔχοντες. Ἡγουμένων δὲ τῶν αἰχμαλώτων τὰ μὲν πρῶτα ἀπήλαυον χώρας εὐφόρου καὶ πάντα τὰ ἐπιτήδεια ἐχούσης. **10** Μετὰ δὲ ταῦτα πρεσβύτης τις ἑλόμενος ἀποθανεῖν ὑπὲρ τῆς πάντων Περσῶν ἐλευθερίας, ἐπίτηδες ἁλῶναι φανείς, ὡς ἄκων συλληφθεὶς ἄγεται παρὰ τὸν ἡγούμενον· ἀνακριθείς τε τὰ περὶ τῆς ὁδοῦ καὶ δόξας ἀληθῆ λέγειν ἔπεισεν, ἣν αὐτῷ ἕπωνται, τὴν ταχίστην τοῖς Ῥωμαίων ὅροις ἐπιστήσειν τὴν στρατιάν· **11** μόνον δὲ τριῶν ἢ τεσσάρων ἡμερῶν χαλεπὴν ἔσεσθαι τὴν πορείαν, καὶ χρῆναι τούτων σιτία φέρεσθαι τῆς γῆς ἐρήμου οὔσης. Ὑπαχθείς τε ὁ βασιλεὺς τοῦ σοφοῦ πρεσβύτου τοῖς λόγοις ἐδοκίμασε ταύτῃ πορευτέον. **12** Ἐπεὶ δὲ προσωτέρω χωροῦντες καὶ μετὰ τὰς τρεῖς ἡμέρας ἐρημοτέροις ἐνέβαλον τόποις, ὁ μὲν γέρων ὁ αἰχμάλωτος βασανιζόμενος ὡμολόγησεν ὑπὲρ τῶν οἰκείων αὐτομολῆσαι πρὸς θάνατον καὶ ἕτοιμος εἶναι πάντα προθύμως ὑπομένειν.

Ἀλυούσης δὲ τῆς στρατιᾶς τῷ τε μήκει τῆς ὁδοῦ καὶ τῇ ἐνδείᾳ τῶν ἐπιτηδείων ἤδη τεταλαιπωρηκόσι Περσικὴ παράταξις ἐπέθετο. **13** Καρτερᾶς δὲ μάχης συστάσης

1. Contrairement aux polémistes chrétiens, en particulier Grégoire, et même à Amm. qui déplore cette décision comme inopportune et irréfléchie (24, 7, 6 et 8), Sozomène ne critique pas cette destruction volontaire : il est influencé peut-être par Libanius qui l'approuve, mais surtout, dans son optique chrétienne, il la juge providentielle.

2. Les deux éléments – position de l'armée par rapport au Tigre, choix de transfuges perses comme guides – sont présentés par Amm. *avant* l'incendie de la flotte (24, 7, 4) et sous la forme d'une simple intention de Julien (24, 7, 3).

3. Cette version vient de Grégoire, *disc.* 5, 11, éd. J. Bernardi, *SC* 309, p. 312-315, qui invente ce vieillard en le présentant comme un nouveau Zopyros dans la tradition d'Hérodote III, 153-160. Amm. parle de transfuges anonymes (24, 7, 3) qui, plus tard, sous la torture, avouèrent avoir égaré les Romains (24, 7, 5). L'histoire du nouveau Zopyros se retrouve chez les chroniqueurs byzantins tardifs jusqu'à Jean Zonaras.

9 Cependant, l'empereur ayant décidé de ne pas se porter plus loin, mais de revenir dans l'Empire, ils brûlèrent les navires du fait que, pour les garder, beaucoup de soldats étaient rendus impropres au combat[1], et ils prirent le chemin du retour en ayant le Tigre sur leur gauche. Guidés par les prisonniers[2], ils jouirent d'abord d'une contrée fertile et pourvue de toutes les ressources nécessaires. **10** Après cela, un certain vieillard[3] qui avait choisi de mourir pour la libération de tous les Perses et qui, à l'évidence, s'était fait prendre exprès, est conduit à l'empereur comme s'il avait été capturé malgré lui. Interrogé sur la route à suivre, il donna l'impression de dire vrai et persuada que, si on le suivait, il mettrait l'armée, par le chemin le plus rapide, aux frontières des Romains ; **11** le voyage ne serait pénible que durant trois ou quatre jours, et il fallait emporter des vivres pour ces jours-là, le sol étant stérile. Séduit par ce discours de l'astucieux vieillard, l'empereur jugea qu'il fallait marcher par cette route. **12** Mais quand, s'avançant plus loin et après les trois jours, ils trouvèrent des lieux encore plus déserts, le vieillard prisonnier avoua sous la torture qu'il avait déserté au risque de la mort pour la défense des siens, et qu'il était prêt à tout souffrir de grand cœur.

Alors que l'armée s'inquiétait en raison de la longueur de la route et du manque des vivres nécessaires, les Perses en ligne de bataille fondirent sur les soldats déjà fatigués. **13** Un vif combat s'étant engagé[4], soudain un

4. Le lieu n'est pas précisé. Le combat victorieux, qui précéda celui-ci de quatre jours, eut lieu le 22 juin, dans la région de Maranga (AMM. 25, 1, 11), identifiée par E. HERZFELD, *Geschichte der Stadt Samarra*, Hambourg, 1948, avec Tell-Hir, à 45 km de Samarra. Gisant sous sa tente, Julien apprend que le lieu prédestiné pour sa mort s'appelle *Phrygia* (AMM. 25, 3, 9). Les chroniqueurs byzantins se partagent entre *Phrygia* (Jean Zonaras) et *Asia* (Jean Malalas, comme Eutychianus, le mémorialiste contemporain de Julien), tandis que le *Chronicon paschale* 551 donne *Ras(s)ia :* voir J. Fontaine, Ammien Marcellin, t. IV, 2, p. 215, note 532 et F. Paschoud, Zosime, III, 28, 4, note 83.

ἐξαπίνης βίαιος ἀνακινηθεὶς ἄνεμος τὸν οὐρανὸν καὶ τὸν ἥλιον τοῖς νέφεσιν ἐκάλυψεν, τῷ δὲ ἀέρι τὴν κόνιν ἀνέμιξε· σκότους δὲ καὶ πολλῆς ἀχλύος οὔσης παραδραμών τις ἱππεὺς φέρει ἐπὶ τὸν βασιλέα τὸ δόρυ καὶ παίει καιρίαν, καὶ τοῦ ἵππου καταβαλὼν ὅστις ἦν ἀπῆλθε λαθών· λέγουσι δὲ οἱ μὲν Πέρσην, οἱ δὲ Σαρακηνὸν εἶναι τοῦτον. **14** Εἰσὶ δὲ οἳ Ῥωμαῖον στρατιώτην ἰσχυρίζονται ἐπενηνοχέναι αὐτῷ τὴν πληγήν, **236** ἀγα|νακτήσαντα καθότι ἀβουλίᾳ καὶ θρασύτητι τοσούτοις περιέβαλε κινδύνοις τὴν στρατιάν. Λιβάνιος δὲ ὁ Σύρος σοφιστής, τὰ μάλιστα συνήθης καὶ φίλος αὐτῷ γεγονώς, τάδε περὶ τοῦ κτείναντος αὐτὸν γράφει·

15 «Τίς οὖν ὁ κτείνας, ποθεῖ τις ἀκοῦσαι. Τοὔνομα μὲν οὐκ οἶδα, τοῦ δὲ μὴ πολέμιον εἶναι τὸν κτείναντα σημεῖον ἐναργὲς τὸ μηδένα πολέμιον ἐπὶ τῇ πληγῇ τετιμῆσθαι. Καίτοι διὰ κηρύκων ὁ Πέρσης ἐπὶ γέρας ἐκάλει τὸν ἀπεκτονότα, καὶ μεγάλων ὑπῆρχε τῷ φανέντι τυχεῖν. Ἀλλ' ὅμως οὐδ' ἔρωτι τῶν γερῶν ἠλαζονεύσατο. Καὶ πολλή γε τοῖς πολεμίοις ἡ χάρις, ὅτι ὧν οὐκ ἔδρασαν οὐ προσέθεντο τὴν δόξαν, ἀλλ' ἔδοσαν ἡμῖν παρ' ἡμῖν αὐτοῖς τὸν σφαγέα ζητεῖν. **16** Οἷς γὰρ οὐκ ἐλυσιτέλει ζῶν (οὗτοι

1. Le 26 juin 363. Parmi les récits de la mort de Julien (Grégoire, Libanius, Zosime...), celui d'AMM. (25, 3, 3-23) est le plus objectif. La mort de Julien a inspiré de nombreux commentaires depuis celui de Th. BÜTTNER-WOBST, «Der Tod des Kaisers Julian. Eine Quellenstudie», dans *Philologus* 51, 1892, p. 561-580 : par ex., D. CONDUCHÉ, «Ammien Marcellin et la mort de Julien», dans *Latomus* 24, 1965, p. 359-380; G. SCHEDA, «Die Todesstunde Kaiser Julians», dans *Historia* 15, 1966, p. 380-383; A. SELEM, «Ammiano e la morte di Giuliano XXV, 3, 3-11, dans *RIL*, 107, 1973, p. 1119-1135.

2. Il est troublant que personne ne se soit vanté d'être l'auteur du coup mortel; mais d'après un historien byzantin tardif, NICEPHORE CALLISTE, *H.E.* X, 34, *PG* 146, c. 549-550, le cavalier sarrasin qui porta le coup fut décapité sur le champ par l'un des gardes de l'empereur. AMM., très prudent (25, 3, 6), laisse entendre qu'une rumeur courut, accusant un soldat chrétien (25, 6, 6). LIBANIUS, après l'*Epitaphios* (365/6),

vent violent s'éleva, qui cacha par des nuages le ciel et le soleil et qui emplit l'air de poussière. Ce furent l'obscurité et l'ombre épaisse; un cavalier, passant à vive allure à sa hauteur, frappe l'empereur avec sa lance et le blesse mortellement[1]; puis, quel qu'il fût, étant descendu de cheval, il disparut à l'insu de tous : d'aucuns disent que ce fut un Perse, d'autres un Sarrasin. **14** Il y en a qui soutiennent que ce fut un soldat romain[2] qui lui porta ce coup, furieux de ce que, par son imprévoyance et sa témérité, il avait mis l'armée en de tels périls. Libanius le sophiste syrien, qui fut au plus haut point le familier et l'ami de Julien, écrit ceci sur son meurtrier[3] :

15 « Qui fut le meurtrier, on voudrait le savoir. J'ignore son nom, mais que le meurtrier n'ait pas été un ennemi, on en a une preuve évidente en ce qu'aucun ennemi ne fut honoré pour ce coup. Et pourtant le roi des Perses, par des hérauts, avait appelé le meurtrier pour qu'il fût récompensé et il y avait possibilité d'obtenir de grands biens pour celui qui se serait révélé. Néanmoins, même par amour de la récompense, nul ne s'en vanta. Et en vérité, il faut avoir grande reconnaissance aux ennemis de ce qu'ils ne se sont pas attribué la gloire d'une chose qu'ils n'ont pas faite, mais nous ont donné à chercher chez nous-mêmes l'assassin. **16** De fait, ceux à qui il n'était pas avantageux que Julien fût en vie – c'étaient

est revenu en 378/379 sur la question *(disc.* 24 *Sur la vengeance de Julien) :* pour lui, l'auteur du coup fut un Taïène, un sarrasin chrétien (de la tribu Tay) servant du côté romain.

3. Sozomène reproduit le *disc.* 18, 274 sq., rédigé en 365 (ou, moins probablement, en 368). Il semble le seul historien ecclésiastique à citer le texte du sophiste, ami intime de Julien et païen convaincu. Pour fournir un témoignage émanant d'un familier de Julien, donc irrécusable? Pour prouver sa culture et embellir son ouvrage? Avant tout, il veut prendre appui sur un païen pour retourner son argument dans une intention apologétique : Libanius accuse un chrétien. Soit! Car si l'accusation est justifiée, ce chrétien a agi pour la vraie religion et comme instrument de la volonté divine.

δὲ ἦσαν οἱ ζῶντες οὐ κατὰ τοὺς νόμους), πάλαι τε ἐπεβούλευον καὶ τότε δυνηθέντες εἰργάσαντο, τῆς τε ἄλλης ἀδικίας ἀναγκαζούσης, οὐκ ἐχούσης ἐπὶ τῆς ἐκείνου βασιλείας ἐξουσίαν, καὶ μάλιστά γε τοῦ τιμᾶσθαι τοὺς θεούς, οὗ τοὐναντίον ἐζήτουν.»

2

1293 **1** | Καὶ ὁ μὲν Λιβάνιος ὧδέ πῃ γράφων Χριστιανὸν γενέσθαι ὑποδηλοῖ Ἰουλιανοῦ τὸν σφαγέα· ἴσως δὲ καὶ ἀληθές. Οὐ γὰρ ἀπεικός τινα τῶν τότε στρατευομένων εἰς νοῦν λαβεῖν, ὡς καὶ Ἕλληνες καὶ πάντες ἄνθρωποι μέχρι νῦν τοὺς πάλαι τυραννοκτόνους γενομένους ἐπαινοῦσιν, ὡς ὑπὲρ τῆς πάντων ἐλευθερίας ἑλομένους ἀποθανεῖν καὶ πολίταις ἢ συγγενέσιν ἢ φίλοις προθύμως ἐπαμύναντας. **2** Σχολῇ γε ἄν τις καὶ αὐτῷ μέμψαιτο διὰ θεὸν καὶ θρησκείαν ἣν ἐπήνεσεν ἀνδρείῳ γενομένῳ. Ἐγὼ δέ, ὅστις μὲν τῇ σφαγῇ ταύτῃ διηκονήσατο, πλὴν τῶν εἰρημένων οὐδὲν ἀκριβῶ. Ὡς δὲ συμφωνοῦντες οἱ λέγοντες ἰσχυρίζονται, ἀψευδὴς λόγος εἰς ἡμᾶς ἦλθε κατὰ θεομηνίαν αὐτὸν ἀναιρεθῆναι· καὶ τούτου ἀπόδειξις θεία ὄψις, ἥν τινα τῶν ἐπιτηδείων αὐτῷ ἰδεῖν ἐπυθόμην.

3 Λέγεται γάρ, ἐπεὶ πρὸς αὐτὸν ἐν Πέρσαις ὄντα

1. Sozomène pense au couple prototype des tyrannicides Aristogiton et Harmodios, qui poignardèrent le tyran Hipparque en –514, et auxquels les Athéniens élevèrent des statues.

2. Cette tradition légendaire, partie d'Antioche, passée très tôt à Césarée de Cappadoce, est déjà présente en Arménie avant la fin du IVe siècle, puisque l'historien arménien Faustus de Buzanta la rapporte (en confondant Julien et Valens). Les protagonistes qui se chargent «logiquement» de l'exécution de l'Apostat sont des martyrs militaires, les saints Mercurius et Sergius. Voir N.H. BAYNES, «The Death of Julian the Apostate in a Christian Legend», dans *Byzantine Studies*, 1955, p. 271-281.

ceux qui ne vivent pas selon les lois – intriguaient depuis longtemps contre lui, et alors, en ayant eu le pouvoir, ils accomplirent l'acte, poussés, entre autres, par leur iniquité qui, sous le règne de Julien, n'avait point de licence, et surtout par le fait que les dieux recevaient des honneurs, ce qui était le contraire de ce qu'ils recherchaient. »

Chapitre 2

Une colère divine enlève Julien ;
les visions qu'eurent certains hommes
concernant sa mort.
La réponse concernant le fils du charpentier.
Julien lance en l'air son sang à l'adresse du Christ.
Les maux qui frappent l'ensemble des Romains
à cause de lui.

1 Libanius, en écrivant de la sorte, insinue que l'assassin de Julien fut un chrétien, et peut-être est-ce vrai. Il n'est pas invraisemblable en effet que l'un des soldats alors en service se soit dit que les Grecs et tous les hommes jusqu'à maintenant font l'éloge de ceux qui tuèrent jadis les tyrans[1], parce qu'ils ont choisi de mourir pour la liberté de tous et qu'ils ont secouru de grand cœur concitoyens ou parents ou amis. **2** Et on aurait peine à lui faire reproche s'il montra ce courage à cause de Dieu et de la religion qu'il professait. Quant à moi, quel que fût le ministre de ce meurtre, je ne sais exactement rien de plus que ce que j'ai dit. Mais comme s'accordent à le dire ceux qui soutiennent la chose, un récit non mensonger est venu jusqu'à nous, selon lequel Julien périt par une colère divine : et de cela la preuve est une vision divine, qu'eut, comme je l'ai appris, l'un des familiers de Julien[2].

3 Cet homme, dit-on, alors qu'il se hâtait vers Julien qui

ἠπείγετο, ἔν τινι χωρίῳ καταλῦσαι τῆς λεωφόρου καὶ **237** ἀπορίᾳ οἰκήματος ἐν τῇ ἐνθάδε ἐκκλησίᾳ καθ|ευδῆσαι, καὶ ὕπαρ ἢ ὄναρ ἰδεῖν, ὡς εἰς ταὐτὸν συνελθόντες πολλοὶ τῶν ἀποστόλων καὶ προφητῶν ἀπωδύροντο τὴν εἰς τὰς ἐκκλησίας τοῦ κρατοῦντος ὕβριν καὶ ὅ τι χρὴ ποιεῖν ἐβουλεύοντο. **4** Ἐπὶ πολὺ δὲ περὶ τούτου διαλογιζομένων καὶ ὥσπερ διαπορουμένων ἀναστάντες ἐκ μέσων δύο θαρρεῖν τοῖς ἄλλοις παρεκελεύσαντο καὶ ὡς ἐπὶ καθαιρέσει τῆς Ἰουλιανοῦ ἀρχῆς ὁρμῶντες σπουδῇ τὸν σύλλογον κατέλιπον. **5** Ὁ δὲ ἄνθρωπος, ὃς τῶν παραδόξων τούτων ἐγεγόνει θεατής, τῆς μὲν ὁδοιπορίας ὠλιγώρει λοιπόν· ὀρρωδῶν δὲ πῇ ἄρα τὸ τέλος ἐκβήσεται τῆς τοιαύτης ὄψεως, πάλιν ἐνθάδε καθεύδων τὸν αὐτὸν ἰδεῖν σύλλογον ἐξαπίνης τε ὡς ἀπὸ ὁδοῦ εἰσεληλυθότας, οἳ τῇ προτεραίᾳ νυκτὶ ἐπεστράτευσαν Ἰουλιανῷ, καὶ ἀναγγεῖλαι τοῖς ἄλλοις ἀνῃρῆσθαι τοῦτον.

6 Κατ' ἐκείνην δὲ τὴν ἡμέραν καὶ Δίδυμος ὁ ἐκκλησιαστικὸς φιλόσοφος ἐν Ἀλεξανδρείᾳ διατρίβων, οἷά γε τοῦ βασιλέως εἰς τὴν θρησκείαν διασφαλέντος περίλυπος ὢν διά τε αὐτὸν ὡς πεπλανημένον καὶ διὰ τὴν καταφρόνησιν τῶν ἐκκλησιῶν, ἐνήστευέ τε καὶ τὸν θεὸν περὶ τούτου 1296 ἱκέτευεν. **7** Ὑπὸ δὲ τῆς μερίμνης | οὐδὲ τῆς νυκτὸς ἐπιγενομένης μεταλαβὼν τροφῆς, ἐπὶ θρόνου καθεζόμενος εἰς ὕπνον κατηνέχθη, καὶ ὡς ἐν ἐκστάσει γεγονὼς ἔδοξεν ὁρᾶν ἵππους λευκοὺς ἐν τῷ ἀέρι διατρέχοντας, τοὺς δὲ ἐπ' αὐτῶν ὀχουμένους κηρύττειν· «Ἀγγείλατε Διδύμῳ σήμερον περὶ τήνδε τὴν ὥραν Ἰουλιανὸν ἀνῃρῆσθαι· καὶ Ἀθανασίῳ τῷ ἐπισκόπῳ τοῦτο μηνυσάτω· καὶ ἀναστὰς ἐσθιέτω.» **8** Καὶ ἃ μὲν τεθέαντο ὅ τε Ἰουλιανοῦ οἰκεῖος καὶ ὁ φιλόσοφος, ὧδε γενέσθαι ἐπυθόμην. Καὶ οὐδέτερος

1. Sur Didyme l'aveugle, philosophe à la fois par ses ouvrages d'exégèse et sa vie d'ascèse, voir *H.E.* III, 15, 1-5. La tradition ici rapportée dérive de PALLADIUS, *Histoire Lausiaque,* 4, 4. Pour L. CRACCO-RUGGINI, «Simboli di battaglia ideologica nel tardo ellenismo (Roma, Atene, Constantinopoli; Numa, Empedocle, Cristo)», dans *Studi storici in onore di O. Bertolini,* Pisa, 1972 p. 177-300, la vision de Didyme

se trouvait en Perse, dételа à un certain point de la route, et, comme il n'y avait là nul logement, il dormit dans l'église du lieu. Et, en état de veille ou en songe, il vit un grand nombre d'apôtres et de prophètes qui, s'étant réunis, déploraient les violences de l'empereur à l'égard des églises et délibéraient sur ce qu'il fallait faire. **4** Comme ils discutaient longuement là-dessus et pour ainsi dire ne savaient que faire, deux d'entre eux, s'étant levés, recommandèrent aux autres d'avoir bon courage et, comme s'ils partaient pour supprimer le pouvoir de Julien, quittèrent en hâte l'assemblée. **5** L'homme, qui avait été le spectateur de ce fait extraordinaire, désormais n'avait plus de hâte à son voyage ; en redoutant la façon dont allait se terminer cette vision, de nouveau il s'endormit là et vit la même assemblée où entrèrent soudain, comme s'ils revenaient de voyage, ceux qui étaient partis la nuit précédente en expédition contre Julien, et ils annoncèrent aux autres que Julien avait été tué.

6 Ce jour-là Didyme aussi[1], homme d'église pratiquant l'ascèse, qui vivait à Alexandrie, à la pensée que l'empereur s'était écarté de notre religion, était en profond chagrin et à cause de l'égarement de Julien et à cause de son mépris des églises ; il s'était mis à jeûner et à supplier Dieu à ce sujet. **7** Sous le coup de ce souci, la nuit venue, il ne prit même pas de nourriture. Assis sur son siège, il fut plongé dans le sommeil. Et tombé comme en extase, il eut la vision de deux chevaux blancs courant à travers l'air, et ceux qui les montaient proclamaient : « Annoncez à Didyme qu'aujourd'hui, à cette heure précise, Julien a été tué. Qu'il en avertisse l'évêque Athanase. Et qu'il se lève et mange. » **8** Telles furent, comme je l'ai appris, les visions qu'ont eues et le familier de Julien et le philosophe. Et ni l'un ni l'autre, en ce

est une christianisation de la légende des Dioscures intervenant sur des chevaux blancs à la bataille du lac Régille et venant annoncer eux-mêmes la victoire au Forum romain, p. 265-272.

ἐν οἷς τεθέατο τῆς ἀληθείας διήμαρτεν, ὡς ἐμηνύθη ὕστερον. Ὧι δὲ οὐκ ἀρκεῖ ταῦτα εἰς ἀπόδειξιν τοῦ θεόθεν αὐτὸν ἀναιρεθῆναι ὡς ταῖς ἐκκλησίαις αὐτοῦ λυμαινόμενον, καὶ τὴν προφητείαν εἰς νοῦν λαμβάνοι ἣν ἐκκλησιαστικὸς ἀνὴρ **238** προηγόρευσε. **9** Μέλλοντος γὰρ αὐτοῦ ἐπὶ Πέρσας | στρατεύειν καὶ μετὰ τὸν πόλεμον τὰς ἐκκλησίας κακῶς ποιήσειν ἀπειλοῦντος καὶ ἐπιτωθάζοντος ὡς οὐδὲν αὐτοῖς ἐπαμύνειν δυνήσεται ὁ τοῦ τέκτονος υἱός, ὧδὶ λέγων ἀπεφήνατο · « Οὗτος δὲ ὁ τοῦ τέκτονος υἱὸς θήκην αὐτῷ ξυλίνην πρὸς θάνατον κατασκευάζει. »

10 Οὐ μὴν ἀλλὰ καὶ αὐτὸς μετὰ τὴν πληγὴν ἁμωσγέπως συνῆκεν ὅθεν ἐβλάβη, καὶ τὸ αἴτιον τῆς συμφορᾶς οὐ παντελῶς ἠγνόησε. Λέγεται γάρ, ὅτε ἐτρώθη, αἷμα ἐκ τῆς ὠτειλῆς ἀρυσάμενος εἰς τὸν αἰθέρα ἀκοντίσαι, οἷά γε πρὸς φαινόμενον τὸν Χριστὸν ἀφορῶν καὶ τῆς ἰδίας σφαγῆς αὐτὸν ἐπαιτιώμενος. **11** Οἱ δέ φασιν ὡς πρὸς τὸν Ἥλιον ἀγανακτῶν, ὅτι Πέρσαις ἐπήμυνεν ἢ αὐτὸν οὐ διέσωσεν ἔφορος ὢν τῆς αὐτοῦ γενέσεως κατά τινα τοιαύτην ἀστρονομικὴν θεωρίαν, τῇ χειρὶ τὸ αἷμα ἐπιδείξας εἰς τὸν ἀέρα ἠκόντισεν. **12** Εἰ δὲ ἀληθῶς μέλλων τελευτᾶν, οἷά περ εἴωθε συμβαίνειν τῆς ψυχῆς ἤδη χωριζομένης τοῦ σώματος καὶ θειότερα ἢ κατὰ ἄνθρωπον ὁρᾶν δυναμένης, τὸν Χριστὸν ἐθεάσατο, οὐκ ἔχω λέγειν · οὐ γὰρ πολλῶν ὅδε ὁ λόγος · οὔτε δὲ ὡς ψεῦδος ἐκβαλεῖν θαρρῶ, ἐπεὶ οὐκ ἀπεικὸς καὶ τῶνδε θαυμαστότερα συμβῆναι εἰς ἐπίδειξιν τοῦ μὴ ἀνθρωπείᾳ σπουδῇ συστῆναι τὴν ἐπώνυμον τοῦ Χριστοῦ θρησκείαν.

1. Théodoret, *H.E.* III, 23 (éd. Parmentier-Hansen, *GCS*, p. 202) rapporte une histoire analogue, mais avec des personnages différents : celui qui ironise est Libanius lui-même, celui qui réplique est un pédagogue, familier de Libanius.

2. Sozomène réunit les deux versions légendaires du dernier geste de Julien, de blasphème contre le Christ, de colère contre Hélios, recueillies par les historiens ecclésiastiques, mais sans donner les mots que Julien aurait lancés contre le Christ – « Tu as vaincu, Galiléen » –

qu'il avait vu, ne fut trompé sur la réalité des faits, comme cela fut avéré plus tard.

Si ces faits ne suffisent pas à démontrer que Julien périt par la volonté de Dieu parce qu'il ruinait ses églises, qu'on se mette aussi dans l'esprit la prophétie que fit alors un homme d'église[1]. **9** Comme Julien était sur le point de partir en expédition contre les Perses, qu'il menaçait de faire, après la guerre, beaucoup de mal aux églises et qu'il disait par raillerie que le fils du charpentier ne pourrait pas défendre les chrétiens, l'homme fit cette déclaration : « Ce fils du charpentier est en train de lui fabriquer un cercueil de bois pour sa mort. »

10 Au surplus, Julien lui-même comprit plus ou moins d'où venait le coup qui l'avait frappé, et il n'ignora pas complètement la cause de son malheur. On dit en effet que, quand il eut été blessé, il puisa du sang à sa blessure ouverte et le lança vers l'éther, comme s'il avait les yeux fixés sur une apparition du Christ et qu'il le rendît responsable de sa propre blessure[2]. **11** D'autres disent que, en colère contre Hélios, parce qu'il défendait les Perses ou qu'il ne l'avait pas sauvé alors que ce dieu était le gardien de sa naissance selon un certain calcul astrologique, de la main, il lui montra le sang et le jeta en l'air. **12** Que vraiment, sur le point de mourir, comme il arrive d'ordinaire quand l'âme désormais se sépare du corps et qu'elle est capable de voir des choses plus divines que l'homme ne le peut, il ait vu le Christ, je ne puis le dire – peu nombreux, de fait, sont ceux qui le disent – ni je n'ose le repousser comme mensonge, puisqu'il n'est pas invraisemblable que des faits même plus extraordinaires que ceux-là se soient produits pour prouver que la religion dénommée d'après le Christ ne s'est pas constituée par un effort humain.

et contre Hélios – « Rassasie-toi » – et en s'en tenant à un prudent *non liquet* sur la véracité de cette tradition.

13 Ἀμέλει τοι παρὰ πάντα τὸν χρόνον ταυτησὶ τῆς βασιλείας ἀγανακτῶν ὁ θεὸς ἐφαίνετο, καὶ παντοδαπαῖς συμφοραῖς ἐν πολλοῖς ἔθνεσιν ἐπέτριψε τὴν Ῥωμαίων ὑπήκοον. Τῆς τε γὰρ γῆς συνεχῶς ὑπὸ χαλεπωτάτων σεισμῶν τινασσομένης καὶ τῶν οἰκημάτων ἐρειπομένων καὶ πολλαχοῦ χασμάτων ἀθρόων γινομένων οὐκ ἀσφαλὲς ἦν οἴκοι οὔτε αἰθρίους διατρίβειν. **14** Συμβάλλω δὲ ἐξ ὧν 1297 ἐπυθόμην ἢ βασιλεύοντος αὐτοῦ | ἢ κατὰ τὸ δεύτερον σχῆμα τῆς βασιλείας ὄντος καὶ τὸ συμβὰν τοῖς πρὸς Αἴγυπτον Ἀλεξανδρεῦσι γεγονέναι πάθος· ἡνίκα δὴ ἡ θάλασσα ὑπονοστήσασα πάλιν ἐξ ἐπιδρομῆς τοὺς ἰδίους **239** | ὅρους παρήμειψε καὶ μέχρι πολλοῦ τὴν ξηρὰν κατέκλυσεν, ὡς καὶ ἐπὶ τῶν κεράμων ἀποχωρήσαντος τοῦ ὕδατος θαλάττια εὑρεθῆναι σκάφη. **15** Ἀμέλει τοι τὴν ἡμέραν καθ' ἣν τάδε συνέβη, ἣν γενέσια τοῦ σεισμοῦ προσαγορεύουσιν, εἰσέτι νῦν οἱ Ἀλεξανδρεῖς ἐτήσιον ἑορτὴν ἄγουσι, λύχνους τε πλείστους ἀνὰ πᾶσαν τὴν πόλιν καίοντες καὶ χαριστηρίους λιτὰς τῷ θεῷ προσφέροντες λαμπρῶς μάλα καὶ εὐλαβῶς ταύτην ἐπιτελοῦσιν. **16** Οὐ μὴν ἀλλὰ καὶ αὐχμοὶ ἐπιτείναντες πάντας τοὺς καρποὺς καὶ τὸν ἀέρα ἐπὶ ταύτης τῆς ἡγεμονίας ἐλυμήναντο· ἐντεῦθέν τε σπάνει τῶν ἐπιτηδείων ἐπὶ τὰς τῶν ἀλόγων ζῴων τροφὰς τοὺς ἀνθρώπους ἤλαυνεν ὁ λιμός. Ἐπακολουθῶν δὲ καὶ ὁ λοιμὸς ἰδίας ἐπῆγε νόσους καὶ τὰ σώματα διέφθειρε. Τὰ μὲν δὴ κατὰ Ἰουλιανὸν ὧδε ἔσχε.

1. Ce thème classique des manifestations de la vengeance divine contre les persécuteurs (séismes, raz de marée, sécheresse, famine, peste) ne trouve appui que dans quelques phrases assez vagues de GRÉGOIRE, *disc.* 5, 2 et JEAN CHRYSOSTOME, *Discours sur Babylas* 118 et 121. Sozomène indique très approximativement le temps («quand Julien était déjà Auguste ou quand il était encore César» § 14) et le lieu (Alexandrie §§ 14-15). Ce raz de marée qui déferla sur Alexandrie et déposa des esquifs sur les toits rappelle le tremblement de terre et le raz de marée qui eurent les mêmes effets précisément à Alexandrie, d'après AMM. 26, 10, 15-19. Or ce dernier date l'épisode du 21 juillet

13 En tout cas, durant tout le temps de ce règne, Dieu ne cessait de paraître en courroux, et il écrasa les sujets de Rome de toutes sortes de malheurs en beaucoup de provinces[1]. Comme la terre était continuellement secouée par de très terribles séismes, que les maisons s'écroulaient et qu'en beaucoup de lieux il se produisait soudain des fissures dans le sol, il n'était plus sûr de vivre ni chez soi ni en plein air. **14** Je conjecture, d'après ce que j'ai appris, que c'est ou bien quand il était empereur ou bien quand il n'était encore qu'au deuxième degré du pouvoir impérial qu'eut lieu la catastrophe qui frappa les Alexandrins d'Égypte, lorsque la mer, à la suite d'un raz de marée, faisant une incursion, dépassa ses limites et submergea largement la terre, au point que, l'eau une fois retirée, on trouva jusque sur les tuiles des toits des esquifs marins. **15** En tout cas, le jour où cela se produisit, jour que les Alexandrins nomment « anniversaire du séisme », maintenant encore ils célèbrent une fête annuelle, allument quantité de lampes dans toute la ville, font des processions de reconnaissance à Dieu et solennisent avec éclat et pieusement la fête. **16** Outre cela, des sécheresses prolongées gâtèrent, sous ce règne, tous les fruits de la terre et l'air : de là vient que, par la rareté des ressources, la faim forçait les hommes à recourir aux aliments des bêtes. Et s'ensuivait aussi la peste qui amenait ses maladies particulières et corrompait les corps.

Tels furent donc les événements sous Julien.

365, sous Valentinien et Valens, donc en dehors des dates proposées par Sozomène (entre 355 et 363). Le 21 juillet est sans doute le « jour du séisme » célébré chaque année par les Alexandrins. Voir C. LEPELLEY, « Le présage du nouveau désastre de Cannes : la signification du raz de marée du 21 juillet 365 dans l'imaginaire d'Ammien Marcellin », dans *Kôkalos*, 36-37, 1990-1991, 1994, p. 359-372.

3

1 Μετὰ δὲ τοῦτον κοινῇ συνθήκῃ τοῦ στρατοπέδου παραλαμβάνει τὴν βασιλείαν Ἰοβιανός · ἡνίκα δὴ ἐν τῇ πολεμίᾳ αὐτοκράτορα χειροτονούντων αὐτὸν τῶν στρατευμάτων αὐτὸς Χριστιανὸν ἑαυτὸν εἶναι λέγων παρῃτεῖτο τὴν ἡγεμονίαν καὶ τὰ σύμβολα τῆς βασιλείας οὐ προσίετο, εἰσότε δὴ καὶ ἡ στρατιὰ μαθοῦσα τῆς παραιτήσεως τὴν αἰτίαν Χριστιανοὺς εἶναι σφᾶς ἀνέκραγον. **2** Ἐν κινδύνῳ δὲ καὶ ταραχῇ τῶν πραγμάτων ὄντων ἐκ τῆς Ἰουλιανοῦ στρατηγίας, καμνούσης τε τῆς στρατιᾶς ἐνδείᾳ τῶν ἐπιτηδείων, ἀναγκαῖον εἶδεν εἰς συμβάσεις ἐλθεῖν, παραδούς τινα Πέρσαις τῶν πρότερον Ῥωμαίοις ὑποτελῶν. **3** Τῇ δὲ πείρᾳ μαθὼν ὑπὸ θεομηνίας τοῦ πρὸ αὐτοῦ βασιλεύσαντος κακῶς παθεῖν τὸ ὑπήκοον, μηδὲν μελλήσας ἔγραψε τοῖς ἡγουμένοις τῶν ἐθνῶν ἀδεῶς ἐν ταῖς ἐκκλησίαις 1300 ἀθροίζεσθαι καὶ τὸ θεῖον ἐπιμελῶς | θεραπεύειν, καὶ μόνην εἶναι σεβαστὴν τοῖς ἀρχομένοις τὴν τῶν Χριστιανῶν πίστιν. **4** Ἀπέδωκε δὲ καὶ τὰς ἀτελείας ἐκκλησίαις τε καὶ κλήροις,

1. Le 27 juin 363 d'après AMM. 25, 5, 1 et *Chron*. I, p. 240 Mommsen (cf. SEECK, *Regesten*, p. 213). L'élection de Jovien est attribuée par AMM. (25, 5, 3-6) à la précipitation et à l'activisme d'une poignée de meneurs. Le thème du refus du pouvoir, comme signe de légitimité, s'appliquerait plus justement au préfet Salutius, pressenti le premier. D'autre part, l'armée de Julien était loin d'être toute entière chrétienne. Les Gaulois et Germains fidèles à Julien devaient être et rester païens. La « religion de l'armée » est une question complexe que les auteurs peuvent manier en tous sens : cf. R. TOMLIN, « Christianity and the late Roman Army », dans *Constantine : History, Historiography and Legend*, S.N.C. Lieu et D. Montserat édd., Londres, 1998, p. 21-51.

2. Comme tous les historiens ecclésiastiques, comme aussi Grégoire, Jean Chrysostome et Augustin, Sozomène approuve ce traité comme « nécessaire » (*contra* AMM. 25, 7, 9-11 qui détaille amèrement ses clauses draconiennes). Signé cinq jours après l'avènement de Jovien (PIGANIOL, p. 146), il troubla profondément les esprits : R. TURCAN, « La reddition de Nisibe et l'opinion publique (363 apr. J.C.) », dans *Mélanges A. Piganiol*, Paris, 1966, p. 875-890 et M.A. MARIÉ, « *Virtus* et *Fortuna* chez Ammien Marcellin... », dans *REL*, 67, 1989, p. 179-190.

Chapitre 3

L'accession au trône de Jovien et tous les actes justes qu'il accomplit à son arrivée au pouvoir.

1 Après Julien, d'un commun accord de l'armée, Jovien reçoit l'empire[1]. Or donc, comme les troupes l'élisaient autocratôr en pays ennemi, il refusa le pouvoir, alléguant qu'il était chrétien, et il n'accepta pas les insignes impériaux, jusqu'au moment où les soldats, ayant appris la cause de son refus, crièrent qu'eux aussi étaient chrétiens. **2** Comme la situation était en péril et en désordre du fait de la stratégie de Julien et que l'armée était épuisée par le manque des ressources, Jovien vit qu'il était nécessaire d'en venir à un traité et il céda aux Perses certains territoires qui auparavant dépendaient des Romains[2]. **3** Instruit par l'expérience que ses sujets étaient dans le malheur sous le coup de la colère divine qui avait frappé son prédécesseur, sans tarder il écrivit aux gouverneurs de provinces que les fidèles devaient librement se réunir dans les églises et servir Dieu avec empressement et que seule devait être révérée par ses sujets la foi chrétienne[3]. **4** Il rendit aussi les exemptions d'impôts aux

3. Jovien ne régna que huit mois, sa politique religieuse est donc difficile à définir. Elle devait viser à l'apaisement plutôt qu'à la contrainte : H. LEPPIN, p. 86-90. On peut donc souscrire davantage à la première partie de la phrase – « les fidèles devaient librement se réunir dans les églises » (cf. *Hist. aceph.*, 12) – qu'à la seconde – « seule devait être révérée par les sujets la foi chrétienne ». Le païen Thémistius, que Jovien respectait, affirmait le principe de la tolérance universelle dans son discours 5, discours consulaire du 1er janvier 364 (résumé dans BARDY, p. 191-192 et commenté par G. DAGRON, « L'Empire romain d'Orient et les traditions de l'hellénisme. L'exemple de Thémistius », *Travaux et Mémoires* III, 1966, p. 1-242). Sozomène est plus nuancé que SOCRATE, *H.E.* III, 23, 5, selon lequel Jovien aurait interdit les sacrifices publics et ordonné de fermer les temples. La politique religieuse de Jovien tendait à se durcir : le 4 février 364, juste avant sa mort, il émettait une loi annexant à son patrimoine privé *(res priuata)* les biens-fonds dépendant des temples (PIGANIOL, p. 166 n. 2 renvoyant à SEECK, *Regesten,* p. 214, *Code Théodosien* X, 1, 8).

χήραις τε καὶ παρθένοις, καὶ εἴ τι πρότερον ἐπ' ὠφελείᾳ
240 τε | καὶ τιμῇ τῆς θρησκείας δωρηθὲν ἢ νομοθετηθὲν ἐτύγχανεν ὑπὸ Κωνσταντίνου καὶ τῶν αὐτοῦ παίδων, ὕστερον δὲ ἐπὶ Ἰουλιανοῦ ἀφῃρέθη. **5** Προσεφώνησε δὲ καὶ Σεκούνδῳ τῷ τότε τὴν ὕπαρχον ἐξουσίαν διέποντι γενικὸν νόμον, εἰς κεφαλὴν τιμωρεῖσθαι παρακελευόμενον τὸν ἱερὰν παρθένον μνᾶσθαι πρὸς γάμον πειρώμενον ἢ καὶ ἀκολάστως μόνον προσβλέποντα, μή τί γε διαρπάζειν ἐπιχειροῦντα. **6** Ἔθετο δὲ τοῦτον τὸν νόμον, καθότι μοχθηροί τινες ἄνδρες ἐπὶ τῆς ἡγεμονίας Ἰουλιανοῦ ἔτυχον τοιούτων παρθένων γάμους ἐπιτελέσαντες καὶ ἀνάγκῃ ἢ καὶ πειθοῖ προσφθαρέντες, οἷά γε φιλεῖ τῆς αἰσχρᾶς ἐπιθυμίας ἀκινδύνως ταῦτα τολμᾶν ὑποθεμένης δυσπραγούσης τῆς θρησκείας.

4

1 Αἱ δὲ περὶ τῶν δογμάτων ζητήσεις τε καὶ διαλέξεις
1301 πάλιν ἀνεκινοῦντο τοῖς προεστῶσι τῶν ἐκκλη | σιῶν. Ἰουλιανοῦ γὰρ βασιλεύοντος, ὡς παντελῶς τοῦ Χριστιανισμοῦ κινδυνεύοντος, ἡσυχίαν ἦγον, κοινῇ δὲ πάντες τὸν θεὸν ἱκέτευον ἵλεων αὐτοῖς γενέσθαι. **2** Οὕτω πῃ τοῖς ἀνθρώποις φίλον παρ' ἑτέρων μὲν ἀδικουμένοις πρὸς τὸ ὁμόφυλον ὁμονοεῖν, ἀπηλλαγμένοις δὲ τῶν ἔξωθεν κακῶν πρὸς σφᾶς αὐτοὺς στασιάζειν. Ἀλλ' ὅσαις μὲν πολιτείαις

1. Sozomène ignore – ou préfère ignorer – qu'il les réduisit au tiers (Théodoret, *H.E.* IV, 4 et Piganiol, p. 165).

2. Le personnage est ici nommé, à la différence de *H.E.* V, 20 où, témoin de la constance du martyr Theodôros, il conseille à Julien de mettre fin au supplice. Salutius (*P.L.R.E.*, p. 814-817 Saturninius Secundus Salutius 3), préfet du prétoire d'Orient de 361 à 365 et de 365 à 367, a reçu deux lois de Jovien, l'une du 27 septembre 363 (*Code Théodosien,* VII, 4, 9 a), l'autre du 19 février 364, donc juste après la mort de cet empereur (*Code Théodosien*, IX, 25, 2).

3. C'est la deuxième loi de Jovien adressée à Salutius, *Code Théodosien*, IX, 25, 2 : *Si quis non dicam rapere, sed uel attemptare matri-*

églises[1], aux clercs, aux veuves et aux vierges, ainsi que tout ce qui avait été donné ou édicté auparavant pour le profit et l'honneur de la religion par Constantin et ses fils, puis supprimé sous Julien. **5** Il adressa aussi à Secundus, alors préfet du prétoire[2], une loi d'application générale, enjoignant que fût puni de la peine capitale quiconque essaierait de rechercher en mariage une vierge consacrée ou seulement lui lancerait un regard impudique, pour ne pas dire tenterait de la violer[3]. **6** Il établit cette loi pour la raison que sous le règne de Julien des hommes pervers avaient contracté mariage avec de telles vierges et les avaient corrompues de force ou même par persuasion : c'est ce qui arrive quand le désir honteux engage à oser sans risque ces choses parce que la religion est en difficulté.

Chapitre 4

De nouveau, troubles dans les églises;
le concile d'Antioche qui confirme le credo de Nicée.
Lettre du dit concile à l'empereur Jovien.

1 Questions et discussions sur le dogme étaient de nouveau soulevées par les chefs des églises. Sous le règne de Julien en effet, comme le christianisme était totalement en péril, les gens se tenaient tranquilles, tous en commun suppliaient Dieu de leur être propice. **2** Ainsi en va-t-il des hommes : s'ils subissent des torts de l'extérieur, ils maintiennent la concorde avec les gens de leur groupe ; mais sont-ils délivrés des maux du dehors, ils entrent en conflit entre eux. Toutefois, ce n'est pas le moment de

monii iungendi causa sacratas uirgines uel uiduas ausus fuerit, capitali sententia ferietur («ceux qui auront osé, je ne dirai pas enlever, mais même toucher, en vue de conclure mariage, des vierges consacrées ou des veuves seront frappés de la sentence capitale»).

καὶ ἔθνεσι τοῦτο συνέβη, οὐ τοῦ παρόντος καιροῦ καταλέγειν ἐστίν. **3** Περὶ δὲ τοῦτον τὸν χρόνον Βασίλειος ὁ Ἀγκύρας ἐπίσκοπος καὶ Σιλβανὸς ὁ Ταρσοῦ καὶ Σωφρόνιος ὁ Πομπηιουπόλεως καὶ οἱ σὺν αὐτοῖς, τὴν τῶν Ἀνομοίων καλουμένην αἵρεσιν ἀποστρεφόμενοι, τὸ δὲ ὁμοιούσιον ὄνομα ἀντὶ τοῦ ὁμοουσίου δεχόμενοι, βιβλίον τῷ βασιλεῖ διεπέμψαντο χάριν ἔχειν τῷ θεῷ ὁμολογοῦντες, ὅτι αὐτὸν προεστήσατο τῆς Ῥωμαίων ἀρχῆς. **4** Ἐζήτουν δὲ ἢ τὰ ἐν Ἀριμήνῳ καὶ Σελευκείᾳ πεπραγμένα κύρια μένειν καὶ τὰ σπουδῇ καὶ δυνάμει τινῶν γενόμενα ἀργεῖν, ἢ τοῦ σχίσματος τοῦ πρὸ τῶν συνόδων ταῖς ἐκκλησίαις μένοντος συγχωρηθῆναι τοὺς πανταχῇ ἐπισκόπους αὐτοὺς καθ' ἑαυτοὺς ὅποι βούλονται συνελθεῖν μηδενὸς ἄλλου κοινωνοῦντος, μὴ προχωρεῖν δὲ κατὰ σκοπὸν τὰ ἐπιχει-**241** ρούμενα τοῖς ἐν μέρει τι βουλομένοις πράττειν | ἢ ἐξαπατᾶν ὡς ἐπὶ Κωνσταντίου τοῦ βασιλέως. **5** Ἐδήλουν δὲ μὴ παραγενέσθαι σφᾶς εἰς τὸ στρατόπεδον, ὥστε μὴ ὀχληροὺς εἶναι δοκεῖν· εἰ δὲ ἐπιτραπεῖεν, ἀσμένως τοῦτο ποιήσειν ὑποζυγίοις ἰδίοις καὶ δαπάνῃ χρωμένους. **6** Καὶ οἱ μὲν τοιάδε Ἰοβιανῷ τῷ βασιλεῖ ἔγραψαν. Ἐν τούτῳ δὲ συνόδου

1. Sozomène analyse exactement la lettre de Basile, Silvain et Sophronius et de leurs partisans, Pasinique de Zela, Léonce de Comane, Callicrate de Claudiopolis, Théophile de Castabala... Rapprocher SOCRATE, *H.E.* III, 25 qui donne la liste complète des 27 signataires. Tous deux doivent leur information au «dossier de Sabinos» (SOCRATE, *H.E.* III, 25, 19), c'est-à-dire au *Synodikon* de cet évêque homéousien d'Héraclée (cf. MARTIN, p. 574, note 116 et aussi BARDY, p. 245, note 2). Si Sozomène mentionne en priorité l'intervention des homéousiens, c'est qu'ils lui apparaissent comme les moins suspects d'arianisme, puisque leur «libelle» s'en prenait vivement aux anoméens et se ralliait sans ambages à la formule de Nicée. Jovien, lui, éconduisit les délégués en faisant savoir qu'il avait horreur de la controverse (SOCRATE, *H.E.* III, 25, 4; MARTIN, p. 574, note 116).

2. Sozomène a traité de ces deux conciles parallèles et simultanés en *H.E.* IV, 16-18 et en IV, 22. Les homéousiens de Basile d'Ancyre demandent à Jovien le retour à leurs décisions, adultérées dans la suite

faire le compte des cités et des provinces à qui ce malheur advint. **3** Vers ce temps-là, Basile évêque d'Ancyre[1], Silvain de Tarse, Sophronius de Pompéiopolis et leurs partisans, rejetant l'hérésie dite des anoméens, acceptant le terme de *homoiousios* au lieu de *homoousios*, envoyèrent un libelle au prince, où ils professaient leur reconnaissance à Dieu de l'avoir mis à la tête de l'Empire romain. **4** Ils demandaient ou bien de laisser en vigueur les mesures arrêtées à Rimini et à Séleucie[2] et que soient inopérantes les décisions dues à la hâte et au pouvoir de certains, ou bien, si subsistait dans les églises le schisme antérieur aux conciles, de permettre aux évêques de tout lieu de se réunir entre eux seuls, là où ils voudraient, sans la participation d'aucun autre[3], et de ne pas laisser progresser à leur gré les tentatives de ceux qui, dans un coin, voulaient obtenir un succès ou tromper les gens, comme on l'avait vu sous l'empereur Constance. **5** Ils faisaient savoir qu'ils n'étaient pas venus eux-mêmes à la cour pour ne pas sembler importuns ; mais que, si on le leur permettait, ils le feraient volontiers par leurs propres moyens de transport et à leurs frais. Telle fut leur lettre à l'empereur Jovien. **6** En ce temps-là, un concile eut

par la «tromperie de Nikè» (*H.E.* IV, 19, 4-12). Machinée par les ariens Ursace et Valens contre les ambassadeurs de Rimini, celle-ci aboutit au triomphe de l'homéisme au concile de Constantinople en 360 (*H.E.* IV, 23). Les expressions suivantes, plus vagues que prudentes, visent les manœuvres successives de Valens et d'Ursace à Nikè et d'Acace et d'Aèce à Constantinople.

3. L'expression «eux seuls» signifie-t-elle que les homéousiens réclament un concile particulier qui leur soit exclusivement réservé ? Ou refusent-ils qu'un concile élargi aux autres tendances soit surveillé par un homme de l'empereur, comme le questeur Léônas et le duc d'Isaurie Bassidius Lauricius lors du concile de Séleucie (*H.E.* IV, 22, 2, 10, 13, 18, 24 et 25)? L'expression est peut-être volontairement ambiguë de la part des homéousiens.

γενομένης ἐν Ἀντιοχείᾳ τῆς Συρίας βεβαιοῦται τῶν ἐν Νικαίᾳ συνεληλυθότων ἡ πίστις καὶ κρατεῖ ὥστε ἀναμφηρίστως τὸν υἱὸν τῷ πατρὶ δοξάζειν ὁμοούσιον. Ἐκοινώνησαν δὲ ταύτης τῆς συνόδου Μελέτιος, ὃς τότε αὐτῆς τῆς Ἀντιοχείας τὴν ἐκκλησίαν ἐπετρόπευε, καὶ Εὐσέβιος ὁ Σαμοσάτων καὶ Πελάγιος ὁ Λαοδικείας τῆς Σύρων καὶ Ἀκάκιος ὁ Καισαρείας τῆς Παλαιστίνης καὶ Εἰρηνίων ὁ Γαζαῖος καὶ Ἀθανάσιος ὁ Ἀγκύρας. **7** Ταῦτα δὲ πράξαντες ἐδήλωσαν τῷ βασιλεῖ τὰ δόξαντα γράψαντες ὧδε·

1304 | «Τῷ εὐσεβεστάτῳ καὶ θεοφιλεστάτῳ δεσπότῃ ἡμῶν Ἰοβιανῷ Νικητῇ Αὐγούστῳ ἡ τῶν ἐν Ἀντιοχείᾳ παρόντων ἐπισκόπων ἐκ διαφόρων ἐπαρχιῶν σύνοδος.

Τὴν ἐκκλησιαστικὴν εἰρήνην τε καὶ ὁμόνοιαν ὅτι σοῦ καὶ πρώτη πρεσβεύειν ἐσπούδακεν ἡ εὐσέβεια, εὖ ἴσμεν καὶ αὐτοί, θεοφιλέστατε βασιλεῦ. Ὅτι δὲ κεφάλαιον τῆς τοιαύτης ἑνότητος τῆς ἀληθοῦς καὶ ὀρθοδόξου πίστεως καλῶς ὑπείληφας τὸν χαρακτῆρα, οὐδὲ τοῦτο ἀγνοοῦμεν. **8** Ἵνα τοίνυν μὴ μετὰ τῶν παραχαρασσόντων τὰ δόγματα τῆς ἀληθείας τετάχθαι νομιζώμεθα, ἀναφέρομεν τῇ σῇ εὐλαβείᾳ, ὅτι τῆς ἁγίας συνόδου τῆς ἐν Νικαίᾳ πάλαι πρότερον συγκροτηθείσης τὴν πίστιν καὶ ἀποδεχόμεθα καὶ κατέχομεν, **9** ὁπότε καὶ τὸ δοκοῦν ἐν αὐτῇ τισι ξένον ὄνομα, τὸ τοῦ ὁμοουσίου φαμέν, ἀσφαλοῦς τετύχηκε παρὰ τοῖς πατράσιν ἑρμηνείας, σημαινούσης ὅτι ἐκ τῆς οὐσίας τοῦ πατρὸς ὁ υἱὸς ἐγεννήθη καὶ ὅτι ὅμοιος κατ' οὐσίαν τῷ πατρί· οὔτε δὲ ὡς πάθους τινὸς περὶ τὴν ἄρρητον

1. Ce concile, organisé par Mélèce avec Eusèbe de Samosate, réunit 27 évêques, tous nommés par SOCRATE, *H.E.* III, 25, 7-18. Par son préambule, la profession de l'*homoousios* et de la fidélité au credo de Nicée et la condamnation des anoméens, la lettre du synode à Jovien «est un morceau d'une grande habileté, répondant à la politique d'unité dont ce dernier se réclamait» (MARTIN, p. 575). Bien que Jovien fût favorable au groupe de Mélèce, l'orthodoxie de ce concile restait suspecte pour les fidèles du prêtre Paulin (Mélèce avait été consacré en 361 par des évêques ariens), mais aussi pour JÉROME, *Chron. a.* 364 (éd. R. Helm, p. 243) : d'après celui-ci, les évêques réunis à Antioche prirent

lieu à Antioche de Syrie[1]; on y confirme le credo des pères de Nicée et la décision l'emporte de tenir incontestablement le Fils comme consubstantiel au Père. Participèrent à ce concile Mélèce, qui dirigeait alors l'église même d'Antioche, Eusèbe de Samosate, Pélage de Laodicée en Syrie, Acace de Césarée en Palestine, Irénion de Gaza et Athanase d'Ancyre. **7** Après ces mesures, ils firent savoir à l'empereur leurs décisions en ces termes :

«Au très pieux et très aimé de Dieu notre souverain Jovien, Victorieux, Auguste, le concile des évêques présents à Antioche, venus de diverses provinces.

La paix et la concorde dans l'Église, ta Piété a eu à cœur, même en premier lieu, d'en prendre soin, nous le savons nous aussi, empereur très aimé de Dieu. D'autre part, tu as bien compris que c'est l'empreinte de la foi vraie et orthodoxe qui est le principe même d'une telle unité, cela non plus, nous ne l'ignorons pas. **8** Afin donc que nous ne soyons pas comptés avec ceux qui marquent d'une fausse empreinte les dogmes de la vérité, nous informons ta Révérence que nous recevons et que nous maintenons la foi du saint concile jadis rassemblé à Nicée, **9** dès lors que le terme employé qui paraît à certains étrange, nous voulons dire celui de *homoousios*, a obtenu chez les pères une sûre interprétation ; elle signifie que le Fils a été engendré de l'*ousia* du Père et qu'il est semblable au Père quant à l'*ousia :* ce terme de *ousia* n'est pas pris chez les pères au sens où l'on concevrait que Dieu a éprouvé quelque chose du fait de la

le milieu entre l'*homoousion* et l'*anomoion* et se rangèrent en fait à l'*homoiousion*, le dogme des macédoniens. La présence, aux côtés d'Eusèbe de Samosate, de l'arien Acace de Césarée et de ses partisans Athanase d'Ancyre, représenté par deux de ses prêtres, et Pélage de Laodicée, justifie aussi des doutes sur l'orthodoxie de ce concile : voir J. ZACHHUBER, «The Antiochene Synod of A.D. 363 and the Beginnings of Neo-Nicenism», dans *Zeitschrift für Antikes Christentum* 4, 2000, p. 83-101.

γέννησιν ἐπινοουμένου, οὔτε κατά τινα χρῆσιν Ἑλληνικὴν λαμβάνεται τοῖς πατράσι τὸ ὄνομα τῆς οὐσίας, εἰς ἀνατροπὴν δὲ τοῦ ἐξ οὐκ ὄντων περὶ τοῦ υἱοῦ ἀσεβῶς **242** τολμηθέντος | Ἀρείῳ. **10** Ὅπερ καὶ οἱ νῦν ἐπιφοιτήσαντες Ἀνόμοιοι ἔτι θρασύτερον καὶ τολμηρότερον ἐπὶ λύμῃ τῆς ἐκκλησιαστικῆς ὁμονοίας ἀναισχύντως παρρησιάζονται. Συνετάξαμεν δὲ τῇδε ἡμῶν τῇ ἀναφορᾷ καὶ τὸ ἀντίγραφον τῆς αὐτῆς πίστεως τῆς ἐν Νικαίᾳ ὑπὸ τῶν συγκροτηθέντων ἐπισκόπων τεθείσης, ἥντινα καὶ ἀγαπῶμεν.»

11 Καὶ τὰ μὲν ὧδε ἐψηφίσαντο οἱ τότε τῇ Ἀντιοχείᾳ ἐνδημοῦντες ἱερεῖς, αὐτοῖς ῥητοῖς τὴν παρὰ τῶν ἐν Νικαίᾳ συνεληλυθότων ἐκτεθεῖσαν πίστιν τῇ ἰδίᾳ γραφῇ ὑποτάξαντες.

5

1 Ἐν τούτῳ δὲ Ἀθανάσιος ὁ τὸν Ἀλεξανδρέων θρόνον ἐπιτροπεύων ὀλίγοις τῶν ἐπιτηδείων κοινωσάμενος ἀναγκαῖον ᾠήθη Χριστιανὸν ὄντα τὸν βασιλέα ἰδεῖν · καὶ παραγενόμενος εἰς Ἀντιόχειαν περὶ ὧν ἐδεῖτο τὸν κρατοῦντα διδάσκει. Οἱ δέ φασιν, ὡς αὐτὸς ὁ βασιλεὺς τὸν ἄνδρα μετεκαλέσατο τὰ πρακτέα περὶ τὴν θρησκείαν καὶ τὴν ὀρθὴν δόξαν εἰσηγησόμενον. **2** Διαθείς τε τὰ τῆς ἐκκλησίας

1. Cf. ATHANASE, *Adv. Arian.* I, 28 (*PG* 26, 69 A) = *Athanasius Werke, Die dogmatischen Schriften*, éd. Metzler Savvidis, 1998, p. 137-138.

2. Que l'initiative en revînt à Athanase ou à l'empereur, leur rencontre à Antioche ne fut pas la première, Sozomène omet de le dire. Dès que l'avènement de Jovien fut connu à Alexandrie, le 19 août 363, Athanase, caché à Antinoë, regagne son siège avant le 6 septembre, s'embarque pour Antioche et s'avance à la rencontre de l'empereur jusqu'à Hiérapolis (fin septembre?). Il n'a été devancé, à Édesse d'après PHILOSTORGE, *H.E.* VIII, 6 (SEECK, *Regesten*, p. 213), que par deux évêques anoméens, Candidos de Lydie et Arrianos d'Ionie, qui ont tenté

génération ineffable du Fils[1], ni selon un certain sens qu'emploient les Grecs, mais pour renverser la formule «issu du néant» dont Arius a eu l'audace impie de se servir au sujet du Fils : **10** formule que les anoméens, qui à cette heure s'adjoignent à Arius comme disciples, suivent ouvertement sans honte, avec plus d'audace et d'effronterie encore, pour la ruine de la concorde dans l'Église. Nous avons annexé à notre présent rapport la copie de ce credo qui fut alors établi par les pères rassemblés à Nicée, credo que nous embrassons.»

11 Voilà ce que votèrent les évêques alors de séjour à Antioche; ils avaient annexé à leur écrit le credo, dans ses termes propres, publiés par les pères réunis à Nicée.

Chapitre 5

Le grand Athanase :
comme il devient particulièrement cher à l'empereur
et se rend maître des églises d'Égypte.
Le songe du grand Antoine.

1 A ce moment-là, Athanase, qui avait charge du siège d'Alexandrie, ayant pris avis d'un petit nombre de ses amis, jugea nécessaire de voir l'empereur, qui était chrétien; et étant arrivé à Antioche, il instruit le prince des besoins qu'il avait. D'autres disent que c'est l'empereur lui-même qui convoqua Athanase pour que celui-ci lui proposât ce qu'il fallait faire touchant la religion et la doctrine orthodoxe[2]. **2** Après avoir réglé les affaires

en vain d'indisposer l'empereur contre lui (MARTIN, p. 573-574). Il s'empressa aussi à Antioche «d'instruire le prince des besoins qu'il avait», avant tout celui d'être rétabli dans tous ses droits de seul évêque légitime d'Alexandrie!

ὡς οἷόν τε ἦν, ἐφρόντιζε τῆς ἐπανόδου. Εὐζώιος δὲ ὁ ἐν Ἀντιοχείᾳ ἐπίσκοπος τῆς Ἀρειανῆς αἱρέσεως ἐσπούδαζε προεστάναι τῆς αὐτῆς δόξης ἐν Ἀλεξανδρείᾳ Προβάτιον
1305 εὐνοῦχον· εἰσηγησαμένων τε | τοῦτο τῶν ἀμφὶ τὸν Εὐζώιον Λούκιός τις Ἀλεξανδρεὺς τὸ γένος, πρεσβύτερος τῶν παρὰ Γεωργίου χειροτονηθέντων, πρόσεισι τῷ βασιλεῖ. **3** Καὶ βλασφημήσας Ἀθανάσιον ὡς ἐν τῷ χρόνῳ τῆς ἐπισκοπῆς ἀεὶ γραφὰς ὑπομείναντα καὶ πολλάκις ὑπερορίαν οἰκεῖν καταδικασθέντα παρὰ τῶν πρὸ αὐτοῦ βασιλέων, διχονοίας τε περὶ τὸ θεῖον καὶ ταραχῆς παραίτιον γενόμενον, ἐδεῖτο ἕτερον ἀντ' αὐτοῦ τὴν Ἀλεξανδρέων ἐκκλησίαν ἐπισκοπεῖν. **4** Ὁ δὲ βασιλεύς (ᾔδει γὰρ τὰς Ἀθανασίῳ τότε συμβάσας ἐπιβουλάς) οὐκ ἔθετο ταῖς κατ' αὐτοῦ διαβολαῖς, ἀλλὰ Λούκιον μὲν σὺν ἀπειλῇ ἡσυχίαν ἄγειν ἐπιτάττει, Προβάτιον δὲ καὶ τοὺς ἀμφ' αὐτὸν εὐνούχους ὡς αἰτίους τῶν τοιούτων θορύβων σωφρονισθῆναι προσέταξε, τὸν δὲ Ἀθανάσιον ἐκ τῆς τότε συνουσίας τὰ μάλιστα φίλον αὐτῷ
243 γενόμενον ἀπέστειλεν εἰς Αἴγυπτον, ᾗ ἄριστα | αὐτῷ δοκοίη

1. L'expression est pudique. Le «schisme d'Antioche» entre Méléciens et Pauliniens venait d'être aggravé par l'intervention brutale et intempestive de Lucifer de Cagliari. Athanase ne saisit pas l'occasion d'un rapprochement avec Mélèce : cf. MARTIN, p. 589, en conclusion de l'étude, p. 578-587, des conditions difficiles d'un tel rapprochement. Même si Athanase ne pensa alors qu'à Alexandrie, *son* Église, on serait mal fondé à lui reprocher, tant sa situation personnelle était encore précaire, de ne pas s'être, aussi, aventuré plus loin dans le guêpier antiochien.

2. D'abord diacre d'Alexandrie (*H.E.* I, 15, 17; II, 27, 1. 6. 12), ce compagnon d'Arius, avait été, contre Mélèce, installé comme évêque d'Antioche par Eudoxe, l'évêque arien de Constantinople (*H.E.* IV, 28, 10). En s'efforçant de «régler les affaires d'Antioche», Athanase n'avait certainement pas ménagé Euzoïus. Il avait dû demander qu'il fût chassé d'Antioche et, à son tour, Euzoïus fit tout pour le faire chasser d'Alexandrie.

3. Sur ce personnage, qui fut sans doute grand Chambellan *(praepositus sacri cubiculi)* de Jovien, voir *P.L.R.E.*, p. 733. Euzoïus et les ariens intriguant contre Athanase s'efforcèrent de gagner Probatius, mais c'est par erreur que Sozomène dit qu'ils voulaient l'installer sur le siège

de l'église d'Antioche le mieux qu'il pouvait[1], Athanase songeait au retour. Cependant Euzoïus, l'évêque de la secte arienne à Antioche[2], avait à cœur que présidât à cette doctrine à Alexandrie l'eunuque Probatius[3]. A l'instigation des partisans d'Euzoïus, un certain Lucius, Alexandrin de naissance, prêtre, l'un de ceux qui avaient été ordonnés par Georges[4], se présente à l'empereur. **3** Il tint de violents propos contre Athanase comme ayant été sans cesse l'objet d'actions publiques dans le temps de son épiscopat, comme ayant été souvent condamné à l'exil par les prédécesseurs de Jovien, et comme ayant été en partie cause de discorde et de trouble concernant la Divinité ; il demandait qu'un autre évêque prît la place d'Athanase à la tête de l'église d'Alexandrie. **4** L'empereur – il savait en effet les intrigues qu'on avait alors ourdies contre Athanase – ne donna pas son assentiment aux accusations contre lui, mais commande à Lucius, avec menaces, de se tenir tranquille et il prescrivit que Probatius et ses compagnons eunuques fussent punis comme causes de ces troubles ; quant à Athanase, qui lui était devenu très cher à la suite de leur entrevue, il le renvoya en Égypte, l'invitant à gouverner les églises et les fidèles

d'Alexandrie (MARTIN, p. 588, note 166). Jugés complices des intrigues ourdies contre Athanase, Probatius et d'autres eunuques de la Chambre furent « punis » (§ 4) : d'après la *Lettre* d'Athanase à Jovien (*PG* 26, 824 A 7-13), ils furent soumis à la question, puis renvoyés.

4. Georges, évêque officiel d'Alexandrie depuis 356, avait consacré plusieurs prêtres dont Lucius. Ce dernier n'était pas devenu évêque après l'assassinat de Georges en décembre 361, comme l'a dit Sozomène en V, 7, 1 : c'est en qualité de prêtre qu'il dirigeait la communauté arienne d'Alexandrie (MARTIN, p. 588 et la note 164). Lucius et les ariens présentèrent contre Athanase quatre pétitions successives, toutes rejetées (texte dans *PG*, 26, 820-824 = Opitz, 2, p. 334-336 et commentaire dans MARTIN, p. 588 et notes 164 et 165). Leur contenu est résumé aux §§ 2-3 par Sozomène, selon l'original grec de l'*Histoire acéphale*.

τὰς ἐκκλησίας καὶ τοὺς λαοὺς ἄγειν κελεύσας. Λέγεται γὰρ εἰσάγαν αὐτὸν ἧς εἶχεν ἀρετῆς ἐπαινέσαι, βίου τε ἕνεκεν καὶ φρονήσεως καὶ λόγων.

5 Ὧδε μὲν τῶν ἐν Νικαίᾳ συνεληλυθότων ἡ πίστις, τὸν ἐν μέσῳ χρόνον πολεμηθεῖσα, ὡς ἐν τοῖς πρόσθεν εἴρηται, αὖθις ἐπὶ τῆς παρούσης ἡγεμονίας ὑπερέσχεν. Οὐκ εἰς μακρὰν δὲ τῆς ὁμοίας ἔμελλε πειρᾶσθαι ταραχῆς. Ὡς ἔοικε γάρ, οὐκ ἐπὶ μόνοις τοῖς ἐπὶ Κωνσταντίου τῇ ἐκκλησίᾳ συμβᾶσι πέρας εἶχεν ἡ Ἀντωνίου τοῦ μοναχοῦ πρόρρησις, ἀλλ' ἐλείπετο ἔτι καὶ τὰ μετὰ ταῦτα ἐπὶ Οὐάλεντος γενόμενα. **6** Λέγεται γάρ, πρὶν κρατῆσαι τῶν ἐκκλησιῶν τοὺς ἀπὸ τῆς Ἀρείου αἱρέσεως, ἐπὶ τῆς Κωνσταντίου βασιλείας ὄναρ ἰδεῖν Ἀντώνιον ἡμιόνους τὸ θυσιαστήριον λακτίζοντας καὶ τὴν ἱερὰν τράπεζαν ἀνατρέποντας, καὶ αὐτίκα προειπεῖν, ὡς ὑπὸ νόθων καὶ ἐπιμίκτων δογμάτων καταλήψεται τὴν ἐκκλησίαν ταραχὴ καὶ ἑτεροδόξων ἐπανάστασις. Ἀλλὰ ταῦτα μὲν ἀψευδῶς τεθεᾶσθαί τε καὶ εἰρῆσθαι ἀπέδειξε τὰ πρὸ τοῦ καὶ μετὰ ταῦτα γεγενημένα.

6

1308 | **1** Ὁ δὲ Ἰοβιανὸς ἀμφὶ ὀκτὼ μῆνας ἐν τῇ βασιλείᾳ διαγενόμενος, ἀπιὼν ἐπὶ τὴν Κωνσταντινούπολιν ἐξαπίνης

1. Athanase revint à Alexandrie le 14 février 364 (*Hist. aceph.* 4, 4, éd. A. Martin, *SC* 317, p. 152-154), muni d'une lettre impériale le proclamant évêque légitime (*Hist. aceph.* 4, 4, p. 152). D'après A. MARTIN, p. 573, note 108, «cette lettre pourrait être celle éditée dans *PG* 26, 813 AB». Il nous semble que Sozomène, après SOCRATE, *H.E.* III, 24, 3, en donne la substance et l'orientation au § 4.

2. Voir ATHANASE, *Vie d'Antoine*, 82, 7 (éd. Bartelink, *SC* 400, p. 347) : «J'ai vu la table du Seigneur et, tout autour, se tenaient des mulets qui donnaient des coups de pied à ceux qui se trouvaient à l'intérieur, comme feraient des bêtes bondissant en désordre.» L'explication est

en la façon qui lui semblerait la meilleure[1]. On dit en effet qu'il le loua extrêmement pour sa vertu, à cause de sa vie, de sa sagesse et de son éloquence.

5 Ainsi la foi des pères réunis à Nicée, qui avait été attaquée dans le temps intermédiaire, comme il a été dit précédemment, de nouveau eut le dessus sous le présent règne. Mais il ne fallut pas longtemps pour qu'elle fût victime des mêmes troubles. A ce qu'il semble en effet, ce n'est pas seulement à propos des malheurs de l'Église sous Constance que se réalisa la prophétie du moine Antoine, mais il restait encore les événements qui suivirent sous Valens. **6** Car voici ce qu'on raconte. Avant que les ariens se fussent rendus maîtres des églises, sous le règne de Constance, Antoine vit en songe des mulets qui donnaient des coups de pied dans l'autel et qui renversaient la sainte table[2], et aussitôt il prédit que du trouble sévirait dans l'Église du fait de doctrines bâtardes et mêlées et qu'il y aurait un soulèvement d'hétérodoxes. Eh bien, que cela ait été vu et dit d'une façon conforme à la réalité, les événements d'avant et après le prouvèrent.

Chapitre 6

Mort de Jovien.
La vie et le franc-parler de Valentinien s'agissant de Dieu.
Comment il est élevé à l'empire
et choisit son frère Valens pour régner avec lui.
La différence entre les deux.

1 Après être resté environ huit mois au pouvoir, Jovien, alors qu'il se rendait à Constantinople, mourut soudain

donnée ensuite : les mulets sont les ariens, car les hérétiques, comme les mulets, sont stériles.

ἐν Δαδαστάνοις χωρίῳ τῆς Βιθυνίας καθ' ὁδὸν ἐτελεύτησεν, ἢ ἀφειδέστερον, ὥς τινες λέγουσι, δειπνήσας ἢ ὑπὸ τῆς ὀδμῆς τοῦ οἰκήματος, ἐν ᾧ ἐκάθευδεν, ἀσβέστῳ προσφάτως χρισθέντος· ἐπιγενέσθαι γὰρ ἰκμάδα καὶ νοτισθῆναι τοὺς τοίχους ἀμέτρως, πολλῶν ἀνθράκων αὐτόθι καιομένων ὡς ἐν ὥρᾳ χειμῶνος διὰ τὴν ἀλέαν.

2 'Επεὶ δὲ εἰς Νίκαιαν τῆς Βιθυνίας ἀφίκετο ἡ στρατιά, ἀναγορεύουσι βασιλέα Οὐαλεντινιανόν, ἄνδρα ἀγαθὸν καὶ τῆς ἡγεμονίας ἄξιον. **3** Ἔτυχε δὲ τότε παρὼν ἀπὸ τῆς ὑπερορίας φυγῆς. Λέγεται γὰρ ὡς, ἡνίκα 'Ιουλιανὸς ἐκράτει 'Ρωμαίων, συνταγματάρχην αὐτὸν ὄντα τοῦ καταλόγου τῶν καλουμένων 'Ιοβιανῶν, τῆς στρατείας ἀπεώσατο καὶ ἀιδίῳ **244** φυγῇ ἐζημίωσε, πρό|φασιν μὲν ὡς οὐ δεόντως ἔταξε τοὺς ὑπ' αὐτὸν στρατιώτας πρὸς τοὺς πολεμίους, τὸ δὲ ἀληθὲς ἐντεῦθεν· **4** ἔτι διάγων 'Ιουλιανὸς ἐν τοῖς πρὸς δύσιν Γαλάταις ἧκεν εἴς τινα ναὸν θύσων· συνῆν δὲ αὐτῷ καὶ Οὐαλεντινιανός· ἔθος γὰρ παλαιὸν 'Ρωμαίοις τὸν

1. Le 17 février 364 (SEECK, *Regesten*, p. 214). Rapprocher AMM. 25, 10, 12-13, qui donne les deux mêmes versions de sa mort en déplorant qu'aucune enquête sérieuse n'ait été menée; EUTROPE, X, 18, 2; SOCRATE, *H.E.* III, 26, 5.

2. Le 26 février 364 (AMM. 26, 1, 5 : choix unanime «sous l'inspiration de la puissance divine» et 26, 2 : proclamation officielle – *nuncupatio* – devant l'armée rassemblée). Cf. SEECK, *Regesten*, p. 214.

3. En fait, Valentinien se trouvait à Ancyre avec la deuxième Schole des Scutaires qu'il commandait. On le manda sur le champ mais il ne put arriver que dix jours plus tard. Il y eut vacance du pouvoir entre son élection et sa proclamation (AMM. 26, 1, 5).

4. L'éviction de Valentinien est conforme à la législation de Julien interdisant aux chrétiens les fonctions impliquant le droit de glaive. On peut admettre aussi son exil («bannissement perpétuel» paraît une exagération), à Mélitène, au fond de l'Arménie, sera-t-il précisé plus loin. Mais les deux explications données de cet exil sont suspectes : la première (incapacité de Valentinien §§ 3 et 6) est présentée du reste comme un prétexte inventé par Julien; la seconde, annoncée comme la vraie, est trop colorée par un parti-pris favorable à l'orthodoxe Valentinien (le détail de la goutte d'eau, le geste théâtral du tribun) pour être entièrement crédible.

en chemin à Dadastana, bourgade de Bithynie[1], soit après un repas trop copieux, comme disent certains, soit du fait des émanations de la chambre où il dormait, récemment plâtrée de chaux vive ; il était survenu de l'humidité, les murs étaient tout mouillés, et on y faisait brûler beaucoup de charbon, comme il est naturel en hiver, pour donner de la chaleur.

2 Quand l'armée fut arrivée à Nicée de Bithynie, elle acclame empereur Valentinien, homme de mérite et digne du pouvoir[2]. **3** Il se trouvait alors présent[3], après avoir été exilé. Voici en effet ce qu'on raconte[4]. Alors que Julien régnait sur les Romains, il chassa de l'armée et punit d'un bannissement perpétuel Valentinien qui était commandant d'une unité du corps de soldats appelés Joviens : le prétexte était qu'il n'avait pas rangé correctement en ligne de bataille les soldats sous ses ordres contre l'ennemi[5], mais la vérité est la suivante. **4** Alors que Julien était encore dans la Gaule occidentale, il se rendit à un temple pour sacrifier ; Valentinien aussi l'accompagnait. C'est une ancienne coutume en effet chez

5. En 357, Valentinien, tribun d'une unité de cavalerie en Gaule, avait été injustement sanctionné *par Constance* et renvoyé dans ses foyers (AMM. 16, 11, 6-7). Sozomène présente sous un jour entièrement négatif les relations de Julien et de Valentinien. Pourtant, le tribun et le César étaient, en 357, du même côté pour exterminer les barbares, contre la volonté de Constance. D'après PHILOSTORGE, *H.E.* VII, 7, Constance le réintégra et l'envoya surveiller la fontière de Mésopotamie, en 360/361 probablement. Il fut tribun des Cornutes en 362. THÉODORET, *H.E.* III, 16 prétend qu'il fut banni par Julien à Thèbes d'Égypte, en 362. Pour AMBROISE, *de obitu Valent.* 55, Valentinien ne fut pas chassé, mais refusa de servir sous Julien. Les modernes, par ex. J. MATTHEWS, *Western Aristocracies and Imperial Court, A.D. 364-425*, Oxford, 1975, p. 34, ne croient pas que Valentinien ait pu être écarté pour une raison religieuse. Sur les étapes de sa carrière mouvementée – il fut encore tribun (sans affectation?) sous Jovien, puis tribun de la deuxième Schole des Scutaires en 363-364, avant d'être élevé à l'Empire – voir *P.L.R.E.*, p. 933 Flavius Valentinianus 7.

ἡγούμενον τῶν Ἰοβιανῶν καὶ Ἑρκουλιανῶν (τάγματα δὲ ταῦτα τῶν ἐν λόγῳ στρατιωτῶν, τὸ μὲν ἀφ' Ἡρακλέος, τὸ δὲ ἀπὸ Διὸς λαχόντα τὴν προσηγορίαν) κατὰ νώτου ἐγγὺς ὡσανεὶ φύλακας ἕπεσθαι τῷ βασιλεῖ. **5** Ἐπεὶ δὲ ἔμελλεν ὑπεραμείβειν τοῦ ναοῦ τὸν οὐδόν, θαλλούς τινας διαβρόχους κατέχων ὁ ἱερεὺς νόμῳ Ἑλληνικῷ περιέρραινε τοὺς εἰσιόντας · ἐκπεσούσης δὲ σταγόνος ἐπὶ τὴν αὐτοῦ ἐσθῆτα χαλεπῶς ἤνεγκεν Οὐαλεντινιανός (ἦν γὰρ Χριστιανός) καὶ τῷ ῥαίνοντι ἐλοιδορήσατο · φασὶ δὲ καὶ τοῦ βασιλέως ὁρῶντος αὐτίκα περιτεμεῖν καὶ ἀπορρῖψαι σὺν αὐτῇ τῇ ψεκάδι ὅσον ἐβράχη τῆς ἐσθῆτος. **6** Τὸ δὲ ἐξ ἐκείνου μηνιῶν Ἰουλιανὸς οὐ πολλῷ ὕστερον κατεδίκασεν αὐτοῦ τὴν Μελιτινὴν τῆς Ἀρμενίας διηνεκῶς οἰκεῖν, αἰτίαν σκηψάμενος τὴν περὶ τοὺς ὑπ' αὐτὸν στρατιώτας ῥᾳστώνην · οὐ γὰρ ἐβούλετο δόξαι διὰ τὴν θρησκείαν κακῶς αὐτὸν 1309 ποιεῖν, ἵνα μὴ μάρτυρος ἢ ὁμολογητοῦ | γερῶν ἀξιωθείη · καθότι ταύτης ἕνεκα τῆς αἰτίας καὶ τῶν ἄλλων ἐφείσατο Χριστιανῶν, ὁρῶν αὐτοὺς εὔκλειαν καὶ σύστασιν τοῦ δόγματος τοῖς κινδύνοις ποριζομένους, ὡς ἐν τοῖς πρόσθεν εἴρηται.

7 Ἐπεὶ δὲ Ἰοβιανὸς ἐπετράπη τὴν Ῥωμαίων ἡγεμονίαν, μετακληθεὶς ἀπὸ τῆς φυγῆς εἰς Νίκαιαν, συμβὰν ἐκεῖνον τελευτῆσαι, βουλευσαμένων τοῦ τε στρατοπέδου καὶ τῶν τὰς μεγάλας ἀρχὰς ἐχόντων, ψήφῳ πάντων αἱρεῖται βασιλεύειν. **8** Ὡς δὲ τὰ σύμβολα τῆς ἀρχῆς ἐδέξατο, κεκραγότων τῶν στρατιωτῶν κοινωνὸν αὐτῷ τῆς βασιλείας ἕτερον ποιήσασθαι « Τὸ μὲν ἑλέσθαι με, ἔφη, ἄρχειν ὑμῶν,

1. Ces unités d'élite créées par Dioclétien reflètent l'idéologie tétrarchique : Dioclétien s'était proclamé Jovien et son collègue Maximien avait reçu de lui le titre d'Herculien. Ces deux corps, souvent nommés par Ammien (22, 3, 2; 25, 6, 2 et 3; 26, 7, 13; 27, 8, 7) étaient en fait des légions palatines et non des unités de la « garde impériale ». C'est comme tribun des Cornutes, l'une des Scholes constituant la garde impériale, et non comme tribun de légion, que Valentinien pouvait avoir escorté Julien « de très près ». Pour THÉODORET, *H.E.* III, 16, 1, Valentinien était chiliarque *(= tribunus militum)* des lanciers du Palais.

les Romains que le commandant des Joviens et celui des Herculiens[1] – ce sont des unités de soldats d'élite, l'une dénommée d'après Hercule, l'autre d'après Jupiter – suivent l'empereur par derrière, de très près, comme pour le garder. **5** Quand il était sur le point de franchir le seuil du temple, le prêtre, tenant des branches mouillées, aspergeait, selon la coutume païenne, ceux qui entraient. Une goutte d'eau étant tombée sur son vêtement, Valentinien en fut fâché, car il était chrétien, et il insulta le prêtre qui l'aspergeait. On dit même que, sous les yeux de l'empereur, aussitôt il coupa et rejeta, avec la goutte, la partie du vêtement qui avait été mouillée. **6** De ce moment, Julien eut contre lui du ressentiment et, peu après, il le condamna à un exil perpétuel à Mélitène d'Arménie, ayant prétexté comme cause sa négligence à l'égard des soldats sous ses ordres. Il ne voulait pas en effet paraître le maltraiter à cause de la religion, pour qu'il n'eût pas l'auréole d'un martyr ou d'un confesseur : le fait est que, pour cette raison, il épargna aussi les autres chrétiens, voyant que, par les périls, ils se procuraient gloire et accord sur la doctrine, comme il a été dit plus haut.

7 Quand Jovien eut reçu en charge le commandement des Romains, Valentinien fut rappelé d'exil à Nicée[2]. Et lors de la mort de Jovien, après délibération de l'armée et de ceux qui détenaient les grands offices, il est, par un vote commun, choisi pour régner. **8** Quand il eut reçu les insignes impériaux, comme les soldats criaient qu'il se donnât un associé pour l'Empire, « Me choisir pour vous commander, soldats, dit-il, cela dépendait de

2. Expression trop concise pour être exacte. Valentinien n'était plus en exil, mais exerçait les fonctions de tribun de la deuxième Schole des Scutaires dans l'armée de Jovien. Il attendait les ordres à Ancyre (AMM. 26, 1, 5), quand il fut appelé à Nicée pour assumer le pouvoir.

ὦ ἄνδρες στρατιῶται, ἐν ὑμῖν ἦν· ἐπεὶ δὲ εἵλεσθε, ὃ νῦν ἐξαιτεῖτε οὐκ ἐν ὑμῖν ἀλλ' ἐν ἐμοί· καὶ χρὴ τοὺς μὲν ἀρχομένους ὑμᾶς ἡσυχίαν ἄγειν, ἐμὲ δὲ ὡς βασιλέα τὰ πρακτέα σκοπεῖν.» **9** Καὶ τότε μὲν ταῦτα προσφωνήσας οὐχ ὑπεῖξε τοῖς στρατιώταις· μετ' οὐ πολὺ δὲ παραγενόμενος εἰς Κωνσταντινούπολιν ἀνεκήρυξε βασιλέα **245** τὸν ἀδελφόν, | καὶ τῆς ὑπηκόου τὰ μὲν πρὸς ἥλιον ἀνίσχοντα παρέδωκεν αὐτῷ, τὰ δὲ ἀπὸ Ἰλλυριῶν ἐπὶ τὸν ἑσπέριον ὠκεανὸν καὶ πᾶσαν τὴν ἀντικρὺ ἤπειρον μέχρι τῶν ἐσχάτων Λιβύων ὑφ' ἑαυτὸν ἔταξεν. **10** Ἄμφω δὲ Χριστιανὼ τὴν θρησκείαν ἐγενέσθην, διαφόρω δὲ τὴν δόξαν καὶ τὸν τρόπον. Οὐάλης μὲν γὰρ Εὐδοξίῳ τῷ ἐπισκόπῳ μυσταγωγῷ χρησάμενος ἡνίκα ἐβαπτίσθη, τὴν Ἀρείου πίστιν ἐζήλου, καὶ δεινὸν ἡγεῖτο μὴ βιάζεσθαι πάντας ὁμοδόξους αὐτῷ ποιεῖν. Οὐαλεντινιανὸς δὲ τὰ αὐτὰ φρονῶν τοῖς ἐν Νικαίᾳ συνελθοῦσι τούτους μὲν ὠφέλει, τοῖς δὲ ἑτέρως δοξάζουσιν οὐδὲν ἠνώχλει.

1. Les deux éléments de la scène – cris séditieux des soldats, réponse pleine d'autorité de Valentinien – se trouvent chez AMM. 26, 2 où la rébellion naissante est dramatisée et où la semonce adressée aux soldats par Valentinien, sans cesser d'être ferme, est plus diplomatique.

2. Sozomène regrette discrètement que la fermeté de Valentinien face aux soldats n'ait pas été suivie par la désignation d'un autre collègue que son frère Valens, nommé Auguste le 28 mars à l'Hebdomon de Constantinople (SEECK, *Regesten*, p. 214). AMM. est plus nettement critique (cf. en 26, 4, 1 le mot insolent du général Dagalaif).

3. C'est-à-dire l'Afrique. Sozomène est de ceux, les plus nombreux, qui font de l'Afrique «la troisième partie du monde, tandis que certains n'en comptent que deux, l'Asie et l'Europe et rattachent l'Afrique à cette dernière» (SALLUSTE, *jug.* 17, 3, trad A. Ernout). LUCAIN, *ciu.* 9, 441 fait place aux deux opinions.

4. D'emblée, Sozomène force l'opposition entre Valentinien et Valens : dès son accession, Valens aurait été hérétique. En fait, c'est en 366 ou 367 (JÉRÔME, *chron. a.* 366, éd. R. Helm, p. 245), pour des raisons plus politiques que religieuses, que Valens se fit baptiser par l'homéen Eudoxe, l'évêque de Constantinople, sa capitale (sur Eudoxe, voir *H.E.* III,

vous. Puisque vous m'avez choisi, ce que vous réclamez maintenant ne dépend plus de vous, mais de moi. Il faut donc que vous, les sujets, vous vous teniez tranquilles, et que moi, comme empereur, j'examine ce qui est à faire[1] ». **9** Sur ces mots, il ne céda pas alors aux soldats. Mais peu après, arrivé à Constantinople, il proclama empereur son frère[2]; il lui livra, de l'Empire, la partie orientale, et il rangea sous son commandement tout le pays depuis l'Illyrie jusqu'à l'Océan à l'ouest, et tout le continent en face jusqu'à l'extrémité de la Libye[3]. **10** Tous deux étaient chrétiens de religion, mais différaient de croyance et de caractère[4]. Valens, quand il fut baptisé, eut pour initiateur l'évêque Eudoxe; il était zélateur de la foi d'Arius et tenait pour indigne de ne pas forcer tous à penser comme lui. Valentinien partageait les sentiments des pères réunis à Nicée et il favorisait les orthodoxes, mais n'importunait en rien les hétérodoxes[5].

5, 10, *SC* 418, p. 74-75 avec la note 4 et IV, 25 et 26). Sur la politique religieuse de Valentinien et Valens : H. LEPPIN, p. 91-104; G. SABBAH, « Sozomène et la politique religieuse des Valentiniens », p. 293-314; et surtout la monographie sur Valens (et accessoirement Valentinien) de N. LENSKI, *Failure of Empire : Valens and the Roman State in the Fourth Century A.D.*, Berkeley, 2002, p. 211-263 : les deux frères, nés et élevés en Illyricum, fief arien dominé par Valens de Mursa, Ursace de Singidunum et Germinius de Sirmium, avaient dû être, sous Constance, adeptes de l'homéisme officiel (p. 241-242). Dans le même sens, voir maintenant la thèse de L. GUICHARD, *La politique religieuse de Valentinien Ier et de Valens. Une alternative au modèle constantinien?*, Univ. de Nancy II (directeur F. Richard), 2004, 362 p. dactyl.

5. Le souci de Valentinien était bien de rester neutre et impartial en matière religieuse (AMM. 30, 9, 5). Sa sympathie pour la foi de Nicée, dominante en Occident, ne l'empêcha pas de sévir contre ceux des orthodoxes qui, comme Hilaire de Poitiers, lui paraissaient troubler l'ordre public en s'attaquant à des ariens dont la position était bien assise comme Auxence de Milan (cf. BARDY, p. 246).

7

1 Ἐπεὶ δὲ Κωνσταντινουπόλεως ἐξεδήμησεν ἐπὶ τὴν Ῥώμην διὰ Θρᾴκης πορευόμενος, τηνικαῦτα οἱ περὶ Ἑλλήσποντον καὶ Βιθυνίαν ἐπίσκοποι καὶ ὅσοι ἄλλοι ὁμοούσιον τῷ πατρὶ τὸν υἱὸν λέγειν ἠξίουν, προβάλλονται 1312 πρεσβεύειν ὑπὲρ αὐτῶν Ὑπατιανὸν | τὸν Ἡρακλείας τῆς Περίνθου ἐπίσκοπον, ὥστε ἐπιτραπῆναι συνελθεῖν ἐπὶ διορθώσει τοῦ δόγματος. **2** Προσελθόντος δὲ αὐτοῦ καὶ τὰ παρὰ τῶν ἐπισκόπων διδάξαντος ὑπολαβὼν Οὐαλεντινιανός «Ἐμοὶ μέν, ἔφη, μετὰ λαοῦ τεταγμένῳ οὐ θέμις τοιαῦτα πολυπραγμονεῖν· οἱ δὲ ἱερεῖς, οἷς τούτου μέλει, καθ' ἑαυτοὺς ὅπῃ βούλονται συνίτωσαν.» **3** Τοιαῦτα δὲ τοῦ βασιλέως ἀποκριναμένου πρὸς τὴν Ὑπατιανοῦ πρεσβείαν συνίασιν εἰς Λάμψακον. Καὶ δύο μῆνας βουλευσάμενοι τελευτῶντες ἐψηφίσαντο ἄκυρα εἶναι τὰ ἐν Κωνσταντινουπόλει πεπραγμένα σπουδῇ τῶν ἀμφὶ τὸν Εὐδόξιον καὶ Ἀκάκιον, **4** ἀργεῖν δὲ καὶ τὴν ἔκθεσιν τῆς **246** πίστεως, | ἣν ὡς δυτικῶν ἐπισκόπων οὖσαν προκομίσαντες ὑπογράψαι τινὰς παρεσκεύασαν ἐπὶ ὑποσχέσει ἀποκηρύξεως

1. Valentinien quitte Constantinople après le 26 avril, puis il passe par Nikè, Andrinople, Philippopolis, Sardique, Naïssus, Sirmium, Aquilée, Altinum, Vérone. Il arrive avant le 23 octobre à Milan où il revêt le consulat le 1er janvier 365. Il s'y trouve encore en septembre (SEECK, *Regesten,* p. 215-226). Il prend alors la direction non de Rome mais de Paris où il arrive avant le 18 octobre 365 (SEECK, *Regesten,* p. 226). Sozomène réitérera son erreur au § 8.

2. Sur Héraclée de Thrace, dite aussi Héraclée-Périnthe, voir *H.E.* II, 25, 19; III, 3, 1; 5, 10; 7, 4; 10, 4. L'évêque homéousien, plutôt que nicéen, Hypatien est mentionné ici pour la première et seule fois (Socrate ne le cite pas et ne fait pas état de l'ambassade conduite auprès de Valentinien). Il peut avoir succédé à Théodore d'Héraclée de Thrace, l'un des semi-ariens les plus en vue de 335 à 355 (*H.E.* III, 3, *SC* 418, p. 65, note 4), déposé au concile de Sardique (III, 11 et 12) qui se tint en 344 ou 345 (ou 342-343, voir *SC* 418, p. 100-111).

3. Sur le concile de Lampsaque, dans l'Hellespont, voir HEFELE - LECLERCQ, II, p. 974 (il se réunit à l'automne 364, probablement sous la présidence d'Éleusios de Cyzique) et BARDY, p. 247. Il réunit bien

Chapitre 7

De nouveau, troubles dans les églises.
Un concile a lieu à Lampsaque.
Victoire des ariens d'Eudoxe,
qui chassent des églises les orthodoxes,
parmi lesquels Mélèce d'Antioche.

1 Après que Valentinien eut quitté Constantinople pour Rome en passant par la Thrace[1], à ce moment les évêques de l'Hellespont et de la Bithynie et tous les autres tenants de la consubstantialité du Fils avec le Père proposent, comme ambassadeur en leur nom, Hypatien, l'évêque d'Héraclée-Périnthe[2], pour qu'il leur fût permis de se réunir en vue de redresser la doctrine. **2** Quand il fut arrivé auprès de l'empereur et qu'il l'eut instruit des demandes des évêques, prenant la parole Valentinien dit : «Je n'ai rang que de laïc et il ne m'est pas permis de m'embarrasser de tels problèmes; que les évêques, dont c'est le soin, se réunissent entre eux en quelque lieu qu'ils veuillent.» **3** Sur cette réponse de l'empereur à l'ambassade d'Hypatien, les évêques se réunissent à Lampsaque[3]. Après deux mois de délibérations, ils finirent par voter qu'étaient sans valeur les décisions prises à Constantinople par les soins d'Eudoxe et d'Acace; **4** qu'était sans effet aussi l'exposé de foi que des évêques, l'ayant apporté comme venant des évêques d'Occident, avaient fait signer par certains sur la promesse qu'on anathématiserait le

les homéousiens d'après PIETRI, p. 366. Pourtant Sozomène le présente comme rassemblant les tenants du consubstantiel. L'édition Bidez-Hansen (dont nous reproduisons le texte) justifie dans son apparat la leçon *homoousion* par sa présence dans les manuscrits *VbA* (leçon confirmée par *consubstantialem* dans la traduction donnée par Cassiodore) et rejette comme «sans valeur» la conjecture *homoiousion* de Valois et Hussey. Nous avons donc maintenu le texte des manuscrits et de l'éd. Bidez-Hansen en considérant que la confusion est imputable à Sozomène.

τοῦ ἀνομοίου κατ' οὐσίαν (ὃ διεψεύσαντο), κρατεῖν δὲ τὸ ὅμοιον δοξάζειν τὸν υἱὸν τῷ πατρὶ κατ' οὐσίαν· εἶναι γὰρ τοῦ ὁμοίου τὴν προσθήκην ἀναγκαίαν διὰ τὴν σημασίαν τῶν ὑποστάσεων· **5** πίστιν δὲ πολιτεύεσθαι κατὰ πᾶσαν ἐκκλησίαν τὴν ἐν Σελευκείᾳ ὁμολογηθεῖσαν, ἐκτεθεῖσαν δὲ ἐπὶ τῇ ἀφιερώσει τῆς ἐν Ἀντιοχείᾳ ἐκκλησίας· τοὺς δὲ καθαιρεθέντας παρὰ τῶν ἀνόμοιον τῷ πατρὶ τὸν υἱὸν λεγόντων τοὺς ἰδίους ἀπολαμβάνειν θρόνους, ὡς παρανόμως ἐκβεβλημένους τῶν ἐκκλησιῶν· **6** εἰ δέ τις αὐτῶν κατηγορεῖν βούλεται, ἐκ τοῦ ἴσου κινδύνου τοῦτο ποιεῖν· δικαστὰς δὲ εἶναι τοὺς ὀρθῶς δοξάζοντας ἐν τῷ ἔθνει ἐπισκόπους καὶ ἐκ τῶν πέλας ἐπαρχιῶν, συνιόντας ἐν τῇ ἐκκλησίᾳ ἔνθα οἱ μάρτυρές εἰσι τῶν ἑκάστῳ βεβιωμένων. **7** Ταῦτα ὁρίσαντες, ἐπειδὴ τοὺς περὶ Εὐδόξιον κεκλήκασι καὶ μετανοίας αὐτοῖς μετέδωκαν, οἱ δὲ οὐχ ὑπήκουον, τὰ δόξαντα ταῖς πανταχῇ ἐκκλησίαις ἐδήλωσαν. **8** Λογισάμενοι δὲ ὡς εἰκὸς Εὐδόξιον τῆς οἰκείας μερίδος ποιῆσαι τὰ βασίλεια καὶ διαβαλεῖν αὐτούς, ἔγνωσαν φθάσαι καὶ τὰ πεπραγμένα ἐν Λαμψάκῳ μηνῦσαι. Ὃ δὴ καὶ | ἐποίουν ἐπανιόντι Οὐάλεντι τῷ βασιλεῖ ἐκ Θρᾴκης ἐν Ἡρακλείᾳ περιτυχόντες· ἀποδημοῦντι γὰρ τῷ ἀδελφῷ εἰς τὴν

1313

1. Ce concile aboutit donc à cinq résolutions principales : 1. annulation des décisions prises au concile homéen de Constantinople en 360 par les acaciens (§3) et de la déposition des homéousiens par les anoméens (§ 5) lors de ce concile. 2. condamnation de l'exposé de foi frauduleux de Nikè-Rimini, ratifié par le concile de Constantinople. 3. ratification de l'opinion semi-arienne – le Fils semblable au Père quant à la substance *(homoios kat'ousian)* – avec sa justification («pour distinguer les hypostases»). 4. reconnaissance renouvelée du credo professé à Séleucie selon les termes du symbole d'Antioche *(in encaeniis)*. 5. latitude laissée aux évêques orthodoxes (selon les homéousiens!) de trancher en cas de conflit entre les évêques (homéousiens) réintégrés et leurs éventuels accusateurs. Cf. HEFELE - LECLERCQ, p. 974.

2. Par cette démarche, ils n'espéraient rallier ni Eudoxe ni Acace, capable pourtant de bien d'autres volte-face, comme le montre sa participation au concile de Mélèce à Antioche! Mais ils voulaient donner

« dissemblable quant à l'*ousia* » – ce qui fut une duperie – et que l'emportait l'opinion que le Fils est semblable au Père quant à l'*ousia*, car l'addition de « semblable » était nécessaire pour distinguer les hypostases ; **5** qu'avait droit de cité dans toute l'Église le credo professé à Séleucie, qui avait été exposé lors de la consécration de l'église d'Antioche, que les évêques déposés par les tenants du « Fils dissemblable du Père » reprendraient leurs sièges, comme ayant été illégalement chassés des églises ; **6** que si quelqu'un voulait les accuser, il courrait le même risque ; qu'étaient juges les évêques orthodoxes, chacun dans sa province et ceux des provinces voisines, réunis dans l'église où se trouvaient les témoins de la manière dont chacun avait vécu. **7** Après ces définitions[1], comme ils avaient convoqué Eudoxe et ses partisans[2] en leur offrant le moyen de se repentir et qu'ils n'avaient pas obéi, ils firent savoir leurs décisions aux églises de partout. **8** Ayant considéré que, comme on devait s'y attendre, Eudoxe avait mis le palais dans son parti et qu'il les calomniait, les pères décidèrent de prendre les devants et d'indiquer à l'empereur ce qui avait été fait à Lampsaque. Ils le firent au cours d'une rencontre à Héraclée avec l'empereur Valens qui revenait de Thrace[3] : il avait en effet accompagné jusqu'à un

une preuve évidente de leur hétérodoxie en provoquant leur refus et saisir ainsi l'occasion de les faire déposer.

3. Valens, qui est à Héraclée en septembre 364, a quitté Valentinien en août. Le concile de Lampsaque, qui a duré deux mois, a pris place à l'automne. Ses résultats ne peuvent donc être transmis à l'empereur qu'à la fin de l'automne, avant que celui-ci gagne Constantinople où il revêt le consulat le 1er janvier 365. D'après PIETRI, p. 366, lorsqu'il reçut la délégation homéousienne, Valens « faisait route vers Constantinople ». La date de la rencontre se situe donc en novembre-décembre 364, plutôt qu'en septembre comme le croit SEECK, *Regesten*, p. 217.

πρεσβυτέραν Ῥώμην μέχρι τινὸς συνῆλθεν. **9** Εὐδοξίῳ δὲ τὰ πρὸς βασιλέα καὶ τοὺς ἀμφ' αὐτὸν ἤδη κατὰ γνώμην διῳκεῖτο. Προσελθοῦσιν οὖν τοῖς ἐκ Λαμψάκου πρεσβευταῖς παρεκελεύσατο μὴ διαφέρεσθαι πρὸς Εὐδόξιον. Ἐπεὶ δὲ ἀντεῖπον καὶ τὴν ἐν Κωνσταντινουπόλει γενομένην ἀπάτην καὶ τὰ βεβουλευμένα κατὰ τῶν ἐν Σελευκείᾳ δεδογμένων Εὐδοξίῳ ἐμέμφοντο, κινηθεὶς πρὸς ὀργὴν τοὺς μὲν ὑπερορίαν οἰκεῖν προσέταξε, τὰς δὲ ἐκκλησίας παραδίδοσθαι τοῖς ἀμφὶ τὸν Εὐδόξιον.

10 Ἐν τούτῳ δὲ τὴν Συρίαν κατέλαβεν· ὑφωρᾶτο γὰρ μήπως οἱ Πέρσαι τὰς ἐπὶ Ἰοβιανοῦ γενομένας τριακοντούτεις σπονδὰς λύσωσι. Τῶν δὲ μηδὲν | νεωτεριζόντων ἐν Ἀντιοχείᾳ διέτριβεν, ἡνίκα δὴ Μελέτιον μὲν τὸν ἐπίσκοπον ὑπερορίου φυγῆς κατεδίκασε, Παυλίνου δὲ τὸν βίον αἰδεσθεὶς ἐφείσατο, τοὺς δὲ Εὐζωίῳ μὴ κοινωνοῦντας τῶν ἐκκλησιῶν ἀπήλαυνεν, εἰς χρήματά τε ἐζημίου καὶ ᾐκίζετο καὶ ἄλλως ἐπέτριβε.

247

1. Exactement jusqu'à Sirmium. A Naissus (Nisch), limite entre l'Orient et l'Occident, «dans un faubourg nommé Mediana, situé à trois milles de la ville, (les empereurs) se répartirent les comtes dans la perspective de leur prochaine séparation» (AMM. 26, 5, 1 trad. M.A. Marié), entre le 1er et le 8 juin 364. La séparation eut lieu à Sirmium le 4 août (AMM. 26, 5, 4) : cf. SEECK, *Regesten,* p. 215-216.

2. Voir *H.E.* VI, 3, 2 (sans indication de la durée du traité) et AMM. 25, 7, 14. Un séjour de Valens à Antioche n'est pas attesté : aucune loi n'est émise d'Antioche en 365 (les lois sont données de Constantinople jusqu'au 30 juillet, puis de Césarée le 2 novembre, de Chalcédoine le 1er décembre : cf. SEECK, *Regesten,* p. 221-227). D'autre part, Ammien indique que Valens, après avoir quitté Constantinople pour la Bithynie, s'apprêtait, pour gagner Antioche, à quitter Césarée, quand il y reçut la nouvelle de l'usurpation de Procope et retourna vers la Galatie pour faire face à l'usurpateur (26, 7, 2). Sozomène a suivi à tort SOCRATE, *H.E.* IV, 2, 4-5 chez lequel cette mention est un doublet de IV, 17, 1-3 (cf. N. LENSKI, *Failure...*, p. 251, note 225). La première arrivée de Valens à Antioche se situe à l'automne de l'année 371 (SEECK, *Regesten,* p. 243).

certain point[1] son frère en partance pour la vieille Rome. **9** Or Eudoxe s'était déjà mis dans les bonnes grâces de l'empereur et de son entourage. Quand donc les ambassadeurs venus de Lampsaque approchèrent Valens, il leur ordonna de n'être pas en différend avec Eudoxe. Ils répliquèrent en dénonçant la tromperie qui avait eu lieu à Constantinople et en reprochant à Eudoxe ce qu'il avait délibéré contre les décisions de Séleucie ; pris de colère, Valens donna ordre qu'ils partissent en exil et que leurs églises fussent remises aux partisans d'Eudoxe.

10 A ce moment Valens gagna la Syrie : il craignait en effet de voir les Perses violer le traité de trente ans signé sous Jovien[2]. Comme pourtant les Perses ne tentaient rien de nouveau, Valens demeura à Antioche. C'est alors qu'il condamna l'évêque Mélèce à l'exil[3] ; il épargna Paulin par respect pour son genre de vie, mais il chassait des églises ceux qui ne s'associaient pas à Euzoïus, il les frappait d'amendes, les maltraitait et les opprimait d'autres manières.

3. Mélèce est principalement visé – avec sans doute Athanase – par l'édit antinicéen (attesté par *Hist. aceph.*, 5, 1, éd. A. Martin, *SC* 317, p. 158-161), que l'on croit généralement, mais à tort (cf. *infra* note à *H.E.* VI, 8, 2), proclamé à Antioche le 5 mai 365, par lequel Valens « renvoyait au désert tous les exilés de 360 » (Pietri, *Histoire,* p. 367). C'est le deuxième exil de Mélèce, venant après celui de 361 : il fut prié de rejoindre ses terres en Arménie (cf. Cavallera, p. 133). Mais la date de cet exil est controversée : certains le placent en 365, d'autres, comme H.C. Brennecke, *Studien zur Geschichte der Homöer der Osten...,* Tübingen, 1988, p. 233, note 64 (cité par N. Lenski, *Failure...,* p. 252, note 228), à la fin de 370. Si Valens ne s'en prit pas aussi à Paulin, c'est à cause de sa vie parfaitement chrétienne et évangélique, que l'empereur admirait, mais aussi parce qu'il échappait de droit à l'édit puisqu'il n'avait été consacré que sous Julien. Surtout, sa « petite église » ne risquait guère de gêner l'empereur (cf. Bardy, p. 248, note 3).

8

1 Γέγονε δὲ ἂν τότε, ὡς συμβαλεῖν ἔστι, καὶ τούτων δεινότερα, εἰ μὴ ὁ κατὰ Προκόπιον ἐπέλαβε πόλεμος. Τυραννήσας γὰρ ἐν Κωνσταντινουπόλει καὶ πολλὴν ἐν βραχεῖ χρόνῳ στρατιὰν ἀθροίσας ἠπείγετο κατὰ Οὐάλεντος. **2** Ὁ δὲ ἐκ τῆς Συρίας ἐλάσας συμβάλλει αὐτῷ περὶ Νακώλειαν πόλιν τῆς Φρυγίας · προδοσίᾳ τε Ἀγέλωνος καὶ Γομαρίου τῶν αὐτοῦ στρατηγῶν ζωγρήσας αὐτόν τε καὶ τοὺς προδόντας ἐλεεινῶς ἀνεῖλε. **3** Τοὺς μὲν γὰρ λέγεται καίπερ εὐνοεῖν αὐτοῖς ὀμόσας πρίοσι διχῇ διελεῖν · Προκοπίου δὲ δύο δένδροις οὐκ ἀπὸ πολλοῦ διεστῶσι κατακαμφθεῖσι πρὸς γῆν, ἑκάτερον ἑκατέρῳ φυτῷ προσῆψε σκέλος καὶ ἀφῆκεν ἀνεγείρεσθαι · τὰ δὲ πρὸς τὴν συνήθη στάσιν ἀνορθωθέντα διέσπασε τὸν ἄνθρωπον.

1. Procope (*P.L.R.E.*, p. 742-743 Procopius 4) était apparenté à Julien par la mère de celui-ci, Basilina. AMM. indique en 26, 6, 1 qu'il était tribun et notaire en 358, puis comte sous Julien. Injustement soupçonné de viser le pouvoir suprême, il dut d'abord se cacher, puis fut contraint par la peur de se révolter le 28 septembre 365. AMM. rapporte l'usurpation, les premiers succès, puis la défaite et le châtiment du «tyran» (26, 6-9).

2. Si l'on suit le récit d'AMM. (26, 7, 2), qui exclut un séjour de Valens à Antioche en 365, comment intégrer dans la chronologie l'édit du 5 mai 365, dirigé contre Mélèce et les adversaires des ariens, que l'on croit généralement donné à Antioche? En fait, SEECK, *Regesten,* p. 223, indique, d'après *Hist. aceph.* 15, que le 5 mai 365 est la date de l'affichage *à Alexandrie* de l'édit en question. Rien ne permet donc d'affirmer que Valens ait séjourné à Antioche quand il émit cet édit.

3. D'après AMM. 26, 9, 7, la défaite de Procope fut due à la trahison du seul Agilon. Sur Nacolia (Nacoleia), voir *PW,* XVI, 2, 1935 c. 1600-1604 RUGE : la cité, connue de Strabon et de Ptolémée, fut le lieu de la bataille décisive (outre AMM., voir SOCRATE, *H.E.* IV, 5, 2, ZOSIME, IV, 8, 3 et JEAN D'ANTIOCHE, frg. 184).

4. Il faut préférer la forme Agilo, anthroponyme alaman (AMM. 14, 10, 8). Sur la carrière de ce chef militaire, voir *P.L.R.E.*, p. 28-29. Tribun des écuries en 354, tribun des Gentils et des Scutaires de 354 à 360, il devint maître de l'infanterie de 360 à 362. Retiré du service sous Julien, il fut imprudemment rappelé par Procope. Ni PHILOSTORGE,

Chapitre 8

La défection de Procope et sa mort extraordinaire. Encore Eleusios de Cyzique et l'hérétique Eunome. Comment il succède à Eleusios.

1 Il se fût produit alors, autant qu'on puisse le conjecturer, des événements encore pires que ceux-là, si n'était survenue la guerre contre Procope[1]. Il avait usurpé le pouvoir à Constantinople et, ayant rassemblé en peu de temps une forte armée, il se hâtait contre Valens. **2** Celui-ci, ayant quitté la Syrie[2], en vient aux mains avec lui près de la ville de Nacoléia en Phrygie[3]. Par la trahison d'Agélôn[4] et de Gomarios[5], généraux de Procope, il le captura et il le fit périr pitoyablement, lui-même et ceux qui l'avaient trahi. **3** Ceux-ci, dit-on, quoiqu'il eût juré de les bien traiter, il les fit scier en deux ; quant à Procope, après avoir incliné vers le sol deux arbres peu distants, il attacha ses jambes l'une à un arbre, l'autre à l'autre, et laissa les arbres se relever ; en se redressant à leur position naturelle, ils écartelèrent Procope[6].

H.E. IX, 5 ni Zosime, IV, 8, 3 ne disent qu'il fut châtié, contrairement à Socrate, *H.E.* IV, 5, 3, que Sozomène a suivi.

5. Sur Gomoarius, voir *P.L.R.E.*, p. 397-398. Ce personnage, quand il était tribun des Scutaires, avait déjà trahi son général Vétranion, usurpateur par nécessité, en 350. Récompensé par Constance, il fut maître de la cavalerie en Gaule en 360-361, puis renvoyé par Julien. Sa trahison dut lui éviter le châtiment après la défaite de Procope, contrairement à ce que prétendent Socrate et Sozomène.

6. Procope eut en fait la tête tranchée (Amm. 26, 9, 9). Après Socrate, *H.E.* IV, 5, Sozomène prend place dans la tradition, prolongée par les chroniqueurs byzantins Jean Zonaras et Nicéphore Calliste, qui montre Procope écartelé entre deux arbres. Pour prouver la cruauté de Valens, les deux historiens utilisent un « motif » présent dans d'autres textes, notamment chez Ovide, *met.* 7, 442 et dans l'*Histoire Auguste*, Aurel. 7, 4 où le châtiment est appliqué à un soldat coupable d'adultère (A. Chastagnol, « Le supplice de l'écartèlement dans les arbres », dans *Caesarodunum,* XV bis, 1980, p. 187-201). L'application du supplice de la scie à Agilon et Gomoarius est également reprise de Socrate, *H.E.* IV, 5.

4 Ἐπεὶ δὲ τέλος ἔσχεν ὁ πόλεμος, ἧκεν εἰς Νίκαιαν· ἐν ἡσυχίᾳ τε γεγονὼς αὖθις ἐτάραττε τοὺς οὐχ ὁμοίως αὐτῷ περὶ τὸ θεῖον δοξάζοντας. Ὑπερφυῶς δὲ ἐχαλέπαινε κατὰ τῶν ἐν Λαμψάκῳ συνελθόντων, καθότι καὶ τοὺς τὰ Ἀρείου φρονοῦντας ἐπισκόπους καὶ τὴν ἐν Ἀριμήνῳ περὶ
1316 τῆς πίστεως ἐκτεθεῖσαν γραφὴν ἀπεκήρυξαν. **5** | Οὕτω δὲ ἔχων ὀργῆς ἄγει ἐκ τῆς Κυζίκου Ἐλεύσιον, καὶ ὁμοδόξων αὐτῷ ἐπισκόπων σύλλογον καθίσας ἐβιάζετο κοινωνεῖν αὐτοῖς τῆς πίστεως. Ὁ δὲ τὰ πρῶτα ἀνδρείως ἀντέτεινεν, ὑπερορίαν δὲ φυγὴν καὶ τῆς οὐσίας ἀφαίρεσιν δείσας (ταῦτα γὰρ ἠπείλει μὴ πειθομένῳ) τὸ προσταχθὲν ἐποίησε. **6** Καὶ εὐθὺς μετεμέλετο, ἐπανελθών τε εἰς Κύζικον δημοσίᾳ τὴν ἁμαρτίαν ἐπὶ τῆς ἐκκλησίας ἐξήγγελλε καὶ ἕτερον
248 ἐπί|σκοπον χειροτονεῖν παρεκελεύετο· ἑαυτὸν γὰρ ἱερᾶσθαι μὴ προσήκειν ἔτι ὡς οἰκείου δόγματος προδότην γενόμενον. Κυζικηνοὶ δὲ αἰδοῖ τῆς τοῦ ἀνδρὸς πολιτείας εὖνοι τὰ μάλιστα αὐτῷ τυγχάνοντες ἕτερον ἔχειν ἐπίσκοπον οὐχ εἵλοντο. **7** Ἐπεὶ δὲ ταῦτα ἔγνω ὁ Εὐδόξιος ὁ ἐν Κωνσταντινουπόλει τῆς Ἀρείου δόξης προεστώς, χειροτονεῖ Εὐνόμιον τῆς Κυζίκου ἐπίσκοπον· ᾤετο γὰρ αὐτὸν δεινὸν ὄντα λέγειν πειθοῖ τινι ῥᾳδίως πρὸς τὸ οἰκεῖον δόγμα τοὺς Κυζικηνοὺς ἐφελκύσασθαι. **8** Ὡς δὲ εἰς Κύζικον παρεγένετο, προστάγματι βασιλέως Ἐλευσίου ἐξελαθέντος τὰς ἐνθάδε ἐκκλησίας κατέσχεν. Οἱ δὲ Ἐλευσίῳ πειθόμενοι εὐκτήριον οἶκον ἔξω τειχῶν κατασκευάσαντες πρὸ τῆς

1. A Nicée de Bithynie, après l'exécution de Procope le 27 mai 366 et avant le départ pour la première campagne gothique destinée à punir les Goths d'avoir aidé Procope. Valens est à Marcianopolis, son quartier général, le 10 mai 367 d'après SEECK, *Regesten,* p. 231. Il franchit le Danube à Daphnè.

2. Éleusios, intronisé par Macédonios, était évêque de Cyzique depuis 358. Déposé par le concile de Constantinople en 360, il retrouva son siège en 362, puis fut écarté par Julien. Il fait figure de chef de file au concile de Lampsaque. Encore actif en 376, puis en 381 au concile de Constantinople, il présenta une profession de foi à Théodose en 383 : cf. *DECA,* p. 799-800 M. SIMONETTI. C'est bien en 366 que cet homéousien

4 Quand la guerre eut pris fin, Valens vint à Nicée[1]. Comme il jouissait de la paix, de nouveau il troublait ceux qui étaient d'autre opinion que lui sur la divinité. Il était extrêmement irrité contre les pères réunis à Lampsaque, de ce qu'ils avaient anathématisé les évêques ariens et l'exposé sur la foi établi à Rimini. **5** Dans ces sentiments de colère, il chasse de Cyzique Éleusios[2], et, ayant convoqué une assemblée d'évêques de son opinion, il essayait de forcer Éleusios à s'associer à leur credo. Éleusios résista d'abord avec courage, puis, ayant craint une condamnation à l'exil et une confiscation de ses biens – Valens l'en menaçait s'il n'obéissait pas –, il fit ce qu'on lui avait commandé. **6** Mais aussitôt il s'en repentit et, revenu à Cyzique, il annonça publiquement sa faute à l'église et il recommandait d'élire un autre évêque : il ne convenait pas, disait-il, qu'il exerçât le sacerdoce puisqu'il avait trahi sa foi. Les Cyzicéniens pourtant, par respect pour sa conduite, lui étaient extrêmement favorables et ils refusèrent d'avoir un autre évêque. **7** Quand Eudoxe, chef des ariens à Constantinople, eut appris la chose, il ordonne Eunome évêque de Cyzique[3] : il pensait qu'étant habile orateur, il attirerait facilement, par persuasion, les Cyzicéniens à son dogme. **8** Lorsqu'Eunome arriva à Cyzique, comme Éleusios avait été chassé par ordre de l'empereur, il occupa les églises du lieu. Les fidèles d'Éleusios bâtirent une maison de prière hors des murs devant la ville et

signa, sous la pression de Valens, une profession de foi arienne : *DHGE,* 15, p. 145 H. DE RIEDMATTEN.

3. L'anoméen Eunome, élève d'Aèce et protégé d'Eudoxe, ne fit qu'une brève expérience de l'épiscopat en 366 : il inquiéta les Cyzicéniens par la singularité de ses doctrines, dut se justifier devant Eudoxe, puis devant Valens lui-même, ce qui motiva peut-être la rédaction de son *Apologie.* Il démissionna au bout de quelques mois (*DHGE,* 15, p. 1400 R. AUBERT). Philostorge a fait de lui le héros de son *Histoire ecclésiastique.*

πόλεως ἐκκλησίαζον. Εὐνομίου μὲν οὖν πέρι καὶ τῆς ὁμωνύμου τούτων αἱρέσεως μικρὸν ὕστερον ἐρῶ.

9

1 Παραπλησίων δὲ κακῶν ἐπειρῶντο καὶ οἱ ἐν Κωνσταντινουπόλει πρεσβεύοντες τὸ δόγμα τῶν ἐν Νικαίᾳ συνελθόντων, σὺν αὐτοῖς δὲ καὶ οἱ τὰ Ναυάτου φρονοῦντες· καὶ πάντας μὲν ἐλαύνεσθαι τῆς πόλεως, Ναυατιανῶν δὲ καὶ τὰς ἐκκλησίας ἀποκλεισθῆναι προσέταξεν ὁ βασιλεύς· τῶν δὲ ἄλλων οὐκ εἶχεν ὅ τι ἀποκλείσειεν· ἤδη γὰρ πρότερον ἐπὶ τῆς Κωνσταντίου βασιλείας ἀφῄρηντο. **2** Οὐ μὴν ἀλλὰ καὶ Ἀγέλιον τότε εἰς ὑπερορίαν φυγὴν κατεδίκασεν, ὃς ἐκ τῶν Κωνσταντίνου χρόνων ἡγεῖτο ἐν Κωνσταντινουπόλει τῆς Ναυατιανῶν ἐκκλησίας. Ἐλέγετο δὲ ὅτι μάλιστα θαυμασίως πολιτεύσασθαι κατὰ τοὺς ἐκκλησιαστικοὺς νόμους, ὁ δὲ βίος ἦν αὐτῷ – τοῦτο δὴ τὸ προῦχον ἐν φιλοσοφίᾳ – κτήσεως χρημάτων ἐλεύθερος, καὶ 1347 ἡ | ἀγωγὴ ἐδείκνυ· ἑνί τε γὰρ χιτωνίῳ ἐχρῆτο καὶ δίχα ὑποδημάτων ἀεὶ ἐβάδιζεν. Οὐ πολλῷ δὲ ὕστερον αὐτός τε

1. Voir *H.E.* VI, 16.

2. Sur Novatien, le fondateur de la secte, antipape après l'élection de Corneille (mars 251), voir *DECA*, p. 1777-1779 H.J. VOGT et, sur le schisme novatien, *DECA*, p. 1179-1781 R.J. de SIMONE. La question centrale était celle des *lapsi*, qui avaient failli lors de la persécution de Dèce (249-250). Les novatiens refusaient leur réconciliation. Dans son *De unitate* (251), l'évêque de Carthage Cyprien condamna l'intransigeance de leur Église, déjà fortement implantée. Leur secte perdura jusqu'à Innocent Ier (401-417) et même Célestin Ier (422-432) qui les expulsa de Rome. Socrate exprime souvent de (trop) vives sympathies pour les novatiens, qui avaient souscrit au dogme de Nicée en 325. Sozomène se tient en retrait de son prédécesseur, tout en considérant, comme ici, que les novatiens étaient proches des orthodoxes nicéens.

3. Sur cet évêque novatien de Constantinople, voir *DECA*, p. 52 M. SIMONETTI et *DHGE*, 1, p. 931 E. MONTMASSON. Successeur d'Acésios, il dirigea sa communauté pendant près de 40 ans, de 345 à

ils y tenaient leurs assemblées de culte. Pour Eunome et l'hérésie des eunomiens, j'en parlerai un peu plus loin[1].

Chapitre 9

Les mauvais traitements que subissent alors ceux qui vénèrent la foi de Nicée. Agélios à la tête des novatiens.

1 Des malheurs semblables étaient subis par les partisans à Constantinople du dogme des pères de Nicée, et avec eux aussi les novatiens[2]. L'empereur prescrivit qu'ils fussent tous chassés de la ville, et qu'en plus les églises des novatiens fussent fermées ; les églises des autres, il n'avait pas à les fermer : on les avait déjà enlevées antérieurement sous Constance. **2** D'autre part, il condamna alors à l'exil Agélios, qui, depuis le temps de Constantin, dirigeait l'église des novatiens à Constantinople[3]. On disait que, dans sa conduite, il suivait de la façon la plus admirable les lois de l'Église ; il vécut toujours libre de toute possession d'argent – c'est le point le plus éminent dans la vie d'ascèse – et son comportement même le montrait : car il n'avait à son usage qu'une seule petite tunique et il marchait toujours sans chaussures. Peu de temps après pourtant, il fut rappelé,

384. Sozomène fait commencer inexactement son « épiscopat » sous Constantin ; mais Agélios pouvait, dès avant la mort de Constantin en 337, exercer des fonctions dans le clergé novatien. Deux fois persécuté, par Macédonios, puis par Valens qui l'exila c. 365, il contribua avec l'évêque Nectaire à faire approuver définitivement la foi catholique par Théodose, en 383 (dispositions anti-hérétiques des 25 juillet et 3 décembre 383, du 21 janvier 384 contre les ariens radicaux, les ariens modérés et les macédoniens) : cf. *H.E.* VII, 12, 3-12. Par admiration pour la foi anti-arienne des novatiens, Théodose les préserva des dispositions anti-hérétiques et leur laissa leurs églises. Remarquer que Sozomène attribue à Valens lui-même le rappel d'Agélios.

μετεκλήθη καὶ τὰς ὑπ' αὐτὸν ἐκκλησίας ἀπέλαβεν καὶ ἀδεῶς ἐκκλησίαζεν. **3** Αἴτιος δὲ τούτων Μαρκιανός τις, ὃς ἐπὶ βίῳ καὶ λόγοις θαυμαζόμενος πάλαι μὲν ἐν τοῖς βασιλείοις ἐστρατεύετο, τότε δὲ πρεσβύτερος ὢν τῆς Ναυατιανῶν αἱρέσεως γραμματικοὺς λόγους ἐξεδίδασκε τὰς βασιλέως θυγατέρας, Ἀναστασίαν τε καὶ Καρῶσαν· ὧν **249** εἰσέτι | νῦν ἐπώνυμα λουτρὰ δημόσια κατὰ τὴν Κωνσταντινούπολίν ἐστι. Διὰ γὰρ τὴν πρὸς αὐτὸν αἰδῶ καὶ χάριν μόνοις Ναυατιανοῖς τὰ εἰρημένα ὑπῆρξεν.

10

1 Ὑπὸ δὲ τοῦτον τὸν χρόνον ὁμώνυμος Οὐαλεντινιανῷ τῷ βασιλεῖ γίνεται παῖς κατὰ τὴν δύσιν, οὐ πολλῷ δὲ ὕστερον καὶ Γρατιανός, ὃν πρὸ τῆς ἀρχῆς εἶχε, καθίσταται βασιλεύς. **2** Ἐν τούτῳ δέ, καίπερ παρὰ τὸ εἰωθὸς χαλάζης

1. A la fin de sa vie, Agélios avait désigné comme successeur son lecteur Sisinnios, auquel il avait confié le soin des négociations avec Théodose. Mais le peuple déclara sa préférence pour Marcien et Agélios s'inclina : cf. *H.E.* VII, 14, 2 et *DGHE*, 1, p. 931 E. MONTMASSON.

2. La tradition constantinopolitaine (SOCR., *H.E.* IV, 9, 4; SOZ., *H.E.* VI, 9, 3, *Chron. Pasch.*, p. 556 et 560 – la construction fut entreprise vers 364, la dédicace des bains de Carôsia eut lieu sous la préfecture de Vindaonius Magnus en 375 –; ZOS., V, 9, 3; Nicéphore, Théophane...) fait unanimement des deux filles de Valens et de Domnica les éponymes de ces bains. AMM. (26, 6, 14) pour qui les *balneae Anastasianae* tiennent leur nom de la fille de Constance Chlore, demi-sœur de Constantin, est isolé (et dans l'erreur, d'après DAGRON, p. 90 et note 2 et M.A. MARIÉ, Ammien Marcellin, t. V, *CUF*, 1984, note 74, p. 218, bien que la *P.L.R.E.*, p. 58 Anastasia 2 l'ait suivi). Les deux établissements étaient situés dans la IXe Région de la capitale.

3. Valentinien eut bien de sa seconde épouse Justine un fils qui porta son nom (*P.L.R.E.*, p. 934-935 Flavius Valentinianus 8). Mais celui-ci naquit le 2 juillet 371 et non en 366. Il ne s'agit pas ici d'un anachronisme, mais d'une confusion, commune avec Socrate : c'est Valens

il reprit les églises de sa dépendance et tenait librement les assemblées de culte. **3** La cause en fut un certain Marcien[1], qu'on admirait pour sa vie et son éloquence; il avait autrefois servi au palais; il était alors prêtre de la secte des novatiens et il enseignait la grammaire aux filles de l'empereur, Anastasia et Carôsa[2] – des bains publics à Constantinople portent aujourd'hui encore leur nom –. C'est à cause du respect et de la reconnaissance qu'on avait pour lui que seuls les novatiens jouirent des privilèges susdits.

Chapitre 10

Valentinien le jeune et Gratien.
La persécution soulevée par Valens.
Les partisans de l'homoousios, chassés par les ariens et les macédoniens, envoient des ambassadeurs à Rome.

1 Vers ce temps-là, l'empereur Valentinien en Occident eut un fils qui porta le même nom[3]. Peu de temps après, Gratien, qu'il avait eu avant d'accéder au pouvoir, fut nommé Auguste[4]. **2** En ce temps-là, bien qu'eût éclaté en beaucoup de lieux une grêle inhabituelle avec des

qui, le 18 janvier 366, eut un fils qu'il nomma Valentinien et auquel fut donné le surnom de Galates, peut-être parce qu'il naquit quand l'empereur se trouvait en Galatie aux prises avec Procope. Ce fils devait mourir prématurément : cf. *infra* VI, 16, 2-3 et 8-9. Voir *P.L.R.E.*, p. 381 Galates.

4. Le fils aîné de Valentinien, Gratien, né de Marina Severa, sa première épouse, était né à Sirmium le 18 avril 359 (*P.L.R.E.*, p. 401, Flavius Gratianus 2). Il fut élevé à l'Augustat par son père devant les troupes à *Ambiani* (Amiens) le 24 août 367 (SEECK, *Regesten*, p. 230), à la suite d'une grave maladie de Valentinien, pour prévenir toute tentative d'usurpation (AMM. 27, 6, 4-16).

ἐμφεροῦς λίθοις ἐν πολλοῖς τόποις καταρραγείσης καὶ μεγίστων σεισμῶν ἄλλαις τε πόλεσι καὶ Νικαίᾳ τῇ Βιθυνῶν εἰσάγαν λυμηναμένων, οὐκ ἐπαύσαντο Οὐάλης τε ὁ βασιλεὺς καὶ Εὐδόξιος ὁ ἐπίσκοπος τοὺς ἑτέρως αὐτοῖς δοξάζοντας Χριστιανοὺς ἐκδιώκοντες. Καὶ πρὸς μὲν τοὺς ὁμοδόξους τοῖς ἐν Νικαίᾳ συνελθοῦσιν ἐδόκει πως αὐτοῖς κατωρθῶσθαι τὸ σπουδασθέν· ἐν γὰρ τῷ πλείονι τῆς ὑπὸ Οὐάλεντος ἀρχομένης καὶ μάλιστα ἀνά τε Θρᾴκην καὶ Βιθυνίαν καὶ Ἑλλήσποντον καὶ ἔτι τούτων προσωτέρω οὔτε ἐκκλησίας οὔτε ἱερέας εἶχον. **3** Πρὸς δὲ τοὺς τὰ Μακεδονίου φρονοῦντας, πολυπλασίους αὐτῶν ὄντας κατὰ τόδε τὸ κλίμα, ἐχαλέπαινον, καὶ τραπέντες ἐπ' αὐτοὺς οὐ μετρίως ἐδίωκον. Οἱ δὲ δέει τῶν ἐπικειμένων κακῶν διαπρεσβευόμενοι πρὸς ἀλλήλους κατὰ πόλεις ἄμεινον ἐδοκίμασαν ἐπὶ Οὐαλεντινιανὸν καὶ τὸν Ῥωμαίων ἐπίσκοπον καταφυγεῖν κἀκείνοις μᾶλλον ἢ Εὐδοξίῳ καὶ Οὐάλεντι καὶ τοῖς ἀμφ' αὐτοὺς κοινωνεῖν τῆς πίστεως. **4** Καὶ ἐπεὶ τάδε καλῶς ἔχειν ἔδοξεν, αἱροῦνται ἐπὶ τούτοις τρεῖς ἐξ αὐτῶν, Εὐστάθιόν τε τὸν ἐκ Σεβαστείας ἐπίσκοπον καὶ Σιλβανὸν τὸν Ταρσοῦ καὶ Θεόφιλον τὸν Κασταβάλων, καὶ πρὸς Οὐαλεντινιανὸν τὸν βασιλέα πέμπουσι γράψαντες Λιβερίῳ τῷ Ῥωμαίων ἐπισκόπῳ καὶ τοῖς ἀνὰ τὴν δύσιν ἱερεῦσιν, οἷα δὴ πίστιν

1. SOCRATE, *H.E.* IV, 11 est plus précis – cette grêle exceptionnelle tomba à Constantinople, le 4 juillet 367 (SEECK, *Regesten,* p. 231), le tremblement de terre renversa Nicée de Bithynie le 11 octobre 368 (SEECK, *Regesten,* p. 235); un autre tremblement de terre renversa, peu après, une grande partie de la ville de Germa dans l'Hellespont – et plus explicite : c'étaient autant de signes de la colère divine.

2. Sozomène dit «Nicée de Bithynie» (aujourd'hui Iznik), cité voisine et rivale de Nicomédie, pour bien la distinguer de Nicée (ou plutôt Nikè) de Thrace, mentionnée plus loin.

3. Ce sont les homéousiens qui firent la démarche (le récit de Sozomène pourrait laisser croire que la démarche fut commune aux nicéens et aux homéousiens). Ils se mirent peut-être en route à l'été de 365. Voir PIETRI, p. 367-368, soulignant que «l'accord de 64 évêques, presque tous tombés sous le coup de l'édit de 365», pour envoyer

grêlons pareils à des pierres[1] et que de très graves séismes eussent fait des dégâts considérables en beaucoup de villes et en particulier à Nicée de Bithynie[2], l'empereur Valens et l'évêque Eudoxe ne cessèrent pas de poursuivre les chrétiens d'une autre opinion que la leur. En ce qui concerne les partisans des dogmes des pères de Nicée, il semblait que leurs efforts eussent du succès : car dans la plus grande partie de l'Empire gouvernée par Valens, surtout en Thrace, en Bithynie, dans l'Hellespont et les régions plus éloignées encore, les nicéens n'avaient ni églises ni prêtres. **3** Quant aux partisans de Macédonius, plusieurs fois aussi nombreux que les nicéens en cette région, Valens et Eudoxe étaient en courroux contre eux, ils s'en prenaient à eux et les persécutaient sans aucune mesure. Eux alors, par crainte des maux qui les menaçaient, s'envoyant des députés d'une ville à l'autre, jugèrent meilleur de fuir chez Valentinien et l'évêque de Rome, et de partager leur credo[3] plutôt que celui d'Eudoxe, de Valens et de leur entourage. **4** Quand cette mesure eut été jugée bonne, ils choisissent pour cela trois d'entre eux, Eustathe évêque de Sébastéia, Silvain de Tarse et Théophile de Castabala[4] et ils les envoient à l'empereur Valentinien avec une lettre pour Libère, l'évêque de Rome, et les évêques d'Occident, où ils leur demandaient, puisque les Occidentaux tenaient une foi approuvée et

des délégués à l'empereur et à l'évêque suprême d'Occident, marque une «évolution décisive». Cette démarche reproduit sur le plan collectif la tactique employée plus tôt avec succès par Athanase face à Constance.

4. Ces trois évêques ont déjà été nommés, dès le l. III pour Eustathe (III, 14, 31-36; voir *SC* 418, p. 132-133, note 1), au l. IV pour Silvain de Tarse (22, 9; voir *SC* 418, p. 304-305, note 1 complétée par la note 3, p. 329) et pour Théodore de Castabala (24, 13; voir *SC* 418, p. 330-331, note 3). Ils avaient été munis de pleins pouvoirs à la suite de divers conciles qui s'étaient tenus à Smyrne, en Pamphylie et en Isaurie (cf. SOCRATE, *H.E.* IV, 12 et BARDY, p. 249).

1320 δόκιμον καὶ βεβαίαν ἀπὸ τῶν ἀποστό|λων ἔχουσι καὶ πρὸ τῶν ἄλλων προνοεῖν τῆς θρησκείας ὀφείλουσι, παντὶ σθένει συλλαβέσθαι τοῖς αὐτῶν πρέσβεσι καὶ σὺν αὐτοῖς περὶ τῶν πρακτέων βουλεύσασθαι καὶ ὡς ἂν δοκιμάσωσι διορθῶσαι τὰ τῆς ἐκκλησίας πράγματα.

250 | **5** Καὶ οἱ μὲν εἰς Ἰταλίαν ἀφικόμενοι ἔγνωσαν τὸν βασιλέα ἐν Γαλατίᾳ διάγειν τοῖς τῇδε παρακειμένοις βαρβάροις μαχόμενον. Ἀπόρου δὲ φανείσης αὐτοῖς τῆς ἐπὶ Γαλάτας ὁδοῦ διὰ τὸν πόλεμον ἔδωκαν Λιβερίῳ τὰ γράμματα. **6** Κοινωσάμενοί τε περὶ ὧν ἐπρεσβεύοντο, καταγινώσκουσιν Ἀρείου καὶ τῶν ὁμοίως αὐτῷ φρονούντων καὶ διδασκόντων· ἀποκηρύττουσι δὲ καὶ πᾶσαν αἵρεσιν ἐναντιουμένην τῇ πίστει τῆς ἐν Νικαίᾳ συνόδου, καὶ τὸ ὁμοούσιον ὄνομα δέχονται ὡς τῷ ὁμοίῳ κατ' οὐσίαν τὰ αὐτὰ σημαῖνον. **7** Ὡς δὲ τούτων ἔγγραφον αὐτῶν ὁμολογίαν

1. En 365, les Alamans avaient forcé les frontières de la Germanie romaine (AMM. 26, 5, 7). Valentinien avait quitté Milan où il se trouvait encore le 3 septembre (SEECK, *Regesten,* p. 226), il se dirigeait vers Paris où sa présence est attestée le 18 octobre (SEECK, *ibid.*) : il y apprit, le 1er novembre, l'usurpation de Procope; il envoya son général Dagalaif contre les Alamans et décida de rester à la frontière d'Occident. S'il se porta alors successivement vers Reims, Amiens puis Trèves, il ne prit pas, semble-t-il, personnellement le commandement avant la grande opération où il traversa le Rhin (victoire de Solicinium en août 368 : AMM 27, 10, 5-16). Sozomène se garde de l'erreur de SOCRATE, *H.E.* IV, 12, 4 pour qui les «barbares» sont des Sarmates, alors qu'il s'agit d'Alamans et de Francs : cf. DEMOUGEOT, II, p. 106-107.

2. L'accueil de l'évêque de Rome aux ambassadeurs fut d'abord prudent et même froid. Cf. PIETRI, p. 368 : «pour convaincre, ils devaient rassurer complètement; ils dressèrent donc la liste des hérétiques dont ils se séparaient, les anoméens, Marcion, Paul de Samosate, Photin, Marcel d'Ancyre; on les pria de rédiger une confession de foi qui scellerait la réconciliation.»

ferme depuis les Apôtres et qu'ils devaient avant tous les autres prendre soin de la religion, de venir en aide de toute leur force à leurs députés, de délibérer avec eux sur ce qu'il fallait faire et de redresser comme ils le jugeraient bon les affaires de l'Église.

5 Ces députés, arrivés en Italie, apprirent que l'empereur était en Gaule, aux prises avec les barbares qui s'y trouvaient[1]. Comme le voyage vers la Gaule leur paraissait impraticable à cause de la guerre, ils remirent leur lettre à Libère[2]. **6** Après lui avoir communiqué l'objet de leur ambassade, ils condamnent Arius et ceux qui adoptaient et enseignaient sa doctrine ; ils anathématisent toute hérésie contraire à la foi du concile de Nicée et ils acceptent le terme de *homoousios* comme signifiant la même chose que « semblable quant à l'*ousia* »[3]. **7** Quand Libère eut reçu leur profession de foi écrite[4], il entra en

3. Là est bien l'équivoque : il ne s'agit plus du vrai dogme de Nicée puisqu'est introduite la notion de « semblable », même si elle peut paraître atténuée par la spécification 'quant à l'*ousia*'. Les adversaires de Libère avaient donc quelque raison de trouver laxiste son acceptation. Mais celle-ci était aussi un pas vers la réconciliation entre les Occidentaux et les Orientaux, divisés jusque-là en multiples tendances, qui pouvaient sembler enfin unis et, qui plus est, sous l'autorité de l'évêque de Rome !

4. On pourrait penser que cette profession de foi est celle que les ambassadeurs rédigèrent sur place, à Rome, pour satisfaire aux exigences de Libère, si le texte du document cité au chapitre suivant n'était pas celui que donne SOCRATE, *H.E.* IV, 12 en le présentant comme le premier libelle que les délégués conduits par Eustathe remirent, *dès leur arrivée,* à Libère. Sozomène n'a pas donné l'intégralité du document. Il l'a coupé un peu au-dessus de la reproduction du symbole de Nicée (Πιστεύομεν εἰς ἕνα Θεόν, Πατέρα Παντοκράτορα...). Il omet également les signatures et la fin de la lettre adressée à d'éventuels critiques qui seraient peu satisfaits par cette profession de foi.

ἔλαβεν ὁ Λιβέριος, ἐκοινώνησεν αὐτοῖς, καὶ τοῖς ἀνὰ τὴν ἕω ἐπισκόποις ἔγραψε τῆς ὁμονοίας καὶ τῆς περὶ τὸ δόγμα συμφωνίας ἐπαινῶν, καὶ τὰ πρὸς τοὺς πρέσβεις πεπραγμένα ἐμήνυσεν. Ἦν δὲ τῶν ἀμφὶ τὸν Εὐστάθιον ἡ ὁμολογία ἥδε·

11

1 « Κυρίῳ ἀδελφῷ καὶ συλλειτουργῷ Λιβερίῳ Εὐστάθιος, Σιλβανός, Θεόφιλος ἐν κυρίῳ χαίρειν.

Διὰ τὰς τῶν αἱρετικῶν μανιώδεις ὑπονοίας, οἳ οὐ παύονται ταῖς καθολικαῖς ἐκκλησίαις σκάνδαλα ἐπισπείρειν, τούτου χάριν πᾶσαν ἀφορμὴν αὐτῶν ἀναιροῦντες ὁμολογοῦμεν τὴν σύνοδον τὴν γενομένην ἐν Λαμψάκῳ καὶ Σμύρνῃ καὶ ἐν ἑτέροις διαφόροις τόποις τῶν ὀρθοδόξων ἐπισκόπων, **2** ἧς συνόδου πρεσβείαν ποιούμενοι πρὸς τὴν χρηστότητά σου καὶ πάντας τοὺς Ἰταλούς τε καὶ δυτικοὺς ἐπισκόπους γράμματα κομίζομεν, τὴν πίστιν τὴν καθολικὴν κρατεῖν καὶ φυλάσσειν, ἥτις ἐν τῇ ἁγίᾳ Νικαέων συνόδῳ ἐπὶ τοῦ μακαρίου Κωνσταντίνου ὑπὸ τριακοσίων δέκα καὶ

1. Sozomène donne un rapide sommaire de cette lettre dont le texte complet est chez SOCRATE, *H.E.* IV, 12, 21-37. Les dispositions de Libère sont résumées par PIETRI, p. 368 : sa réponse était rédigée au nom de l'Occident tout entier. Il acceptait la condamnation de Marcel, il joignait à sa lettre celle de Silvain, il rappelait que l'Occident avait réconcilié tous les faillis de Rimini en leur faisant signer le symbole de Nicée; il recommandait aux Orientaux la même procédure et leur conseillait de condamner ceux qui s'y refuseraient. Telle que la donne Socrate, la lettre de Libère était adressée à Cyrille (de Jérusalem?), Elpidius de Satala, Héortasius de Sardes, Néon de Séleucie, Macédonius d'Apollonias en Lydie (en tout 64 destinataires nommés auxquels sont ajoutés « tous les autres évêques orthodoxes d'Orient »). *In fine* (IV, 12, 41), Socrate indique sa source, le *Synodikon* de Sabinos d'Héraclée. Pour une liste des passages de Socrate et de Sozomène où l'utilisation de Sabinos est sûre ou probable, voir W.D. HAUSCHILD, « Die antinizänische Synodalaktensammlung des Sabinos von Heraklea », dans *Vigiliae Christianae* 24, 1970, p. 105-126, aux p. 125-126.

communion avec eux, il écrivit aux évêques d'Orient[1], les louant de leur concorde et de leur accord sur le dogme, et il les avertit de ce qu'il avait fait à l'égard des ambassadeurs. La profession de foi des eusthatiens était comme suit :

Chapitre 11

Profession de foi d'Eustathe, de Silvain et de Théophile, des macédoniens, à Libère, évêque de Rome.

1 « A notre seigneur frère et collègue dans l'épiscopat Libère

Eustathe, Silvain, Théophile, salut dans le Seigneur.

A cause des opinions insensées des hérétiques qui ne cessent pas de semer des scandales dans les églises catholiques, pour cela, leur enlevant toute occasion de nuire, nous reconnaissons le concile des évêques orthodoxes qui s'est tenu à Lampsaque, à Smyrne et en d'autres différents lieux[2]. **2** De ce concile nous sommes les ambassadeurs auprès de ta Clémence et de tous les évêques d'Italie et d'Occident, et nous apportons une lettre attestant que nous tenons et gardons le credo catholique qui, sanctionné au saint concile de Nicée sous le bienheureux Constantin par trois cent dix-huit évêques[3], demeure, par

2. Sur le concile de Lampsaque, voir *supra* 7, 3-6. Les autres petits conciles, à Smyrne, en Pamphylie, en Isaurie et en Lycie, sont mentionnés par SOCRATE, *H.E.* IV, 12, 8 qui déclare préférer, par souci de brièveté, ne pas citer le texte des lettres auxquelles ils donnèrent lieu. Ils devaient figurer dans le recueil du semi-arien Sabinos d'Héraclée.

3. C'est la première occurrence, dans un document daté de 365, de ce nombre symbolique correspondant aux 318 serviteurs choisis et armés par Abraham pour délivrer son frère Loth, dans *Genèse,* 14 (cf. PIETRI, *Histoire,* p. 368). Voir *infra* VI, 23, 10.

ὀκτὼ ἐπισκόπων βεβαιωθεῖσα ἀκεραίᾳ καὶ ἀσαλεύτῳ καταστάσει ἕως νῦν καὶ διηνεκῶς διαμένει, ἐν ᾗ τὸ
1321 ὁμοούσιον ἁγίως καὶ | εὐσεβῶς κεῖται ὑπεναντίως τῆς Ἀρείου διαστροφῆς· **3** ὁμοίως καὶ ἡμᾶς μετὰ τῶν προειρημένων τὴν αὐτὴν πίστιν κεκρατηκέναι τε καὶ κρατεῖν καὶ ἄχρι τέλους φυλάσσειν ἰδίᾳ χειρὶ ὁμολογοῦμεν, κατακρίνοντες Ἄρειον καὶ τὴν ἀσεβῆ διδαχὴν αὐτοῦ σὺν
251 τοῖς μαθηταῖς αὐτοῦ | καὶ πᾶσαν αἵρεσιν Σαβελλίου καὶ Πατροπασσιανοῦ, Μαρκίωνος, Φωτεινοῦ, Μαρκέλλου καὶ Παύλου τοῦ Σαμοσατέως, καὶ τούτων τὴν διδαχὴν καὶ πάντας τοὺς ὁμόφρονας αὐτῶν· καὶ πάσας δὲ τὰς αἱρέσεις τὰς ἐναντιουμένας τῇ προειρημένῃ ἁγίᾳ πίστει, ἥτις εὐσεβῶς καὶ καθολικῶς ὑπὸ τῶν ἁγίων ἐξετέθη πατέρων ἐν Νικαίᾳ, ἀναθεματίζομεν, ἀναθεματίζοντες ἐξαιρέτως καὶ τὰ ἐν τῇ Ἀριμήνῳ συνόδῳ, ὅσα ὑπεναντίως ταύτης τῆς προειρημένης πίστεως τῆς ἁγίας συνόδου Νικαέων ἐπράχθη, οἷς δόλῳ καὶ ἐπιορκίᾳ ὑποπεισθέντες ἐν Κωνσταντινουπόλει κομισθεῖσιν ἀπὸ Νίκης τῆς Θρᾴκης ὑπεγράψαμεν. »

4 Ταῦτα ὁμολογήσαντες καὶ τὴν ἐκτεθεῖσαν ἐν Νικαίᾳ πίστιν αὐτοῖς ῥητοῖς τῇ οἰκείᾳ ὁμολογίᾳ συνῆψαν· καὶ περὶ τῶν πραχθέντων γράμματα Λιβερίου λαβόντες ἔπλευσαν εἰς Σικελίαν.

1. Sozomène a déjà condamné les hérésies suivantes : Sabellius et le sabellianisme en II, 18, 3.4 ; III, 6, 7 et IV, 6, 6 ; les Marcionites en II, 32, 1 ; Photin de Sirmium en IV, 6, 1. 3. 6. 14. 15. 16 ; 15, 2 ; Marcel d'Ancyre en II, 33, 1. 2. 3. 4 ; III, 8, 1 ; 11, 7.8 ; 12, 1 ; 24, 3.4 ; IV, 2, 1 ; Paul de Samosate en II, 33, 4 ; IV, 6, 6 ; 15, 2. L'hérésiologue Épiphane de Salamine définit les doctrines de Sabellius dans son *Panarion* 62, de Marcion en *Pan.* 42, de Photin en *Pan.* 71, de Marcel

un établissement pur et sans trouble, jusqu'à ce jour et continuellement, credo dans lequel se trouve saintement et pieusement contenu le terme de *homoousios* contre la déviation d'Arius. **3** Pareillement nous aussi, avec les susdits frères, nous professons que nous avons tenu, que nous tenons et que nous garderons jusqu'à la fin le même credo, nous le professons de notre propre main, condamnant Arius, sa doctrine impie et ses disciples, et toute hérésie de Sabellius, des Patripassiens, de Marcion, de Photin, de Marcel, de Paul de Samosate[1], ainsi que leur doctrine et tous ceux qui partagent leur sentiment. Toutes les hérésies contraires au susdit saint credo, qui a été exposé pieusement et catholiquement par les saints pères de Nicée, nous les anathématisons, anathématisant en particulier les formules du concile de Rimini, qui ont été établies contrairement à ce susdit credo du saint concile de Nicée, et auxquelles, quand on les eut apportées de Nikè de Thrace à Constantinople, nous laissant persuader par ruse et faux serment, nous avons souscrit. »

4 A la suite de cette profession de foi, ils annexèrent aussi à leur profession le credo exposé à Nicée, en ses propres termes. Ils reçurent une lettre de Libère sur ce qui avait été fait et voguèrent vers la Sicile.

en *Pan.* 72, de Paul en *Pan.* 65. Les Patripassiens sont identiques aux Sabelliens, cf. SOCRATE, *H.E.* II, 19, 20 : « Les Romains appellent Patripassiens ceux qui sont appelés Sabelliens chez nous », ceux qui, précise-t-il, « osent soutenir que Dieu, le Christ et l'Esprit saint sont une seule et même personne, ce qui fait qu'ils soumettent le Père à la passion... du fait de l'Incarnation. »

12

1 Γενομένης δὲ κἀκεῖσε συνόδου καὶ τὰ αὐτὰ ψηφισαμένων τῶν τῇδε ἐπισκόπων, ἐπεὶ τάδε ἔπραξαν, ἐπανῆλθον. **2** Κατ' ἐκεῖνο δὲ καιροῦ σύνοδον ἀγόντων ἐν Τυάνοις Εὐσεβίου τοῦ ἐπισκόπου τῆς Καππαδοκῶν Καισαρείας, Ἀθανασίου τε τοῦ Ἀγκύρας καὶ Πελαγίου τοῦ Λαοδικείας, Ζήνωνός τε τοῦ Τυρίου καὶ Παύλου τοῦ Ἐμέσης, Ὀτρέως τε τοῦ Μελιτινῆς καὶ Γρηγορίου τοῦ Ναζιανζοῦ καὶ πολλῶν ἄλλων, οἳ τὸ ὁμοούσιον πρεσβεύειν ἐψηφίσαντο ἐν Ἀντιοχείᾳ ἐπὶ τῆς Ἰοβιανοῦ βασιλείας, ἀναγινώσκεται τὰ Λιβερίου καὶ τῶν ἀνὰ τὴν δύσιν γράμματα. **3** Περιχαρεῖς τε ἐπὶ τούτοις γενόμενοι ἔγραψαν πάσαις ταῖς ἐκκλησίαις
1324 ἐντυχεῖν τοῖς | ψηφίσμασι τῶν ἀνὰ τὴν Ἀσίαν ἐπισκόπων καὶ τοῖς Λιβερίου γράμμασι καὶ Ἰταλῶν καὶ Ἄφρων καὶ Γαλατῶν τῶν πρὸς δύσιν καὶ Σικελῶν (ἐκόμισαν γὰρ καὶ
252 τούτων τὰ γράμματα | οἱ ἐκ Λαμψάκου πρέσβεις), καὶ ἀναλογίσασθαι τὸν πάντων ἀριθμόν · πολλῷ γὰρ τῷ πλήθει

1. Ce concile de Sicile, qu'on peut dater encore de 365, mais plutôt de 366, est brièvement mentionné dans HEFELE - LECLERCQ I, 2, p. 979. Les délégués y reçurent des lettres conformes aux décisions prises à Rome.

2. Ce concile de Cappadoce réunit, sans doute en 366 ou 367 (HEFELE - LECLERCQ I, 2 p. 979), «toutes les célébrités du parti» (BARDY, p. 250) : Eusèbe de Césarée qui avait succédé à Dianios mort en 362, Athanase d'Ancyre qui avait succédé à Basile, le chef des homéousiens, sans doute récemment décédé, Pélage de Laodicée, partisan de Mélèce, qui s'était déjà montré au concile d'Antioche un ardent défenseur de l'orthodoxie, ce qui lui vaudra d'être exilé en Arabie par Valens en 372 (*DECA,* p. 1975 G. LADOCSI). Grégoire de Nazianze est ici Grégoire le père, évêque de Nazianze depuis 325.

3. Cf. *supra* 4, 6-11. Sur ce concile orthodoxe d'Antioche (363), HEFELE - LECLERCQ I, 2, p. 972.

4. Bien que la lettre de Libère fût rédigée au nom de tous les évêques d'Occident, il semble que des évêques italiens, africains, gaulois, outre les Siciliens, aient soit spontanément, soit sur la sollicitation des délégués, ajouté leurs propres lettres d'adhésion : cf. BARDY, p. 250, qui cependant se fonde uniquement sur Sozomène.

Chapitre 12

Le concile de Sicile;
celui de Tyane et celui qui devait se tenir en Cilicie, annulé par Valens.
La persécution qui a lieu alors;
le grand Athanase à nouveau exilé se cache.
Il réapparaît, à la suite d'une lettre de Valens, et administre les églises d'Égypte.

1 Il y eut là aussi un concile[1], et quand les évêques du pays eurent émis les mêmes votes, après avoir accompli cela, ils s'en retournèrent. **2** A ce moment-là, réunissent un concile à Tyane[2] Eusèbe évêque de Césarée de Cappadoce, Athanase d'Ancyre, Pélage de Laodicée, Zénon de Tyr et Paul d'Émèse, Otreus de Mélitène, Grégoire de Nazianze et beaucoup d'autres, qui, à Antioche, sous le règne de Jovien[3], avaient voté de respecter le terme de *homoousios;* on y lit les lettres de Libère et des évêques d'Occident. **3** Comblés de joie pour cela, les pères écrivirent à toutes les églises de lire les décisions des évêques d'Asie, ainsi que les lettres de Libère, des Italiens, des Africains, des Galates d'Occident et des Siciliens[4] – car de ceux-ci aussi les ambassadeurs de Lampsaque avaient apporté les lettres[5] –, de considérer le grand nombre de tous ces évêques – car ils l'emportaient de beaucoup en

5. L'expression laisse penser que, dès le concile de Lampsaque, il avait été décidé d'envoyer une délégation en Occident. En fait, cela ne se fit que lorsque Valens eut rabroué les envoyés de Lampsaque et que les «petits conciles» eurent réalisé l'accord de plus de soixante évêques. Sozomène écrit ainsi parce que, même si les évêques de Lampsaque ne constituent pas à eux seuls tous les mandataires de l'ambassade, ces mandataires sont toujours des homéousiens ralliés plus ou moins complètement au consubstantiel.

τὴν ἐν Ἀριμήνῳ σύνοδον ἐνίκων· καὶ ὁμόφρονας αὐτοῖς γενέσθαι καὶ κοινωνούς, καὶ ὅτι ταύτης εἰσὶ τῆς γνώμης, διὰ γραφῆς οἰκείας δηλῶσαι, συνελθεῖν δὲ εἰς Ταρσὸν τῆς Κιλικίας ἔτι ἦρος ὄντος εἰς ῥητὴν ἡμέραν ἣν ὥρισαν.

4 Καὶ οἱ μὲν ὧδε ἀλλήλοις συνιέναι προετρέποντο. Ἤδη δὲ συνίστασθαι μελλούσης τῆς ἐν Ταρσῷ συνόδου συνελθόντες ἐν Ἀντιοχείᾳ τῆς Καρίας ἀμφὶ τριάκοντα καὶ τέσσαρες τῶν Ἀσιανῶν ἐπισκόπων τὴν μὲν ἐπὶ τῇ ὁμονοίᾳ τῶν ἐκκλησιῶν σπουδὴν ἐπῄνουν, παρῃτοῦντο δὲ τὸ τοῦ ὁμοουσίου ὄνομα, καὶ τὴν ἐν Ἀντιοχείᾳ καὶ Σελευκείᾳ ἐκτεθεῖσαν πίστιν χρῆναι κρατεῖν ἰσχυρίζοντο, ὡς καὶ Λουκιανοῦ τοῦ μάρτυρος οὖσαν καὶ μετὰ κινδύνων καὶ πολλῶν ἱδρώτων παρὰ τῶν πρὸ αὐτῶν δοκιμασθεῖσαν. **5** Ὁ δὲ βασιλεὺς Εὐδοξίου σπουδῇ τὴν ἐν Κιλικίᾳ προσδοκωμένην διέλυσε σύνοδον, γράψας περὶ τούτου καὶ ἀπειλὴν ἐπιθείς. Ἐν μέρει δὲ τοῖς ἄρχουσι τῶν ἐθνῶν ἀπελαύνειν τῶν ἐκκλησιῶν προσέταξε τοὺς ἐπὶ Κωνσταντίου καθαιρεθέντας ἐπισκόπους, αὖθις δὲ τὴν ἱερωσύνην ἀναλαβόντας ἐπὶ τῆς Ἰουλιανοῦ βασιλείας. **6** Ἐκ ταύτης δὲ τῆς προστάξεως καὶ ταῖς ἀνὰ τὴν Αἴγυπτον ἀρχαῖς σπουδὴ γέγονεν ἀφελέσθαι τῶν αὐτόθι ἐκκλησιῶν Ἀθανάσιον καὶ τῆς πόλεως ἀπελάσαι. Οὐ τὸ τυχὸν γὰρ ἐπιτίμιον ἐνέκειτο τῷ βασιλέως γράμματι, εἰ μὴ ταῦτα γένηται, πάντων ἐπίσης ἀρχόντων τε καὶ τῶν ὑπ' αὐτοὺς στρατιωτῶν καὶ βουλευτηρίων ἔκτισιν πολλῶν χρημάτων καταδικάζον καὶ

1. Le concile de Rimini avait pourtant rassemblé plus de 400 évêques : cf. *H.E.* IV, 17, 2 (et HEFELE - LECLERCQ I, 2, p. 935).

2. Choix logique : Silvain de Tarse avait conduit l'ambassade qui avait abouti à un résultat favorable et, pouvait-on espérer, à un règlement définitif.

3. Ces trente-quatre évêques se prononcèrent donc pour le symbole d'Antioche *in encaeniis* (en 341), renouvelé à Séleucie en 359.

4. Mentionné en *H.E.* III, 5, 9, Lucien est, avec Marcianos, un saint martyr de la persécution de Dèce (vers 250), probablement à Nicomédie (voir *SC* 418, p. 73, note 4).

5. C'est donc la réitération en 367, cette fois province par province,

nombre sur le concile de Rimini[1] –, d'adopter leur opinion et de s'associer à eux, de marquer par un écrit particulier qu'ils étaient d'accord, et de se réunir à Tarse de Cilicie[2], au printemps encore, à un jour convenu.

4 Les pères exhortaient ainsi à une réunion commune. Mais, alors que déjà le concile de Tarse était sur le point de se former, environ trente-quatre des évêques d'Asie, s'étant réunis à Antioche de Carie, louèrent le zèle pour la concorde des églises, mais refusèrent le terme de *homoousios*, et ils soutenaient que devait l'emporter la foi exposée à Antioche et à Séleucie[3], comme étant celle de Lucien le martyr[4] et comme ayant été approuvée par leurs prédécesseurs non sans périls et bien des sueurs. **5** L'empereur, par les soins d'Eudoxe, annula le concile prévu en Cilicie par une lettre à ce sujet, à laquelle il ajoutait une menace. Il prescrivit tour à tour aux gouverneurs des provinces de chasser des églises les évêques déposés sous Constance et qui avaient repris leurs sièges sous le règne de Julien[5]. **6** En vertu de cet ordre, les magistrats d'Égypte également s'empressèrent d'enlever à Athanase les églises du lieu et de le chasser de la ville[6] : car ce n'est pas une peine quelconque qu'imposait la lettre de l'empereur si l'on n'agissait pas ainsi ; cette peine condamnait également tous les magistrats, les soldats sous leurs ordres et les sénats au paiement de fortes amendes,

de l'édit général du printemps de 365 qui n'avait probablement pas été appliqué dans un certain nombre de régions – à moins qu'il ne s'agisse d'un doublet, imputable à Sozomène, du même édit de 365 et d'une régression chronologique, comme pourrait l'indiquer l'épisode suivant concernant Athanase.

6. Le préfet d'Égypte de 364 à 366 était Flavianus (*P.L.R.E.*, p. 343 Flavianos 3). L'argumentation des athanasiens exposée au § 8 est juridiquement fondée. Flavianus ne put donc que l'agréer dans un premier temps et en référa à Valens en juin 365 (Pietri, *Histoire*, p. 367). Les « tergiversations » que ces arguments entraînèrent permirent à Athanase de se maintenir pendant cinq mois jusqu'au 5 octobre : cf. Martin, p. 592.

σώματος αἰκισμοὺς ἀπειλούμενον. **7** Συνελθὸν δὲ τὸ πλῆθος τῶν Χριστιανῶν ἐξήτουν τὸν ἔπαρχον ἀπερισκέπτως μὴ ἀπελαύνειν τὸν ἐπίσκοπον, ἀκριβέστερον δὲ σκοπεῖν τὸν ὅρον τῶν βασιλέως γραμμάτων, ὡς κατ' ἐκείνων μόνον κρατοῦντα τῶν ἐπὶ Ἰουλιανοῦ κατελθόντων μετὰ τὴν ἐπὶ Κωνσταντίου φυγήν. **8** Τὸν δὲ Ἀθανάσιον ἔλεγον φυγεῖν
253 μὲν ἐπὶ Κωνσταντίου, μετακληθῆναι δὲ παρ' | αὐτοῦ καὶ
1325 τὴν ἐπισκοπὴν ἀπολαβεῖν· Ἰουλιανὸν δὲ | πάντας καταγαγόντα μόνον αὐτὸν διῶξαι· πάλιν δ' αὖ Ἰοβιανὸν αὐτὸν μετακαλέσασθαι.

9 Ταῦτα λέγοντες οὐκ ἔπειθον. Ἀντεῖχον δὲ ὅμως καὶ βιάζεσθαι οὐ συνεχώρουν. Πανταχόθεν δὲ τοῦ δήμου συρρέοντος καὶ πολλοῦ θορύβου καὶ ταράχου ἀνὰ τὴν πόλιν ὄντος καὶ στάσεως προσδοκωμένης ἐμήνυσεν ὁ ὕπαρχος βασιλεῖ τὰ γενόμενα, συγχωρήσας αὐτὸν ἐν τῇ πόλει διάγειν. **10** Ἤδη δὲ πολλῶν διαγενομένων ἡμερῶν καὶ τῆς κινηθείσης στάσεως πεπαῦσθαι δοκούσης, ἑσπέρας λαθὼν Ἀθανάσιος ἐξῆλθε τῆς πόλεως καὶ εἴς τι χωρίον ἐκρύπτετο. **11** Ἀωρὶ δὲ τῆς αὐτῆς νυκτὸς ὁ ὕπαρχος Αἰγύπτου καὶ ὁ τῶν τῇδε στρατευμάτων ἡγεμὼν κατέλαβον τὴν ἐκκλησίαν, ἐν ᾗ τὸ καταγώγιον εἶχε· πανταχῇ τε καὶ εἰς τὰς ὑπερῴους οἰκήσεις ἀναζητήσαντες αὐτὸν ἀπεχώρουν διαμαρτόντες τῆς βουλῆς· ᾤοντο γὰρ λοιπὸν τοῦ πλήθους ἐπιλελησμένου τῆς προτέρας κινήσεως, εἰ ἐπίθοιντο πάντων πρὸς ὕπνον τετραμμένων, ῥᾳδίως τὴν βασιλέως πρόσταξιν ἐπιτελέσειν καὶ τὴν πόλιν ἀστασίαστον φυλάξειν. **12** Θαῦμα δὲ πάντας εἰκότως εἶχεν Ἀθανασίου μὴ εὑρεθέντος. Εἴτε

1. Athanase prit la fuite le 5 octobre. Il quitta l'église de Denys, sa résidence, et se retira «dans un domaine près du fleuve nouveau», c'est-à-dire dans la région du canal d'Alexandrie, «une zone de campagne suburbaine ceinturant la ville, occupée par des propriétés entourées de jardins» (MARTIN, p. 592). Au § 12, Sozomène indiquera qu'Athanase «passa tout le temps de cet exil dans le tombeau de ses ancêtres». Cette version, plus hagiographique et moins crédible, est insérée par un prudent «d'autres disent que...».

avec menaces de châtiments corporels. **7** Cependant la foule des chrétiens s'étant rassemblée réclamait du préfet de ne pas chasser inconsidérément l'évêque, mais d'examiner plus exactement les termes de la lettre impériale, alléguant que ces termes visaient seulement ceux qui étaient revenus sous Julien, après l'exil sous Constance. **8** Or, disaient-ils, Athanase avait sans doute été exilé sous Constance, mais il avait été rappelé par lui et avait repris l'épiscopat : Julien en revanche, alors qu'il avait ramené tous les autres, n'avait persécuté qu'Athanase ; puis Jovien l'avait de nouveau rappelé.

9 Ces paroles ne persuadaient pas le préfet. Cependant ils résistaient et ne lui permettaient pas d'user de contrainte. Comme le peuple affluait de tout côté, qu'il y avait grand tumulte et trouble dans la ville et qu'on s'attendait à une sédition, le préfet avertit l'empereur de ce qui s'était passé, mais permit à Athanase de rester dans la ville. **10** Alors que déjà beaucoup de jours s'étaient écoulés et que la sédition engagée semblait s'être arrêtée, un soir, à l'insu de tous, Athanase sortit de la ville et se cacha en un certain lieu[1]. **11** A une heure indue de cette même nuit, le préfet d'Égypte et le commandant des troupes du pays[2] occupèrent l'église où Athanase avait son logement ; ils cherchèrent partout et jusque dans les chambres de l'étage supérieur, puis s'en allèrent sans avoir réalisé leur dessein : ils croyaient en effet que désormais la foule aurait oublié son précédent soulèvement et que s'ils attaquaient quand tout le monde était plongé dans le sommeil, ils accompliraient facilement l'ordre du prince et maintiendraient la ville à l'abri des séditions. **12** Tous étaient à bon droit bien étonnés de ce qu'on n'eût pas trouvé Athanase. Se retira-t-il pour

2. Il s'agit de Victorinus, duc d'Égypte de 364 à 366 (*P.L.R.E.*, p. 963 V. 4). Voir un récit parallèle de la perquisition dans *hist. aceph.* 5, 2-4, éd. A. Martin, *SC* 317, p. 160-162.

γὰρ θείας δυνάμεως προειπούσης ὑπανεχώρησεν εἴτε τινῶν ἀγγειλάντων, ἀμφότερα εἰς ταὐτὸν τελεῖ. Καὶ προμηθείας ἢ κατὰ ἄνθρωπον ἐδόκει εἰς ἀναγκαῖον ὧδε καιρὸν προμαθεῖν τὴν ἐπιβουλὴν καὶ φυλάξασθαι. Ἕτεροι δέ φασιν, ὡς τὴν τοῦ πλήθους παράλογον κίνησιν προορῶν, δείσας τε μὴ τῶν ἐντεῦθεν συμβησομένων δεινῶν αἴτιος εἶναι δόξῃ, πάντα τοῦτον τὸν χρόνον ἐν πατρῴῳ μνήματι διέτριβεν. Καὶ ὁ μὲν ὧδε διαφυγὼν ἐλάνθανεν.

13 Οὐ πολλῷ δὲ ὕστερον ἔγραψεν ὁ βασιλεὺς ἐπανελθεῖν αὐτὸν καὶ τὴν ἐκκλησίαν ἔχειν. Τεκμαίρομαι δὲ Οὐάλεντα παρὰ σκοπὸν ἐπὶ ταύτην τὴν γραφὴν ἐλθεῖν, ἢ τὴν κρατοῦσαν περὶ Ἀθανασίου δόξαν λογιζόμενον καὶ ὅτι τούτου χάριν εἰκὸς ἦν μέμψασθαι Οὐαλεντινιανόν, ἐπειδὴ τῶν ἐν Νικαίᾳ συνελθόντων τὸ δόγμα ἐπρέσβευεν, ἢ τῶν ἐπαινούντων αὐτὸν πολλῶν ὄντων τὴν κίνησιν ὑφορώμενον, μή τι νεωτερίσωσιν ἐπὶ βλάβῃ τῶν κοινῶν πραγμάτων. **14** Οἶμαι δὲ ὡς εἰκὸς καὶ τοὺς προεστῶτας τῆς Ἀρείου **254** αἱρέσεως μὴ | λίαν ἐπιθέσθαι τῇ περὶ τούτου σπουδῇ, λογισαμένους ὡς τῆς πόλεως ἐκβληθεὶς αὖθις ἐνοχλήσει τοῖς βασιλεύουσι καὶ ἀφορμὴν ἐντεῦθεν ἕξει τῆς πρὸς αὐτοὺς ὁμιλίας καὶ μεταπείσει Οὐάλεντα, Οὐαλεντινιανὸν δὲ καὶ εἰς ὀργὴν κινήσει ὡς ὁμόφρονα. Μάλιστα γὰρ περιδεεῖς ἦσαν ἐκ τῶν ἐπὶ Κωνσταντίου συμβάντων πεπειραμένοι τῆς αὐτοῦ ἀρετῆς. **15** Ἐπὶ τοσοῦτον γὰρ καὶ τότε τῆς τῶν ἐναντίων ἐκράτησεν ἐπιβουλῆς, ὡς ἀσμένως αὐτῷ παραχωρῆσαι τῶν ἀνὰ τὴν Αἴγυπτον ἐκκλησιῶν, καὶ ἐπὶ

1. Un édit impérial apporté par le notaire Brasidas (*P.L.R.E.*, p. 164-165), le 1er février 366, autorisait Athanase «à revenir dans la ville et à y gouverner les églises comme de coutume», ce qui fut fait, le jour même, dans la liesse générale (*hist. aceph.* 5, 7, éd. A. Martin, p. 162-163 et commentaire p. 207). Cf. SEECK, *Regesten*, p. 229.

2. Cette analyse personnelle, même si Sozomène n'explicite pas la corrélation nécessaire entre l'usurpation de Procope et le rappel d'Athanase, montre que tout n'était pas folie persécutrice chez Valens

avoir été instruit à l'avance par une puissance divine ou parce que certains l'avertirent, l'un et l'autre reviennent au même. Cela paraissait le fait d'une prescience supérieure aux capacités humaines qu'il eût ainsi, pour la nécessité du moment, su à l'avance l'intrigue et s'en fût gardé. D'autres disent que, prévoyant le soulèvement déraisonnable de la foule, craignant de paraître la cause des horreurs qui en résulteraient, il passa tout ce temps dans le tombeau de ses ancêtres. Et c'est ainsi qu'il avait échappé à l'insu de tous.

13 Peu de temps après, l'empereur écrivit qu'il rentrât et reprît l'église[1]. Je conjecture que Valens en vint à cet édit, contrairement à son intention, soit parce qu'il considérait la grande réputation d'Athanase et que pour cela Valentinien lui ferait vraisemblablement des reproches vu qu'il respectait le dogme des pères de Nicée, soit parce qu'il redoutait le soulèvement de ses fervents, qui étaient nombreux, dans la crainte qu'ils ne fissent une révolution nuisible aux affaires publiques. **14** Il est vraisemblable aussi, je pense, que les chefs de la secte arienne ne s'appliquèrent pas trop intensément à leur zèle sur ce point, considérant que, s'il était chassé de la ville, il importunerait de nouveau les empereurs, en tirerait occasion pour les rencontrer, ferait changer Valens de résolution et pousserait aussi Valentinien à la colère puisqu'il était de même sentiment[2]. Ce qui les rendait surtout craintifs, c'est que, en raison des événements sous Constance, ils avaient fait l'expérience de sa valeur. **15** De fait, il s'était si bien rendu maître alors aussi des intrigues de ses ennemis qu'ils s'étaient volontairement retirés en sa faveur des églises d'Égypte et que, outre cela, c'est avec peine qu'il

et que sa politique tenait compte des facteurs objectifs : cf. G. SABBAH, « Sozomène et la politique religieuse... », dans *L'historiographie de l'Église*, p. 293-314.

1328 | τούτῳ μόλις εἶξαι Κωνσταντίου γράμμασιν ἐκ τῆς Ἰταλίας ἐπανελθεῖν.

Τὸ μὲν οὖν αἴτιον καθότι Ἀθανάσιος ἐπίσης τοῖς ἄλλοις οὐκ ἀφῃρέθη τῆς ἐκκλησίας, τοῦτο εἰκάζω εἶναι. **16** Τοῖς δὲ λοιποῖς μονονουχὶ διωγμὸς συνέβη Ἑλληνικῷ παραπλήσιος· φυγαί τε γὰρ ὑπερόριοι ἐσπουδάζοντο τῶν τὰ αὐτὰ φρονεῖν ἀναινομένων, καὶ εὐκτήριοι οἶκοι τῶν μὲν ἀφῃροῦντο, τοῖς δὲ παρεδίδοντο· ἡ δὲ Αἴγυπτος τέως τούτων ἀπείρατος ἦν ἔτι Ἀθανασίου τῷ βίῳ περιόντος.

13

1 Τῷ δὲ βασιλεῖ Οὐάλεντι τὴν παρ' Ὀρόντῃ Ἀντιόχειαν καταλαβεῖν ἐδόκει. Ἐχομένου δὲ αὐτοῦ τῆς ὁδοῦ τελευτᾷ τὸν βίον Εὐδόξιος, ἐπὶ ἕνδεκα ἐνιαυτοῖς κρατήσας τῶν ἐν Κωνσταντινουπόλει ἐκκλησιῶν, ἐπιτρέπεται δὲ ταύτας Δημόφιλος, χειροτονηθεὶς εἰς τὴν αὐτοῦ διαδοχὴν παρὰ

1. Pour renforcer la cohérence du récit, Sozomène se réfère à ce qu'il a écrit en III, 20, 1-3. Constant ayant sommé Constance de réintégrer Athanase à Alexandrie et Paul à Constantinople, Constance rappela Athanase d'Italie – il séjournait à Aquilée –, lui fournit des voitures publiques et l'engagea souvent à revenir : il y eut trois lettres d'après ATHANASE, *Historia Arian.* 21, 2. Au reçu de la dernière, Athanase se décida à quitter Aquilée... pour faire à Rome ses adieux à l'évêque Jules ! A côté de raisons diplomatiques et politiques – remercier le Romain de son appui et s'assurer qu'en cas de besoin il pourrait toujours compter sur lui –, on ne peut exclure qu'Athanase ait pris un malin plaisir à humilier Constance (voir *SC* 418, p. 170 notes 1 et 2 et, d'une manière générale, T.D. BARNES, *Athanasius and Constantius,* Cambridge Mass., London 1993).

2. C'est à dire depuis son retour le 1er février 366 jusqu'au 2 mai 373 (SEECK, *Regesten,* p. 245), date de sa mort, après 45 années d'épiscopat. Voir *H.E.* VI, 19 pour le récit des troubles qui suivirent sa mort et l'installation de l'arien Lucius par Euzoïus d'Antioche.

3. Sozomène a omis de mentionner que Valens prit ses quartiers à Marcianopolis, près de la frontière danubienne, pendant ses trois cam-

avait déféré aux lettres de Constance l'invitant à revenir d'Italie[1].

La cause donc de ce qu'Athanase ne fut pas, comme les autres, dépossédé de son église fut, comme je le conjecture, celle-là. **16** Mais, pour les autres, il y eut une persécution presque semblable à celles des païens. On mettait son zèle à bannir ceux qui refusaient d'avoir le même sentiment que Valens ; des maisons de prière étaient enlevées aux uns, livrées aux autres ; mais l'Égypte, pour l'instant, ne fut pas éprouvée tant qu'Athanase resta en vie[2].

Chapitre 13

Après Eudoxe, Démophile, arien,
devient évêque de Constantinople ;
le parti de la piété élit Évagrius ;
la persécution qui s'ensuit.

1 L'empereur Valens décida de gagner Antioche sur l'Oronte[3]. Tandis qu'il était en route, Eudoxe mourut après avoir été maître pendant onze ans des églises de Constantinople. Elles sont confiées à Démophile, qui avait été ordonné par les partisans d'Arius pour lui suc-

pagnes de 367, 368 et 369 contre les Goths. Ces opérations entraînèrent une accalmie dans les poursuites religieuses, comme l'usurpation de Procope avait ralenti l'exécution, au moins à Alexandrie, du décret de 365. Sozomène établit un synchronisme utile entre le départ de Valens pour Antioche, après un bref séjour à Constantinople, en février-mars 370, et la mort de son principal conseiller ecclésiastique Eudoxe (avril 370), qu'il apprit à Nicomédie. La loi du *Code Théodosien* X, 19, 5, sur les ouvriers des mines, datée du 30 avril 370 et citée par SEECK, *Regesten,* p. 239, ne semble pas pouvoir attester à elle seule la présence de Valens à Antioche au printemps de 370. Pour la chronologie, voir DAGRON, p. 446 note 2.

τῶν τὰ Ἀρείου φρονούντων. **2** Οἱ δὲ τοῦ δόγματος τῆς ἐν Νικαίᾳ συνόδου, νομίσαντες εἰς καιρὸν αὐτοῖς τόδε συμβεβηκέναι, ψηφίζονται Εὐάγριόν τινα ἐπισκοπεῖν αὐτῶν. Χειροτονεῖ δὲ τοῦτον Εὐστάθιος, ὃς τὴν Ἀντιοχέων Σύρων διεῖπεν ἐκκλησίαν. Μετακληθεὶς γὰρ ὑπὸ Ἰοβιανοῦ ἐκ τῆς ὑπερορίας φυγῆς λάθρα τότε ἐν Κωνσταντινουπόλει διέτριβε τοὺς ὁμοδόξους αὐτῷ διδάσκων καὶ προτρέπων ἐπὶ τῆς αὐτῆς μένειν περὶ τὸ θεῖον γνώμης. **3** Ἐντεῦθεν δὲ οἱ μὲν ἀπὸ τῆς Ἀρείου αἱρέσεως πρὸς στάσιν ἀνακινηθέντες χαλεπῶς ἐδίωκον τοὺς σπουδαστὰς τῆς Εὐαγρίου χειροτονίας· ὁ δὲ βασιλεὺς ταῦτα γνοὺς ἐν Νικομηδείᾳ τέως τὴν ὁδὸν ἐπέσχεν· δείσας δὲ περὶ τῆς πόλεως, μή τι πάθοι ὑπὸ **255** στάσεως, συνεῖδεν πέμψαι στρατιώτας εἰς Κων|σταντινούπολιν, οὓς ἱκανοὺς ἐνόμισεν εἰς τοῦτο. **4** Εὐστάθιον δὲ συλληφθέντα προσέταξεν ἐν Βιζύῃ πόλει τῆς Θρᾴκης διάγειν καὶ Εὐάγριον ἑτέρωθι ἀπάγεσθαι. Καὶ τὰ μὲν ὧδε ἔσχε.

14

1 Θρασύτεροι δέ, ὡς φιλεῖ συμβαίνειν τοῖς εὐτυχοῦσι, 1329 γενόμενοι οἱ τὰ Ἀρείου φρονοῦντες οὐκ ἀνεκτὰ | ἐπεβούλευον τοῖς ἀπὸ τῆς ἐναντίας δόξης. Οἱ δὲ εἴς τε

1. Démophile était un arien modéré. Évêque de Béroé (*H.E.* IV, 17, 3-7), puis de Constantinople en 370, il soutint l'action de Valens en faveur de l'homéisme, tout en combattant les ariens radicaux, les anoméens. Il détint pendant dix ans le siège qu'il ne perdit qu'en 380 (*H.E.* VII, 5) pour avoir refusé de signer la formule nicéenne imposée par Théodose : *DECA*, p. 650 M. Simonetti.

2. G. Dagron, *Naissance...*, p. 446 note 3, n'exclut pas qu'il puisse s'agir d'Eustathe, qui commença la construction de la Grande Église d'Antioche en 327 avant d'être exilé par Constantin en 330 : « A un âge très avancé, il aurait été rappelé d'exil par Jovien, au témoignage de Socrate, et se serait alors établi à Constantinople où il serait devenu l'animateur de la communauté nicéenne. » *Contra* M. Simonetti, dans *DECA*, p. 934, qui ne juge pas plausible qu'Eustathe d'Antioche – dont

céder[1]. **2** Les tenants du dogme du concile de Nicée, pensant que cette mort était venue à point pour eux, votent qu'un certain Évagrius soit leur évêque. Il est ordonné par Eustathe qui avait gouverné l'église d'Antioche de Syrie[2]. En effet, bien qu'il eût été rappelé d'exil par Jovien, il vivait alors en cachette à Constantinople, instruisant les gens de son opinion et les exhortant à rester dans les mêmes sentiments sur la divinité. **3** A la suite de cela, les membres de la secte d'Arius se soulevèrent et ils persécutaient durement les partisans de l'ordination d'Évagrius. L'empereur, ayant appris ces choses à Nicomédie, arrêta pour l'instant sa marche. Dans la crainte que la ville n'eût à souffrir d'une sédition, il résolut d'envoyer des soldats à Constantinople, ceux qu'il jugea qualifiés pour cette circonstance. **4** Il donna ordre de se saisir d'Eustathe, de le conduire à Bizyé, ville de Thrace, et d'emmener Évagrius en un autre lieu. Tels furent ces événements.

Chapitre 14

Les quatre-vingts prêtres fidèles que Valens fait brûler avec leur bateau au milieu de la mer vers Nicomédie.

1 Rendus plus audacieux, comme il arrive d'ordinaire à ceux qui réussissent, les partisans d'Arius machinaient des intrigues insupportables contre les tenants de l'opinion contraire. Ceux-ci, victimes de mauvais traitements

on ne peut dater la mort avec certitude – ait mené une activité anti-arienne à Constantinople à une date aussi tardive. Sur Byzié, la ville de Thrace, où Eustathe est censé avoir été ensuite exilé (§3), voir *PW* III, 1, 1897 OBERHUMMER : nommée par Strabon, Ptolémée, Pline, elle avait été la dernière résidence de la famille royale thrace. Dépendant, à l'époque de Sozomène, de la province d'Europa, elle était un archevêché du patriarcat de Constantinople (aujourd'hui Viza).

τὸ σῶμα ὑβριζόμενοι, ἄρχουσί τε καὶ δεσμωτηρίοις παραδιδόμενοι καὶ τὰς οὐσίας κατ' ὀλίγον δαπανώμενοι ταῖς ἐνθένδε συχνῶς συμβαινούσαις ζημίαις, ἔγνωσαν δεηθῆναι τοῦ βασιλέως ὅπως τινὰ τῶν δεινῶν εὕροιεν ἀπαλλαγήν. **2** Καὶ ἐκκλησιαστικοὺς ὀγδοήκοντα ἄνδρας ἐπὶ τοῦτο εἵλοντο, ὧν ἡγοῦντο Οὔρβασος καὶ Θεόδωρος καὶ Μενέδημος. Ὡς δὲ εἰς Νικομήδειαν ἀφίκοντο, προσελθόντες Οὐάλεντι βιβλίον ἐπέδοσαν τὰ κατ' αὐτοὺς ἐγγράψαντες. Ὁ δὲ σφόδρα θυμωθείς, ὅσον μὲν ὠργίσθη οὐκ ἐγένετο δῆλος, λάθρα δὲ τῷ ὑπάρχῳ προσέταξε συλλαβεῖν αὐτοὺς καὶ ἀνελεῖν. **3** Ὁ δὲ ὕπαρχος δείσας, μὴ στασιάσῃ τὸ πλῆθος τοσούτων εὐλαβῶν ἀνδρῶν καὶ μηδὲν ἠδικηκότων παραλόγως ἀναιρουμένων, πλάττεται καταδικάζειν αὐτῶν ὑπερορίαν φυγήν. Ὡς ἐπὶ τοῦτο δὲ πέμπων αὐτοὺς εἰς πλοῖον ἐνεβίβασεν οὐκ ἀγεννῶς τάδε παθεῖν ὑπομένοντας. **4** Ἐπεὶ δὲ πλέοντες κατὰ μέσον τοῦ Ἀστακίου καλουμένου κόλπου ἐγένοντο, οἱ μὲν ναῦται πυρὶ τὸ σκάφος ὑφάψαντες, ὡς ἦν αὐτοῖς προστεταγμένον, ἀπεχώρουν εἰς τὸ ἐφόλκιον μεταπηδήσαντες, ἡ δὲ ναῦς ὑπὸ ἐπιφόρου ἀνέμου ἐλαυνομένη

1. Malgré la gradation descendante – les « amendes » sont, sans doute, des confiscations destinées à renflouer les Largesses sacrées : cf. R. DELMAIRE, *Les institutions du Bas-Empire romain de Constantin à Justinien*, Paris 1995, p. 134 –, il s'agit pour BARDY, p. 257, d'une véritable persécution, alors que PIETRI, p. 369, se borne à parler d'« une dizaine d'années de tracasseries ». Il semble qu'en cette occasion Valens ait sévi seulement contre les protestataires, ceux qui, lors de l'ordination de Démophile par Théodore d'Héraclée, crièrent « Indigne », au lieu du traditionnel « Digne », d'après PHILOSTORGE, *H.E.* IX, 10 (éd. J. Bidez-Hansen, p. 119-120).

2. Urbasus (ou Urbanus), Théodore et Ménédème furent, avec leurs 77 compagnons, les « Quatre-vingts martyrs de Constantinople », dont font mention les synaxaires du 6 septembre : leur mort peut être ainsi précisément datée du 6 septembre 370 (BAUDOT-CHAUSSIN, t. IX [sept.], 1950, p. 113). Leur histoire est acceptée par BARDY, avec une

corporels, livrés aux magistrats et mis en prison, bientôt ruinés par les amendes qui continuellement pleuvaient sur eux[1], décidèrent de faire une requête auprès de l'empereur pour obtenir quelque relâche à leurs maux. **2** Ils choisirent pour cela quatre-vingts ecclésiastiques sous la direction d'Urbasus, de Théodore et de Ménédème[2]. Une fois arrivés à Nicomédie, ayant abordé Valens, ils lui remirent un libelle où ils avaient écrit leurs plaintes. Valens fut violemment irrité ; pourtant il ne montra pas combien il était en colère, mais il donna ordre secrètement au préfet de les saisir et de les mettre à mort. **3** Le préfet craignant un soulèvement de la foule, de ce que tant d'hommes de piété et nullement coupables soient déraisonnablement mis à mort, feint de les condamner à l'exil. Il les renvoya comme dans ce dessein et les fit monter sur un bateau : ils acceptaient d'ailleurs vaillamment de subir cette peine. **4** Quand, en naviguant, ils arrivèrent au milieu du golfe dit d'Astakos, les marins mirent le feu à l'embarcation comme ils en avaient reçu l'ordre, bondirent dans la chaloupe et se retirèrent ; poussé

pointe de scepticisme (p. 257-258), tandis que PIGANIOL, p. 181, l'admet sans réserve. Elle se trouve également chez SOCRATE, *H.E.* IV, 16, éd. G.C. Hansen, *GCS*, p. 245. GRÉGOIRE, *disc.* 25, 10 parle d'un seul prêtre brûlé en mer. Mais, dans un discours ultérieur (43, § 46), il emploie des pluriels (rhétoriques?) – « c'étaient des embrasements de prêtres en pleine mer » – qui sont peut-être à l'origine de la version commune aux trois historiens de l'Église. N. LENSKI, *Failure...*, p. 251, pense avec raison que Valens avait décidé seulement d'éloigner les 80 prêtres et que le bateau prit feu par accident en pénétrant dans le golfe d'Astakos. Ce fut une tragédie, mais Valens n'était pas assez inconscient des conséquences de l'événement sur sa réputation pour avoir pris une telle décision. C'est une rumeur qui se répandit plus tard, quand sa défaite et sa disparition eurent obéré son image.

ἄχρι Δακιδίζης (χωρίον δὲ τοῦτο τῆς παραλίου Βιθυνίας) διήρκεσε πρὸς τὸν ἔκπλουν · ἅμα δὲ τῇ γῇ προσέσχε καὶ διελύθη σὺν αὐτοῖς ἀνδράσι καταφλεχθεῖσα.

15

1 Οὐάλης δὲ καταλιπὼν τὴν Νικομήδειαν ἐπὶ τὴν Ἀντιόχειαν τὴν ὁδὸν ἐποιεῖτο. Ἐν τούτῳ δὲ Καππαδόκαις **256** ἐνδημήσας, ὅπερ εἰώθει ποιεῖν, ἐσπού|δαζε κακοῦν τοὺς ὀρθόφρονας καὶ τὰς ἐνθάδε ἐκκλησίας παραδιδόναι τοῖς τὰ Ἀρείου φρονοῦσι. **2** Ῥᾳδίως δὲ τοῦτο κατορθώσειν ᾤετο ἐκ τοῦ ἐκ διαφορᾶς τινος εἰς λύπην καταστῆναι Βασίλειον Εὐσεβίῳ τῷ τότε ἐπιτροπεύοντι τὴν Καισαρέων ἐκκλησίαν · διὸ καὶ πρὸς τὸν Πόντον ὑπεχώρησε καὶ τοῖς ἐνθάδε

1. Sozomène donne ici plusieurs indications géographiques, ce qui ne lui est pas habituel. Est-ce dû à l'exactitude de sa source ou, plutôt, à son souci d'accréditer par de telles précisions une rumeur insuffisamment fondée ou une interprétation discutable? Astakos était à l'origine une colonie fondée par les Mégariens. Elle a donné son nom au golfe, qui est aujourd'hui celui d'Izmit (STRABON, X, 459; PLINE, *nat.* V, 148; SOCRATE, *H.E.* IV, 16, 5) : voir *PW*, II 2, 1896, c. 1774-1775 Astakos 2 RUGE. Dakibyza, aujourd'hui Gebize ou Guebseh, en grec moderne Kibuza, en Bithynie, était sur la route de Chalcédoine à Nicomédie (SOCRATE, *H.E.* IV, 16, 6; PROCOPE, *hist. arc.* 301, ZONARAS, XIII, 16, 3) : cf. *PW*, IV 2, 1901, c. 2017 RUGE.

2. L'empereur avait été arrêté dans sa marche vers Antioche par la nouvelle de la mort d'Eudoxe et des troubles qui s'ensuivirent à Constantinople entre les nicéens conduits par Évagrius et les ariens menés par Démophile (*supra* VI, 13). Ayant quitté Constantinople juste après le 9 avril, il fit étape à Nicomédie puis à Hiérapolis (SEECK, *Regesten*, p. 239).

par un vent favorable jusqu'à Dakidizè – c'est un lieu de la Bithynie maritime[1] –, le navire tint bon jusqu'à la passe du port, mais à peine eut-il approché la terre qu'il se désagrégea, consumé avec les passagers eux-mêmes.

Chapitre 15

Le différend entre Eusèbe de Césarée et le grand Basile. Comment, de ce fait, les ariens enhardis s'en prennent à l'église de Césarée et échouent.

1 Valens, ayant quitté Nicomédie, poursuivait sa route vers Antioche[2]. A ce moment, entré en Cappadoce, il mettait son zèle, selon son habitude, à maltraiter les orthodoxes et à livrer les églises locales aux partisans d'Arius. **2** Il pensait y réussir aisément du fait que Basile, par suite d'un différend, était fâché contre Eusèbe, alors évêque de l'église de Césarée[3] : pour ce motif Basile s'était retiré dans le Pont, où il vivait avec les moines

3. C'est l'église de Césarée de Cappadoce, non celle de Césarée de Palestine, illustrée par le grand Eusèbe, l'auteur de l'*Histoire ecclésiastique.* Eusèbe dont il est question ici (*DECA*, p. 912, A. de NICOLA et *DGHE*, 15, 1436-1437 R. AUBERT) était d'abord un laïc, riche et estimé, qui avait été imposé par le peuple comme évêque en 362, alors qu'il n'était même pas baptisé. Son élection avait déplu à Julien, surtout quand Eusèbe recruta dans son clergé Basile, son ancien condisciple à Athènes.

φιλοσοφοῦσι μοναχοῖς συνῆν. **3** Τὸ δὲ πλῆθος καὶ μάλιστα οἱ κράτιστοι καὶ σοφώτεροι ἐν ὑπονοίᾳ τὸν Εὐσέβιον εἶχον, καὶ ὡς φυγῆς αἴτιον γενόμενον ἀνδρὸς εὐδοκιμωτάτου ἐν τῷ βιοῦν καὶ λέγειν, ἀπολιπεῖν αὐτὸν ἐβουλεύοντο καὶ καθ' ἑαυτοὺς ἐκκλησιάζειν. **4** Ἀλλ' ὁ μὲν ἵνα μὴ καὶ τὸ καθ' ἑαυτὸν ἐπιτρίψῃ τὴν ἐκκλησίαν, οὐκ ἐνδεᾶ θορύβων διὰ τὰς ἐπαναστάσεις τῶν ἑτεροδόξων, ἐν τοῖς παρὰ τὸν Πόντον φροντιστηρίοις ἡσυχίαν ἦγεν. Βασιλέα δὲ καὶ τοὺς ἀμφ' αὐτὸν ἐπισκόπους (ἀεὶ γὰρ αὐτῷ συνῆσαν τῆς Ἀρείου 1332 αἱρέσεως) προθυμοτέρους | εἰς τὴν ἐπιχείρησιν ἐποίει ἡ Βασιλείου ἀπουσία καὶ τὸ περὶ Εὐσέβιον τοῦ λαοῦ μῖσος. Ἀπέβη δὲ παρὰ γνώμην αὐτοῖς. **5** Ἅμα γὰρ ἠγγέλθησαν ἐπὶ Καππαδόκαις ἐλαύνειν, καταλιπὼν τὸν Πόντον Βασίλειος ἐθελοντὴς εἰς Καισάρειαν ἧκε, καὶ Εὐσεβίῳ σπεισάμενος εὔνους ἦν · τῇ δὲ ἐκκλησίᾳ εἰς καιρὸν τοῖς λόγοις ἐπήμυνεν. Ὁ δὲ Οὐάλης ἀποτυχὼν τῆς σπουδῆς ἄπρακτος ἅμα τοῖς σὺν αὐτῷ ἐπισκόποις ἀπεχώρησε τότε.

16

1 Μετὰ δὲ χρόνον πάλιν εἰς Καππαδοκίαν ἐλθὼν καταλαμβάνει Βασίλειον τὰς τῇδε ἐκκλησίας ἐπιτραπέντα

1. Une querelle de jalousie, attisée par des malveillants, s'était élevée entre l'évêque et son clerc, sans doute trop doué. La retraite de Basile dans la solitude d'Annési, au confluent du Lycos et de l'Iris, se situe vers 363 (d'après A. de VOGÜÉ, *Regards sur le monachisme des premiers siècles,* Rome, 2000, p. 110, entre 359 et 361!). Il fut rappelé par Eusèbe pour tenir tête à l'arianisme et à Valens : voir GRÉGOIRE, *disc.* 43, 28-33; *ep.* 16-18 à Eusèbe et 19 à Basile. L'épisode prit place en 365 quand Valens, qui voulait gagner Antioche, séjourna quelque temps à Césarée, avant de se retourner contre Procope. Sozomène manque à la chronologie en plaçant cette première rencontre de Valens avec Basile *après* avoir parlé de la mort d'Eudoxe (en 370) au chap. 13, 1, alors que cette rencontre lui est antérieure de cinq années. Voir, dans la monographie de P. ROUSSEAU, *Basil of Caesarea,* Princeton-Oxford, 1994,

qui menaient là leur vie d'ascèse[1]. **3** Cependant le peuple, et surtout les principaux et les plus sages, tenaient en suspicion Eusèbe, estimant qu'il avait été la cause de la fuite d'un homme très en renom pour sa vie et son éloquence ; ils délibéraient de l'abandonner et d'avoir leurs assemblées de culte à part. **4** Ainsi donc Basile, pour ne pas nuire, de son fait, à l'église qui ne manquait pas de troubles à cause des soulèvements des hétérodoxes, vivait en paix dans les lieux de méditation du Pont. L'empereur de son côté et les évêques de sa suite – il était toujours accompagné d'ariens – étaient rendus plus ardents à leur entreprise par l'absence de Basile et par la haine du peuple fidèle pour Eusèbe. Mais l'événement trompa leur attente. **5** Car à peine eut-il reçu la nouvelle qu'ils s'avançaient en Cappadoce, Basile, ayant quitté volontairement le Pont, vint à Césarée, s'y réconcilia avec Eusèbe et fut en bons termes avec lui ; et juste à point il secourut l'église par son éloquence. Alors Valens, ayant échoué dans son effort, sans avoir abouti à rien, se retira avec les évêques de sa suite.

Chapitre 16

Après Eusèbe, Basile reçoit la charge de l'église de Cappadoce, son franc-parler à l'égard de Valens.

1 Quelque temps plus tard, de nouveau Valens vint en Cappadoce. Il y trouve Basile qui, après la mort

les p. 173-175 et l'Appendix I. *Valens's Visits to Caesarea,* p. 351-353 et N. Lenski, *Failure...,* p. 246 et p. 252-255 : les visites de Valens à Césarée eurent lieu en 365, 370, 372 (à l'Épiphanie). Basile, au cours de ce même hiver 372, vit encore Valens (à Antioche?) quand l'empereur le fit appeler au chevet de son fils mourant.

μετὰ τὴν Εὐσεβίου τελευτήν. Βουλευόμενος δὲ καὶ αὐτὸν ἐξελάσαι οὐχ ἑκὼν ἀπέσχετο τῆς ἐπιβουλῆς. **2** Ἅμα γὰρ τῇ ἐπιχειρήσει λέγεται τῆς ἐχομένης νυκτὸς τὴν αὐτοῦ γαμετὴν περιπεσεῖν δείμασι καὶ Γαλάτην, τὸν υἱὸν ὃν μόνον εἶχε, ταχείᾳ νόσῳ ἀποθανεῖν. Ἐδόκει δὲ πᾶσι τιμωρὸν γενόμενον τὸν θεὸν τῶν κατὰ Βασιλείου βεβουλευμένων, ἐπὶ κακώσει τῶν τεκόντων ἀπολέσαι τὸν παῖδα. **3** Ταῦτα δὲ καὶ Οὐάλης ὑπελάμβανεν. Ἀμέλει ἀποθανόντος μὲν τοῦ υἱέος οὐκέτι αὐτὸν ἠνώχλησεν, ἐν ᾧ δὲ περιῆν καὶ κακῶς ἔχων ἔμελλε τελευτᾶν, πέπομφε πρὸς αὐτὸν ἀντιβολῶν ὑπὲρ **257** | τοῦ κάμνοντος εὔξασθαι. **4** Ἅμα γὰρ ἀφίκετο εἰς Καισάρειαν, μετακαλεσάμενος ὁ ὕπαρχος τὸν Βασίλειον ἐκέλευσε τὰ βασιλέως φρονεῖν· ἀπειθοῦντι δὲ ἠπείλησε θάνατον. Τὸν δὲ φάναι πολλοῦ ἄξιον αὐτῷ ἔσεσθαι, καὶ μεγίστην δώσειν χάριν ὡς ἐν τάχει τουτωνὶ τῶν δεσμῶν τοῦ σώματος †λέγων† αὐτὸν ἀπαλλάξειεν. **5** Ἐπεὶ δὲ τὴν τότε ἡμέραν καὶ τὴν ἑξῆς νύκτα ἐκέλευσεν αὐτὸν ὁ ὕπαρχος βουλεύσασθαι καὶ μὴ ἀπερισκέπτως εἰς προῦπτον ἅλασθαι κίνδυνον, εἰς δὲ τὴν ὑστεραίαν παρεῖναι καὶ τὴν ἑαυτοῦ γνώμην δήλην ποιεῖν, «Ἐμοὶ μέν, ἔφη, οὐ δεῖ βουλῆς·

1. Cette fois, l'épisode est correctement placé en 370, après la victoire de Valens sur Procope, ses trois campagnes gothiques (367, 368 et 369) et son séjour à Constantinople où il est de retour en mars 370, d'après AMM. 27, 5, 7. Si l'expression «de nouveau» est justifiée, la liaison temporelle «quelque temps plus tard» est bien vague pour désigner un intervalle d'au moins 6 ans (entre 365 et 371).

2. Il a déjà été question du fils de Valens, nommé Valentinien et surnommé Galates (voir *P.L.R.E.,* p. 381), né en 366. Sur sa mort, postérieure à l'élévation de Basile (en 370), voir GRÉGOIRE, *disc.* 43, 54; SOCRATE, *H.E.* IV, 26, 20-24; THÉODORET, *H.E.* IV, 19, 9-10 (cf. BARDY, p. 260).

3. La régression chronologique – après avoir mentionné la mort de Valentinien Galates, Sozomène refait, à la gloire de Basile, un récit édifiant du même épisode en présentant l'enfant comme toujours vivant – semble indiquer l'utilisation de deux sources, l'une succincte et historique, l'autre détaillée et hagiographique, qui n'est autre que GRÉGOIRE, *disc.* 43, 47-54 (éd. J. Bernardi, *SC* 384, p. 225-241). Toutefois, il n'exploite pas tout le parti qu'il pouvait tirer de la victoire de Basile

d'Eusèbe, avait reçu la charge des églises du lieu[1]. Alors qu'il délibérait de le chasser lui aussi, il fut retenu malgré lui dans sa machination. **2** A peine, dit-on, avait-il entrepris la chose que, la nuit suivante, sa femme fut prise de terreurs et Galates, son fils unique, mourut après une brève maladie[2]. Il semblait à tous que Dieu avait voulu venger les manœuvres contre Basile, en faisant périr le fils pour le malheur des parents. **3** C'est aussi ce que pensait Valens. En tout cas, son fils mort, il n'importuna plus Basile. Et alors que ce fils vivait encore et que, au plus mal, il était sur le point de mourir, il envoya à Basile un message, le suppliant de prier pour le malade. **4** En effet, dès que l'empereur fut arrivé à Césarée[3], le préfet[4] convoqua Basile et lui commanda de se ranger à l'opinion de l'empereur : il le menaça de mort s'il refusait. Basile répondit que la mort serait pour lui bien précieuse et qu'on lui accorderait la faveur la plus grande en le délivrant rapidement de ces liens du corps. **5** Quand le préfet l'eut invité à réfléchir ce jour-là et la nuit suivante, à ne pas se jeter inconsidérément en un péril manifeste, et à revenir le lendemain pour lui faire savoir sa décision, «Je n'ai pas besoin de réflexion,

(cf. BARDY, p. 259). En effet, non seulement Basile conserva son siège, mais il obtint la paix pour ses suffragants. Valens lui offrit même de vastes domaines pour le grand hôpital, la Basiliade, qu'il avait fondé et lui confia le soin de régler les affaires religieuses du royaume d'Arménie et d'y nommer des évêques! Peut-être Sozomène a-t-il craint d'affaiblir, en la nuançant, l'image d'un persécuteur sans merci.

4. Il s'agit de Domitius Modestus (*P.L.R.E.*, p. 605-608 M. 2). La source est GRÉGOIRE, *disc.* 43, 48-51, éd. J. Bernardi, *SC* 384, p. 226-233, qui donne ou reconstruit le dialogue entre le préfet et l'évêque (cf. BARDY, p. 260 avec référence erronée au *disc.* 20). Sozomène résume en une phrase les propos du préfet mais en retient les menaces finales – confiscation des biens, exil, torture et mort – pour mettre en valeur leur rétorsion par l'évêque, représentant idéal du chrétien dont la vie n'est pas de ce monde.

αὐτὸς γὰρ ἔσομαι καὶ τῇ ὑστεραίᾳ· κτίσμα γὰρ ὢν οὐκ ἀνέξομαι τὸν ὅμοιον προσκυνεῖν καὶ θεὸν συνομολογεῖν, οὐδὲ κοινωνὸς σοί τε καὶ βασιλεῖ τῆς θρησκείας εἶναι. **6** Εἰ γὰρ καὶ λίαν ἐπίσημοι τυγχάνετε καὶ οὐκ ὀλίγης τῆς οἰκουμένης ἡγεῖσθε μοίρας, οὐ παρὰ τοῦτο ἀνθρώποις χαριστέον, ὀλιγωρῆσαι δὲ τῆς εἰς τὸ θεῖον πίστεως, ἣν οὐκ ἄν ποτε προδοίην, οὔτε δήμευσιν οὐσίας οὔτε ὑπερορίαν 1333 φυγὴν οὔτε θάνατον καταδικασθείς. Ἐπεὶ καὶ | τούτων οὐδέν με ἀνιᾶν δυνήσεται, εἴ γε οὐσίαν μὲν ἔχω ῥάκη τε καὶ βιβλία ὀλίγα, οἰκῶ δὲ τὴν γῆν ὡς ἀεὶ παροδεύων, σῶμα δέ μοι δι' ἀσθένειαν μετὰ τὴν πρώτην πληγὴν αἰσθήσεως καὶ βασάνων κρεῖττον.» **7** Τοιαῦτα Βασιλείου παρρησιασαμένου θαυμάσας τοῦ ἀνδρὸς τὴν ἀρετὴν ὁ ὕπαρχος ἀνήγγειλε τῷ βασιλεῖ. Ὁ δὲ ἐπιτελουμένης τῆς τῶν θεοφανίων ἑορτῆς σὺν τοῖς ἄρχουσι καὶ δορυφόροις εἰς τὴν ἐκκλησίαν παραγενόμενος δῶρά τε τῇ ἱερᾷ τραπέζῃ προσήνεγκε καὶ εἰς λόγους αὐτῷ ἦλθε καὶ σοφίας καὶ τοῦ περὶ τὸ ἱερᾶσθαι καὶ ἐκκλησιάζειν κόσμου τε καὶ εὐταξίας ἐπῄνεσεν. **8** Ἐκράτει δὲ ὅμως οὐκ εἰς μακρὰν ἐκ διαβολῆς τῶν ἐναντίων ὑπερορίαν αὐτὸν οἰκεῖν. Καὶ ἡ νὺξ παρῆν καθ' ἣν ἐδόκει τοῦτο γενέσθαι· ἐξαπίνης δὲ πυρετὸς τοῦ βασιλέως τὸν υἱὸν ἐπιλαβὼν εἰς ἀθρόαν καὶ σφαλερὰν νόσον κατέβαλε. **9** Καὶ ὁ πατὴρ κατὰ τοῦ ἐδάφους ἔρριπτο ἔτι ζῶντα τὸν παῖδα πενθῶν· ἀμηχανῶν δὲ καὶ πανταχόθεν σῶον αὐτὸν ἔχειν σπουδάζων ἐπιτρέπει τοῖς οἰκείοις μετα-

1. La scène prend donc place le 6 janvier 372, selon BARDY, p. 260 et P. ROUSSEAU, *Basil of Caesarea...*, p. 140. Sur l'effet produit sur Valens par Basile et la belle ordonnance de son église, voir GRÉGOIRE, *disc.* 43, 52, éd. J. Bernardi, *SC* 384, p. 234-237 et THÉODORET, *H.E.* IV, 19, 11. La nature des offrandes impériales n'a pas besoin d'être précisée : il s'agit, dans la partie de la messe nommée offertoire, du pain et du vin que l'officiant vient normalement prendre des mains des fidèles pour les consacrer pendant le canon. L'Épiphanie était alors, avec Pâques, la principale fête de l'Église. En Orient, c'était la fête des «manifestations» du Christ : naissance, adoration par les Mages, circoncision.

2. Voir GRÉGOIRE, *disc.* 43, 54, éd. J. Bernardi *SC* 384, p. 236-239. THÉODORET, *H.E.* IV, 19, 15 confirme la décision impériale, tout en

dit-il, je serai moi-même encore demain. Étant une créature, je ne supporterai pas d'adorer mon semblable et de le tenir pour Dieu, ni de m'associer à votre religion, à toi et au prince. **6** Car même si vous êtes très en vue et si vous gouvernez une part non négligeable de la terre habitée, ce n'est pas une raison pour qu'il me faille chercher à plaire aux hommes et négliger la vraie foi en la divinité, foi que je ne saurais trahir, quelle que soit la condamnation, confiscation des biens, exil ou mort. Car rien de tout cela ne pourra m'affliger, s'il est vrai du moins que j'ai pour seul bien des haillons et quelques livres, que j'habite la terre comme étant toujours un étranger de passage, et que mon corps, à cause de sa faiblesse, après le premier coup, me mettra au-dessus du sentiment des supplices. » **7** Plein d'admiration pour la franchise de Basile, le préfet rapporta son courage à l'empereur. Comme on célébrait la fête de l'Épiphanie[1], il vint avec ses officiers et ses gardes à l'église, apporta des offrandes à la sainte Table, s'entretint avec Basile et le loua pour sa sagesse et pour l'ordre et la belle tenue de sa manière de célébrer et de tenir l'assemblée de culte. **8** Cependant, peu après, la calomnie des ennemis de Basile fit que l'emportait la condamnation à l'exil[2]. Déjà la nuit était venue où il semblait que ce dût arriver. Mais soudain une fièvre saisit le fils de l'empereur et le jeta dans une maladie accablante et d'issue incertaine. **9** Le père s'était effondré à terre, pleurant son fils qui vivait encore. Ne sachant que faire et cherchant de tout côté le moyen de le sauver, il commande aux siens

ajoutant, par un embellissement d'hagiographe, que par trois fois la plume de l'empereur qui s'apprêtait à signer la sentence se brisa (Bardy, p. 260, note 4). En fait, les ministres de Valens, notamment son *castrensis* Demosthenes, l'avaient persuadé qu'il avait été trop conciliant lors de son entrevue avec Basile, juste après la messe de l'Épiphanie. Valens révoqua l'ordre d'exil, quand son fils tomba malade et qu'il vit là un signe de la colère divine.

258 καλέσασθαι Βασίλειον εἰς ἐπίσκεψιν τοῦ | κειμένου · ἔναγχος γὰρ ὑβρισμένῳ ᾐδεῖτο αὐτὸς περὶ τούτου κελεύειν. Ἅμα δὲ παρῆν καὶ ὁ παῖς ῥᾷον ἔσχεν, ὡς πολλοὺς τότε ἰσχυρίζεσθαι ὡς οὐκ ἂν ἀπωλώλει, εἰ μὴ καὶ ἑτεροδόξους ἅμα Βασιλείῳ συνεκάλεσεν ὑπὲρ τοῦ παιδὸς εὐξομένους. **10** Λόγος δὲ καὶ τὸν ὕπαρχον τότε νόσῳ περιπεσεῖν, ἀντιβολοῦντα δὲ καὶ παραιτούμενον αὐτὸν ὑγιᾶ γενέσθαι. Ἀλλὰ ταῦτα μὲν οὐ θαυμαστὰ ἴσως δόξειεν ἐπὶ Βασιλείου σκοπούμενα, ἀνδρὸς φιλοσοφωτάτου καὶ θεοφιλοῦς ἔργοις τε καὶ λόγοις ὑπερφυῶς εὐδοκιμήσαντος.

17

1 Σύγχρονοι δὲ ὄντες αὐτός τε καὶ Γρηγόριος ὁμόζηλοι ταῖς ἀρεταῖς ὡς εἰπεῖν ἐγένοντο. Ἄμφω μὲν γὰρ νέοι ὄντες Ἱμερίῳ καὶ Προαιρεσίῳ τοῖς τότε εὐδοκιμωτάτοις σοφισταῖς ἐν Ἀθήναις ἐφοίτησαν, μετὰ ταῦτα δὲ ἐν Ἀντιοχείᾳ Λιβανίῳ τῷ Σύρῳ · σοφιστεύειν δὲ ἢ δίκας

1. Tous deux sont nés en 329 (cf. P. GALLAY, *La vie de saint Grégoire de Nazianze,* 1943, p. 26), deux ans avant Julien.

2. Ces deux sophistes furent les maîtres de Basile et de Grégoire en 355. Le premier, né à Pruse en Bithynie, était l'auteur de 75 discours et déclamations (*P.L.R.E.,* p. 436). Prohairesios, natif de Césarée de Cappadoce, perdit sans doute son poste de sophiste à Athènes sous Julien en refusant de se plier à la loi scolaire de celui-ci (*P.L.R.E.,* p. 731).

3. Basile et Grégoire qui fréquentèrent l'école d'Athènes en 355 (et peut-être 356) n'ont pas pu y suivre les cours de Libanius. Celui-ci, professeur temporaire à Athènes en 340, puis sophiste à Constantinople, qu'il quitta en 343, avant de s'installer à Nicomédie (343-348), rappelé à Constantinople vers 349 (pour la date, T.D. BARNES, « Himerius and the IVth century », dans *Class. Philol.* 82, 1987, p. 210), déclina le poste qu'on lui offrait à Athènes (*Or.* I, 82). Il obtint à Antioche, en 354, celui qu'il ne devait plus quitter. Basile et Grégoire ne sont pas non plus allés à Antioche suivre ses cours. Sozomène veut faire de ses deux héros les élèves des trois plus célèbres sophistes de l'époque. Libanius a bien reçu un billet laconique de GRÉGOIRE (*lettre* 236, éd. P. Gallay, t. II, 1967, *CUF,* p. 126-127) et surtout échangé une correspondance

d'appeler Basile pour examiner le malade. Comme en effet il l'avait récemment outragé, il rougissait d'aller lui-même le lui demander. Dès que Basile parut, l'enfant se sentit mieux, en sorte que beaucoup soutenaient alors que l'enfant n'eût pas péri si Valens n'avait pas appelé aussi en même temps que Basile des hétérodoxes pour prier pour le malade. **10** On dit qu'alors aussi le préfet tomba malade et qu'en le suppliant et le priant, il recouvra la santé. Mais cela pourrait ne pas sembler extraordinaire dans le cas de Basile, car ce fut un homme de haute vie d'ascèse et cher à Dieu, et qui fut extrêmement estimé pour ses actes et son éloquence.

Chapitre 17

Alliance de Basile et de Grégoire le théologien ; parvenus au sommet de la sagesse, ils défendent le dogme de Nicée.

1 Contemporains, lui et Grégoire[1], ils furent, pour ainsi dire, d'un zèle égal pour les vertus. Tous deux, dans leur jeunesse, avaient fréquenté Himérios et Prohairésios, les sophistes les plus en renom à Athènes[2], puis, à Antioche, le syrien Libanios[3]. Mais, dédaignant le métier de sophistes

relativement importante (25 lettres : 11 lettres de Basile, 14 de Libanius) avec Basile (voir LIBANIUS, *Lettres*, éd. Förster, t. XI, p. 572-597 et SAINT BASILE, *Lettres*, t. 3, éd. Y. Courtonne, *CUF*, 1966, p. 202-219 : parmi les lettres 335 à 359, certaines – les lettres 347 à 356 – sont d'authenticité douteuse, mais les autres présentent un lien assez solide avec l'histoire). D'après P. ROUSSEAU, *Basil of Caesarea*, p. 31, note 16, Basile a pu suivre les cours de Libanius à Constantinople *avant* d'aller lui-même à l'école d'Athènes : hypothèse plausible qui rendrait compte de leur correspondance ultérieure. C'est aussi l'avis de J.R. POUCHET, *Basile le Grand et son univers d'amis d'après sa correspondance. Une stratégie de communion*, Rome, Inst. Patrist. August., 1992 (Studia Ephemeridis «Augustinianum» 36), p. 151-172, qui se fonde sur GRÉGOIRE DE NYSSE, *Lettre* 13 et GRÉGOIRE DE NAZIANZE, *Discours* 43.

ἀγορεύειν ὑπεριδόντες φιλοσοφεῖν ἔγνωσαν κατὰ τὸν τῆς ἐκκλησίας νόμον. **2** Ἐπί τινα δὲ χρόνον τοῖς μαθήμασι τῶν παρ' Ἕλλησι φιλοσόφων ἐνδιατρίψαντες καὶ τὰς ἐξηγήσεις τῶν ἱερῶν λόγων ἐξακριβώσαντες ἐκ τῶν Ὠριγένους καὶ τῶν πρὸ αὐτοῦ καὶ μετ' ἐκεῖνον ἐν ταῖς ἑρμηνείαις τῶν ἐκκλησιαστικῶν βιβλίων εὐδοκιμησάντων, μέγα ὄφελος κατὰ τὸν παρόντα καιρὸν ἐγένοντο τοῖς ὁμοδόξοις τῶν ἐν 1336 Νικαίᾳ | συνεληλυθότων. **3** Ἑκάτερος γὰρ ἀνδρείως συνίστατο τούτῳ τῷ δόγματι πρὸς τοὺς τὰ Ἀρείου φρονοῦντας, καὶ διήλεγχεν ὡς μήτε τὰ ἄλλα ὀρθῶς φρονοῦντας μήτε τὰς Ὠριγένους δόξας, αἷς μάλιστα ἐπηρείδοντο. **4** Κοινῇ δὲ συνθήκῃ ἢ κλήρῳ, ὡς πρός τινων ἐπυθόμην, τοὺς κινδύνους ἐμερίσαντο. Καὶ Βασίλειος μὲν τὰς πρὸς τῷ Πόντῳ περιιὼν πόλεις συνοικίας τε μοναχῶν πολλὰς ἐκεῖσε κατεστήσατο καὶ τὰ πλήθη διδάσκων ὁμοίως αὐτῷ φρονεῖν ἔπειθε. **5** Γρηγόριος δὲ Ναζιανζοῦ πόλεως μικρᾶς ἐπισκοπεῖν μετὰ τὸν αὐτοῦ πατέρα λαχὼν ἀλλαχῇ τε τούτου χάριν καὶ μάλιστα τῇ Κωνσταντινουπόλει

1. Basile et Grégoire avaient composé, entre 360 et 372, probablement pendant la retraite de Basile à Annési, la *Philocalie*, morceaux choisis d'Origène, le grand exégète alexandrin, dont ils appréciaient l'herméneutique et la doctrine du libre-arbitre. En accusant les ariens de se servir malhonnêtement des «ouvrages d'Origène» (ces termes généraux désignent surtout le *Traité des principes – Peri archôn* – dont la *Philocalie* retient et cite deux grands chapitres), Sozomène montre qu'il connaît la querelle ultérieure (c. 400) sur l'origénisme qui opposa l'évêque Théophile d'Alexandrie et les moines de Nitrie (expulsés du désert, ils se réfugièrent auprès de Jean Chrysostome, évêque de Constantinople : cf. *H.E.* VIII, 11-17). Voir ORIGÈNE, *Traité des Principes (Peri archôn),* M. HARL, G. DORIVAL et A. LE BOULLUEC, Paris, Études Augustiniennes, 1976, p. 13 : au IVe s., quand la théologie trinitaire s'affinait, Origène fut considéré comme «subordinatianiste» – le Fils serait inférieur au Père – et parfois même traité de «père de l'arianisme» – le Fils serait une «créature du Père». Plus précisément sur les historiens des IVe-VIe s., C. TSIRPANLIS, «The Origenistic Controversy in the Historians of the fourth, fifth and sixth centuries», dans *Augustinianum,* 26, 1986, p. 177-183.

2. L'action de Basile en faveur de l'ascétisme et du monachisme, qu'il avait connus d'abord au cours d'un voyage (357-358) en Égypte,

ou d'avocats, ils décidèrent de mener la vie d'ascèse selon la loi de l'Église. **2** Après s'être appliqués quelque temps aux disciplines des philosophes grecs et avoir scruté à fond les exégèses des Saintes Lettres d'après les ouvrages d'Origène[1] et des auteurs qui, avant lui et après lui, furent en renom pour leurs interprétations des livres de l'Église, ils furent d'un grand secours, à l'instant présent, pour les partisans des dogmes des pères de Nicée. **3** Chacun des deux en effet, avec courage, tenait ferme à ce dogme contre les partisans d'Arius et les convainquait de n'avoir d'opinion droite ni en général ni pour les doctrines d'Origène, sur lesquelles ils s'appuyaient surtout. **4** Par un commun accord ou par tirage au sort, comme je l'ai appris de certains, ils se partagèrent les dangers. Basile parcourait les villes du Pont, il y fonda beaucoup de communautés de moines[2] et, par ses instructions aux foules, il cherchait à les gagner à son opinion. **5** Grégoire qui avait reçu en part d'être évêque, après la mort de son père, de la petite ville de Nazianze[3], se rendait continuellement ici et là pour cette raison, et surtout à Constantinople. Peu de temps après, par le vote

Palestine, Coélèsyrie, Mésopotamie et dont il avait puisé le goût chez son maître Eustathe de Sébaste, avait commencé dès sa retraite à Annési et se développa au cours de son épiscopat (370-379). Sur son action, sur la définition, dans son *Ascéticon,* des règles d'un cénobitisme à visage humain qui ne tarda pas à essaimer non seulement en Cappadoce, mais en Paphlagonie, Pont et Arménie et plus tard (aux ve et vi^e^ s.) en Asie mineure, Caucase, Syrie du Nord, voir A. de Vogüé, *Regards sur le monachisme des premiers siècles,* p. 109-138 – « Les grandes règles de saint Basile. Un survol » –, la notice du *DACL* II, 1 c. 501-510 J. Pargoire et surtout le chap. 6 de P. Rousseau, *Basil of Caesarea...,* p. 190-232 (The ascetic Writings).

3. Après avoir été promu par Basile, pour des raisons de politique ecclésiastique, évêque de la petite station de poste de Sasimes, qu'il ne rejoignit pas, Grégoire devint, la même année 372, coadjuteur de son père, Grégoire l'ancien, évêque de Nazianze. A la mort de son père en 374, il lui succéda.

συνεχῶς ἐνεδήμει. Οὐ πολλῷ δὲ ὕστερον τοῦ τῇδε λαοῦ προστατεῖν ἐπετράπη ψήφῳ πολλῶν ἱερέων · μήτε γὰρ **259** ἐπισκόπου μήτε ἐκ | κλησίας οὔσης ἐνθάδε ἐκινδύνευε μηκέτι εἶναι λοιπὸν ἐν Κωνσταντινουπόλει τὸ δόγμα τῆς ἐν Νικαίᾳ συνόδου.

18

1 Ἐπεὶ δὲ εἰς Ἀντιόχειαν παρεγένετο ὁ βασιλεύς, παντελῶς ἐξήλασε τῶν τῇδε ἐκκλησιῶν ἀνά τε τὰς πέριξ πόλεις τοὺς ὁμοίως φρονοῦντας τοῖς ἐν Νικαίᾳ συνελθοῦσι, καὶ παντοδαπαῖς ἐπέτριβεν αὐτοὺς τιμωρίαις, ὡς καί τινας ἰσχυρίζεσθαι πολλοὺς αὐτῶν ἀνελεῖν ἄλλοις τε τρόποις καὶ εἰς τὸν Ὀρόντην ποταμὸν ἐμβάλλεσθαι προστάξαντα. **2** Μαθὼν δὲ ἐν Ἐδέσσῃ εὐκτήριον ἐπιφανὲς εἶναι Θωμᾶ

1. Juste avant la mort de Basile (1er janvier 379), Grégoire avait obtenu l'approbation de son ami pour être intronisé à Constantinople en 379. Sozomène exagère en prétendant qu'il fut élu par un grand nombre d'évêques. Ce qui est sûr, c'est que Grégoire et ses fidèles n'avaient pas d'église et se réunissaient d'abord dans un local modeste et improvisé, mis à leur disposition par un ou des particuliers, qui devait devenir la chapelle de l'Anastasis (cf. J. BERNARDI, *La prédication des Pères cappadociens,* 1968, p. 140) où il prononça, le 16 septembre 379, le sermon 24.

2. En 371/372, l'empereur y prit ses quartiers d'hiver en se déchaînant contre les nicéens d'après Sozomène et les autres historiens ecclésiastiques, contre les païens d'après Ammien Marcellin (29, 1-2) lors de l'« affaire du trépied » (cf. *H.E.* VI, 35). Si l'on peut supposer une certaine exagération dans les deux récits, les faits qu'ils rapportent ne sont pas inconciliables. Ils prouvent que la méfiance et l'autoritarisme de Valens se tournaient en même temps contre ceux, de tout bord, qui lui paraissaient constituer un danger pour son pouvoir.

3. Acte réel ou symbolique de la cruauté prêtée au tyran? JEAN CHRYSOSTOME raconte qu'ayant repêché un livre de magie jeté dans l'Oronte par son auteur terrorisé, il faillit être surpris par un soldat de garde (*Homélie* 38 dans *PG* 60, 274-275). BARDY, p. 261, qui date de 372 le retour de Valens à Antioche, alors que l'automne de 371 est bien plus probable, accepte sans discussion le récit des persécutions dans la

de beaucoup d'évêques, il reçut la charge de présider au peuple fidèle de cette ville[1]. Car il n'y avait là ni évêque ni église, et il y avait donc risque que le dogme du concile de Nicée n'eût désormais plus d'existence à Constantinople.

Chapitre 18

La persécution survenue à Antioche sur l'Oronte; le lieu de prière de l'apôtre Thomas à Édesse; le rassemblement en ce lieu et la profession de foi des Édesséniens.

1 Quand l'empereur fut arrivé à Antioche[2], il chassa entièrement des églises, et là et dans les villes d'alentour, les partisans des dogmes de Nicée, et il les accablait de toute sorte de châtiments, au point que certains soutiennent qu'il en mit à mort beaucoup de diverses manières, et entre autres en donnant l'ordre de les jeter dans l'Oronte[3]. **2** Ayant appris qu'il se trouve à Édesse[4]

capitale syrienne dressé par les historiens ecclésiastiques : exil de l'évêque orthodoxe Mélèce, expulsion de leurs églises des nicéens obligés de se réunir dans les campagnes voisines, nombreux martyres, multiples noyades dans l'Oronte. Il paraît aujourd'hui plus juste de limiter la période de persécution aiguë aux cinq dernières années du règne, à partir de 373, date de la mort d'Athanase.

4. La capitale de l'Osrhoène se glorifiait d'avoir été évangélisée par le disciple Thaddée (en fait par Addaï). Le christianisme, en tout cas, s'y était implanté très tôt (deuxième moitié du IIe s.). Dans l'intérêt de Valens pour Édesse, il y avait sans doute un aspect politique : c'était une ville-symbole, sa conversion à l'homéisme officiel serait retentissante et ne manquerait pas d'en entraîner d'autres. Il n'y a pas lieu de douter de la réalité de sa visite et de sa tentative : elles se placent sans doute en 375, après l'exil de l'évêque Barsès et l'expulsion des églises de ses fidèles, datés de 373 par la *Chronique d'Édesse,* 31. Elles sont attestées par d'autres sources indépendantes, notamment les *Actes de saint Éphrem :* cf. article Édesse dans *DACL* IV, 2 c. 2058-2110 à la c. 2091 H. LECLERCQ.

τοῦ ἀποστόλου ἐπώνυμον, ἦλθε τοῦτο ἱστορῆσαι. Ἀφαιρεθέντων δὲ κἀνταῦθα τῶν εὐκτηρίων οἴκων θεασάμενος ἐν πεδίῳ πρὸ τοῦ ἄστεως συνηγμένους τοὺς ἀπὸ τῆς καθόλου ἐκκλησίας λέγεται τὸν [καθόλου] ὕπαρχον λοιδορήσασθαι καὶ πὺξ κατὰ τῆς σιαγόνος πλῆξαι, ὡς παρὰ τὴν αὐτοῦ πρόσταξιν συγχωρήσαντα γενέσθαι τοιαύτας 1337 συνόδους. **3** Ὁ δὲ Μόδεστος (τοῦτο γὰρ ὄνομα | τῷ ὑπάρχῳ ἦν) καίπερ ἑτερόδοξος ὢν λάθρα τοῖς Ἐδεσσηνοῖς ἐμήνυσε φυλάξασθαι τὴν ὑστεραίαν καὶ μὴ συνελθεῖν εἰς τὸν εἰωθότα τόπον εὐξομένους· εἶναι γὰρ αὐτῷ προστεταγμένον παρὰ βασιλέως τιμωρεῖσθαι τοὺς ἁλισκομένους. Καὶ ὁ μὲν ταῦτα ἠπείλει ἢ ὀλίγους ἢ μηδένα κινδυνεῦσαι προνοῶν καὶ ἑαυτὸν παραιτεῖσθαι σπουδάζων πρὸς τὴν τοῦ κρατοῦντος ὀργήν. **4** Οἱ δὲ Ἐδεσσηνοὶ παρ' οὐδὲν ποιησάμενοι τὴν ἀπειλὴν σπουδαιότερον ἢ πρὸ τοῦ συνέρρεον ἕωθεν καὶ τὸν εἰωθότα τόπον ἐπλήρουν. Ὁ δὲ

1. Édesse ne possédait au début qu'une église, l'Église ancienne (*DACL,* IV, 2, c. 2063, H. Leclercq). Ruinée à deux reprises par inondation, elle fut rebâtie en 313. Au début du règne de Théodose, la pélerine Égérie d'après son *Journal de voyage,* éd. P. Maraval, *SC* 296, 1978, réimpr. 2002, visita l'église et le martyrium de saint Thomas, alors distincts : le tombeau du martyr se voyait, dès le milieu du ɪvᵉ s., à Édesse où il était entouré d'une vénération extraordinaire. C'est en 394, d'après la *Chronique d'Édesse,* 38 (Seeck, *Regesten,* p. 285), que l'Église reçut les reliques de l'apôtre. L'expression « lieu de prière... dénommé d'après l'apôtre Thomas » désigne-t-elle le seul martyrium ou, par anachronisme, l'ensemble formé par l'Église ancienne et les reliques du saint qui n'y furent déposées que 20 ans après la visite de Valens? Socrate, *H.E.* IV, 18, 1, est plus clair : Valens voulait visiter « l'illustre et splendide *martyrium* de l'apôtre Thomas où, du fait de la sainteté du lieu, des synaxes sont célébrées sans interruption ». Le martyrium était donc un édifice assez vaste pour accueillir, autour des reliques, des agapes et des assemblées de prière.

2. Le pluriel laisse à penser que les orthodoxes avaient été expulsés non seulement de l'Église ancienne, mais des églises hors les murs : Saint Cosme et saint Damien, saint Serge et saint Siméon, l'église des Confesseurs construite sur la montagne par l'évêque Abraham (en 346) et l'église ancienne des moines (*DACL,* IV, 2, c. 2064). Comme les pauliniens d'Antioche, les catholiques d'Édesse se réunissaient hors les murs

un lieu de prière fameux dénommé d'après l'apôtre Thomas[1], il vint pour le voir. Les églises, là aussi, avaient été enlevées aux orthodoxes[2]. Or, comme il avait vu les catholiques assemblés dans la plaine devant la ville, il injuria, dit-on, le préfet et le frappa du poing à la mâchoire, lui reprochant d'avoir permis que, malgré ses ordres, de telles assemblées eussent lieu. **3** Modestus – tel était le nom du préfet –, bien qu'hétérodoxe[3], avertit secrètement les Édesséniens de se garder le lendemain et de ne pas se réunir, pour y prier, à leur lieu habituel : il avait reçu en effet de l'empereur l'ordre de châtier ceux qu'on aurait pris. Il leur avait donc fait cette menace, prévoyant que très peu ou aucun ne s'exposerait au péril, et en même temps il s'efforçait de se prémunir contre la colère du prince. **4** Mais les Édesséniens, sans tenir aucun compte de la menace, accoururent à l'aube avec plus d'ardeur qu'auparavant et ils remplissaient le lieu

dans le martyrium de saint Thomas ou alentour, dans la plaine située devant la ville. Les ariens s'étaient emparés des églises en septembre 373 (cf. SEECK, *Regesten*, p. 245 d'après *Chron. Edess.*, 31).

3. Ce personnage (*P.L.R.E.*, p. 605-608 Domitius M. 2) conserva longtemps d'importantes fonctions officielles en calquant son attitude religieuse sur celle de l'empereur régnant (Constance, Julien, Valens). Rien de surprenant donc à ce qu'il fût devenu arien sous Valens! Après avoir joué le mauvais rôle face à Basile (chap. 16, 4-6), il est à nouveau le triste héros d'une anecdote édifiante qui tourne à sa confusion. Sa tentative, son échec et le rapport qu'il en fait au prince présentent de fortes analogies avec le comportement du préfet Salutius sous Julien (V, 20, 1-4 à propos du martyr Théodôros). Il n'y a pas lieu pour autant de mettre en doute l'historicité de l'épisode. Sozomène suit de très près le *Discours* 43 de GRÉGOIRE (éd. J. Bernardi, *SC* 384) pour l'affrontement verbal (§§ 48-50), puis le rapport du préfet à l'empereur (§ 51), la visite de Valens à l'église de Basile (§ 52), et enfin la maladie et la mort de Valentinien Galates (§ 54) et la maladie du préfet guérie sur ses instances par Basile (§ 55). Il omet ce que rapporte GRÉGOIRE (§ 54) d'une entrevue qui eut lieu, après la messe de l'Épiphanie, entre Valens et Basile, sans doute parce qu'elle aboutit à un accord provisoire entre l'empereur et l'évêque : cf. J. Bernardi, p. 235, note 5.

Μόδεστος ἀγγελθέντος τούτου οὐκ εἶχεν ὅ τι καὶ ποιήσειεν, ἀμηχανῶν δὲ τοῖς παροῦσιν ὅμως ἐπὶ τὸ πεδίον ᾔει. **5** Γυνὴ δέ τις παιδάριον ἕλκουσα καὶ τὸ φᾶρος εἰκῇ ἐπισυρομένη παρὰ τὸν πρέποντα γυναικὶ κόσμον, ὡς ἐπί τι σπουδαῖον ἐπειγομένη, τὴν ἡγουμένην τοῦ ὑπάρχου στρατιωτικὴν στίχα διέτεμεν. Ἰδὼν δὲ Μόδεστος προσέταξεν αὐτὴν συλληφθῆναι, καὶ προσκαλεσάμενος ἀπῄτει λέγειν τοῦ δρόμου τὴν αἰτίαν. **6** Τῆς δὲ εἰπούσης, ἵνα θᾶττον καταλάβοι τὸ πεδίον ἔνθα **260** συνίασι οἱ ἀπὸ τῆς καθόλου | ἐκκλησίας, « Μόνη γοῦν, ἔφη Μόδεστος, οὐκ ἔγνως αὐτίκα μέλλειν ἐκεῖσε τὸν ὕπαρχον ἰέναι καὶ οὓς ἂν εὕροι πάντας ἀναιρήσειν ; » « Ναίχι ἀκήκοα, φησί, καὶ διὰ τοῦτο μάλιστα δρόμου δεῖ μοι, ἵνα μὴ τοῦ καιροῦ κατόπιν γένωμαι καὶ ἁμάρτω τῆς περὶ θεοῦ μαρτυρίας. » « Ἀτὰρ τί καὶ τοῦτο τὸ παιδάριον μεθ' ἑαυτῆς ἄγεις ; » ἤρετο ὁ ὕπαρχος. « Ὡς ἂν καὶ αὐτός, ἔφη, τοῦ κοινοῦ πάθους μετάσχοι καὶ τῶν ἴσων ἀξιωθείη. » **7** Θαυμάσας δὲ ὁ Μόδεστος τὴν γυναῖκα τῆς ἀνδρείας ἀνέστρεψεν εἰς τὰ βασίλεια · καὶ κοινωσάμενος τῷ κρατοῦντι περὶ αὐτῆς ἔπεισε μὴ χρῆναι τὸ δόξαν ἐπιτελεῖν, αἰσχρὸν τοῦτο καὶ ἀσύμφορον ἐπιδείξας. Ἡ μὲν δὴ Ἐδεσσηνῶν πόλις πανδημεὶ τὸν εἰρημένον τρόπον ὑπὲρ τοῦ δόγματος ὡμολόγησεν.

1. Rapprocher les *Actes de saint Éphrem* (*DACL* IV, 2, c. 2091, art. Édesse H. Leclercq) : à son arrivée sous les murs de la cité, Valens ayant mandé les habitants, ceux-ci se rendent au contraire à la « basilique de saint Thomas » pour implorer la miséricorde divine. L'empereur envoie alors l'un de ses généraux tuer tout ce qui se présentera. Ce général rencontre une femme prête à mourir avec ses deux petits enfants plutôt que de renier sa foi. Frappé, Valens se contente d'exiler l'évêque Barsès, qui exerça l'épiscopat de 361 à 378,

habituel. A cette nouvelle, Modestus ne savait plus que faire, mais, tout embarrassé qu'il fût par l'événement, néanmoins il se dirigeait vers la plaine. **5** Voilà qu'une femme, qui traînait un bébé, et qui avait à peine ajusté son voile contrairement à la tenue convenant à une femme, comme si elle se pressait vers quelque chose d'important, traversa la rangée des soldats qui précédaient le préfet[1]. Modestus la vit, donna ordre de la saisir, et, l'ayant fait comparaître, lui demanda de lui dire la raison de sa course. **6** Comme elle avait répondu que c'était pour gagner plus vite la plaine où se rassemblaient les catholiques, «Es-tu donc seule à ignorer, dit Modestus, que le préfet doit sur le champ s'y rendre et y mettre à mort tous ceux qu'il trouvera?». «Si fait, je l'ai appris, dit-elle, et c'est pour cela surtout qu'il me faut courir, pour ne pas arriver après le bon moment et manquer le martyre pour Dieu.» «Mais pourquoi emmènes-tu aussi ce bébé avec toi?», demanda le préfet. «C'est pour qu'il ait part lui aussi, dit-elle, à l'épreuve commune et qu'il soit jugé digne de la même récompense.» **7** Plein d'admiration pour le courage de cette femme, Modestus retourna au palais. Il fit part au prince du trait de cette femme et le persuada qu'il ne fallait pas accomplir ce qui avait été résolu, lui ayant montré que ce serait honteux et inutile. La ville d'Édesse donc, en la façon que j'ai dite, confessa en masse sa foi en faveur du dogme.

et son clergé. Malgré de menues différences avec cette tradition, il est clair que Sozomène s'appuie sur le même type de source, hagiographique et locale.

19

1 Ὑπὸ δὲ τοῦτον τὸν χρόνον ἐτελεύτησεν Ἀθανάσιος ὁ τῆς Ἀλεξανδρέων ἐκκλησίας ἡγούμενος, ἀμφὶ τεσσαράκοντα καὶ ἓξ ἐνιαυτοὺς τὴν ἀρχιερωσύνην ἀνύσας. **2** Τῶν δὲ τὰ 1340 Ἀρείου φρονούντων ἐν τάχει τὴν | αὐτοῦ τελευτὴν δηλωσάντων οὐκ εἰς μακρὰν παραγενόμενος Εὐζώιος, ὃς ἐν Ἀντιοχείᾳ τῆς Ἀρείου αἱρέσεως προΐστατο, σὺν αὐτῷ δὲ καὶ Μάγνος ὁ τῶν θησαυρῶν ταμίας παρὰ τοῦ βασιλέως ἀποσταλείς, Πέτρον μέν, ᾧ τὴν ἐπισκοπὴν ἐπέτρεψεν Ἀθανάσιος, συλλαβόμενοι καθεῖρξαν, Λουκίῳ δὲ τὴν Ἀλεξανδρέων ἐκκλησίαν παρέδωκαν. **3** Ἐντεῦθεν δὲ παρὰ τοὺς ἀλλαχόσε χαλεπώτερον συνέβη διατεθῆναι τοὺς ἐν Αἰγύπτῳ· συμφοραί τε συμφοραῖς ἐπιγινόμεναι τοὺς ἀπὸ τῆς καθόλου ἐκκλησίας ἐπίεζον. Ἅμα γὰρ τῇ Ἀλεξανδρέων ἐνεδήμησε καὶ τὰς ἐκκλησίας κατασχεῖν ἐπεχείρησεν. **4** Ἀντιπεσόντος δὲ τοῦ πλήθους στάσεως αἰτία τοῖς κληρικοῖς ἐπλάκη καὶ ταῖς ἱεραῖς παρθένοις· ὡς πολεμίων δὲ καταδραμόντων τὴν πόλιν οἱ μὲν ἔφυγον, οἱ δὲ διωκόμενοι κατελαμβάνοντο καὶ δεσμῶται ἐφρουροῦντο· καὶ ἀπὸ τοῦ δεσμωτηρίου προαγόμενοι ἐτιμωροῦντο, οἱ μὲν ὄνυξι καὶ βοείαις αἰκιζόμενοι, οἱ δὲ ὑπὸ λαμπάσι πυρὸς φλεγόμενοι. Παράδοξον δὲ ἦν ταῖς τιμωρίαις ἐπιβιῶναι, **261** ἀποθανεῖν δὲ πρὸ | τῆς τούτων πείρας ἢ ὑπερορίαν οἰκεῖν

1. Athanase mourut le 2 (ou le 3) mai 373. Son épiscopat se prolongea de 328 à 373.

2. D'abord diacre d'Alexandrie et fidèle compagnon d'Arius, Euzoïus fut intronisé évêque d'Antioche, à la place de Mélèce, par l'influent Eudoxe, évêque de Constantinople (*H.E.* IV, 28, 10). Il mourut vers 375 ou un peu plus tard (cf. *supra* p. 268 note 2).

3. Sur Vindaonius Magnus 12, voir *P.L.R.E.*, p. 536 : élève de Libanius, rhéteur et avocat en Phénicie (364), païen fanatique qui fit, sous Julien, incendier une église à Berytus, ici comte des Largesses sacrées au service de Valens (cf. SOCRATE, *H.E.* IV, 21, 4; THÉODORET, *H.E.* IV, 22, 10), il devint, en 375-376, préfet de Constantinople.

4. Contrairement aux lois ecclésiastiques, par une ordination privée, le 28 avril 373 (*Hist. aceph.* 5, 14, éd. A. Martin, *SC* 317, p. 168-169).

Chapitre 19

La mort du grand Athanase et l'accession au trône épiscopal de Lucius, partisan d'Arius. Les malheurs qui frappent les églises d'Égypte. Pierre, successeur d'Athanase, prend la fuite et se rend à Rome.

1 En ce temps-là mourut Athanase[1], le chef de l'église d'Alexandrie, après un épiscopat d'environ quarante-six années. **2** Les partisans d'Arius ayant en hâte fait connaître sa mort, peu de temps après arriva Euzoïus, qui présidait à l'hérésie arienne à Antioche[2], et avec lui Magnus, le comte des largesses sacrées, qui avait été envoyé par l'empereur[3]. Ils se saisirent de Pierre, auquel Athanase avait confié l'épiscopat[4], et l'emprisonnèrent, et ils livrèrent l'église d'Alexandrie à Lucius[5]. **3** De ce moment, la situation pour les gens d'Égypte fut encore pire que pour ceux d'ailleurs. Malheurs sur malheurs opprimaient les catholiques. Car dès que Lucius fut arrivé à Alexandrie, il tenta d'occuper les églises. **4** Comme la foule résistait, on forgea une accusation de sédition contre les clercs et les vierges consacrées. Les ariens courant par la ville comme des ennemis, les uns fuirent, les autres étaient poursuivis, saisis et emprisonnés. Puis, tirés de prison, ils comparaissaient et étaient châtiés, les uns torturés par les crocs de fer et les coups de fouet, les autres brûlés par des torches. Il était extraordinaire qu'on survécût à ces tortures, et il était tenu pour enviable de mourir ou d'être

Pierre n'était pas le frère d'Athanase, comme on l'a dit, mais un membre de son clergé qui partagea fidèlement ses « tribulations » (RUFIN, *H.E.* XI, 3). Il est l'évêque légitime, aux yeux de Sozomène (cf. § 5), mais aussi de Basile de Césarée (*ep.* 133) et de l'évêque de Rome Damase.

5. Voir *H.E.* V, 7, 1 et VI, 5, 2. Cet évêque « officiel » d'Alexandrie depuis 362 fut finalement obligé de fuir le 25 septembre 367 (SEECK, *Regesten,* p. 231, d'après *Hist. aceph.* 5, 11-13, éd. A. Martin, p. 166-169).

καταδικασθῆναι ζηλωτὸν ἐνομίζετο. **5** Καὶ τὰ μὲν ὧδε ἐγίνετο. Πέτρος δὲ ὁ ἐπίσκοπος διαδρὰς ἀπὸ τοῦ δεσμωτηρίου, ὡς πρὸς ὁμόδοξον τὸν Ῥωμαίων ἐπίσκοπον νηὸς ἐπιτυχὼν ἀνέπλευσεν. Οἱ δὲ Ἀρείου καίπερ οὐ πολλοὶ ὄντες τῶν ἐκκλησιῶν ἐκράτησαν. **6** Ἐν αὐτῷ δὲ καὶ βασιλέως ἐπηκολούθησε πρόσταγμα, τῶν ὁμοδόξων τοῖς ἐν Νικαίᾳ συνελθοῦσιν Ἀλεξανδρείας τε καὶ αὐτῆς Αἰγύπτου ἀπελαῦνον ὅσους ἐκέλευε Λούκιος· ὧδε γὰρ ἦν προστεταγμένον τῷ ἡγουμένῳ τοῦ ἔθνους. Εὐζώιος δὲ κατωρθωμένων ὧν ἐσπούδαζεν ἐπὶ τὴν Ἀντιόχειαν ἀνέστρεψεν.

20

1 Ὁ δὲ Λούκιος παραλαβὼν τὸν ἡγεμόνα τῶν ἐν Αἰγύπτῳ στρατιωτῶν σὺν πλήθει ἐπεστράτευε τοῖς ἐν ταῖς ἐρήμοις μοναχοῖς. Ὤιετο γὰρ ἴσως, εἰ διενοχλήσειεν αὐτοὺς ἡσυχίας ἐρῶντας, πειθηνίους ἕξειν καὶ ταύτῃ μάλιστα τοὺς ἐν ταῖς πόλεσι Χριστιανοὺς πρὸς αὐτὸν μεταστήσειν· **2** καθότι πολλοὶ καὶ θεσπέσιοι ἄνδρες προΐσταντο τότε τῶν αὐτόθι μοναστηρίων καὶ πάντες τὴν Ἀρείου δόξαν ἀπεστρέφοντο· τῇ δὲ μαρτυρίᾳ τούτων καὶ τὸ πλῆθος ἑπόμενον ὁμοίως | ἐφρόνει, διαλέγεσθαι μὲν καὶ περὶ 1341

1. Ces événements sont connus par la lettre encyclique de Pierre d'Alexandrie conservée en très grande partie par THÉODORET, *H.E.* IV, 22 (éd. Parmentier-Hansen, *GCS,* p. 249-260). BARDY, p. 262-263, en donne le résumé : invasion de l'église de Théonas, vierges consacrées insultées, assassinées, violées, promenées nues dans la ville ; une vingtaine de prêtres et de diacres incarcérés, puis embarqués pour la Syrie et parqués dans la ville païenne d'Héliopolis, moines condamnés aux travaux dans les mines de Phaeno et de Proconnèse, exil de 11 évêques et de 126 prêtres à Diocésarée de Palestine, cité juive.

2. Le préfet d'Égypte, Palestinien surnommé ironiquement le « barbier », Aelius Palladius (*P.L.R.E.*, p. 661 Aelius Palladius 15) fut en fonction de 371 à 374 : cf. *Index syriaque des Lettres festales d'Athanase d'Alexandrie,* éd. M. Albert (*a.* 371-375) à la suite de *Histoire acéphale, SC* 317 ; SOCRATE, *H.E.* IV, 21, 4 ; THÉODORET, *H.E.* IV, 22, 26. L'expulsion

condamné à l'exil avant de les subir[1]. **5** Voici ce qui arriva. L'évêque Pierre s'enfuit de prison et, ayant trouvé par chance un navire, fit voile vers l'évêque de Rome comme étant de même opinion. Les ariens, bien qu'ils ne fussent pas nombreux, s'emparèrent des églises. **6** Suivit alors un décret du prince, qui chassait d'Alexandrie et de l'Égypte même tous ceux des partisans des pères de Nicée que désignait Lucius. Tel était en effet l'ordre donné au chef de la province[2]. Euzoïus, voyant que ses efforts avaient réussi, retourna à Antioche.

Chapitre 20

La persécution contre les moines d'Égypte
et les disciples de saint Antoine.
A cause de leur orthodoxie,
ils sont déportés dans une petite île;
les miracles qu'ils accomplissent.

1 Cependant Lucius, emmenant avec lui le commandant des troupes d'Égypte[3], partit en expédition avec un gros effectif contre les moines du désert. Il pensait peut-être qu'à force d'importuner ces moines amants de la tranquillité, il les rendrait obéissants, et de cette façon surtout ferait passer de son côté les chrétiens des villes. **2** Le fait est que beaucoup d'hommes admirables présidaient alors aux monastères d'Égypte et ils rejetaient tous l'arianisme. Or le peuple aussi suivait leur témoignage et pensait comme eux; il ne voulait ni ne savait discuter

par ses soins de l'évêque Pierre est rapportée avec une éloquence indignée par GRÉGOIRE, *disc.* 25, 12 (éd. J. Mossay, *SC* 284) et évoquée en termes plus allusifs dans les *disc.* 33, 3 (éd. C. Moreschini - P. Gallay, *SC* 318) et 43, 46 (éd. J. Bernardi, *SC* 384).

3. Ce *dux Aegypti,* non identifié, est un militaire dont l'action vient relayer celle d'un fonctionnaire civil, le comte palatin Vindaonius Magnus.

δογμάτων ἀδολεσχεῖν οὔτε θέλον οὔτε ἐπιστάμενον, παρ' ἐκείνοις δὲ πειθόμενον εἶναι τὴν ἀλήθειαν, οἳ τοῖς ἔργοις τὴν ἀρετὴν ἐπεδείκνυντο· **3** ὁποίους τότε τῶν Αἰγυπτίων ἀσκητῶν ἡγεμόνας γενέσθαι ἀκούομεν τοὺς δύο Μακαρίους, οὓς ἐν τοῖς πρόσθεν ἔγνωμεν, καὶ Παμβὼ καὶ Ἡρακλείδην καὶ λοιποὺς Ἀντωνίου μαθητάς. **4** Λογισάμενος οὖν Λούκιος, ὡς οὐκ ἐγγενήσεται τοῖς Ἀρείου βεβαίως κρατῆσαι τῶν ἀπὸ τῆς καθόλου ἐκκλησίας, εἰ μὴ τοὺς μοναχοὺς τούτους ὁμόφρονας σφίσιν ἀποδείξειεν, ἐπεχείρει βιάζεσθαι· πείθειν γὰρ οὐκ ἠδύνατο. **5** Διημάρτανε δὲ καὶ οὕτως τοῦ σκοποῦ, εἰ καὶ ἀποθανεῖν δέοι, παρεσκευασμένων αὐτῶν καὶ τοὺς αὐχένας ἑτοίμως ὑποβαλλόντων τοῖς ξίφεσιν, ἢ τῶν ἐν Νικαίᾳ δοξάντων ὑπεριδεῖν. **6** Λέγεται δὲ τότε **262** προσδο|κωμένων αὐτοῖς ἐπιθήσεσθαι τῶν στρατιωτῶν, διακομισθῆναί τινα πρὸς αὐτοὺς ἐκ πολλοῦ τὰ ἄρθρα ἀπεσκληκότα καὶ ἐπὶ τῶν ποδῶν στῆναι μὴ δυνάμενον. Ἐπεὶ δὲ ἐλαίῳ τοῦτον ἔχρισαν, παρεκελεύσαντο ἐπ' ὀνόματι Χριστοῦ, ὃν Λούκιος διώκει, ἐξανίστασθαι καὶ οἴκαδε ἀπιέναι· ἐξαπίνης δὲ ὑγιὴς γενόμενος ὁ ἄνθρωπος ἀναφανδὸν ἀπέδειξε παραπλήσια χρῆναι δοξάζειν τούτοις, οἷς καὶ θεὸς αὐτὸς ἀλήθειαν ἐπεψηφίσατο κακηγορουμένου Λουκίου, καὶ καλούντων ἐπακούσας καὶ τὸν κάμνοντα ἰασάμενος.

7 Ἀλλ' οὐ παρὰ τοῦτο μετεμελήθησαν οἱ τούτοις τοῖς μοναχοῖς ἐπιβουλεύοντες, εἰσότε δὴ νύκτωρ αὐτοὺς

1. Macaire l'égyptien, appelé aussi le Grand ou l'Ancien, qui vivait surtout à Scété et Macaire d'Alexandrie, dit le « citadin », qui vivait aux *Cellae* : cf. déjà *H.E.* III, 14, 1. Voir THELAMON, p. 380-381. Les innombrables miracles, notamment les guérisons d'aveugles, opérés par les deux Macaire, se retrouvent tant dans l'*Historia monachorum* grecque, l'*Historia monachorum* latine de Rufin, que dans l'*Histoire Lausiaque* de Palladios et les *Apophtegmes des Pères*.

2. Cf. *H.E.* III, 14, 4 : Chronios, Paphnoutios, Poutoubastes, Arsisios, Sérapion, Pityrion, Pachôme (Chronios, Poutoubastes et Arsisios seront encore nommés en VI, 30, 1-2 comme modèles de moines) .

ni s'occuper des dogmes, mais il était persuadé que la vérité était chez eux, parce qu'ils manifestaient leur vertu par leurs actes. **3** Tels furent alors maîtres des ascètes égyptiens, comme nous le savons par ouï-dire, les deux Macaire[1], dont nous avons fait la connaissance plus haut, Pambô, Héraclide et les autres disciples d'Antoine[2]. **4** Lucius, ayant donc considéré qu'il ne serait pas possible aux ariens de dominer fermement les catholiques s'il ne rendait pas ces moines unis à eux de sentiment, entreprend de les contraindre puisqu'il ne pouvait pas les persuader. **5** Il échoua même ainsi dans son dessein, les moines étant prêts même à mourir, s'il le fallait, et présentant eux-mêmes avec empressement leur cou aux glaives plutôt que de renoncer aux dogmes de Nicée. **6** On raconte que, alors qu'ils s'attendaient à une attaque des soldats, on avait transporté chez eux un homme qui depuis longtemps avait les membres desséchés et qui était incapable de se tenir sur ses jambes. Quand ils l'eurent enduit d'huile, ils lui commandèrent, au nom de ce Christ que Lucius persécutait, de se redresser et de rentrer chez lui. Soudain revenu à la santé, l'homme prouva manifestement qu'il fallait se rallier à la façon de croire de ces moines, puisque Dieu lui-même en avait confirmé la vérité malgré les calomnies de Lucius, dès lors qu'il avait écouté leurs prières et qu'il avait guéri le malade[3].

7 Mais cela n'amena pas pour autant au repentir ceux qui conspiraient contre ces moines jusqu'au moment où, une nuit, ils les arrêtèrent et les transportèrent dans une

3. Cf. RUFIN, *H.E.* XI, 4, (éd. Schwartz-Mommsen-Winkelman, *GCS*, p. 1005-1007) qui rapporte dans les mêmes termes la même guérison miraculeuse. Cf. THELAMON, p. 393-395 : « Rufin assigne au miracle une fonction d'ordalie. Le miracle prouve de façon percutante et irréfutable l'orthodoxie des moines et la *perfidia* de Lucius. »

συλλαβόμενοι διήγαγον εἰς Αἰγυπτίαν τινὰ νῆσον ὑπὸ λιμνῶν κυκλουμένην. Ὤικουν δὲ ταύτην ἄνδρες ἀμύητοι τοῦ Χριστιανῶν δόγματος καὶ δεισιδαίμονες, καθότι καὶ παλαιοτάτου ναοῦ παρ' αὐτοῖς ὄντος πολὺ τούτου σέβας εἶχον. **8** Ὡς δὲ κατῆραν ἐνταῦθα, φασὶν ἅμα τῇ ἐπιβάσει τῶν ἀνδρῶν δαίμονι κρατηθεῖσαν τὴν θυγατέρα τοῦ ἱερέως εἰς ἀπάντησιν αὐτοῖς ἐλθεῖν · θεούσης δὲ καὶ βοώσης τῆς κόρης καταπλαγέντες οἱ τῇδε ἄνθρωποι τῷ αἰφνιδίῳ καὶ παραδόξῳ τοῦ πράγματος εἵποντο. **9** Ὡς δὲ πρὸς τῇ νηὶ ἐγένοντο, ἣ τοὺς ἱεροὺς πρεσβύτας ἔφερε, ποτνιωμένη καὶ ἐπὶ γῆν καλινδουμένη ἱκέτευε καὶ μέγα ἀνέκραγε · « τί δὴ καὶ πρὸς ἡμᾶς ἥκετε, ὦ τοῦ μεγάλου θεοῦ θεράποντες; νησίον γὰρ τοῦτο παλαιὸν ἡμῖν ἐστιν οἰκητήριον · ὀχλοῦμεν δὲ οὐδενί · πᾶσι δὲ τοῖς ἄλλοις ἀνθρώποις ἀγνῶτες αὐτόθι λανθάνομεν ταύταις ταῖς λίμναις περικεκλεισμένοι πάντοθεν · εἰ δὲ τοῦτο φίλον ὑμῖν, δέχεσθε τὸ ἡμέτερον κτῆμα καὶ οἰκεῖον ποιήσατε · ἡμεῖς δὲ ὑπείκομεν. » **10** Καὶ ἡ μὲν τοιαύτας ἠφίει φωνάς · ἐπιτιμησάντων δὲ τῷ δαιμονίῳ τῶν ἀμφὶ Μακάριον ἡ παῖς ἐσωφρόνησεν · ἐντεῦθεν δὲ ὁ ταύτης πατὴρ σὺν τοῖς οἰκείοις καὶ ἡ νῆσος πανδημεὶ εἰς 1344 Χριστια|νισμὸν μετέβαλε, καὶ ἀμελλητὶ καθελόντες τὸν παρ' αὐτοῖς ναὸν εἰς ἐκκλησίαν μετεσκεύασαν.

11 Ταῦτα δὲ τοῖς ἐν Ἀλεξανδρείᾳ ἀγγελλόμενα οὐ μετρίως ἐλύπει τὸν Λούκιον · ἐκινδύνευε γὰρ καὶ παρὰ τῶν ἰδίων μισεῖσθαι, ὡς οὐκ ἀνθρώποις, ἀλλ' αὐτῷ τῷ θεῷ προφανῆ πόλεμον καταγγέλλων · αὐτίκα τε λάθρα τοὺς ἀμφὶ Μακάριον ἐπὶ τὰ ἴδια ἤθη καὶ τὴν ἔρημον ἐπανελθεῖν προσέταξεν.

263 | **12** Ὁ μὲν οὖν Λούκιος ὧδε τὴν Αἴγυπτον ἐδόνει. Ὑπὸ δὲ τοῦτον τὸν χρόνον οὐ μόνον Διδύμῳ τῷ φιλοσόφῳ

1. Cf. encore RUFIN, *H.E.* XI, 4 p.1007-1008, qui rapporte l'anecdote de la fille du prêtre païen, ses paroles suppliantes, l'exorcisme qui la délivre, la destruction du temple et l'édification immédiate d'une église à sa place (commentaire dans THELAMON, p. 395-401, en particulier p. 396 : «l'exemple rapporté ici correspond au schéma-type de la

île d'Égypte qui est entourée de marais[1]. Il habitait là des hommes non initiés au christianisme et craignant les démons, vu qu'il y avait chez eux un très ancien temple qu'ils tenaient en grande vénération. **8** Quand ils abordèrent là, à peine, dit-on, eurent-ils mis le pied sur l'île que la fille du prêtre, possédée d'un démon, vint à leur rencontre : comme la fille courait et criait, les habitants du lieu, stupéfaits de la soudaineté et du merveilleux de la chose, la suivaient. **9** Quand ils furent arrivés au navire qui portait ces saints vieillards, la fille, les appelant au secours et se roulant à terre, les suppliait et cria à haute voix : « Pourquoi donc venez-vous aussi chez nous, serviteurs du grand Dieu ? Cette petite île est notre antique domicile. Nous n'importunons personne. Inconnus de tous les autres hommes, nous nous cachons ici entourés de tous côtés par ces marais. Mais si vous y tenez, recevez notre bien et faites-le vôtre. Nous autres, nous cédons la place. » **10** Voilà ce que criait la fille. Mais quand Macaire et ses compagnons eurent menacé le démon, l'enfant retrouva ses esprits. De ce moment, son père avec les siens et l'île en masse se convertirent au christianisme ; sans tarder ils démolirent leur temple et le changèrent en église.

11 Cette nouvelle parvenue à Alexandrie ne chagrinait pas médiocrement Lucius : il courait le risque de se faire haïr même de ses partisans, comme déclarant ouvertement la guerre non à des hommes, mais à Dieu même. Aussitôt, en secret, il prescrivit que Macaire et ses compagnons revinssent à leurs lieux familiers et au désert.

12 Lucius donc troublait ainsi l'Égypte. Mais celle-ci, en ce temps, brillait non seulement par l'ascète Didyme

conversion d'un village païen par un ou des moines, telle qu'elle apparaît dans la littérature monastique contemporaine »). Cf. l'*Historia monachorum* grecque 8, 24-29.

κατ' ἐκεῖνο καιροῦ ἀκμάζοντι, ἀλλὰ καὶ ἄλλοις ἐλλογίμοις διέπρεπεν, ὧν εἰς τὴν ἀρετὴν ἀποβλέπουσα καὶ τῶν αὐτόθι μοναχῶν ἐναντίως εἶχε τοῖς ἀμφὶ Λούκιον. Παρευδοκίμει δὲ τοὺς Ἀρείου πολλῷ τοῖς πλήθεσι καὶ διωκομένη ἡ κατ' Αἴγυπτον ἐκκλησία.

21

1 Τοῦτο δὲ τότε συνέβαινε καὶ παρὰ Ὀσροηνοῖς, οὐ μὴν ἀλλὰ καὶ Καππαδόκαις, οἷά γε ξυνωρίδα τινὰ θείαν καὶ λογιωτάτην λαχοῦσι Βασίλειον τὸν Καισαρείας τῆς παρ' αὐτοῖς ἐπίσκοπον καὶ Γρηγόριον τὸν Ναζιανζοῦ. Συρία δὲ καὶ τὰ πέριξ ἔθνη, καὶ μάλιστα ἡ τῶν Ἀντιοχέων πόλις, ἐν ἀταξίαις καὶ ταραχαῖς ἦσαν πλειόνων μὲν ὄντων τῶν τὰ Ἀρείου φρονούντων καὶ τὰς ἐκκλησίας ἐχόντων, **2** οὐκ ὀλίγων δὲ ὄντων οὐδὲ τῶν ἀπὸ τῆς καθόλου ἐκκλησίας, οὓς Εὐσταθιανοὺς καὶ Παυλιανοὺς ὠνόμαζον, ὧν ἡγεῖτο Παυλῖνός τε καὶ Μελέτιος, ὡς ἐν τοῖς πρόσθεν ἔγνωμεν· διὰ δὲ τούτους ἡ Ἀντιοχέων ἐκκλησία πᾶσα κινδυνεύσασα γενέσθαι τῆς Ἀρείου αἱρέσεως μόλις ὑπε-

1. Son éloge a été fait en *H.E.* III, 15, 1-5. Il avait eu la vision prophétique de la mort de Julien (*H.E.* VI, 2, 6).

2. Reprise du chap. 15. L'activité de Basile se déploya, par exemple, dans l'affaire de la division administrative, pour motifs fiscaux, de la Cappadoce, qui créait un nouvel évêché et donc un nouvel évêque : pour contrecarrer les ambitions du nouvel évêque de Tyane Anthimus, il s'efforça de placer des hommes sûrs à des postes stratégiques, son frère Grégoire à Nysse, son ami Grégoire à Sasimes. Il eut également fort à faire avec Eustathe, d'abord son maître et ami, qui le calomnia et voulut le faire passer pour hétérodoxe (cf. BARDY, p. 263) et il prit une part active au débat sur le Saint-Esprit, à la lutte contre l'apollinarisme et surtout au rapprochement des nicéens et des ariens les plus modérés.

3. Eustathe avait été l'évêque orthodoxe très respecté d'Antioche. Il avait été déposé au synode d'Antioche en 330, à l'instigation d'Eusèbe de Césarée, sous l'accusation de sabellianisme. Victime de calomnies,

qui était alors florissant[1], mais par bien d'autres moines de grande réputation ; elle attachait ses regards à leur vertu et à celle des moines du pays et ainsi s'opposait aux partisans de Lucius. Bien que persécutée, l'église d'Égypte surpassait de loin en renommée les ariens par le nombre de ses fidèles.

Chapitre 21

Liste des lieux où le dogme de Nicée est vénéré ;
la foi des Scythes ;
Vétranion à la tête de ce peuple.

1 Ce fut le cas aussi alors chez les Osrhoéniens et pareillement en Cappadoce. C'est qu'en effet il était échu à ce pays une paire d'hommes quasi divine et d'une très grande éloquence, Basile évêque de Césarée en Cappadoce et Grégoire de Nazianze[2]. La Syrie en revanche et les provinces voisines, et surtout la ville d'Antioche, étaient livrées aux désordres et aux troubles. Les partisans d'Arius y étaient les plus nombreux et ils détenaient les églises. **2** Les catholiques pourtant n'y étaient pas non plus en petit nombre. On les nommait eusthatiens et pauliniens[3], et ils avaient pour chefs Paulin et Mélèce, comme nous en avons pris connaissance plus haut[4]. Grâce à eux, non sans peine, l'église d'Antioche, qui avait risqué de devenir tout entière

il fut exilé en Thrace, à Trajanopolis, sur ordre impérial. Il y mourut peu après, avant 337 (date du rappel des exilés par les fils de Constantin) ou, plus tard, vers 360 (d'après H.M. GWATKIN, *Studies of Arianism*, Cambridge, 1888, cité par CAVALLERA, p. 37).

4. Sur le prêtre Paulin, voir *H.E.* IV, 28, 4-5. Il avait été consacré évêque d'Antioche par l'ultra-orthodoxe Lucifer de Cagliari (*H.E.* V, 12, 2 et V, 13, 1 et 3). Sur Mélèce, d'abord choisi par des ariens conduits par Eudoxe, puis se révélant à Antioche nicéen, voir *H.E.* IV, 28, 3-11 et V, 13, 21 s.

ρέσχεν ἐναντίον τῆς βασιλέως σπουδῆς καὶ τῶν ἀμφ' αὐτὸν δυναμένων. Ὡς ἔοικε γάρ, εἰ συνέβη ἀνδρείους τὰς ἐκκλησίας ἰθύνειν, οὐ μετεβάλλοντο τῆς προτέρας δόξης τὰ πλήθη. **3** Ἀμέλει τοι καὶ Σκύθας λόγος διὰ τοιαύτην αἰτίαν ἐπὶ τῆς αὐτῆς μεῖναι πίστεως. Τοῦτο δὲ τὸ ἔθνος πολλὰς μὲν ἔχει καὶ πόλεις καὶ κώμας καὶ φρούρια, μητρόπολις δέ ἐστι Τόμις, πόλις μεγάλη καὶ εὐδαίμων, παράλιος ἐξ εὐωνύμων εἰσπλέοντι τὸν Εὔξεινον καλούμενον πόντον. Εἰσέτι δὲ καὶ νῦν ἔθος παλαιὸν ἐνθάδε κρατεῖ τοῦ

1345 | παντὸς ἔθνους ἕνα τὰς ἐκκλησίας ἐπισκοπεῖν. Κατὰ δὴ τὸν παρόντα καιρὸν ἐπετρόπευε τούτων Βρετανίων. **4** Καὶ Οὐάλης ὁ βασιλεὺς ἧκεν εἰς Τόμιν· ἐπεὶ δὲ εἰς τὴν ἐκκλησίαν ἀφίκετο καὶ ὡς εἰώθει ἔπειθεν αὐτὸν κοινωνεῖν τοῖς ἀπὸ τῆς ἐναντίας αἱρέσεως, ἀνδρείως μάλα πρὸς τὸν κρατοῦντα παρρησιασάμενος περὶ τοῦ δόγματος τῶν ἐν Νικαίᾳ συνεληλυθότων ἀπέλιπεν αὐτὸν καὶ εἰς ἑτέραν ἦλθεν ἐκκλησίαν, καὶ ὁ λαὸς ἐπηκολούθησε· **5** σχεδὸν γὰρ πᾶσα ἡ πόλις συνεληλύθεσαν βασιλέα τε ὀψόμενοι καὶ νεώτερόν ἔσεσθαί τι προσδοκήσαντες· ἀπολειφθεὶς δὲ Οὐάλης σὺν τοῖς ἀμφ' αὐτὸν χαλεπῶς

264 ἤνεγκε | τὴν ὕβριν, καὶ συλληφθέντα Βρετανίωνα εἰς ὑπερορίαν ἄγεσθαι προσέταξε. **6** Καὶ οὐκ εἰς μακρὰν αὖθις

1. Il s'agit des Romains habitant les provinces romaines de Scythie (*Scythia* I et II) : voir *DACL*, art. Dobrogea, t. IV, c. 1231-1260 C. AUNER. Des chrétiens sont attestés dans cette région, l'actuelle Dobroudja, à la fin du IIIe s., à Tomi, la capitale, mais aussi à Noviodunum, Axiopolis, Durostorum. Leur nombre en Scythie mineure fut assez considérable pour provoquer leur persécution par les païens (la persécution de Licinius en 319 et l'épisode des 66 martyrs de Tomi).

2. Tomi, aujourd'hui Constantza, avait eu pour premiers évêques, avant Vétranion, Evangelicus, Gordianus (?) et un évêque qui signa à Nicée. C'est sans doute à l'occasion de l'une ses trois campagnes victorieuses contre les Goths de 367 à 369 que Valens vint à Tomi. Une régression chronologique est ici vraisemblable : N. LENSKI, *Failure...*, p. 250 place la présence de Valens à Tomi, attestée par une inscription (*Année Épigraphique* 1978, 716), en 368. L'histoire de la résistance de Vétranion atteste qu'il y avait deux églises au moins à Tomi à son époque. L'archéologie n'en a pas

arienne, résista aux efforts de l'empereur et des puissants de son entourage. A ce qu'il semble en effet, partout où il arriva qu'il y eût à la tête des églises des hommes courageux, les foules n'abandonnaient pas leur première manière de croire. **3** Par exemple, on dit que c'est pour cette raison que les Scythes aussi persévérèrent dans leur foi[1]. Ce peuple possède beaucoup de villes, de villages et de forteresses, et sa métropole est Tomi, ville importante et prospère, sise sur la mer, à gauche quand on entre dans ce qu'on appelle le Pont Euxin[2]. Aujourd'hui encore, règne une vieille coutume qu'il n'y ait qu'un seul évêque pour les églises de toute la province. En ce temps-là, leur évêque était Vétranion[3]. **4** Or l'empereur Valens vint à Tomi. Quand il arriva à l'église et qu'à son habitude, il cherchait à persuader l'évêque de s'associer à ceux de l'hérésie adverse, l'évêque, avec grand courage, défendit librement contre le prince le dogme des pères réunis à Nicée, puis, laissant là Valens, il passa à une autre église, et le peuple l'y suivit. **5** Presque toute la ville s'était réunie pour voir l'empereur et parce qu'elle s'attendait à du nouveau. Valens abandonné avec sa suite, furieux de l'outrage, fit saisir Vétranion et prescrivit de le conduire en exil. **6** Mais, peu

découvert les traces à Constantza, mais plusieurs églises de l'époque de Vétranion ont été découvertes dans la localité voisine, *Tropaeum Traiani* (aujourd'hui Adamclissi) : cf. J. ZEILLER, *Les origines chrétiennes dans les provinces danubiennes de l'Empire romain,* 1re éd. Paris, 1918, Bibl. des Écoles franç. d'Athènes et de Rome n° 112, reprod. anast. 1967, p.198-203.

3. Le rayonnement de cet évêque orthodoxe est confirmé par le fait qu'il avait parmi ses fidèles beaucoup de Goths qui étaient pourtant majoritairement ariens. Il entretint des relations avec Basile de Césarée par l'intermédiaire de Junius Soranus, duc de Scythie et cappadocien d'origine, à l'occasion de la translation à Césarée des reliques de saint Saba, le plus célèbre martyr goth. Son successeur sous Théodose fut Gérontius : *DACL,* IV, 1 c. 1241-1242, C. AUNER (ou Térentius d'après Sozomène, *H.E.* VII, 9, 6). D'après ZEILLER, *Les origines chrétiennes...,* p. 372, la popularité de Bretanio/Vetranio suppose qu'il exerçait depuis assez longtemps son épiscopat.

ἐπανάγεσθαι ἐπέτρεψε. Χαλεπαίνοντας γὰρ ὡς οἶμαι πρὸς τὴν φυγὴν τοῦ ἐπισκόπου ἰδὼν τοὺς Σκύθας ἐδεδίει μή τι νεωτερίσωσιν, ἀνδρείους τε ἐπιστάμενος καὶ τῇ θέσει τῶν τόπων ἀναγκαίους τῇ Ῥωμαίων οἰκουμένῃ καὶ τῶν κατὰ τόδε τὸ κλίμα βαρβάρων προβεβλημένους. Βρετανίων μὲν οὖν ὧδε κρείττων ἀνεφάνη τῆς τοῦ κρατοῦντος σπουδῆς, ἀνὴρ τά τε ἄλλα ἀγαθὸς καὶ ἐπὶ βίου ἀρετῇ ἐπίσημος, ὡς καὶ αὐτοὶ Σκύθαι μαρτυροῦσιν. **7** Ὡς ἐπίπαν δὲ πᾶς κλῆρος ἐπειράθη διὰ ταῦτα τῆς τοῦ βασιλέως ὀργῆς, πλὴν τῶν πρὸς ἑσπέραν τῆς ἀρχομένης ἐκκλησιῶν, καθότι τῶν ἐπέκεινα Ῥωμαίων ἦρχεν Οὐαλεντινιανός, ἐπαινέτης τε ὢν τοῦ δόγματος τῆς ἐν Νικαίᾳ συνόδου καὶ εὐλαβῶς εἰσάγαν περὶ τὸ θεῖον ἔχων, ὡς μήτε ἐπιτάττειν τοῖς ἱερεῦσι μηδὲν μήτε ἄλλως αἱρεῖσθαι νεωτερίζειν ἐπὶ χείρονι ἢ ἀμείνονι δοκοῦντι περὶ τοὺς τῆς ἐκκλησίας θεσμούς· τάδε γὰρ κρείττω τῆς αὐτοῦ δοκιμασίας ἡγεῖτο, καίπερ βασιλεὺς ἄριστος γεγονὼς καὶ ἱκανὸς ἄρχειν διὰ τῶν πραγμάτων ἀναφανείς.

22

1 Ἐν τούτῳ δὲ πάλιν ἤδη μὲν πρότερον ἀρξαμένη, νῦν δὲ πλέον ἐπιδοῦσα ζήτησις ἦν, εἰ καὶ τὸ ἅγιον πνεῦμα

1. C'est l'un des passages où Sozomène reconnaît et analyse le mieux les motivations politiques de la religion de Valens (cf. G. SABBAH, « Sozomène et la politique religieuse... », dans *L'historiographie de l'Église,* p. 293-314), surtout si l'on replace sa passe d'armes avec Vétranion à l'époque (367-369/370) où, menant à partir de Marcianopolis ses trois campagnes contre les Goths, il avait particulièrement besoin de compter sur la fidélité des frontaliers, les Romains de Scythie.

2. Sozomène répète ici ce qu'il a dit au début du livre VI (6, 10 et 7, 2) sur l'attitude religieuse, modérée et non-interventionniste, de Valentinien (confirmée par AMM. 30, 9, 5), pour dénoncer par contraste la politique partiale et violente de Valens. Cependant, une lettre impériale accompagnant la synodale d'un concile qui se serait tenu en Illyricum en 375, lettre transmise par THÉODORET, *H.E.* IV, 8, 1-7 (éd. Parmentier-

de temps après, il lui permit de revenir. Il avait vu, je pense[1], que les Scythes étaient irrités de l'exil de l'évêque et il craignait qu'ils ne fissent une révolution : il savait qu'ils étaient courageux et que, par la disposition des lieux, ils étaient indispensables à l'Empire romain et formaient un rempart contre les barbares de cette région. C'est ainsi donc que Vétranion l'emporta aux yeux de tous sur le zèle du prince : il était homme de mérite par ailleurs et considéré surtout par la vertu de sa vie, comme en témoignent les Scythes mêmes. **7** Mais en général tout le clergé fit l'expérience, pour ces raisons, de la colère de l'empereur, sauf les églises de la partie occidentale de l'Empire, du fait que Valentinien gouvernait les Romains de ce côté-là : or il approuvait le dogme du concile de Nicée et il était très circonspect à l'égard de la divinité, au point de ne donner aucun ordre aux évêques et de ne pas choisir par ailleurs d'innover pour chose qui parût pire ou meilleure, concernant les règles de l'Église : il estimait en effet que cela dépassait son jugement, bien qu'il fût excellent empereur et qu'il se fût montré dans les faits capable de gouverner[2].

Chapitre 22

En ce temps-là le problème du Saint-Esprit est soulevé et on ratifie qu'il soit dit consubstantiel au Père et au Fils.

1 En ce temps-là reprit la recherche, commencée auparavant déjà, mais qui à ce moment avait beaucoup pro-

Hansen, *GCS*, p. 220-223) montrerait, si son authenticité était assurée, que Valentinien pourrait avoir pris parti, à la fin de son règne, pour l'orthodoxie nicéenne et avoir appelé les évêques d'Orient à la résistance (T.D. Barnes, « Valentinian, Auxentius and Ambrose », dans *Historia*, 51, 2, 2002, p. 227-237, reconnaît formellement l'authenticité de cette lettre, p. 233-235).

πατρί τε καὶ υἱῷ ὁμοούσιον δοξάζειν προσῆκεν. Ἐριστικαί τε καὶ περὶ τούτου πολλαὶ διαλέξεις οὐχ ἧττον ἢ πρότερον περὶ τοῦ θεοῦ λόγου συνέβησαν. **2** Κατὰ τοῦτο δὲ ἀλλήλοις συνεφέροντο οἵ τε ἀνόμοιον καὶ ὁμοιούσιον τὸν υἱὸν εἶναι 1348 λέγοντες· ἀμ|φότεροι γὰρ διακονικὸν καὶ τρίτον τῇ τάξει καὶ τῇ τιμῇ καὶ τῇ οὐσίᾳ ἀλλοῖον τὸ πνεῦμα ἰσχυρίζοντο· ὅσοι δὲ ὁμοούσιον τῷ πατρὶ τὸν υἱὸν ἐδόξαζον, τὰ αὐτὰ καὶ περὶ τοῦ πνεύματος ἐφρόνουν. **3** Οὐκ ἀγεννῶς δὲ τούτῳ τῷ λόγῳ συνίσταντο ἐν μὲν τῇ Συρίᾳ Ἀπολινάριος ὁ Λαοδικεύς, ἐν Αἰγύπτῳ δὲ Ἀθανάσιος ὁ ἐπίσκοπος, παρὰ δὲ Καππαδόκαις καὶ ταῖς παρὰ τὸν Πόντον ἐκκλησίαις

1. L'historien semble distinguer trois phases dans le débat sur le Saint-Esprit : « *avant* la période considérée ici » (dès Tertullien et Origène au IIIe siècle pour le Saint-Esprit; dès 352 pour l'apollinarisme, si l'on en croit GRÉGOIRE, *lettre* 102, 22, éd. P. Gallay - M. Jourjon, *SC* 208, 1974 puis 1998, p. 80-81), *pendant* la période dont il traite présentement (*c.* 370) aux §§ 1-4, *enfin* les développements et séquelles de l'apollinarisme au delà même de la mort de son fondateur *c.* 390, auxquels fait allusion la note sceptique finale (« cette recherche *parut* prendre fin »). Le concile de Nicée (325) s'était contenté d'affirmer le foi de l'Église dans le Saint-Esprit sans autre précision. La quiétude commença à être troublée par les homéens et les homéousiens sous Constance.

2. Le premier parti est constitué des anoméens radicaux (Aèce, Eunome) et des homéens qui avaient triomphé aux conciles de Rimini (359) et de Constantinople (360). Il s'oppose à celui des homoousiens qui tiennent pour la consubstantialité des trois Personnes, pour une « Trinité de même substance et de même gloire », telle qu'elle est proclamée par la lettre de l'évêque de Rome aux évêques d'Orient citée *infra* en 32, 4.

3. Apollinaire, comme son père, avait réagi à la « loi scolaire » de Julien (*H.E.* V, 18). Il avait écrit un traité « Sur la vérité » (*H.E.* V, 18) et une réfutation de Porphyre qui, selon PHILOSTORGE, *H.E.* VIII, 14, dépassait les ouvrages d'Eusèbe et de Méthode. Sozomène considère ici, à juste titre, Apollinaire comme orthodoxe. C'est plus tard qu'il devint hérétique en niant que le *nous*, l'intelligence, fît partie de l'humanité du Christ : cf. *DECA,* p. 185-188 C. KANNENGIESSER. Son père et lui étaient amis d'Athanase et de Sérapion de Thmuis, ce qui les fit excommunier par l'évêque arien Georges de Laodicée. Devenu l'évêque des nicéens de Laodicée, Apollinaire envoya, comme Paulin d'Antioche, des délégués au concile orthodoxe réuni à Alexandrie par Athanase en 362

gressé[1], de savoir s'il convenait de tenir le Saint-Esprit aussi comme consubstantiel au Père et au Fils. Il y eut beaucoup de disputes querelleuses à ce sujet, non moins qu'auparavant sur le Dieu Verbe. **2** Sur ce point il y avait accord entre ceux qui déclaraient le Fils dissemblable et ceux qui le disaient semblable quant à la substance : ces deux camps soutenaient que l'Esprit est serviteur, troisième en rang et en honneur et différent quant à l'*ousia;* ceux en revanche qui regardaient le Fils comme consubstantiel au Père tenaient la même opinion touchant l'Esprit[2]. **3** Non sans talent s'étaient attachés à cette définition en Syrie Apollinaire de Laodicée[3], en Égypte l'évêque Athanase[4], dans les églises de Cappadoce et du

(Y.M. DUVAL, « La place et l'importance du concile d'Alexandrie ou de 362 dans l'*Histoire de l'Église* de Rufin d'Aquilée », *Revue des Études augustiniennes* 2001, 47/2, p. 283-302). Sa doctrine, étant peu précise, n'y fut pas condamnée, il apparaissait même comme l'un des champions de l'orthodoxie trinitaire. Mais vers 370, ses erreurs christologiques se révélèrent et « la controverse à leur sujet, locale jusque là, prit de l'extension » : cf. *DHGE,* 3, 1924, Apollinaire 5, c. 962-982, en particulier c. 963, R. AIGRAIN. Épiphane de Salamine, *Pan.* 77, 20-24 est le premier à faire d'Apollinaire le responsable de l'hérésie « dimoerite » qui ne reconnaissait pas la parfaite incarnation du Christ : voir P. Gallay - M. Jourjon, *Lettres théologiques* de Grégoire, *SC* 208, introd. p. 13.

4. A la fin du règne de Constance, Athanase avait commencé à se préoccuper des doctrines d'Apollinaire. Il s'était efforcé de résoudre certains des problèmes posés par les ariens ou arianisants dans plusieurs lettres à Sérapion de Thmuis (cf. *Lettres à Sérapion sur la divinité du Saint-Esprit,* trad. J. Lebon, *SC* 15). En 362, le concile d'Alexandrie affirma la divinité du Saint-Esprit (Athanase, *Tome aux Antiochéens*, 3, 1-2, Opitz p. 322). Athanase avait déjà affirmé la consubstantialité de la Triade dans sa « lettre catholique » 7 (M. TETZ, « Ein enzyklisches Schreiben des Synode von Alexandrien » (362), dans *ZNTW* 79, 1988, p. 262-281, à la p. 272 = *PG* 28, 84 B2; voir MARTIN, p. 548-549 avec la note 17), où il réfutait ceux qui refusaient au Christ une âme raisonnable, mais sans viser personnellement Apollinaire, puisqu'il ne citait aucun nom : cf. P. Gallay - M. Jourjon, dans GRÉGOIRE, *Lettres théologiques,* p. 13. Malgré ses efforts, les « pneumatomaques » – les adversaires de la divinité du Saint-Esprit – s'emparèrent de la plupart des évêchés de Thrace, Bithynie et Hellespont. Cf. BARDY, p. 251-252.

Βασίλειος καὶ Γρηγόριος. **4** Ἀνακινουμένης δὲ τῆς τοιαύτης ζητήσεως καὶ ὡς εἰκὸς ταῖς φιλονικίαις ὁσημέραι πλέον ἐπιδιδούσης, μαθὼν ὁ Ῥώμης ἐπίσκοπος ἔγραψε ταῖς ἀνὰ τὴν ἕω ἐκκλησίαις σὺν τοῖς ἀπὸ τῆς δύσεως ἱερεῦσι τριάδα **265** ὁμοούσιον καὶ ὁμόδοξον πρεσβεύειν. Τούτου δὲ γενο|μένου ὡς ἐπὶ κεκριμένοις ἅπαξ παρὰ τῆς Ῥωμαίων ἐκκλησίας ἡσυχίαν ἦγον ἕκαστοι, καὶ τέλος ἔχειν ἔδοξεν ἡ τοιαύτη ζήτησις.

1. Basile, dans sa jeunesse, avait correspondu avec Apollinaire, comme avec un maître dont la théologie n'avait pas été condamnée. En 373, Eustathe de Sébaste publia une lettre de Basile à Apollinaire datant de vingt ans, du temps où Apollinaire était orthodoxe, en l'interpolant de surcroît pour prouver que Basile était sabellien (Pietri, p. 375). Pour démontrer son orthodoxie, Basile composa, vers la fin de 374, à la demande d'Amphiloque d'Iconium, son *Traité sur le Saint-Esprit* (éd. B. Pruche, *SC* 17 bis, 1948, 1968, 2002). Plus tard, en 382, Grégoire, voyant un apollinariste usurper la place du prêtre Clédonius auquel il avait confié l'évêché de Nazianze, adressa à ce dernier deux lettres suivies d'une lettre à Nectaire, évêque de Constantinople (*lettres* 101, 102 et 202, éd. P. Gallay – M. Jourjon *SC* 208, 1974 puis 1998) où il anathématisait les hérésies, en s'en prenant tout particulièrement à l'apollinarisme.

2. Cet évêque de Rome est encore Libère d'après 23, 1 (« Vers ce temps-là, Libère étant mort, Damase... »). La chronologie est presque cohérente avec l'épisode de Valens et de Vétranion qui se situe au moment de l'une des trois campagnes gothiques de Valens, très probablement celle de 368 : Libère est mort le 24 septembre 366. D'après H. Leclercq, *DACL*, IX, 1, c. 497-530, à son retour d'exil, Libère, malgré ses ennemis Ursace, Valens, Auxence et autres ariens, put jouer un rôle dans la réaction contre Rimini (voir c. 517).

3. Aucun document n'atteste des relations de Libère avec Athanase, Hilaire de Poitiers et Eusèbe de Verceil, sauf peut-être une lettre très mal conservée dans le *Fragment historique* 12 d'Hilaire, postérieure au

Pont Basile et Grégoire[1]. **4** Cette recherche ayant été soulevée et, à cause des querelles, comme il est naturel, progressant de jour en jour, l'évêque de Rome[2], l'ayant appris, écrivit aux églises d'Orient qu'il fallait, avec les évêques d'Occident, adopter la thèse d'une Trinité de même substance et de même gloire[3]. Après quoi, estimant que la chose avait été une bonne fois jugée par l'église de Rome, chacun se tint en paix, et cette recherche parut prendre fin[4].

concile alexandrin de 362. D'après H. LECLERCQ *DACL*, IX, 1, c. 517-518, la délégation des conciles de Lampsaque et de Smyrne ne dit rien du Saint-Esprit en Occident, peut-être même ne connaissait-elle pas la lettre du concile d'Alexandrie où est formulée la prescription concernant le Saint-Esprit. Donc, « cette affaire ne pouvait que passer inaperçue dans le milieu romain ». Sozomène prête-t-il par anticipation à Libère l'une des interventions de son successeur Damase dans le débat?

4. Sozomène sait que cette « recherche » ne prit pas fin sous Valens, mais seulement après plusieurs condamnations de l'apollinarisme par les conciles de Rome (377) et d'Antioche (379) et l'excommunication d'Apollinaire (en 377 ou 380). La querelle ne fut réglée, incomplètement, que sous Théodose au concile de Constantinople (381) : cf. *DECA*, p. 864-873 F. BOLGIANI. Les apollinaristes s'accrochèrent à leurs évêchés et Grégoire de Nysse jugea nécessaire, vers 380, de réfuter dans son *Antirrhètikos* la *Démonstration (Apodeixis)* dans laquelle Apollinaire avait, vers 375, exposé son système christologique sous sa forme définitive : c'est sans doute cette même *Démonstration* que Grégoire dénonce à Nectaire dans sa *Lettre* 202. Sozomène reviendra sur la question en VI, 27, 2-6 en citant une partie de la *lettre* 202.

23

1 Περὶ δὲ τοῦτον τὸν χρόνον Λιβερίου τελευτήσαντος ἐπιτρέπεται Δάμασος τὸν Ῥωμαίων θρόνον. Ὑπόψηφος δὲ ὢν τῇ χειροτονίᾳ καὶ Οὐρσακῖνός τις διάκονος, ἀποτυχὼν οὐκ ἤνεγκε· λάθρα δὲ ὑπό τινων ἀσήμων ἐπισκόπων χειροτονηθεὶς διασπᾶν τὸν λαὸν ἐσπούδαζε καὶ καθ' ἑαυτὸν ἐκκλησιάζειν. **2** Μερισθέντος δὲ τοῦ πλήθους οἱ μὲν τοῦτον, οἱ δὲ Δάμασον ἐπισκοπεῖν ἠξίουν· καὶ πολλὴ τὸν δῆμον ὡς εἰκὸς ἔρις εἶχε καὶ στάσις, ὡς μέχρι τραυμάτων καὶ φόνων τὸ κακὸν προελθεῖν, εἰσότε δὴ ὁ τῆς Ῥώμης ὕπαρχος πολλοὺς τοῦ δήμου καὶ τοῦ κλήρου τιμωρίαις ὑποβαλὼν ἔπαυσε τὴν Οὐρσακίνου ἐπιχείρησιν. **3** Δογμάτων δὲ πέρι, καθὰ πρότερον, οὔτε Ῥωμαῖοι διεφέροντο οὔτε ἕτεροι τῶν ἀνὰ τὴν δύσιν, ἀλλὰ πάντες τὰ δόξαντα τοῖς ἐν Νικαίᾳ συνελθοῦσιν ἐπῄνουν καὶ τριάδα ἰσότιμόν τε καὶ

1. Le 24 septembre 366 (cf. *supra* 22, 4). L'élection de son successeur Damase est datée du 1er octobre (SEECK, *Regesten,* p. 228).

2. Le schisme qui avait divisé les Romains entre Libère et Félix surgit à nouveau à la mort de Libère. L'archidiacre Damase fut contesté par le diacre Ursinus. Leurs partisans s'opposèrent violemment, surtout dans les années 366-368, bien que la résistance ouverte ou souterraine des ursiniens ait duré plus longtemps. Voir PIETRI, p. 780 : « L'enjeu... portait sur une certaine conception de l'Église, en opposant des purs », rangés autour d'Ursinus, « à l'essentiel de l'appareil ecclésiastique, accusé de toutes les compromissions avec le siècle », représenté par Damase.

3. Malgré quelques flottements dans l'orthographe de son nom, il est sûr que le rival malheureux de Damase s'appelait Ursinus, cf. PROSOPOGRAPHIE CHRÉTIENNE..., p. 2356-2358.

4. Sur les démêlés de Damase et d'Ursinus et de leurs partisans en 366-367, voir PIETRI, p. 780-781 : Damase « fort de l'appui populaire, de quelques cochers de cirque et *fossores* fit donner l'assaut contre les Ursiniens, dans la basilique de Jules, puis, le 26 octobre (366), dans celle de Libère ». Le combat fit plus d'une centaine de victimes (137 pour AMM. 27, 3, 11-13; 160 dans les *gesta,* violemment anti-damasiens, annexés à la *Collectio Avellana* 1, 7, qui donne plusieurs documents sur la crise). Ce recours à la violence populaire n'excluait pas chez Damase l'appel simultané à l'autorité officielle du préfet de la Ville !

5. Les troubles entre damasiens et ursiniens inquiétèrent d'abord le

Chapitre 23

La mort de Libère de Rome ;
Damase et Ursicios ses successeurs.
L'Occident tout entier est orthodoxe, excepté Milan
et son évêque Auxence ;
le concile de Rome qui dépose Auxence ;
la définition qu'il rédige.

1 Vers ce temps-là, Libère étant mort[1], Damase reçoit la charge du siège des Romains[2]. Or était proposé aussi aux suffrages pour l'élection un certain diacre Ursacinus[3] qui ne put supporter d'avoir échoué. Ordonné en secret par certains évêques de peu d'éclat, il s'efforçait de déchirer le peuple et de tenir des assemblées de culte séparément. **2** La foule était divisée ; les uns voulaient qu'Ursacinus fût évêque, les autres, Damase ; comme il est naturel, il y avait grande querelle et division dans le peuple, au point que le mal en vint à des blessures et des meurtres[4] jusqu'à ce qu'enfin le préfet de Rome[5], ayant frappé de punitions bon nombre du peuple et du clergé, eût mis fin à l'entreprise d'Ursacinus. **3** Touchant les dogmes, comme auparavant, il n'y avait de désaccord ni chez les Romains ni d'autre part chez les évêques d'Occident, mais tous approuvaient les décisions des pères de Nicée et tenaient les trois personnes de la

préfet Viventius en 366-367 : il bannit Ursinus (oct. 366). Valentinien, croyant les troubles terminés, autorisa le retour de celui-ci (le 15 septembre 367). Le préfet dont parle Sozomène, celui qui régla l'affaire, fut le successeur de Viventius, Vettius Agorius Praetextatus, l'un des chefs de l'aristocratie païenne (*P.L.R.E.,* p. 722-724) : il bannit pour la deuxième fois Ursinus avec son clergé (16 nov. 367) et restitua à Damase le *Sicininum*, la basilique de Libère (*coll. avell.* 6), tout en garantissant l'amnistie aux partisans d'Ursinus (*coll. avell.* 5). Les fidèles de l'antipape durent se réunir sans clergé, dans les cimetières, en particulier celui de sainte Agnès (PIETRI, p. 780). Toutefois, de 368 à 371, les ursiniens suscitaient encore des troubles.

ἰσοδύναμον ἐδόξαζον, **4** πλὴν τῶν ἀμφὶ τὸν Αὐξέντιον· ὃς προεστὼς τότε τῆς ἐν Μεδιολάνῳ ἐκκλησίας ἅμα τισὶν ἐπεχείρει νεωτερίζειν καὶ παρὰ τὴν κοινὴν συνθήκην τῶν πρὸς δύσιν ἱερέων τὸ Ἀρείου δόγμα κρατύνειν καὶ τὰ ἴσα φρονεῖν τοῖς ἀνόμοιον καὶ τὸ πνεῦμα δοξάζουσι κατὰ τὴν
1349 ὕστερον ἐπιγενομένην ζήτησιν. **5** Κατα | μηνυσάντων δὲ τῶν ἀπὸ Γαλλίας καὶ Βενετίας καὶ παρ' ἑτέρων τινῶν ταῦτα σπουδάζεσθαι παρ' αὐτοῖς, οὐ πολλῷ ὕστερον πολλῶν ἐθνῶν ἐπίσκοποι συνελθόντες εἰς Ῥώμην ἐψηφίσαντο τῆς αὐτῶν κοινωνίας ἀλλότριον εἶναι Αὐξέντιον καὶ τοὺς ὁμοίως αὐτῷ δοξάζοντας, βεβαίαν δὲ μένειν τὴν παραδοθεῖσαν πίστιν παρὰ τῆς ἐν Νικαίᾳ συνόδου, τῶν ἐν Ἀριμήνῳ δοξάντων ὑπεναντίων ταύτης ἀκύρων ὄντων, ὡς μήτε τοῦ Ῥωμαίων ἐπισκόπου μήτε τῶν ἄλλων συνθεμένων αὐτοῖς καὶ ὡς πολλῶν τῶν αὐτόθι συνελθόντων ἀπαρεσθέντων τοῖς

1. Cappadocien d'origine, prêtre de l'église arienne d'Alexandrie sous l'épiscopat de Georges de Cappadoce, nommé par Constance II évêque de Milan en 355, quand l'orthodoxe Dionysos fut exilé. Attaqué par Hilaire de Poitiers (en 364?), fustigé par Athanase en 369, condamné par plusieurs conciles dont celui de Rome dirigé par Damase, il n'en conserva pas moins son siège jusqu'à sa mort. Plus politique que doctrinaire, il gouverna la ville en paix pendant vingt ans (cf. M. MESLIN, *Les ariens d'Occident,* p. 41-44). La synodale de Damase est rédigée en termes extrêmement prudents pour ne pas contrarier la politique de Valentinien : elle se contente de rappeler les condamnations passées que l'évêque hérétique contestait, sans l'excommunier explicitement, ni encore moins ordonner qu'il soit chassé de son siège, elle promet seulement aux victimes de l'arien une libération prochaine : cf. Ch. PIETRI, *Roma christiana. Recherches sur l'Église de Rome, son organisation, sa politique, son idéologie de Miltiade à Sixte III (311-440),* Paris, 1976, (Bibl. des Écoles fr. d'Athènes et de Rome), p. 735 et p. 736 note 1 : « La sentence – introduite par *unde* – ne prononce pas explicitement la déposition, théoriquement acquise, concrètement lointaine. » L'Illyricum, avec Valens de Mursa, Ursace de Singidunum, Germinius de Sirmium constituait le bastion de l'arianisme occidental : cf. D.H. WILLIAMS, *Ambrose of Milan and the End of the Arian-Nicene Conflicts,* Oxford 1995, p. 68-103 *(Homoians and Anti-Homoians in North Italy).*

Trinité comme de même honneur et de même pouvoir. **4** Sauf pourtant les partisans d'Auxence[1]. Celui-ci, qui présidait alors à l'église de Milan, essayait avec d'autres d'innover et, contrairement au commun accord des évêques d'Occident, de faire prévaloir la doctrine d'Arius et de s'associer à ceux qui tenaient aussi l'Esprit pour dissemblable, selon le débat qui était survenu plus tard[2]. **5** Comme les évêques de Gaule, de Vénétie et certains autres avaient dénoncé que ces thèses étaient en faveur chez Auxence et ses partisans, un peu plus tard les évêques de beaucoup de provinces, s'étant réunis à Rome[3], votèrent qu'Auxence et ceux qui partageaient ses opinions étaient exclus de leur communion, que demeurait ferme le credo livré par le concile de Nicée, qu'étaient sans valeur les décisions de Rimini contraires à ce credo, du fait que ni l'évêque de Rome ni les autres évêques ne les adoptaient et que beaucoup des évêques jadis réunis à Rimini avaient été mécontents des décisions prises

2. Il s'agit de retombées occidentales de l'apollinarisme. On les dit généralement inexistantes ou très faibles. Pourtant, dans le corps de la lettre, document peu discutable, la négation de l'homoousie de l'Esprit-Saint est invoquée au § 10 comme la seconde erreur – « il faut croire que le Saint-Esprit aussi est de la même hypostase ; si l'on pense autrement, nous avons jugé qu'on est étranger à notre communion » –, après la profession de l'erreur de Rimini.

3. Ce concile romain réunit 90 évêques d'après THÉODORET, *H.E.* II, 22, éd. Parmentier-Hansen, *GCS,* p. 146-150 (HEFELE - LECLERCQ, I, 2, p. 980 ne donne pas de chiffre). Il se contenta de confirmer une condamnation antérieure – προγέγραπται –, sans doute celle qui avait été émise par des évêques de Gaule et de Vénétie, sans excommunier explicitement le puissant évêque arien ni moins encore le déposer : cf. *DHGE* 1, p. 935 J. ZEILLER. Sa date se situe entre 368 et 373 (ou 374), date de la mort d'Auxence. Contre la date de 369 retenue par HEFELE-LECLERCQ I, 2, p. 980, une date plus tardive, « probablement 371 » est proposée par N.B. MCLYNN, *Ambrose of Milan. Church and Court in a Christian Capital,* Berkeley, 1994, p. 40, à la suite de Ch. PIETRI, *Roma christiana...,* p. 733-736 qui penche pour 371 ou 372 : le voyage du diacre Sabinus apportant la synodale à Athanase en 372 a dû suivre « vraisemblablement de quelques mois la réunion romaine » (p. 734, note 3).

τότε παρ' αὐτῶν δεδογμένοις. **6** Ταῦτα δὲ οὕτως γενέσθαι καὶ δόξαι μαρτυρεῖ καὶ ἡ ἐπιστολὴ Δαμάσου τοῦ | Ῥωμαίων ἐπισκόπου καὶ τῶν ἅμα αὐτῷ τότε συνελθόντων πρὸς τοὺς Ἰλλυριῶν ἐπισκόπους γραφεῖσα · ἔχει δὲ ὧδε ·

7 « Οἱ ἐπίσκοποι οἱ ἐπὶ τῆς Ῥωμαίων εἰς τὸ ἱερὸν συνέδριον συνελθόντες τοῖς ἐν τῷ Ἰλλυρικῷ καθεστῶσιν ἐπισκόποις, Δάμασος καὶ Οὐαλέριος καὶ οἱ λοιποὶ τοῖς ἀγαπητοῖς ἀδελφοῖς ἐν κυρίῳ χαίρειν.

8 Πιστεύομεν τὴν ἁγίαν πίστιν ὑμῶν ἐν τῇ διδασκαλίᾳ τῶν ἀποστόλων θεμελιωθεῖσαν ταύτην κατέχειν καὶ ταύτην τῷ λαῷ ὑφηγεῖσθαι, ἥτις ἀπὸ τῶν ὁρισθέντων παρὰ τῶν πατέρων οὐδενὶ λόγῳ διαφωνεῖ. Οὐδὲ γὰρ ἄλλως ἁρμόζει διανοεῖσθαι τοὺς τοῦ θεοῦ ἱερεῖς, ὑφ' ὧν δίκαιόν ἐστι τοὺς λοιποὺς παιδεύεσθαι. **9** Ἀλλὰ δι' ἀναφορᾶς τῶν ἐν Γαλλίᾳ καὶ Βενετίᾳ ἀδελφῶν ἔγνωμέν τινας αἵρεσιν σπουδάζειν, ὅπερ κακὸν οὐ μόνον παραφυλάττεσθαι ὀφείλουσιν οἱ ἐπίσκοποι, ἀλλὰ καὶ ὅσα ἀπειρίᾳ τινῶν ἢ ἁπλότητι εἰκαίαις 1352 | ἑρμηνείαις †ἀνθίσταται† · ἀπὸ οὖν τῶν διαφόρους διδασκαλίας διανοουμένων μὴ παρολισθαίνειν, ἀλλὰ μᾶλλον τῶν πατέρων ἡμῶν κατέχειν τὴν γνώμην, ὁσάκις ἂν διαφόροις βουλαῖς περιφέρωνται · τοιγαροῦν Αὐξέντιον τὸν Μεδιολάνου ἐξαιρέτως ἐν τούτῳ τῷ πράγματι κατακεκρίσθαι προγέγραπται. **10** Δίκαιον οὖν ἐστι πάντας τοὺς ἐν τῷ Ῥωμαίων κόσμῳ διδασκάλους ὁμοφρονεῖν καὶ μὴ

1. Cette lettre synodale dite habituellement *Confidimus quidem* se trouve aussi chez Théodoret, *H.E.* II, 22, 2-12 (éd. Parmentier-Hansen, p. 147-150) avec quelques différences. Le texte latin, conservé dans le *codex Veronensis* 60 f. 43v°-45 r°, a été édité par E. Schwartz, dans *Zeitschr. f. d. neutest. Wiss.* 35, 1936, 19 sq. (incip. *Damasus... et ceteri... qui in Vrbe Roma episcopi conuenerunt, episcopis catholicis per Orientem constitutis in Domino salutem*). Est-ce ce texte latin, qui n'est que l'une des nombreuses copies potentiellement incorrectes diffusées en Occident, ou bien la version grecque, donnée par Sozomène et, avec quelques différences, par Théodoret, qui est plus proche de l'original? Les deux opinions ont été soutenues par M. Richard dans *Annuaire de l'Inst. de Phil. et d'Hist. orient. et slaves, Univ. libre de Bruxelles* 11, 1951, p. 323-340 et F. Scheidweiler, *ibid.* 13, 1955, p. 572-586.

alors par ces pères. **6** Que tels aient bien été les faits et les opinions, en témoigne aussi la lettre de l'évêque de Rome Damase et des évêques alors réunis avec lui, adressée aux évêques d'Illyrie[1]. En voici le texte.

7 «Les évêques réunis en sacré collège à Rome aux évêques établis en Illyrie, Damase, Valérius[2] et les autres à leurs très chers frères, salut dans le Seigneur.

8 Nous sommes sûrs que la sainte foi que vous avez reçue, fondée sur l'enseignement des Apôtres, vous la maintenez et l'annoncez au peuple, cette foi qui n'est en désaccord sur aucun point avec les définitions établies par nos pères. Il ne convient pas en effet qu'aient une autre manière de voir les prêtres de Dieu, par qui il est juste que soient instruits tous les autres. **9** Cependant, par le rapport de nos frères de Gaule et de Vénétie, nous avons appris que certains soutiennent l'hérésie. Or les évêques doivent se garder non seulement de ce mal, mais encore de tout ce qui, par suite d'interprétations inconsidérées dues à l'inexpérience ou à la simplicité de certains, s'oppose à la vérité; ils doivent donc éviter de glisser hors du droit chemin à cause de ceux qui conçoivent des enseignements différents, mais bien plutôt maintenir la sentence de nos pères, toutes les fois qu'ils sont égarés par des conseils différents. Voilà pourquoi il a déjà été mis par écrit que c'est spécialement Auxence, l'évêque de Milan, qui est condamné sur cette question. **10** Il est donc juste que tous les docteurs dans le monde romain partagent les mêmes sentiments et ne souillent

2. Il s'agit en fait de Valerianus (PROSOPOGRAPHIE CHRÉTIENNE, p. 2237-2239), qui était évêque d'Aquilée en 371/372 au moment du baptême de Rufin (*Apologia c. Hieron.* 1, 4 *CC SL* 20, p. 39), donc à une époque très voisine des dates probables (371 ou 372) du concile de Rome. Le texte latin (cf. MANSI, *Conciliorum omnium collectio* III, 459) porte dans la suscription non seulement les noms de Damase et de Valerianus, mais ceux de Vitalianus, Aufidius, Pacianus, Victor, Priscus, Innocentius, Abundantius, Theudulus.

διαφόροις διδασκαλίαις τὴν πίστιν μιαίνειν · καὶ γὰρ ἡνίκα πρῶτον ἡ κακία τῶν αἱρετικῶν ἀκμάζειν ἤρξατο, ὡς καὶ **267** νῦν | μάλιστα, ὅπερ ἀπείη, τῶν Ἀρειανῶν ἡ βλασφημία, οἱ πατέρες ἡμῶν τριακόσιοι δέκα ὀκτὼ ἐπίλεκτοι, εἰς Νίκαιαν γενομένου σκέμματος, τοῦτο τὸ τεῖχος ὑπεναντίον τῶν ὅπλων τοῦ διαβόλου ὥρισαν καὶ ταύτῃ τῇ ἀντιδότῳ τὰ θανάσιμα φάρμακα ἀπεώσαντο, ὥστε τὸν πατέρα καὶ τὸν υἱὸν μιᾶς θεότητος, μιᾶς ἀρετῆς καὶ ἑνὸς σχήματος πιστεύεσθαι · χρὴ δὲ τῆς αὐτῆς ὑποστάσεως καὶ τὸ πνεῦμα τὸ ἅγιον πιστεύειν · τὸν δὲ ἄλλως φρονοῦντα ἀλλότριον εἶναι τῆς ἡμετέρας κοινωνίας ἐκρίναμεν. **11** Ὅνπερ σωτηριώδη ὅρον καὶ τὴν προσκυνητὴν σκέψιν τινὲς μιᾶναι ἠθέλησαν · ἀλλ' ἐν αὐτῇ τῇ ἀρχῇ ἀπ' αὐτῶν τούτων, οἵτινες τοῦτο ἐν Ἀριμήνῳ ἀνανεώσασθαι ἢ ψηλαφῆσαι ἠναγκάζοντο, μέχρι τούτου διωρθώθη, ὡς ὁμολογεῖν αὐτοὺς ἑτέρᾳ τινὶ διαλέξει ὑφηρπάσθαι, ὅτι οὐκ ἐνόησαν τῇ τῶν πατέρων γνώμῃ τῇ ἐν Νικαίᾳ ἀρεσάσῃ ἐναντίον εἶναι. **12** Οὐδὲ γὰρ πρόκριμά τι ἠδυνήθη γενέσθαι ἀπὸ τοῦ ἀριθμοῦ τῶν ἐν Ἀριμήνῳ συναχθέντων, ὁπότε συνέστηκε μήτε τοῦ Ῥωμαίων ἐπισκόπου, οὗ πρὸ πάντων ἔδει τὴν γνώμην ἐκδέξασθαι, οὔτε Βικεντίου, ὃς ἐπὶ τοσούτοις ἔτεσι τὴν ἐπισκοπὴν ἀσπίλως ἐφύλαξεν, οὔτε τῶν ἄλλων τοῖς τοιούτοις συγκαταθεμένων, ὁπότε μάλιστα, καθὼς προειρήκαμεν, αὐτοὶ οὗτοι, οἵτινες κατὰ συσκευὴν ὑποκλίνεσθαι

1. Nombre symbolique se référant aux 318 serviteurs d'Abraham : voir *H.E.* VI, 11, 2 avec la note.

2. Sozomène dit en IV, 17, 3 que le concile de Rimini réunit plus de 400 évêques. Voir déjà VI, 12, 3 avec la note.

3. Sur ce prêtre romain, déjà évêque de Capoue en 342, trente ans avant le concile de Rome, voir PROSOPOGRAPHIE CHRÉTIENNE, p. 2303-2304 Vincentius Annius 1 : partisan d'Athanase, adversaire de Grégoire d'Alexandrie, il avait été délégué par Constant auprès de Constance pour obtenir le retour d'Athanase. En 353, mandaté par Libère pour demander la convocation d'un concile, il fut contraint de souscrire à la condamnation d'Athanase au concile d'Arles. Il fut désavoué par

pas la foi par des enseignements différents. Et de fait, quand la perversité des hérétiques eut commencé de fleurir, – comme aussi maintenant surtout, ce qu'à Dieu ne plaise, le blasphème des ariens –, nos pères, trois cent dix-huit hommes de choix[1], un examen ayant eu lieu à Nicée, définirent ce rempart contre les armes du diable et chassèrent par cet antidote les poisons mortels, en telle sorte qu'il fût cru que le Père et le Fils sont d'une seule déité, d'une seule excellence, d'un seul rang ; et il faut croire que le Saint-Esprit aussi est de la même hypostase ; si l'on pense autrement, nous avons jugé qu'on est étranger à notre communion. **11** Cette définition salutaire, ce décret vénérable, certains ont voulu le souiller. Mais dès le début, ceux-là mêmes qui, à Rimini, étaient dans l'obligation de le rénover ou de le démêler ne l'ont redressé qu'en reconnaissant ensuite qu'ils s'étaient laissés abuser par une autre argumentation, parce qu'ils n'avaient pas compris que c'était contraire à l'opinion des pères agréée à Nicée. **12** Aucun jugement préalable en effet n'a pu être tiré du grand nombre des pères rassemblés à Rimini[2], puisqu'il est constant que ni l'évêque de Rome, dont il fallait avant tous autres recueillir l'avis, ni Vincentius, qui, pendant tant d'années, garda l'épiscopat sans tache[3], ni les autres ne donnèrent leur assentiment à de telles décisions, puisque surtout, comme nous l'avons dit plus haut, ceux-là mêmes qui, par suite d'une machination[4], avaient paru céder, ceux-là, revenus à une opinion

Libère qui, pourtant, en 357, lui demanda d'intervenir pour favoriser son rappel d'exil. Il refusa de signer la formule arienne du « Credo daté » (4e formule de Sirmium) et se rapprocha ainsi de Rome comme le montre l'éloge posthume que lui décerne ici Damase. Vincentius est mort après 359 et avant 371/372.

4. Sozomène a rapporté en détail (*H.E.* IV, 19, 4-12) comment les évêques de Rimini (en 359) furent abusés par la naïveté de leurs délégués qui se laissèrent tromper à Nikè par les évêques ariens.

ἔδοξαν, οὗτοι καλλίονι γνώμῃ χρησάμενοι ἀπαρέσκειν αὐτοῖς ταῦτα ἐμαρτύραντο.

268 | **13** Συνορᾷ οὖν ἡ ὑμετέρα καθαρότης ταύτην μόνην τὴν πίστιν, ἥτις ἐν Νικαίᾳ κατὰ τὴν αὐθεντίαν τῶν ἀποστόλων ἐθεμελιώθη, διηνεκεῖ βεβαιότητι καθεκτέον εἶναι, καὶ μεθ' ἡμῶν τοὺς ἀνατολικούς, οἵτινες ἑαυτοὺς τῆς καθολικῆς εἶναι ἐπιγιγνώσκουσι, τοὺς δὲ δυτικοὺς καυχᾶσθαι. **14** Πιστεύομεν δὲ οὐκ εἰς μακρὰν τοὺς ἄλλα 1353 νοοῦντας | αὐτῇ τῇ ἐπιχειρήσει ἀπὸ τῆς ἡμετέρας κοινωνίας χωρισθήσεσθαι <καὶ περιαιρεθήσεσθαι> αὐτῶν τὸ τοῦ ἐπισκόπου ὄνομα, ὥστε τοὺς λαοὺς τῆς πλάνης αὐτῶν ἐλευθερωθέντας ἀναπνεῦσαι. Οὐδενὶ γὰρ τρόπῳ διορθοῦσθαι δυνήσονται τὴν πλάνην τῶν ὄχλων, ὁπότε αὐτοὶ ὑπὸ τῆς πλάνης κατέχονται. **15** Συμφωνείτω τοίνυν μετὰ πάντων τῶν τοῦ θεοῦ ἱερέων καὶ τῆς ὑμετέρας τιμιότητος ἡ γνώμη, ἐν ᾗ ὑμᾶς παγίους καὶ βεβαίους πιστεύομεν. Ὅτι δὲ οὕτως ἡμεῖς μεθ' ὑμῶν πιστεύειν ὀφείλομεν, τοῖς ἀμοιβαίοις τῆς ὑμετέρας ἀγάπης ἐπιδείξασθε. »

24

1 Οἱ μὲν οὖν πρὸς δύσιν ἱερεῖς ὧδε φθάνοντες τοὺς παρ' αὐτοῖς νεωτερίζοντας, ἐπιμελῶς ἐφύλαττον τὴν ἀρχῆθεν παραδοθεῖσαν αὐτοῖς πίστιν, ὡς κομιδῇ ὀλίγους ἐνθάδε ἑτεροδόξους γενέσθαι καὶ σχεδὸν μόνους τοὺς ἀμφὶ τὸν Αὐξέντιον. **2** Οὐκ εἰς μακρὰν δὲ καὶ οὗτος θανάτῳ ἐκποδὼν

1. S'apercevant de la tromperie, la plupart des Pères de Rimini s'étaient presque immédiatement repentis et avaient demandé d'être réconciliés avec les orthodoxes. Les plus intransigeants de ces derniers, menés par Lucifer de Cagliari, refusèrent la communion aux faillis *(lapsi)* de Rimini, ce qui donna lieu au « schisme d'Antioche ».

2. Les partisans d'Auxence constituaient la grande majorité des chrétiens de Milan. Les catholiques nicéens, faible minorité, avaient envoyé au concile de Rome le diacre Sabinus qui souscrivit à la condamnation

plus juste, témoignèrent que ces décisions leur déplaisaient[1].

13 Votre Pureté voit donc que cette seule foi qui a reçu ses fondements à Nicée selon la suprême autorité des Apôtres, il faut la maintenir avec une fermeté constante et qu'avec nous s'en glorifient les évêques d'Orient qui se reconnaissent membres de l'Église catholique et ceux d'Occident. **14** Nous sommes sûrs que, dans peu de temps, ceux qui pensent autrement se sépareront de notre communion par leur tentative même et que leur sera enlevé le nom d'évêque, en sorte que les peuples, libérés de leur erreur, reprennent haleine. Ils ne pourront en effet d'aucune manière redresser l'erreur des masses, tant qu'ils sont eux-mêmes retenus par l'erreur. **15** Que soit donc en accord avec tous les prêtres de Dieu la décision de votre Honneur, décision dans laquelle nous vous croyons fermes et constants. Que nous, comme vous, nous ne devons avoir ainsi qu'une même foi, montrez-le nous par une réponse de Votre Charité. »

Chapitre 24

Saint Ambroise;
comment il est élevé à l'épiscopat
et persuade les peuples d'être fidèles.
Et encore les novatiens de Phrygie et la Pâque.

1 Donc, les évêques d'Occident, prenant ainsi les devants sur ceux qui innovaient chez eux, gardaient avec soin la foi qui leur avait été transmise dès l'origine, si bien qu'il n'y avait là qu'un très petit nombre d'hétérodoxes et que furent presque seuls à l'être Auxence et ses partisans[2]. **2** Peu après d'ailleurs, on fut débarrassé

d'Auxence. Ils étaient groupés autour de Filastre, le futur évêque de Brescia, qui fut chassé par les auxentiens (cf. MESLIN, p. 41-44).

ἐγένετο· τελευτήσαντος δὲ αὐτοῦ ἐστασίαζε τὸ πλῆθος, οὐ τὸν αὐτὸν αἱρούμενοι τὴν Μεδιολάνου ἐκκλησίαν ἐπισκοπεῖν· καὶ ἡ πόλις ἐκινδύνευεν. Ἕκαστοι γὰρ ἀποτυχόντες ἠπείλουν ποιεῖν ἃ φιλεῖ γίνεσθαι ἐν ταῖς τοιαύταις ταραχαῖς. Δείσας δὲ τὴν τοῦ δήμου κίνησιν Ἀμβρόσιος ὁ τότε τοῦ ἔθνους ἡγούμενος, ἐλθὼν εἰς τὴν ἐκκλησίαν συνεβούλευε τοῖς πλήθεσι παύεσθαι τῆς ἔριδος, νόμων ὑπομιμνήσκων ὁμονοίας τε καὶ τῶν ἀπὸ τῆς εἰρήνης **269** ἀγαθῶν. **3** Οὔπω | δὲ αὐτοῦ παυσαμένου περὶ τούτων δημηγορεῖν ἐξαπίνης πάντες ἀφέμενοι τῆς πρὸς ἀλλήλους ὀργῆς ἐπ' αὐτὸν τὸν σύμβουλον τῆς ὁμονοίας ἄγουσι τὴν τῆς ἐπισκοπῆς ψῆφον, καὶ βαπτίζεσθαι παρεκελεύοντο (ἔτι γὰρ ἀμύητος ἦν) καὶ τὴν ἱερωσύνην παραλαμβάνειν ἐδέοντο. **4** Ἐπεὶ δὲ ὁ μὲν παρῃτεῖτο καὶ ἀπεμάχετο καὶ ἀτεχνῶς 1356 τὸ πρᾶγμα ἀπέφευγεν, ὁ δὲ δῆμος ἐπέκειτο καὶ | τῆς ἔριδος οὐκ ἄλλως ἀνήσειν ἰσχυρίζετο, μηνύεται τάδε ταῖς ἐν τοῖς βασιλείοις ἀρχαῖς. Ἅμα δὲ τῇ περὶ τούτων ἀγγελίᾳ λέγεται Οὐαλεντινιανὸς ὁ βασιλεὺς εὔξασθαι καὶ φάναι χάριν ὁμολογεῖν τῷ θεῷ ὡς ἱερᾶσθαι ἐπιλεγομένῳ

1. A l'automne 374 (cf. Meslin, p. 44 et note 7 qui se fonde sur Jérôme, *Chron. a.* 374). On a longtemps hésité entre 374 et 373 : Piganiol, p. 215, choisit 373, en indiquant dans la note 1 qu'il y a doute et en renvoyant à la discussion de J.R. Palanque, *Saint Ambroise...*, p. 484-487 (qui concluait à 373).

2. Ambroise, né en 337 ou 339 dans une famille très chrétienne de l'aristocratie, était gouverneur de la province d'Émilie-Ligurie. Outre l'ouvrage classique de J.R. Palanque, *Saint Ambroise et l'Empire romain*, 1933, voir D.H. Williams, *Ambrose of Milan...*, p. 104-127 (« Ambrose's Election and early Years in Milan »). Sozomène rapportera en *H.E.* VII, 13, 2-9 ses démêlés avec Justine et Auxence II, dont il annonce le récit au § 5. Sur l'opposition des partis nicéen et homéen et, finalement, l'élection d'un personnage « neutre », voir dans N.B. McLynn, *Ambrose of Milan...*, p. 2-11, une approche critique du récit de Rufin, base de tous les récits ultérieurs, y compris celui de Sozomène. A partir des textes de Rufin et de Paulin, mise au point d'Y.M. Duval, « Ambroise, de son élection à sa consécration », dans *Ambrosius episcopus,* éd. G. Lazzati, Milan, t. II, 1976, p. 243-283. Pour T.D. Barnes, « Valentinian, Auxentius and Ambrose », dans *Historia* 51, 2, 2002, p. 227-237,

de lui par sa mort[1]. A son décès, le peuple était divisé, ils ne choisissaient pas le même pour diriger l'église de Milan et la ville était en péril. Car chaque camp, s'il échouait, menaçait de faire ce qui arrive d'ordinaire en de tels troubles. Ayant craint le soulèvement du peuple, Ambroise, qui était alors gouverneur de la province[2], entré à l'église, conseillait aux foules de mettre fin à la querelle, rappelant les lois, la concorde et les biens qui résultent de la paix. **3** Il n'avait pas encore fini de leur adresser la parole que tous, soudain, renonçant à leur ressentiment mutuel, lui apportent, à lui, le conseiller de la concorde, leur vote pour qu'il soit évêque. Ils l'invitaient à se faire baptiser – il n'était pas encore initié – et lui demandaient de recevoir le sacerdoce. **4** Comme il refusait, résistait, fuyait résolument la chose[3], que d'autre part les gens du peuple insistaient et affirmaient qu'ils ne renonceraient pas autrement à leur querelle, on révèle ces faits aux autorités du palais. On dit que l'empereur Valentinien, à peine entendue la nouvelle, pria et dit qu'il offrait louange de grâce à Dieu de ce qu'il choisissait pour être évêques des gens qu'il mettait en avant lui-

le peuple de Milan était majoritairement pro-nicéen, tandis que le clergé, nommé par Auxence, était homéen. Par son intervention inopinée, mais non pas innocente, Ambroise, dont les sympathies pro-nicéennes étaient connues, obtint les acclamations du peuple contre lesquelles le clergé ne put rien.

3. Le thème habituel du refus du pouvoir comme signe de légitimité correspond ici à une réalité : Ambroise cherchait à ne pas s'engager tant qu'il n'avait pas toutes les garanties et autorisations nécessaires (Y. M. Duval, «Ambroise...», p. 278-282). L'élection par la *vox populi* devait être ratifiée par des évêques et, comme le souligne Sozomène pour exalter la piété de Valentinien, approuvée par l'empereur. Le vote unanime en faveur d'Ambroise comprenait naturellement les suffrages des Auxentiens. Ceux-ci, qui n'avaient pas de «candidat représentatif qualifié ne pouvaient que se rallier à ce laïc qui avait appliqué la politique de neutralité bienveillante de Valentinien. Ils espéraient bien l'annexer à leur tendance» (Meslin, p. 44-45).

οὓς αὐτὸς ἄρχειν προβάλλεται. Μαθὼν δὲ τὴν τοῦ πλήθους ἔνστασιν καὶ τὴν Ἀμβροσίου παραίτησιν συνέβαλεν ἐπὶ ὁμονοίᾳ τῆς ἐν Μεδιολάνῳ ἐκκλησίας ταῦτα βραβεύειν τὸν θεόν, καὶ τὴν ταχίστην αὐτὸν χειροτονεῖσθαι προσέταξεν. **5** Ἅμα δὲ ἐμυήθη καὶ τὴν ἱερωσύνην παρέλαβεν, ὁμοφρονεῖν πέπεικε περὶ τὰ θεῖα τὴν ὑπ' αὐτὸν ἐκκλησίαν, ἐπὶ πολλῷ χρόνῳ διχονοίᾳ καμοῦσαν ἐκ τῆς Αὐξεντίου προστασίας.

Ἀλλ' οἷος μὲν Ἀμβρόσιος οὗτος μετὰ τὴν χειροτονίαν ἐγένετο καὶ ὡς ἀνδρείως καὶ μάλα θείως τὴν ἱερωσύνην διήνυσεν, ἐν τοῖς ἑξῆς κατὰ χώραν λελέξεται. **6** Περὶ δὲ τοῦτον τὸν χρόνον οἱ ἀμφὶ τὴν Φρυγίαν Ναυατιανοὶ παρὰ τὸ πρότερον εἰωθὸς ἤρξαντο μετὰ τῶν Ἰουδαίων τὴν τοῦ πάσχα ἑορτὴν ἐπιτελεῖν. Ναυάτος μὲν γάρ, ὃς ἀρχηγὸς ἐγένετο τῆς αἱρέσεως, τοὺς μεταμελομένους ἐπὶ τοῖς ἁμαρτήμασιν εἰς κοινωνίαν οὐ προσίετο καὶ τοῦτο μόνον ἐκαινοτόμει· παραπλησίως δὲ τῇ Ῥωμαίων ἐκκλησίᾳ μετὰ τὴν ἐαρινὴν ἰσημερίαν διετέλεσεν αὐτός τε καὶ οἱ μετ' αὐτὸν ταύτην ἄγοντες τὴν ἑορτήν, **7** εἰσότε δὴ ἐπὶ ταύτης τῆς ἡγεμονίας τινὲς τῶν ἀνὰ τὴν Φρυγίαν Ναυατιανῶν ἐπισκόπων συνελθόντες ἐν Παζουκώμῃ (χωρίον δὲ τοῦτο Φρυγῶν ὅθεν Σαγαρίου τοῦ ποταμοῦ αἱ πηγαὶ ῥέουσιν)

1. Comme la plupart de ceux qui entamaient une carrière officielle impliquant le droit de glaive, Ambroise n'était pas baptisé. Il le fut, comme plus tard Nectaire à Constantinople (*H.E.* VII, 8), après son élection par le peuple. Le baptême lui fut administré selon sa volonté par un évêque orthodoxe. D'après la *Vita Ambrosii* 9 du diacre de Milan Paulin, il fut en une semaine admis à l'eucharistie et aux ordres sacrés. L'assemblée épiscopale ratifia la *uox populi* le 1er décembre 374 (le 7 décembre d'après T.D. BARNES, « Ambrose and Gratian », dans *L'Antiquité tardive,* 7, 1999, p. 165-174, qui considère sans doute la date de la ratification officielle par Valentinien, p. 165).

2. Brève indication des débuts de la controverse sur la date de Pâques à laquelle se rattachera le long exposé du livre VII, 18-19. Sur la question, voir *DACL*, XIII, 2, 1938, 1521-1574 H. LECLERCQ. La date de Pâques avait été fixée au concile de Nicée.

même pour le commandement. Quand il eut appris l'insistance de la foule et le refus d'Ambroise, il conclut que Dieu donnait cet arbitrage pour la concorde de l'église de Milan et il prescrivit qu'Ambroise fût ordonné au plus vite. **5** Il reçut tout à la fois l'initiation et le sacerdoce[1] et il persuada l'église qu'il conduisait de n'avoir qu'une même opinion touchant le divin, alors qu'elle avait si longtemps souffert de discorde par suite de la présidence d'Auxence.

Mais quel fut cet Ambroise après son ordination, avec quel courage, de quelle façon tout-à-fait divine il accomplit son épiscopat, je le dirai plus tard au lieu requis. **6** Vers ce temps-là, les novatiens de Phrygie se mirent, contrairement à leur habitude antérieure, à célébrer la fête de la Pâque en même temps que les juifs[2]. Novat[3], le premier auteur de la secte, n'admettait pas à sa communion ceux qui se repentaient après leurs fautes, et c'était là sa seule innovation; pareillement à l'Église de Rome, lui-même et ses successeurs continuèrent de célébrer cette fête après l'équinoxe de printemps. **7** Cela jusqu'à ce que, sous le règne de Valens, certains des évêques novatiens de Phrygie, réunis à Pazoukômè – c'est un lieu de Phrygie où le fleuve Sangarios prend sa

3. Sozomène confond, comme beaucoup d'auteurs ecclésiastiques, Novatien et Novat. Il a déjà parlé, en VI, 9, 1, du prêtre romain Novatien, concurrent malheureux de Corneille au siège de Rome en 251 (*DECA*, p. 1777-1779 H.J. VOGT) et fondateur du novatianisme au milieu du IIIe siècle (sur les novatiens, voir *H.E.* I, 14, 9; 22, 1-2; II, 32, 1. 5; IV, 20, 4. 6. 7; 21, 1). L'Église novatienne, dont les membres se donnaient le nom de « purs » *(katharoi),* se répandit, malgré les efforts de Cyprien de Carthage, à travers le monde chrétien et survécut jusqu'au VIIe siècle : cf. *Dictionnaire de Spiritualité* 11, 1982, p. 479-483 RUSSELL J. de SIMONE. – Nous avons, dans la traduction, gardé le nom Novat, alors qu'il s'agit de Novatien, pour respecter le texte et ne pas corriger nous-mêmes l'erreur de Sozomène.

ὡς οὐδὲ ταύτῃ κοινωνεῖν ἀξιοῦντες τοῖς ἑτέρως αὐτοῖς δοξάζουσιν ἴδιον ἔθεντο νόμον, ὥστε τὴν τῶν ἀζύμων
270 | ἐπιτηρεῖν ἑορτὴν καὶ σὺν τοῖς Ἰουδαίοις τὸ πάσχα ἐπιτελεῖν. **8** Οὐκ ἐκοινώνει δὲ ταύτῃ τῇ συνόδῳ οὔτε Ἀγέλιος ὁ τῶν ἐν Κωνσταντινουπόλει Ναυατιανῶν ἐπίσκοπος οὔτε ὁ Νικαίας ἢ ὁ Νικομηδείας ἢ ὁ Κοτυαείου (πόλις δὲ αὕτη Φρυγίας οὐκ ἄσημος), οὓς δὴ κυρίους καὶ κολοφῶνας, ὡς εἰπεῖν, οἱ Ναυατιανοὶ νομίζουσι τῶν περὶ τὴν οἰκείαν αἵρεσιν καὶ τὰς αὐτῶν ἐκκλησίας πραττομένων.
1357 **9** Ἐκ | ταύτης δὲ τῆς αἰτίας ὅπως καὶ οὗτοι εἰς διαφορὰν κατέστησαν καὶ σφᾶς αὐτοὺς διατεμόντες χωρὶς ἐκκλησίαζον, κατὰ καιρὸν ἐρῶ.

25

1 Ἐν τούτῳ δὲ εἰς τὸ προφανὲς προΐστατο Ἀπολινάριος τῆς ἀπ' αὐτοῦ ὀνομαζομένης αἱρέσεως, καὶ πολλοὺς

1. Ce concile des novatiens, peu connu (voir néanmoins J. Vogt, Coetus sanctorum. *Der Kirchenbegriff des Novatian und die Geschichte seiner Sonderkirche*, Bonn 1968, p. 238-239) se tint, vers 374, à Pazos, localité (κώμη) de Phrygie également assez obscure qui devait être le siège d'un communauté novatienne moins importante que celles de villes comme Constantinople, Nicomédie, Nicée, Cotyaeum (*Dict. de Théol. Cath*. XI, 1, 1931, c. 816-849, en particulier c. 846 pour les novatiens d'Asie mineure, E. Amann). Sozomène juge donc nécessaire de donner, comme Socrate, *H.E.* IV, 28, 17-19 (éd. G.C. Hansen, *GCS*, p. 265), quelques indications pour la localiser, notamment la proximité du fleuve Sangarios, aujourd'hui Sakaria, sur lequel l'article de *PW*, I A2, 1920, c. 2269-2270 Ruge rassemble les témoignages des géographes et d'Amm. 22, 8, 14 et 26, 7, 14.

2. Reprise de ce qui a été dit au § précédent. L'ensemble du passage confirme la familiarité, sinon les accointances de Sozomène avec le novatianisme : cf. Dagron, p. 431 citant, note 1, W. Telfer, « Paul of Constantinople », *Harvard Theological Review*, 43, 1950, p. 31-92, qui parle d'une « trilogie novatienne » constituée par Socrate, Sozomène et la source novatienne dont ils dérivent. Sur l'importance des novatiens à Constantinople et les tribulations de leur secte, voir Dagron, p. 448 et

source[1] –, jugeant bon de ne pas s'associer même sur ce point à ceux qui ne partageaient pas leur opinion, posèrent une loi particulière, celle d'observer la fête des Azymes et de célébrer la Pâque à la date des juifs[2]. **8** Cependant ne s'associèrent à ce concile ni Agélios, l'évêque des novatiens de Constantinople[3] ni celui de Nicée ni celui de Nicomédie ni celui de Cotyée – c'est une ville assez connue de Phrygie[4] –, que les novatiens regardent comme les maîtres et les colophons pour ainsi dire[5] de ce qui se fait dans leur secte et leurs églises. **9** Comment, pour cette raison, eux aussi s'établirent en dissidence et, s'étant séparés, tenaient leurs assemblées de culte à part, je le dirai le moment venu[6].

Chapitre 25

Les Apollinaire, père et fils, et le prêtre Vitalien. Quel motif particulier les a poussés aux hérésies.

1 En ce temps-là, Apollinaire présidait ouvertement à l'hérésie qui porte son nom[7] et, séparant beaucoup de

note 1 (ils avaient plus d'importance à Constantinople que les nicéens). L'évêque Jean Chrysostome qui leur retira quelques églises ainsi qu'aux Quartodécimans (DAGRON, p. 468), s'insurgea en 387 (3e *Homélie contre les Juifs PG* XLVIII, c. 857 sq) contre les chrétiens qui avançaient d'un mois la date de Pâques et récusaient l'autorité des pères de Nicée pour suivre les calculs juifs et le précepte mosaïque.

3. Voir *supra H.E.* VI, 9, 2.

4. Sur la ville de Kotyaeion/Kotiaeion, en Phrygie, sur le Thymbris, aujourd'hui Kutahia, voir *PW*, XI, 2, 1922, c. 1526-1527, RUGE citant Strabon, Pline, Ptolémée.

5. C'est-à-dire les sommets ou «sommités». Cet emploi métaphorique se trouve chez JULIEN, *Gal.* 333c et LIBANIUS, *disc.* 30, 12, mais aussi dans un sens péjoratif chez ZOSIME, IV, 15.

6. Dans un exposé détaillé, voire technique en *H.E.* VII, 18-19.

7. Cet apogée de l'apollinarisme se situe vers 373. La *Démonstration,* exposé complet de la doctrine, fut composée en 375.

ἀποτεμὼν τῆς ἐκκλησίας καθ' ἑαυτὸν συνῆγε. Συνελάβετο δὲ αὐτῷ πρὸς τὴν τοῦ οἰκείου δόγματος σύστασιν καὶ Βιτάλιος, πρεσβύτερος Ἀντιοχεὺς τῶν ὑπὸ Μελέτιον ἱερωμένων, ἀνὴρ εἰ καί τις ἄλλος ἐκ τοῦ βίου καὶ τῆς πολιτείας ἐπιφανὴς καὶ περὶ τοὺς ὑπ' αὐτὸν ἀγομένους σπουδαῖος καὶ τούτου χάριν τῷ λαῷ σεβάσμιος. **2** Μετ' οὐ πολὺ γὰρ ἀποσχίσας ἑαυτὸν τῆς Μελετίου κοινωνίας Ἀπολιναρίῳ προσέθετο · καὶ τῶν τὰ αὐτὰ δοξαζόντων ἐπὶ τῆς Ἀντιοχέων ἡγεῖτο, αἰδοῖ τῆς αὐτοῦ πολιτείας πλῆθος οὐκ ὀλίγον πειθόμενον ἔχων, οἳ καὶ ἀπ' αὐτοῦ τὴν προσηγορίαν ἔλαχον, Βιταλιανοὶ παρὰ Ἀντιοχεῦσιν εἰσέτι νῦν ὀνομαζόμενοι. **3** Λέγεται δὲ τοῦτο παθεῖν ὑπὸ λύπης, ὡς ὑπεροφθεὶς καὶ παρὰ Φλαβιανοῦ, ὃς ὕστερον ἐπετράπη τὸν Ἀντιοχέων θρόνον, συμπρεσβυτέρου τότε ὄντος αὐτῷ, κωλυθεὶς συνήθως ἰδεῖν τὸν ἐπίσκοπον · παρευδοκιμεῖσθαι γὰρ νομίσας ἀνθρώπειον ὑπέστη · καὶ πρὸς Ἀπολινάριον ἐλθὼν ἐκοινώνησε καὶ φίλον αὐτὸν εἶχεν. **4** Ἐκ τούτου δὲ καὶ ἐν ἄλλαις πόλεσι χωρὶς ἐκκλησίαζον ὑπὸ ἐπισκόποις ἰδίοις, καὶ θεσμοῖς ἐχρῶντο ἀλλοτρίοις τῆς καθόλου ἐκκλησίας, παρὰ τὰς νενομισμένας ἱερὰς ᾠδὰς ἔμμετρά τινα μελύδρια ψάλλοντες παρ' αὐτοῦ Ἀπολιναρίου ηὑρημένα. **5** Πρὸς γὰρ τῇ ἄλλῃ παιδεύσει καὶ ποιητικὸς ὢν καὶ

1. Ce prêtre antiochien avait été consacré en 361 par l'évêque orthodoxe d'Antioche Mélèce : cf. *DECA,* p. 2557 E. CAVALCANTI. Vers 375, il dirigeait à Antioche un groupe important qui se réclamait d'Apollinaire de Laodicée. Il se rendit à Rome pour soumettre sa doctrine à Damase : celui-ci lui accorda une lettre de communion dont il devait se repentir (sur les relations entre Vital et Damase, voir CAVALLERA, p. 162-165). Après la mort de Valens, Vital vint compliquer la situation à Antioche où il y eut désormais trois évêques, l'orthodoxe Mélèce, l'ultra-nicéen Paulin reconnu par Damase, et Vital.

2. La persistance de vitaliens à Antioche jusqu'à l'époque de Sozomène peut surprendre puisqu'Apollinaire et sa doctrine avaient été condamnés depuis longtemps (cf. *H.E.* VI, 22, 3). Mais apparemment, vers 440 encore, le schisme des années 375 avait laissé au moins des traces : l'apollinarisme, malgré sa condamnation et son déclin, ne disparut pas complètement avant le VIIe siècle.

gens de l'Église, il les rassemblait de son côté. Il était assisté pour la constitution de son dogme par Vital, prêtre antiochien de ceux qui appartenaient au clergé de Mélèce, un homme plus que tout autre illustre par sa vie et sa conduite, zélé pour ceux qu'il dirigeait et par suite révéré par le peuple[1]. **2** Au bout de peu de temps en effet, Vital s'était séparé de la communion de Mélèce et attaché à Apollinaire. Il était le chef à Antioche de ceux qui partageaient son opinion et, par le respect qu'on avait pour sa conduite, il se faisait obéir d'un nombre non négligeable de gens, qui se dénommèrent d'après lui et sont aujourd'hui encore nommés à Antioche vitaliens[2]. **3** On dit qu'il agit ainsi par chagrin, en tant qu'il avait été méprisé aussi par Flavien, qui eut la charge plus tard du siège d'Antioche[3]. Flavien était alors son collègue dans le presbytérat et Vital avait été empêché de voir comme à l'habitude l'évêque[4]; s'estimant défavorisé, il avait éprouvé un sentiment humain, et, étant allé à Apollinaire, il s'était associé à lui et l'avait pour ami. **4** De ce moment, en d'autres villes aussi, les apollinaristes tenaient leurs assemblées de culte à part sous leurs propres évêques, ils obéissaient à d'autres canons que ceux de l'Église catholique, et au lieu des chants sacrés habituels, ils récitaient certaines petites chansons en vers inventées par Apollinaire lui-même. **5** En effet, entre autres éléments

3. Première mention du futur évêque d'Antioche de 381 à 404. Vers 350, encore laïc, il était l'un des animateurs du parti nicéen à Antioche. Il fut ordonné prêtre par Mélèce, malgré l'opposition déclarée de Grégoire de Nazianze. A cause du schisme et de certaines irrégularités dans son élection, il ne fut pas immédiatement reconnu par Rome. Dans son épiscopat, malgré son âge – il avait 70 ans quand il fut élu par les orthodoxes –, il déploya une activité incessante, se rendant auprès de Théodose, à Constantinople, pour plaider avec succès en faveur de ses compatriotes lors de «l'affaire des statues» en 387. Voir *H.E.* VII, 23 et les notices dans *DHGE* 17, 1971, p. 380-386 D. GORCE et dans *DECA*, p. 976-977 S.J. VOICU.

4. Mélèce, évêque d'Antioche de 360/361 à 381.

παντοδαπῶν μέτρων εἰδήμων καὶ τοῖς ἐντεῦθεν ἡδύσμασι
271 τοὺς πολ|λοὺς ἔπειθεν αὐτῷ προσέχειν· ἄνδρες τε γὰρ παρὰ τοὺς πότους καὶ ἐν ἔργοις καὶ γυναῖκες παρὰ τοὺς ἱστοὺς τὰ αὐτοῦ μέλη ἔψαλλον. Σπουδῆς γὰρ καὶ ἀνέσεως καὶ ἑορτῶν καὶ τῶν ἄλλων πρὸς τὸν ἑκάστου καιρὸν εἰδύλλια αὐτῷ πεπόνητο, πάντα εἰς εὐλογίαν θεοῦ τείνοντα.

6 Μαθὼν οὖν ταύτην τὴν αἵρεσιν εἰς πολλοὺς ἕρπειν
1360 πρῶτος | Δάμασος ὁ Ῥωμαίων ἐπίσκοπος καὶ Πέτρος ὁ Ἀλεξανδρείας, συνόδου γενομένης ἐν Ῥώμῃ, ἀλλοτρίαν τῆς καθόλου ἐκκλησίας ἐψηφίσαντο. **7** Λέγεται δὲ καὶ Ἀπολινάριος ὁμοίως ὑπὸ μικροψυχίας νεωτερίσαι περὶ τὸ δόγμα ἐξ αἰτίας τοιᾶσδε. Ἡνίκα γὰρ Ἀθανάσιος ὁ τὴν Ἀλεξανδρέων ἐκκλησίαν ἐπιτροπεύσας μετὰ τὴν ἐπὶ Κωνσταντίου φυγὴν προσετάχθη ἐπανελθεῖν εἰς Αἴγυπτον, διοδεύοντι τὴν Λαοδίκειαν συνήθης αὐτῷ ἐγένετο καὶ εἰς τὰ μάλιστα φίλος. **8** Ἀπωμότου δὲ οὔσης τῆς πρὸς αὐτὸν κοινωνίας τοῖς ἀπὸ τῆς ἐναντίας αἱρέσεως, ὧν ἦν καὶ Γεώργιος ὁ ἐνθάδε ἐπίσκοπος, ὑβριστικῶς ἐκβάλλεται τῆς ἐκκλησίας, ὡς παρὰ κανόνας καὶ τοὺς τῶν ἱερέων νόμους Ἀθανασίῳ συγγενόμενος. Ἐπῃτιᾶτο δὲ αὐτὸν διὰ ταῦτα,

1. Apollinaire avait montré sa virtuosité littéraire pour combattre la loi scolaire de Julien (*H.E.* V, 18). Ses partisans considéraient, d'après GRÉGOIRE, *lettre* 101, 73 (éd. P. Gallay - M. Jourjon, *SC* 208, p. 68-69), ses hymnes comme «le Troisième Testament». L'obligation de répondre à ses cantiques et à ses psaumes ne fut sans doute pas étrangère à la décision de Grégoire, conscient de leur efficacité, de composer à son tour des poésies : voir *DHGE*, 3, 1924 c. 974 R. AIGRAIN. Se rallier la foule par le moyen mnémotechnique de poèmes et de chants rappelle le précédent d'Arius composant sa *Thalie* pour le peuple (cf. *H.E.* I, 21, 3 et *SC* 306, p. 208-209 avec la note 2).

2. Le concile romain condamnant Apollinaire (et Auxence) prit place «probablement en 369» d'après HEFELE - LECLERCQ, I, 2, p. 980, mais plutôt en 371-372 (voir VI, 23, 5 avec la note). La condamnation, réitérée en 374 (HEFELE - LECLERCQ, p. 991), sera confirmée en 382, par un troisième synode romain, quand l'apollinarisme eut été censuré à Antioche en 379 et à Constantinople en 381 (*DECA*, p. 186 Ch. KANNENGIESSER).

3. Sozomène remonte à une date peu éloignée de 342, quand Georges, prêtre d'Alexandrie, devenu arien radical et déposé par Alexandre

de sa culture, Apollinaire était poète, il connaissait des mètres de toute sorte et par leur charme, il persuadait la plupart des gens de le suivre : les hommes pendant les banquets et au travail, les femmes aussi à leur métier chantaient ses mélodies[1]. Car pour l'effort, pour la détente, pour les fêtes et le reste selon ce qui convenait à chaque moment, il avait composé de petites poésies qui tendaient toutes à la louange de Dieu.

6 Ayant donc appris que cette hérésie gagnait beaucoup de terrain, tout d'abord Damase l'évêque de Rome et Pierre d'Alexandrie, un concile ayant eu lieu à Rome[2], la déclarèrent étrangère à l'Église catholique. **7** On dit que c'est également par mesquinerie qu'Apollinaire innova quant au dogme, pour la raison suivante. Quand Athanase, alors évêque d'Alexandrie, reçut l'ordre, après son exil sous Constance, de retourner en Égypte, passant par Laodicée, il devint un familier d'Apollinaire et noua grande amitié avec lui. **8** Les tenants de l'hérésie arienne, dont était Georges, l'évêque du lieu[3], rejetant la communion avec Athanase, Apollinaire est chassé de l'église de façon outrageante, comme s'étant lié avec Athanase contrairement aux canons et aux lois des évêques. Georges l'accusait pour ce motif et lui faisait des reproches, lui

d'Alexandrie (c. 320), après avoir failli obtenir le siège d'Antioche en 328, devint évêque de Laodicée (*DECA*, p. 1034 M. SIMONETTI). Il fut excommunié par les Occidentaux à Sardique (343). Supplanté par Eudoxe pour le siège d'Antioche, effrayé par l'arianisme radical d'Eunome, il se rapprocha de Basile d'Ancyre et des homéousiens au concile d'Ancyre en 358 et fut un de leurs chefs au concile de Séleucie. On ne connaît pas de sanction prise contre lui au concile homéen de Constantinople (360) qui condamna les homéousiens. Mais, en 360, Acace consacra un autre que lui comme évêque de Laodicée. Sozomène l'a souvent mentionné au livre III, 5, 10; 6, 5. 6; 12, 3 et au livre IV, 12, 4; 13, 1-3; 22, 7; 25, 1. Pour finir, évêque d'Alexandrie à la place d'Athanase exilé, il fut lynché par la foule le 24 décembre 361 (*H.E.* IV, 30, 1-2).

καὶ εὐθύνας παλαιῶν ἁμαρτημάτων μεταμελείᾳ λελυμένων ὠνείδιζεν. **9** Ἔτι γὰρ Θεοδότου τοῦ πρὸ αὐτοῦ τὴν Λαοδικέων ἐκκλησίαν ἰθύνοντος, κατ' ἐκεῖνο καιροῦ διαπρέπων Ἐπιφάνιος ὁ σοφιστὴς ὕμνον εἰς τὸν Διόνυσον παρῄει· διδασκάλῳ δὲ αὐτῷ χρώμενος Ἀπολινάριος (ἔτι γὰρ νέος ἦν) παρεγένετο τῇ ἀκροάσει σὺν τῷ πατρί· ὁμώνυμος δὲ ἦν αὐτῷ, γραμματικὸς οὐκ ἄσημος. **10** Ἐπεὶ δὲ τοῦ λόγου ἀρχόμενος Ἐπιφάνιος, ὡς ἔθος τοῖς τὰ τοιάδε ἐπιδεικνυμένοις λέγειν, τοὺς ἀμυήτους καὶ βεβήλους ἐξιέναι θύραζε ἐκέλευεν, οὔτε δὲ Ἀπολινάριος ὁ νέος οὔτε ὁ πρεσβύτης οὔτε ἕτερός τις τῶν παρόντων Χριστιανῶν τῆς ἀκροάσεως ἀπεχώρησε, **11** μαθὼν ταῦτα Θεόδοτος ὁ ἐπίσκοπος χαλεπῶς ἤνεγκε· καὶ τοῖς μὲν ἄλλοις ἐν λαῷ
1361 τεταγμένοις μετρίως ἐγκαλέσας συγ|γνώμην ἔνειμεν, Ἀπολιναρίῳ δὲ ἄμφω δημοσίᾳ τὴν ἁμαρτίαν ἐλέγξας τῆς
272 ἐκκλησίας ἀφώρισεν· | ἤστην γὰρ κληρικώ, ὁ μὲν πατὴρ πρεσβύτερος, ὁ δὲ παῖς ἀναγνώστης ἔτι τῶν ἱερῶν γραφῶν. Χρόνου δέ τινος διαγενομένου ἐν δάκρυσι καὶ νηστείαις ἐπαξίως τῆς ἁμαρτίας μεταμεληθέντας προσίεται πάλιν Θεόδοτος. **12** Ὡς δὲ τὴν αὐτὴν ἐπισκοπὴν ἔλαχε Γεώργιος καὶ ἡ πρὸς Ἀθανάσιον συνουσία γέγονεν Ἀπολιναρίῳ ὡς εἴρηται, ἀκοινώνητον αὐτὸν ἀποφαίνει καὶ τῆς ἐκκλησίας ἀλλότριον. Ὁ δὲ λέγεται μὲν πολλάκις αὐτοῦ δεηθῆναι τὴν κοινωνίαν ἀπολαβεῖν· **13** ὡς δὲ οὐκ ἔπειθε, λύπῃ κρατηθεὶς ἐτάραξε τὴν ἐκκλησίαν, καὶ δογμάτων καινότητι τὴν

1. L'épisode remonte donc à une date antérieure à l'intronisation de Georges, successeur de Théodote en 342. Ce dernier, partisan d'Arius, fut condamné avec Eusèbe de Césarée et Narcisse de Néronias au concile d'Antioche, juste avant le concile de Nicée (325) où il n'était pas présent. Mais, en 327, il participa au concile d'Antioche, présidé par Eusèbe de Césarée, qui condamna et déposa Eustathe : *DECA,* p. 2422-2423 M. SIMONETTI. L'excommunication qu'il infligea aux deux Apollinaire n'était pas motivée par son arianisme personnel et leurs sympathies pour Athanase : celles-ci ne s'exprimèrent qu'en 346, lors du passage d'Athanase par Laodicée, alors que Georges avait succédé

demandant compte de vieilles fautes, effacées par la repentance. **9** En effet, alors que Théodote, prédécesseur de Georges, gouvernait encore l'église de Laodicée[1], le sophiste Épiphane, qui brillait à ce moment, s'était présenté au public pour un hymne en l'honneur de Dionysos. Apollinaire l'avait pour maître – il était encore jeune homme – et il était venu à l'audition avec son père : celui-ci s'appelait aussi Apollinaire et il était un maître de grammaire très en vue. **10** Comme Épiphane, au début de son discours, ainsi qu'ont l'habitude de le dire ceux qui font ces exhibitions, invitait les non-initiés et les profanes à sortir, ni le jeune Apollinaire ni son père ni aucun autre des chrétiens présents n'avaient quitté l'audition. **11** Lorsqu'il apprit la chose, l'évêque Théodote en fut très fâché. Aux autres, qui étaient laïques, il n'adressa que des reproches modérés et leur accorda le pardon ; mais il blâma publiquement les deux Apollinaires pour leur faute et les excommunia : ils étaient en effet tous deux clercs, le père prêtre, le fils encore lecteur des Saintes Écritures. Du temps s'étant écoulé dans les larmes et les jeûnes, comme ils s'étaient suffisamment repentis de leur faute, Théodote les admet à nouveau. **12** Mais après que Georges eut reçu le même épiscopat, et que, comme je l'ai dit, Apollinaire fut entré dans l'intimité d'Athanase, Georges le déclare excommunié et étranger à l'Église. Apollinaire, dit-on, le supplia souvent de le laisser rentrer dans la communion. **13** Comme il s'y refusait, sous l'empire du chagrin Apollinaire troubla l'église, y introduisit par une innovation sur le dogme

à Théodote depuis quatre ans. Elle avait un caractère disciplinaire : des chrétiens, l'un prêtre, l'autre lecteur, ne devaient pas assister à des exhibitions profanes comme celle du sophiste Épiphane, déclamant un hymne en l'honneur d'un dieu païen des plus suspects, Dionysos. En ne quittant pas l'audition et en se déclarant par là-même « initiés » à la culture et aux dieux des païens, ils avaient sacrifié leur foi à la culture classique.

εἰρημένην αἵρεσιν εἰσήγαγεν, ᾧπερ ἠδύνατο — τέχνῃ φημὶ λόγων — τὸν ἐχθρὸν ἀμυνόμενος καὶ διελέγχων, ὡς ἐν διδασκαλίᾳ ἱερῶν δογμάτων οὐ τοιοῦτος ὢν τὸν ἀμείνω καθεῖλεν. Οὕτω πῃ αἱ ἴδιαι ἔχθραι τῶν κατὰ καιρὸν κληρικῶν τὰ μέγιστα τὴν ἐκκλησίαν ἔβλαψαν καὶ τὴν θρησκείαν εἰς πολλὰς αἱρέσεις κατέτεμον. **14** Τεκμήριον δὲ τοῦτο· εἰ γὰρ ὁμοίως Θεοδότῳ καὶ Γεώργιος μεταμεληθέντα Ἀπολινάριον ἐδέξατο, οὐκ ἄν, οἶμαι, ἡ ἀπ' αὐτοῦ καλουμένη αἵρεσις ἦν. Ἡ γὰρ ἀνθρωπεία φύσις ὑπερφρονουμένη μὲν ἀπαυθαδίζεται καὶ εἰς φιλονικίαν καὶ νεωτερισμοὺς καθίσταται, ἀπολαύουσα δὲ τῶν ἴσων μετριάζειν καὶ ἐπὶ τῶν αὐτῶν μένειν φιλεῖ.

26

1 Ἀμφὶ δὲ τοῦτον τὸν χρόνον καὶ Εὐνόμιος, ὃς ἀντὶ Ἐλευσίου τὴν ἐν Κυζίκῳ ἐκκλησίαν κατεῖχε, τῆς Ἀρείου αἱρέσεως προϊστάμενος ἑτέραν παρὰ ταύτην εἰσηγήσατο, ἣν οἱ μὲν ἀπ' αὐτοῦ ὀνομάζουσιν, οἱ δὲ τὴν τῶν Ἀνομοίων καλοῦσι. **2** Φασὶ δέ τινες πρῶτον τοῦτον Εὐνόμιον τολμῆσαι εἰσηγήσασθαι ἐν μιᾷ καταδύσει χρῆναι ἐπιτελεῖν τὴν θείαν

1. Sozomène, qui ne prétend pas être théologien (cf. *H.E.* VI, 27, 7), évite l'exposé dogmatique et se limite, en historien, au récit des causes et des conséquences de l'hérésie. L'apollinarisme, doctrine d'une véritable rigueur philosophique, était fondé sur des présupposés aristotéliciens. Selon C. KANNENGIESSER, «Apollinaire concevait l'être composé du Verbe fait chair sur le mode d'une intégration substantielle de la chair à ce Verbe. Il excluait de l'être du Christ la raison *(noûs)* ou l'âme supérieure... il définissait le Christ comme «Dieu incarné», sans disposer encore de la notion... de l'union hypostatique de ses deux natures» (*DECA*, p. 185-188).

2. Déjà nommé en *H.E.* IV, 25, 16. Cappadocien, secrétaire et disciple d'Aèce, il est le principal représentant de l'arianisme radical, celui des anoméens pour qui le Fils est «différent» du Père. Eudoxe l'ordonna

l'hérésie susdite[1], se vengeant de son ennemi par le moyen où il était capable – je veux dire par l'art des discours – et prouvant que Georges avait abaissé un meilleur que lui dans l'enseignement des saints dogmes, alors qu'il ne le valait pas. C'est ainsi que les haines privées des clercs d'un moment donné ont nui extrêmement à l'Église et ont divisé la religion en une foule d'hérésies. **14** En voici la preuve : si, comme Théodote, Georges aussi avait accueilli Apollinaire repentant, il n'y aurait pas eu, je pense, l'hérésie qui porte son nom. Car la nature humaine, si elle est méprisée, fait l'arrogante et se tourne vers la querelle et les innovations ; mais si elle jouit de droits égaux, elle garde d'ordinaire la modération et demeure dans les mêmes dispositions.

Chapitre 26

Eunome et son maître Aèce ;
ce qui les concerne, quelles sont leurs croyances.
Ils sont les premiers à avoir songé
à une seule immersion pour le baptême.

1 Vers ce même temps, Eunome aussi, qui avait remplacé Éleusios sur le siège de Cyzique[2], présidant à la secte arienne, introduisit en plus de celle-là une autre hérésie, que les uns dénomment d'après lui et que d'autres appellent celle des anoméens. **2** Certains disent que cet Eunome osa le premier introduire la doctrine qu'il fallait

diacre en 357, puis le consacra évêque de Cyzique en 360. Sa prédication extrémiste le fit éloigner. Après 362, avec Aèce, il organisa une église séparée. Théodose l'exila en 383, mais d'après Sozomène, *H.E.* VII, 17, 1, l'autorisa à rentrer dans sa patrie où il mourut (*c.* 394) : cf. *DECA*, p. 909 M. SIMONETTI.

βάπτισιν, καὶ παραχαράξαι τὴν ἀπὸ τῶν ἀποστόλων εἰσέτι νῦν ἐν πᾶσι φυλαττομένην παράδοσιν, καὶ ὡς ἐπίπαν ἑτέραν τινὰ τῆς αὐτοῦ ἐκκλησίας ἐξευρεῖν ἀγωγήν, σεμνότητι καὶ ἀκριβείᾳ πλείονι τὴν καινότητα περιπέττουσαν. **3** Ἐγένετο δὲ καὶ τεχνίτης λόγων καὶ ἐριστικὸς καὶ συλλογισμοῖς χαίρων· τοιούτους δὲ τοὺς πολλοὺς τῶν τὰ αὐτοῦ φρονούντων ἔστιν ἰδεῖν. Οὐ μᾶλλον γὰρ ἐπαινοῦσι βίον ἀγαθὸν ἢ τρόπον ἢ τὸν περὶ τοὺς δεομένους ἔλεον, εἰ μὴ **273** τὰ | αὐτὰ δοξάζοιεν, ὅσον εἴ τις ἐριστικῶς διαλέγοιτο καὶ 1364 κρατεῖν δοκοίη συλλογιζόμενος· ὁ τοιοῦτος γὰρ | εὐσεβὴς παρὰ πάντας νομίζεται. **4** Ὡς δ' ἄλλοις δοκεῖ, τἀληθέστερον οἶμαι λέγουσιν, ὡς Θεοφρόνιος ὁ Καππαδόκης καὶ Εὐτύχιος, σπουδασταὶ ταύτης τῆς αἱρέσεως, ἀποτεμόντες σφᾶς ἐπὶ τῆς ἐχομένης βασιλείας περί τε ἄλλα τῶν Εὐνομίῳ δοξάντων καὶ περὶ τὴν θείαν βάπτισιν ἐνεωτέρισαν, οὐκ

1. Au lieu des trois immersions canoniques correspondant à la confession trinitaire. A partir du *De baptismo* de Tertullien, la liturgie baptismale était bien établie au IVe siècle, où Cyrille de Jérusalem, Jean Chrysostome, Ambroise, puis Augustin en donnèrent des catéchèses à la fois doctrinales et liturgiques. La particularité du baptême eunomien est attestée par l'historien arien PHILOSTORGE, *H.E.* X, 4 (éd. Bidez - Winkelmann, *GCS*, p. 127) et par THÉODORET, *Haereticarum fabularum compendium* IV, 3 (*PG* 83, 420 BC). Sozomène donne aux §§ 7-9, par exception, un commentaire sur un point de doctrine et de liturgie. Son raisonnement paraît être le suivant : le seul baptême qui compte pour les eunomiens est l'immersion unique dans la mort du Christ. Deux cas sont possibles. Ou les eunomiens ont été baptisés à la façon habituelle (triple immersion au nom de la Trinité) : ils ne sont pas alors, de leur propre point de vue, vraiment baptisés et ne peuvent donc en baptiser d'autres. Ou les eunomiens, sans avoir été baptisés d'aucune manière, introduisent la règle du baptême par immersion unique dans la mort du Christ. Mais alors, n'étant baptisés d'aucune manière, ils ne peuvent pas donner à d'autres ce qu'ils n'ont pas eux-mêmes!

2. Eunome ayant été vite censuré, il nous reste peu de ses nombreux écrits. Dans son *Apologie* (361), il exposait la doctrine arienne radicale : «Le Verbe qui n'est pas pleinement Dieu et ne fait que recevoir du Père sa puissance sans participer à son essence en est différent» (*DHGE*, 15, 1963, 1399-1406, M. SPANNEUT). Mais il a suscité,

accomplir le divin baptême par une seule immersion[1], qu'il falsifia la tradition observée chez tous depuis les Apôtres jusqu'à ce jour, et en général qu'il imagina pour son église certain comportement différent, qui déguisait la nouveauté sous une apparence de sérieux et d'exactitude plus grande. **3** Il fut aussi un habile artisan de discours[2], un grand disputeur, qui prenait plaisir aux syllogismes[3] : et l'on peut voir que la plupart de ceux qui avaient les mêmes sentiments lui ressemblent sur ce point. Ils ne louent pas en effet une vie ou des mœurs vertueuses ou la miséricorde à l'égard des pauvres, sauf si l'on partage leurs opinions, autant que si l'on est habile à la dispute et semble l'emporter dans l'argumentation : est-on tel, on est tenu pour plus pieux que tous. **4** Selon d'autres pourtant, – et je pense qu'ils disent plus vrai –, c'est Théophronios de Cappadoce et Eutychios, partisans zélés de cette hérésie, qui, s'en étant séparés sous le règne suivant, innovèrent pour ce qui concerne en général les dogmes d'Eunome et en particulier le divin baptême[4] : ils ont introduit l'usage de baptiser non pas au nom de

par contre-coup, une très importante littérature orthodoxe qui a été, elle, conservée. Notamment, son *Apologie* (éd. Sesboüé-de Durand-Doutreleau, *SC* 305, 1983, p. 234-299) fut réfutée par BASILE DE CÉSARÉE, *Contre Eunome* (éd. Sesboüé-de Durand-Doutreleau *SC* 299 et 305), auquel Eunome répliqua par son *Apologie de l'Apologie* (378) que GRÉGOIRE DE NYSSE réfuta à son tour dans son *Contre Eunome* (*Gregorii Nysseni Opera*, éd. W. JAEGER, I-III, Leiden, 1960).

3. L'esprit de la théologie d'Eunome est de tendance logicienne : cf. *DHGE* 15 c. 1406 M. SPANNEUT. D'après THÉODORET, *Haereticarum fabularum compendium* IV, 3 (*PG* 83, 420 B), il avait « fait de la théologie une technologie ». Encore plus précis, GRÉGOIRE DE NYSSE, *Contre Eunome* (éd. W. JAEGER, II, p. 162 et 309), dénonce l'origine aristotélicienne de cette « technologie ».

4. Malgré la fâcheuse réputation d'Eunome, Sozomène prend soin, en historien, de ne pas l'accabler sous le poids des déviations ultérieures de sa doctrine sous Théodose : il anticipe sur l'exposé détaillé qu'il en donnera en VII, 17, 1-9.

εἰς τριάδα, ἀλλ' εἰς τὸν τοῦ Χριστοῦ θάνατον βαπτίζεσθαι εἰσηγησάμενοι· **5** Εὐνόμιον μέντοι μηδὲν περὶ τούτου καινοτομῆσαι, ἀλλ' ἐξ ἀρχῆς τοῦτον τὰ Ἀρείου φρονῆσαι καὶ οὕτω διαμεῖναι, ἐπίσκοπον δὲ Κυζίκου γενόμενον κατηγορηθῆναι παρὰ τῶν ὑπ' αὐτὸν κληρικῶν ὡς νεωτέρων δογμάτων εἰσηγητήν. **6** Τηνικαῦτα δὲ Εὐδόξιον τὸν ἡγούμενον ἐν Κωνσταντινουπόλει τῆς Ἀρείου αἱρέσεως μετακαλεσάμενον αὐτὸν ἐπιτρέψαι τῷ λαῷ προσομιλῆσαι περὶ τοῦ δόγματος· μὴ καταγνόντα δὲ μηδὲν προτρέψασθαι μὲν εἰς Κύζικον ἐπανελθεῖν, τὸν δὲ φῆσαι μὴ αἱρεῖσθαι λοιπὸν τοῖς ἐν ὑπονοίᾳ αὐτῷ γενομένοις συνεῖναι, καὶ πρόφασιν ταύτην τοῦ χωρισμοῦ ποιήσασθαι, **7** τὸ δὲ ἀληθὲς ὅτι Ἀέτιον τὸν αὐτοῦ διδάσκαλον οὐ προσεδέξαντο· ἐφ' ἑαυτοῦ δὲ μεῖναι μηδὲν τῆς προτέρας δόξης παραλλάξαντα. Ταῦτα οἱ μὲν ὧδε, οἱ δὲ ἑτέρως λέγουσιν. Ἀλλ' εἴτε Εὐνόμιος εἴτε ἄλλοι τινὲς περὶ τὴν παράδοσιν τοῦ βαπτίσματος ταῦτα ἐνεωτέρισαν, ἐμοὶ δοκεῖ μόνοι κατὰ τὸν αὐτὸν λόγον κινδυνεύουσιν ἄμοιροι τῆς θείας βαπτίσεως τὸν βίον καταλιπεῖν. **8** Ἢ γὰρ κατὰ τὸ νενομισμένον ἐξ ἀρχῆς βαπτισθέντες πρότερον αὐτοὶ ἑαυτοὺς ἀναβαπτίζειν οὐκ ἠδύναντο, ἢ τὸ μὴ συμβὰν ἐπὶ αὐτῶν τὴν ἀρχὴν εἰσηγοῦντο, καὶ ὃ μήτε αὐτοὶ ἦσαν μήτε δι' ἄλλων ἐγένοντο, τοῦτο ἑτέρους ἐποίουν, καὶ ἐξ ἀνυποστάτου τινὸς ἀρχῆς καὶ ἰδίας καταλήψεως τουτὶ τὸ δόγμα συστησάμενοι, ἃ μὴ αὐτοὶ παρειλήφασιν, ἄλλοις παραδεδώκασιν, ὅπερ εὐηθές ἐστι. **9** Συνωμολόγηται γὰρ καὶ παρ' αὐτῶν τοὺς ἀμυήτους μὴ δύνασθαι ἄλλους βαπτίζειν· ὁ δὲ τῷ τρόπῳ τῆς αὐτῶν παραδόσεως μὴ βαπτισθεὶς ἀβάπτιστος αὐτοῖς εἶναι δοκεῖ, ὡς μὴ δεόντως μυηθείς· καὶ μαρτυροῦσιν αὐτοὶ οὓς ἂν **274** δύνωνται πείθειν τὰ αὐτῶν | φρονεῖν ἀναβαπτίζοντες, εἰ καὶ

la Trinité, mais au nom de la mort du Christ. **5** Eunome, selon eux, n'aurait fait aucune innovation sur ce point, mais il avait été dès le début partisan d'Arius et l'était resté, puis, une fois devenu évêque de Cyzique, il avait été accusé par ses clercs d'introduire des dogmes nouveaux. **6** A ce moment-là, Eudoxe, chef de l'hérésie arienne à Constantinople, l'avait fait venir et lui avait recommandé de prêcher devant le peuple sur le dogme : sans l'avoir condamné en rien, il l'avait engagé à retourner à Cyzique ; mais Eunome avait répondu qu'il préférait n'avoir plus de rapports avec des gens qui l'avaient soupçonné, et il avait fait de cela le prétexte de sa séparation. **7** Mais la vraie raison était qu'ils n'avaient pas accepté Aèce, son maître ; quant à lui, il était resté fidèle à ses principes, sans avoir changé sa première opinion. Les uns donc disent ainsi, les autres parlent autrement. Mais que ce soit Eunome ou d'autres qui ont innové ainsi touchant la tradition du baptême, il me semble à moi qu'eux seuls, en vertu de leur propre thèse, risquent de quitter la vie en étant privés du divin baptême. **8** Ou bien en effet ils avaient été baptisés auparavant selon la règle établie à l'origine, et alors ils ne pouvaient pas se rebaptiser entre eux ; ou bien ils en introduisaient une qui n'avait pas eu cours pour eux au départ : de la sorte, ce qu'ils n'étaient pas eux-mêmes et n'étaient pas devenus par d'autres, ils voulaient le réaliser pour autrui ; alors, ayant institué cette doctrine à partir d'un principe sans fondement solide et d'une conception qui leur était particulière, ils ont transmis à d'autres ce qu'ils n'avaient pas reçu eux-mêmes, ce qui est absurde. **9** Il est convenu en effet même de leur part que les non-initiés ne peuvent baptiser d'autres personnes. Or celui qui n'a pas été baptisé selon le mode de leur tradition leur paraît être non baptisé, comme n'ayant pas été correctement initié. Et ils le prouvent eux-mêmes en rebaptisant ceux qu'ils

1365 | ἔφθασαν μυηθῆναι κατὰ τὴν παράδοσιν τῆς καθόλου ἐκκλησίας. **10** Ἐθορύβει μὲν οὖν οὐ μετρίως καὶ ταῦτα τὴν θρησκείαν, καὶ τοῖς ἐθέλουσι χριστιανίζειν ἐμπόδιον ἐγένετο τὸ διάφορον τῶν ἐπιγενομένων δογμάτων. Ἑκάστοτε γὰρ καρτεραὶ διαλέξεις ἐγίνοντο καὶ ὡς ἐν ἀρχομέναις αἱρέσεσιν ἤκμαζον, οὐ τοὺς τυχόντας σπουδῇ καὶ λόγων δυνάμει καθηγητὰς ἔχουσαι· ὡς δὲ συμβάλλειν ἔστι, μικροῦ τῆς καθόλου ἐκκλησίας εἰς τὴν αὐτῶν δόξαν τοὺς πλείους παρέσυραν, εἰ μὴ τοὺς ἀμφὶ Βασίλειον καὶ Γρηγόριον τοὺς Καππαδόκας ἀντιπάλους ηὗρον. **11** Καὶ ἡ Θεοδοσίου βασιλεία οὐκ εἰς μακρὰν ἐπιγενομένη τὴν ἐπιχείρησιν ἔστησεν καὶ αὐτοὺς τοὺς ἀρχηγοὺς τῶν αἱρέσεων ἐκ τοῦ συχνοτέρου τῆς ἀρχομένης εἰς ἐρημοτέρους τόπους ἐχώρισεν. **12** Ὥστε δὲ μὴ παντελῶς ἡμᾶς ἀγνοεῖν τὸ δόγμα τῆς ἑκατέρου αἱρέσεως, ἰστέον ὡς τῆς κατ' Εὐνόμιον δόξης πρῶτος Ἀέτιος ὁ Σύρος εὑρετὴς ἐγένετο, ἀνόμοιον τῷ πατρὶ τὸν υἱὸν κτιστόν τε καὶ ἐξ οὐκ ὄντων γεγονέναι μετὰ Ἄρειον ἀποφηνάμενος. **13** Καὶ οἱ τάδε φρονοῦντες Ἀετιανοὶ τὸ πρὶν ὠνομάζοντο. Ἐπεὶ δέ, ὡς ἐν τῇ Κωνσταντίου εἴρηται βασιλείᾳ, τῶν μὲν ὁμοούσιον τῶν δὲ ὁμοιούσιον τὸν υἱὸν δοξαζόντων, ὅμοιον ἔδοξε λέγειν τοῖς τότε κρατοῦσι κατὰ τὴν ἐν Ἀριμήνῳ σύνοδον, Ἀέτιος μὲν κατεδικάσθη φεύγειν ὡς εἰς θεὸν βλασφημῶν, ἡ δὲ

1. Sozomène ne cache pas le succès d'Eunome qui suscita non seulement, comme il le dit, les répliques de Basile *(Contre Eunome)* vers 368 et de son frère Grégoire de Nysse – ici « Grégoire de Cappadoce » dont le *Contre Eunome* en 12 livres, composé vers 380-383, constitue un document capital –, mais aussi celles de Grégoire de Nazianze vers 380, dans ses *Discours théologiques*, surtout le 29e et le 30e, où il réfute les anoméens sans daigner les nommer, d'Apollinaire (d'après PHILOSTORGE, *H.E.* VIII, 12, éd. Bidez-Winkelmann, *GCS*, p. 114, 1-2), de Didyme (*Sur la Trinité*), de Théodoret, de Théodore de Mopsueste, de Diodore de Tarse et de Cyrille d'Alexandrie.

2. En 383, Eunome, sommé par Théodose de fournir le résumé de

ont pu gagner à leur opinion, même s'ils ont été d'abord initiés selon la tradition de l'Église catholique. **10** Tout cela ne troublait pas médiocrement la religion et ces dogmes différents qui se succédaient étaient un obstacle pour ceux qui voulaient devenir chrétiens. Car il y avait chaque fois fortes disputes, celles-ci florissaient comme il arrive dans le début des hérésies, ceux qui les menaient n'étant pas les premiers venus pour le zèle et la force des discours. Autant qu'on puisse en juger, ils auraient entraîné, peu s'en faut, à leur parti le plus grand nombre de l'Église catholique, si, comme adversaires, ils n'avaient trouvé Basile et Grégoire de Cappadoce[1]. **11** Et le règne de Théodose, qui survint peu après, arrêta leur tentative[2] et fit déporter les chefs eux-mêmes des hérésies d'un lieu très habité de l'Empire en des lieux plus déserts. **12** Mais pour que nous n'ignorions pas complètement la doctrine de chacune de ces deux hérésies, il faut savoir que le premier inventeur de celle d'Eunome fut le syrien Aèce[3] qui, après Arius, déclara que le Fils était dissemblable du Père, qu'il était créé et qu'il avait été tiré du néant. **13** Les tenants de cette opinion étaient d'abord nommés aétiens. Quand ensuite, comme il a été dit dans le récit du règne de Constance, les uns tenant le Fils pour *homoousios*, les autres pour *homoiousios*, il eut été décidé par ceux qui l'emportèrent alors au concile de Rimini[4] de le dire semblable, Aèce fut condamné à l'exil comme blasphémant

sa doctrine, rédigea sa *Profession de foi*, qui fut réfutée par Grégoire de Nysse, *Contre Eunome* (éd. W. Jaeger II, p. 312-410). Le texte de cette *Profession* se trouve en note de l'*H.E.* de Socrate dans *PG* 67, 587-590.

3. Le maître d'Eunome a déjà été nommé au livre III, 15, 7; 19, 7 et au livre IV, 12, 1-4; 13, 2. 3. 6.

4. En 359 (*H.E.* IV, 16-19).

ὑπ' αὐτοῦ συστᾶσα αἵρεσις τρόπον τινὰ τὸν ἐν μέσῳ διελύθη χρόνον, οὔτε ἄλλου του τῶν ἐν λόγῳ οὔτε Εὐνομίου εἰς τὸ φανερὸν ἐπὶ ταύτῃ παρρησιάζεσθαι τολμῶντος. **14** Ὡς δὲ τὴν Κυζικηνῶν ἐκκλησίαν ἀντὶ Ἐλευσίου παρείληφεν, οὐκέτι παντελῶς ἠρεμεῖν ἠνείχετο, καὶ ἐν πλήθει διαλεγόμενος αὖθις τὴν Ἀετίου δόξαν εἰς μέσον ἤγαγεν. Οἷα δὲ φιλεῖ πολλάκις, ἐπιλαθόμενοι οἱ ἄνθρωποι τοῦ πρώτου ταύτην εὑρόντος τὴν αἵρεσιν, Εὐνομίῳ τοὺς ὧδε φρονοῦντας ἐπωνόμασαν, καθότι μετὰ Ἀέτιον τοῦτο τὸ δόγμα ἀνενέωσε καὶ τολμηρότερον ἐπεξειργάσατο τοῦ τὴν ἀρχὴν παραδόντος.

27

1368 **1** | Εὐνόμιον μὲν οὖν τὰ αὐτὰ φρονεῖν Ἀετίῳ συνομολογεῖν δέον· καὶ γὰρ δὴ καὶ αὐτὸς Εὐνόμιος **275** διδάσκαλον Ἀέτιον αὐχεῖ καὶ μαρτυρεῖ τοῦτο πολ|λάκις ἐν ἰδίοις γράμμασι παρρησιαζόμενος. Ἀπολινάριον δὲ ἐπαιτιώμενος Γρηγόριος ὁ Ναζιανζοῦ ἐπισκοπήσας ἐν ἐπιστολῇ που τάδε γράφει πρὸς Νεκτάριον τὸν ἡγησάμενον τῆς ἐν Κωνσταντινουπόλει ἐκκλησίας·

2 « Τὸ δὲ ἐγκόλπιον ἡμῶν κακὸν Εὐνόμιος οὐκέτι ἀγαπᾷ

1. De 358 à 360, Aèce fut accusé plusieurs fois. Il fut condamné au concile de Constantinople (360), l'empereur Constance voulant frapper, au profit des homéens, les ariens radicaux autant que les nicéens. Il bénéficia du rappel par Julien des évêques exilés (362). L'empereur se montra même très chaleureux à son égard étant donné les excellents rapports qu'Aèce avait entretenus avec son demi-frère Gallus quand celui-ci était César à Antioche (351-354). Il reprit alors sa propagande et fut consacré évêque de sa secte. Comme Eunome qu'il avait formé, c'était un fin dialecticien qui savait manier habilement les syllogismes et les dilemmes (on lui prête 300 dissertations doctrinales) : cf. *DECA*, p. 39 M. SIMONETTI.

2. Sozomène cite la *lettre* 202 de Grégoire de Nazianze (*Lettres théologiques*, éd. P. Gallay - M. Jourjon, *SC* 208, 1974 et 1998, §§ 6-17, p. 88-93). Sur Nectaire et son ordination inattendue, voulue par Théodose

contre Dieu[1], et la secte qu'il avait fondée se désagrégea de quelque façon entre temps, aucun des hommes de renom ni Eunome même n'osant se déclarer franchement en sa faveur. **14** Mais quand Eunome eut reçu en charge, à la place d'Éleusios, l'église de Cyzique, il ne supporta plus de rester complètement muet et, dans des conférences en public, de nouveau il produisit au jour l'opinion d'Aèce. Comme il arrive souvent, on oublia celui qui le premier avait inventé cette hérésie et l'on dénomma d'après Eunome ceux qui la partageaient, attendu que, après Aèce, Eunome avait rénové cette doctrine et l'avait menée à son terme avec plus d'audace que celui qui en avait livré le principe.

Chapitre 27

Apollinaire et Eunome;
ce qu'écrit Grégoire le théologien dans sa lettre à Nectaire.
C'est grâce à la sagesse des moines qui vivaient alors
que leur hérésie s'est éteinte;
l'hérésie de ces deux hommes, en effet,
divisa à peu près tout l'Orient.

1 Eunome donc partagea les opinions d'Aèce, on doit en convenir. Et de fait Eunome lui-même se glorifie d'avoir eu Aèce pour maître et il en témoigne souvent quand il parle franchement en ses écrits. Quant à Apollinaire, Grégoire, qui avait été évêque de Nazianze, l'accuse quelque part en ces termes dans une lettre à Nectaire, le chef de l'église de Constantinople[2] :

2 «Ce fléau né en notre sein, Eunome, ne se contente

après la démission du même Grégoire, voir *H.E.* VII, 8. Nectaire fut un grand évêque de Constantinople de 381 à 397 : cf. *DECA,* p. 1714-1715 D. STIERNON.

τὸ ὁπωσοῦν εἶναι, ἀλλ' εἰ μὴ πάντας τῇ ἑαυτοῦ ἀπωλείᾳ συνεφελκύσαιτο, ζημίαν κρίνει. Καὶ ταῦτα μὲν φορητά, τὸ δὲ πάντων χαλεπώτατον ἐν ταῖς ἐκκλησιαστικαῖς συμφοραῖς ἡ τῶν Ἀπολιναριστῶν ἐστι παρρησία. **3** Οὓς οὐκ οἶδα πῶς παρεῖδέ σου ἡ ὁσιότης πορισαμένους ἑαυτοῖς τὴν τοῦ συνάγειν ὁμοτίμως ἡμῖν παρρησίαν. Πάντως μὲν οὖν διὰ πάντων κατὰ θεοῦ χάριν τὰ θεῖα πεπαιδευμένος μυστήρια οὐ μόνον τὴν τοῦ ὀρθοῦ λόγου συνηγορίαν ἐπίστασαι, ἀλλὰ κἀκεῖνα ὅσα παρὰ τῶν αἱρετικῶν κατὰ τῆς ὑγιαινούσης ἐπινενόηται πίστεως · πλὴν καὶ παρὰ τῆς βραχύτητος ἡμῶν οὐκ ἄκαιρον ἴσως ἀκοῦσαί σου τὴν σεμνοπρέπειαν, ὅτι μοι πυκτίον γέγονεν ἐν χερσὶ τοῦ Ἀπολιναρίου, ἐν ᾧ τὰ κατασκευαζόμενα πᾶσαν αἱρετικὴν κακίαν παρέρχεται. **4** Διαβεβαιοῦται γὰρ μὴ ἐπίκτητον εἶναι τὴν σάρκα κατ' οἰκονομίαν ὑπὸ τοῦ μονογενοῦς υἱοῦ προσληφθεῖσαν ἐπὶ μεταστοιχειώσει τῆς φύσεως ἡμῶν, ἀλλ' ἐξ ἀρχῆς ἐν τῷ υἱῷ τὴν σαρκώδη ἐκείνην φύσιν εἶναι. Καὶ κακῶς ἐκλαβὼν εὐαγγελικήν τινα ῥῆσιν εἰς μαρτυρίαν τῆς τοιαύτης ἀτοπίας προβάλλεται λέγων ὅτι « οὐδεὶς ἀναβέβηκεν εἰς τὸν οὐρανὸν εἰ μὴ ὁ ἐκ τοῦ οὐρανοῦ καταβάς, ὁ υἱὸς τοῦ ἀνθρώπου[a] », ὡς καὶ πρὶν κατελθεῖν αὐτὸν υἱὸν ἀνθρώπου εἶναι καὶ κατελθεῖν ἰδίαν ἐπαγόμενον σάρκα ἐκείνην, ἣν ἐν οὐρανοῖς ἔχων ἐτύγχανε προαιώνιόν τινα καὶ συνουσιωμένην. **5** Λέγει γὰρ πάλιν ἀποστολικήν τινα ῥῆσιν ὅτι « ὁ δεύτερος ἄνθρωπος ἐξ οὐρανοῦ[b] » · εἶτα κατασκευάζει τὸν ἄνθρωπον ἐκεῖνον τὸν ἄνωθεν ἥκοντα νοῦν μὴ ἔχειν, ἀλλὰ τὴν θεότητα τοῦ μονογενοῦς τὴν τοῦ νοῦ φύσιν ἀναπληρώσασαν μέρος γενέσθαι τοῦ ἀνθρωπίνου συγκρίματος τὸ τριτημόριον, ψυχῆς τε καὶ σώματος κατὰ τὸ ἀνθρώπινον περὶ αὐτὸν **276** ὄντων, νοῦ δὲ μὴ ὄντος, ἀλλὰ τὸν ἐκείνου | τόπον τοῦ θεοῦ λόγου ἀναπληροῦντος. **6** Καὶ οὔπω τοῦτο δεινόν, ἀλλὰ τὸ πάντων χαλεπώτατον, ὅτι αὐτὸν τὸν μονογενῆ θεόν,

a. Jn 3, 13.
b. 1 Co 15, 47.

plus d'être n'importe quoi : s'il n'a pas entraîné tout le monde en sa ruine, il le tient pour un dommage. Cela encore, on le supporterait, mais le pire de tout dans les malheurs de l'Église, c'est la liberté de parole des apollinaristes. **3** Je ne sais comment ta Sainteté les a laissés se procurer la liberté de se réunir avec la même considération que nous. Bien sûr, pleinement instruit comme tu es en tout point, par la grâce de Dieu, dans les saints mystères, non seulement tu es capable de défendre l'orthodoxie, mais encore tu sais tout ce qui a été imaginé par les hérétiques contre la saine foi. Néanmoins, il n'est peut-être pas hors de propos que ta Dignité apprenne de ma petitesse qu'il m'est tombé entre les mains un volume d'Apollinaire, où ses inventions dépassent toute espèce de perversion hérétique. **4** Il y soutient en effet que la chair assumée, selon le plan divin, par le Fils Monogène pour la transformation de notre nature n'a pas été acquise, mais que dès le principe cette nature charnelle était dans le Fils. Ayant pris dans un mauvais sens un texte évangélique pour témoigner en faveur d'une telle folie, il le met en avant, disant : « Nul n'est monté au ciel hormis celui qui est descendu du ciel, le Fils de l'Homme[a] », en sorte qu'avant même de descendre, il est le Fils de l'Homme, et qu'il descend en amenant avec soi cette chair, qu'il avait déjà aux cieux comme une certaine chair prééternelle et unie à son essence. **5** Il cite en effet encore un texte de l'Apôtre que « le second homme vient du ciel[b] ». Puis il invente que cet Homme-là, qui vient d'en haut, n'a pas d'intellect, mais que c'est la déité du Monogène qui a suppléé la nature de l'intellect et qu'elle a été le tiers du composé humain, l'âme et le corps étant dans l'Homme selon la nature humaine, l'intellect en revanche n'y étant pas, mais le Dieu Verbe en tenant la place. **6** Mais cela n'est pas encore terrible. Le pire de tout, c'est que ce Dieu Monogène lui-même,

τὸν κριτὴν τῶν ὄντων, τὸν ἀρχηγὸν τῆς ζωῆς, τὸν καθαιρέτην τοῦ θανάτου, θνητὸν εἶναι κατασκευάζει, καὶ
1369 τῇ ἰδίᾳ αὐτοῦ θεό | τητι πάθος δέξασθαι καὶ ἐν τῇ τριημέρῳ ἐκείνῃ νεκρώσει τοῦ σώματος καὶ τὴν θεότητα συναπονεκρωθῆναι τῷ σώματι καὶ οὕτω παρὰ τοῦ πατρὸς πάλιν ἀπὸ τοῦ θανάτου διαναστῆναι. Τὰ δὲ ἄλλα ὅσα προστίθησι ταῖς τοιαύταις ἀτοπίαις, μακρὸν ἂν εἴη διεξιέναι.»

7 Οἷα μὲν οὖν καὶ ὅπως περὶ θεοῦ δοξάζουσιν Ἀπολινάριός τε καὶ Εὐνόμιος, ἐκ τῶν εἰρημένων ὅτῳ μέλει σκοπείτω. Εἰ δὲ περὶ μάθησιν ἀκριβῆ τῶν τοιούτων πονεῖν ἔγνωκεν, ἐκ τῶν γεγραμμένων ἢ αὐτοῖς ἢ ἑτέροις περὶ αὐτῶν ἐπιζητείτω τὰ πλείω, ἐπεὶ ἐμοὶ οὔτε συνιέναι τὰ τοιαῦτα οὔτε μεταφράζειν εὐπετές.

8 Ὡς ἔοικε δέ, πρὸς ταῖς εἰρημέναις αἰτίαις τὸ μὴ κρατῆσαι τάδε τὰ δόγματα καὶ εἰς πολλοὺς προελθεῖν μάλιστα τοῖς τότε μοναχοῖς λογιστέον · ἀπρὶξ γὰρ εἴχοντο τῶν ἐν Νικαίᾳ δογμάτων οἵ τε ἐν Συρίᾳ καὶ Καππαδοκίᾳ καὶ πέριξ τούτων φιλοσοφοῦντες. **9** Ἡ μὲν γὰρ ἕως ἀπὸ Κιλίκων ἀρξαμένη μέχρι Φοινίκων ἐκινδύνευσε γενέσθαι τῆς Ἀπολιναρίου μερίδος, Εὐνομίου δὲ ἀπὸ Κιλίκων καὶ Ταύρου τοῦ ὄρους μέχρι τοῦ Ἑλλησπόντου καὶ τῆς Κωνσταντινουπόλεως. Ῥᾳδίως γὰρ ἑκάτερος παρ' οἷς διέτριβε καὶ τοὺς πέλας τὰ αὐτοῦ φρονεῖν ἔπειθε. **10** Παραπλήσιον δέ πως τοῖς ἐπὶ Ἀρείου καὶ ἐπὶ τούτοις συμβέβηκε · τὸ

1. Le rôle salutaire des moines a déjà été souligné dans le grand éloge du livre I, 12 et en III, 14-16. Sozomène est un excellent témoin d'un important changement des mentalités chrétiennes où la sainteté des moines prend le pas sur l'autorité des évêques (cf. M. Forlin Patrucco, «Modelli monastici e modelli episcopali nella società tardoantica», dans *Historiam perscrutari,* Mél. O. Pasquato, Roma, 2002, M. Maritano éd., p. 279-295 et G. Sabbah, «D'Eusèbe à Sozomène : empereurs, évêques et moines», dans Ad contemplandam sapientiam. *Studi di filologia, letteratura, storia in memoria di Sandro Leanza,* Soveria Mannelli, 2004, p. 599-618).

2. Sozomène veut inspirer aux lecteurs un effroi rétrospectif devant le spectre d'un Orient entièrement dominé par l'hérésie et partagé entre

le juge des êtres, le premier auteur de la vie, le destructeur de la mort, Apollinaire invente qu'il est mortel, qu'il a souffert la passion par sa propre déité, que, dans cette mort du corps durant trois jours, la déité aussi a été dans la mort avec le corps et qu'ainsi elle a été ressuscitée de la mort par le Père. Toutes les autres choses qu'il ajoute à ces folies, il serait trop long de les parcourir. »

7 Ce que donc Apollinaire et Eunome opinent sur Dieu et de quelle manière, que l'observent d'après ce qui a été dit ceux que cela intéresse. Et si l'on a décidé de se donner de la peine pour une connaissance exacte de ces matières, qu'on en fasse principalement la recherche d'après ce qui a été écrit ou par eux-mêmes ou par d'autres sur eux, car, quant à moi, il ne m'est facile ni de comprendre ni de paraphraser de telles théories.

8 A ce qu'il semble, outre les causes indiquées, que ces dogmes ne l'aient pas emporté et n'aient pas touché beaucoup de gens, il faut l'attribuer surtout aux moines de ce temps-là[1] : de fait, ceux qui menaient la vie d'ascèse en Syrie, en Cappadoce et dans les régions d'alentour restaient fermement attachés aux dogmes de Nicée. **9** Il y eut risque en effet que l'Orient, de la Cilicie à la Phénicie, ne se rangeât au parti d'Apollinaire et que, de la Cilicie et du mont Taurus à l'Hellespont et à Constantinople, il ne se rangeât au parti d'Eunome[2]. Car chacun des deux persuadait facilement le pays où il vivait et les pays voisins de penser comme lui. **10** Mais il arriva à peu près la même chose à leur sujet qu'aux ariens.

eunomiens et apollinaristes. La résistance salutaire des moines réitère sous Valens ce qui s'était produit sous Constance. Ainsi est introduit et justifié le long éloge des moines qui occupera les chap. 28 et suivants, non sans quelques doublets volontaires avec les chapitres « monastiques » des livres I et III.

γὰρ τῇδε πλῆθος τοὺς δηλωθέντας μοναχοὺς τῆς ἀρετῆς τῶν ἔργων ἐκθαυμάζον ὀρθῶς αὐτοὺς δοξάζειν ἐπίστευε, καὶ τοὺς ἄλλως φρονοῦντας οἷά γε μὴ καθαρεύοντας νόθων δογμάτων ἀπεστρέφοντο, ὥσπερ Αἰγύπτιοι τοῖς παρ' αὐτοῖς μοναχοῖς ἑπόμενοι ἐναντίως εἶχον πρὸς τοὺς Ἀρείου.

28

1 Εἰς καιρὸν δέ μοι δοκεῖ ἐπιμνησθέντι τῶν τότε ἐν Χριστιανισμῷ φιλοσοφούντων ὅσους ἂν δυναίμην διεξελθεῖν. Πλείστη γὰρ κατ' ἐκεῖνο καιροῦ φορὰ θεοφιλῶν ἀνδρῶν **277** ἐπήνθει. Διέπρεπε δὲ κατὰ τούτους ὧν ἴσμεν ἐν | Αἰγύπτῳ Ἰωάννης, ᾧ τὸ μέλλον καὶ ἄλλοις ἄδηλον ὁ θεὸς ἐδήλωσεν οὐχ ἧττον ἢ τοῖς πάλαι προφήταις καὶ δῶρον ἔδωκεν ἰᾶσθαι τοὺς ἀνιάτοις πάθεσι καὶ νόσοις κάμνοντας, **2** καὶ Ὧρ ὃς ἐκ νέου διέτριβεν ἐν ἐρημίαις, ἀεὶ τὸ θεῖον ὑμνῶν, ἐτρέφετο δὲ βοτάναις καὶ ῥίζαις τισίν, ὕδωρ δὲ ἔπινεν εἴ πῃ ηὗρεν· ἐπεὶ δὲ γέρων ἦν, κατὰ θείαν πρόσταξιν μετοικισθεὶς εἰς Θηβαΐδα πλείστων ἡγεῖτο μοναστηρίων, οὐδ' αὐτὸς θείων πράξεων ἀμοιρῶν· μόνον γὰρ εὐχόμενος νόσους καὶ δαίμονας ἤλαυνε, καὶ γράμματα μὴ μαθὼν οὐκ

1. Théodose fit consulter Jean de Lycopolis au désert par son grand chambellan Eutrope pour connaître l'issue de la guerre contre Eugène : cf. *H.E.* VII, 22, 7-8. Ses dons exceptionnels de guérison et de prophétie l'avaient fait surnommer le « Voyant de la Thébaïde » : cf. *DECA,* p. 1311-1312 J.M. SAUGET. Il figure en tête de l'*Historia Monachorum in Aegypto (HMg)*, éd. A.-J. Festugière, *Subs. Hagiogr.* 34, 1960, p. 9-35, trad. dans *Les Moines d'Orient* IV, 1, 1964, p. 9-28 (le texte grec et la traduction de l'*HM* sont commodément réunis dans *Subs. Hagiogr.* 53, 1971). Rufin dans son *Historia monachorum,* adaptation de l'*HMg* (en 404), renchérit encore sur ce portrait de Jean (éd. E. Schulz-Flügel, 1990, *PTS,* Bd 34, chap. I, p. 247-275). Voir A. de VOGÜÉ, III, 1996, p. 328-341.

Comme la foule de ces régions admirait les moines susdits pour l'excellence de leurs actes, elle croyait que leur foi était droite et se détournait de ceux dont la foi était différente, dans la pensée qu'ils n'étaient pas purs de dogmes bâtards, tout comme les Égyptiens avaient suivi les moines de leur pays et s'étaient opposés aux ariens.

Chapitre 28

Les saints hommes qui fleurirent en ces temps en Égypte : Jean, Or, Ammon, Bènos, Théonas, Copras, Helles, Élias, Apelles, Isidore, Sérapion, Dioscore et Eulogios.

1 Le moment est venu, me semble-t-il, puisque j'ai mentionné les ascètes chrétiens d'alors, de passer en revue tous ceux que je pourrais. De fait, en ce temps-là, fleurissait une très abondante récolte d'hommes chers à Dieu. Brillèrent en Égypte, parmi ceux que nous connaissons, Jean, à qui Dieu révéla, non moins qu'aux prophètes d'antan, l'avenir impénétrable à d'autres et à qui il donna de guérir les patients atteints de maux et de maladies inguérissables[1], **2** et Ôr qui, dès la jeunesse, vivait au désert[2], célébrant sans cesse la divinité, et qui, se nourrissant de plantes et de racines, buvait de l'eau quand il en trouvait; arrivé à la vieillesse, il passa, sur un ordre divin, en Thébaïde et y dirigea de très nombreux monastères; lui non plus ne fut pas privé d'actions divines : par sa seule prière, il chassait maladies et démons et, sans

2. Sozomène observe l'ordre de l'*Historia Monachorum in Aegypto* (dans l'original grec) où la notice consacrée à ce moine suit celle de Jean de Lycopolis. L'évolution spirituelle d'Ôr passant de la solitude anachorétique à la quasi communauté qu'il forme avec ses « fils », bien saisie par Sozomène, correspond à l'idée d'« une vocation divine à la procréation spirituelle », « événement majeur dans l'histoire du monachisme » (A. de Vogüé, III, p. 341-345).

ἐδεῖτο βιβλίων εἰς ἀνάμνησιν, ἀλλὰ πᾶν ὅπερ ἂν ἔλαβεν εἰς νοῦν κρεῖττον λήθης ἐτύγχανε. **3** Περὶ δὲ τοῦτο τὸ
1372 κλίμα ἐφιλοσόφει | καὶ Ἀμμὼν ὁ τῶν καλουμένων Ταβεννησιωτῶν ἡγούμενος, ἀμφὶ τρισχιλίους μαθητὰς ἔχων· καὶ Βῆνος δὲ καὶ Θεωνᾶς μοναχικῶν ἡγοῦντο ταγμάτων, ἄμφω μὲν δημιουργὼ παραδόξων πραγμάτων καὶ θείας προγνώσεως καὶ προφητείας ἔμπλεω. Λέγεται δὲ Θεωνᾶν μὲν ἵστορα ὄντα τῆς Αἰγυπτίων καὶ Ἑλλήνων καὶ Ῥωμαίων παιδεύσεως, ἐπὶ τριάκοντα ἔτεσι σιωπὴν ἀσκῆσαι· Βῆνον δὲ παρ' οὐδενὸς θεαθῆναι ὀργιζόμενον, ἢ ὀμνύοντα, ἢ ψευδόμενον, ἢ εἰκαῖον ἢ θρασὺν ἢ ὠλιγωρημένον εἰπόντα λόγον. **4** Περὶ τοῦτον τὸν χρόνον ἐγένετο Κόπρας τε καὶ Ἑλλῆς καὶ Ἠλίας. Φασὶ δὲ Κόπρᾳ μὲν δωρηθῆναι θειόθεν ἰάσεις παθῶν καὶ νοσημάτων ποικίλων, καὶ δαιμόνων κρατεῖν· **5** Ἑλλῆν δὲ παιδευόμενον ἐκ νέου τὴν μοναστικὴν ἀγωγὴν πλεῖστα παραδοξοποιεῖν, ὡς καὶ πῦρ ἐν τῷ κόλπῳ κομίζειν καὶ μὴ καίειν τὴν ἐσθῆτα τούτῳ τε παροτρύνειν τοὺς συμμονάζοντας, ὡς τῇ ἀγαθῇ πολιτείᾳ καὶ τῆς ἐπιδείξεως τῶν παραδόξων ἑπομένης. **6** Ἠλίας δὲ τότε μὲν οὐ πόρρω τῆς Ἀντινόου πόλεως ἐν τῇ ἐρήμῳ ἐφιλοσόφει, ἀμφὶ τοὺς ἑκατὸν καὶ δέκα ἄγων ἐνιαυτούς· πρὸ τούτου δὲ ἐλέγετο ἐπὶ ἑβδομήκοντα ἔτεσι μόνος ἐρημίαν οἰκῆσαι· ἐπὶ τοσοῦτον δὲ γηραλέος γεγονὼς
278 διετέλεσε νηστεύων καὶ ἀνδρείως πολιτευόμενος. |

1. Sozomène s'accorde avec l'*Historia monachorum* grecque et avec RUFIN, *HM* 3, pour estimer à 3000 le nombre des Tabennésiotes, moines vêtus de la mélote et la tête couverte du capuchon. D'autres chiffres importants sont donnés par JÉRÔME, *Praefatio in Regulam Pachomii* 2 (de 1 200 à 1 600 moines par monastère), PALLADIUS, *Histoire Lausiaque* 18, 13 (1 400 moines à Tabennesi) et 32, 8-9 (1 300 au monastère principal, 200 à 300 dans les autres), CASSIODORE, *Inst.* 4, 1 (5 000 moines à Tabennesi). Voir A. de VOGÜÉ, III, p. 356-357.

2. Théonas est Théon dans l'*HMg* 6 : il garda le silence pendant 30 années ; il pouvait lire le grec, le latin et l'égyptien. Sur Bénos, voir l'*HMg* 4, 1 et RUFIN, *HM* 4. C'est le moine que l'*HMg* appelle abba

avoir appris ses lettres, il n'avait pas besoin de livres pour se souvenir, mais tout ce qu'il avait reçu dans l'esprit était plus fort que l'oubli. **3** Dans cette région menait aussi la vie d'ascèse Ammôn, qui dirigeait ceux qu'on appelle Tabennésiotes, avec environ trois mille disciples[1], de même Bènos et Théônas dirigeaient des divisions de moines[2]; ils faisaient tous deux des actes extraordinaires et ils étaient remplis du don de prévision divine et de prophétie. On dit que Théônas connaissait la culture des Égyptiens, des Grecs et des Latins, et qu'il s'exerça trente ans au silence, et que Bènos ne fut vu de personne en colère, ou jurant, ou mentant, ou disant une parole à la légère ou arrogante ou futile. **4** Vers ce même temps, il y eut Copras, Hellès et Élias. On dit qu'à Copras fut accordé du ciel le don de guérir des maux et maladies de diverse sorte et de maîtriser des démons[3]; **5** qu'Hellès, formé dès la jeunesse à la conduite monastique, accomplit quantité d'actes extraordinaires, au point de porter du feu dans le pli de sa tunique sans qu'elle brûlât et de stimuler ainsi ses compagnons moines, en prouvant que la manifestation de choses extraordinaires est aussi la suite d'une conduite vertueuse[4]. **6** Élias menait alors la vie d'ascèse non loin d'Antinooupolis, dans le désert, âgé d'environ cent-dix ans : avant cela, il avait, disait-on, habité seul le désert durant soixante-dix ans; bien qu'en un si grand âge, il vécut jusqu'à la fin jeûnant et se conduisant

Bès : il n'avait jamais fait de serment, jamais menti, ne s'était jamais fâché contre personne (trad. A.-J. Festugière, *Les moines d'Orient*, IV, 1, *Subsidia Hagiographica* 53, p. 36).

3. Sur Copres *HMg* 10, 1 : « Il faisait lui aussi quantité de miracles, traitant les maladies, effectuant des guérisons, chassant les démons » (trad. A.-J. Festugière, *ib.*, p. 36) et 24-25. Voir aussi RUFIN, *HM* 9.

4. Sur Hellès, voir *HMg* 12 abba Hellè : « Souvent, dans le pli de sa tunique, il portait du feu aux frères de son voisinage et il les excitait à aller de l'avant jusqu'au point de produire des miracles » (A.-J. Festugière, *ib.*, p. 80) et RUFIN, *HM* 11.

7 Ἐπὶ τούτοις καὶ Ἀπελλῆς τηνικάδε διέπρεπε περὶ Ἄχωριν, ἐν τοῖς κατ' Αἴγυπτον μοναστηρίοις πλεῖστα θαυματουργῶν. Ὅν ποτε χαλκεύοντα (τοῦτο γὰρ ἐπετήδευε) νύκτωρ φάσμα δαίμονος ὡς γυνὴ εὐπρεπὴς εἰς σωφροσύνην ἐπείρα · ὁ δὲ σίδηρον ὃν εἰργάζετο ἐκ τοῦ πυρὸς ἐξερύσας, κατέφλεξε τοῦ δαιμονίου τὸ πρόσωπον · τὸ δὲ τετριγὸς καὶ ὀλοφυρόμενον ἀπέδρασεν.

8 Ἐπιφανέστατοι δὲ τότε πατέρες μοναχῶν ἦσαν Ἰσίδωρός τε καὶ Σεραπίων καὶ Διόσκορος · ἀλλ' Ἰσίδωρος μὲν πανταχόθεν περιφράξας τὸ μοναστήριον, ἐπεμελεῖτο μηδένα τῶν ἔνδον θύραζε ἐξιέναι καὶ πάντα τὰ ἐπιτήδεια ἔχειν · **9** Σεραπίων δὲ περὶ τὸν Ἀρσενοΐτην διέτριβεν, ἀμφὶ τοὺς μυρίους ὑφ' ἑαυτὸν ἔχων · πάντας δὲ ἦγεν ἐξ οἰκείων ἱδρώτων τὰ ἐπιτήδεια πορίζεσθαι καὶ ἄλλοις δεομένοις χορηγεῖν · ὥρᾳ δὲ θέρους ἐπὶ μισθῷ ἀμῶντες, ἀρκοῦντα αὐτοῖς σῖτον ἀπετίθεντο καὶ ἄλλοις μοναχοῖς μετεδίδουν. **10** Διοσκόρῳ δὲ οὐ πλείους ἑκατὸν ἐφοίτων. Πρεσβύτερος δὲ ὤν, ἐν τῷ ἱερᾶσθαι διὰ πάσης ἀκριβείας ἐχώρει βασανίζων καὶ ἐπιμελῶς ἀνακρίνων τοὺς προσιόντας τοῖς

1. Voir *HMg* 7 et Rufin, *HM* 12 qui confirment les points principaux retenus par Sozomène : âgé de 110 ans, Élias en avait passé 70 dans un terrible désert. Antinooupolis fut fondée par l'empereur Hadrien, en 122, en mémoire de son favori Antinoüs. Les ruines de la ville antique se trouvent dans l'actuelle Scheech Abade ou Ansina : cf. *PW*, I, 2, 1894, c. 2442 Pietschmann.

2. Cf. *HMg* 13 et Rufin, *HM* 15, qui ne mentionne pas Achôris. Vu la brièveté de la notice de l'*HMg*, Sozomène l'a reproduite en entier : « Nous avons vu aussi dans le district d'Achôris un autre prêtre du nom d'Apellès, homme juste qui d'abord avait poursuivi le métier de forgeron et s'était tourné ensuite vers l'ascèse », trad. A.-J. Festugière. Suit l'anecdote du démon, sous la forme d'une femme, brûlé au fer rouge. Sur la situation d'Achôris, voir la remarque d'A. de Vogüé, III, p. 318 sur l'itinéraire des sept moines palestiniens de l'*HMg* faisant le tour de l'Égypte monastique en 394-395 : « Paradoxalement ils parcourent l'Égypte de Lycopolis à Diolcos, c'est-à-dire du sud au nord, non sans rebrousser chemin après Oxyrrhynque pour visiter au midi Antinoè, Hermopolis et Achôris. Cet itinéraire peut s'expliquer par le prestige du reclus de

vaillamment[1]. **7** En plus de ceux-là, Apellès brillait alors à Achôris, faisant beaucoup de miracles dans les monastères d'Égypte[2]. Alors qu'un jour il travaillait à la forge – tel était son métier –, de nuit, un fantôme démoniaque, sous les traits d'une belle jeune femme, chercha à mettre à l'épreuve sa chasteté ; il tira du feu un fer qu'il travaillait et brûla le visage du démon ; celui-ci poussa un cri aigu et s'enfuit en gémissant.

8 Étaient alors tout à fait réputés comme pères de moines Isidore, Sérapion et Dioscore. Isidore, ayant de tout côté entouré d'un mur son monastère, veillait à ce qu'aucun des habitants n'en sortît au dehors et à ce qu'ils eussent tout le nécessaire[3]. **9** Sérapion vivait dans le nome Arsinoïte, ayant sous lui environ dix-mille moines. Il les poussait à se procurer le nécessaire par leurs propres sueurs et à pourvoir à la subsistance d'autres qui étaient dans le besoin : moissonnant en été pour un salaire, ils mettaient en dépôt le blé qui leur suffisait et donnaient part du reste à d'autres moines[4]. **10** Dioscore, lui, n'avait pas plus de cent disciples. Il était prêtre, et, durant le saint sacrifice, il procédait en toute rigueur, mettant à l'épreuve et interrogeant avec soin ceux qui s'approchaient

Lyco et le renom des moines de Haute Thébaïde. » Sozomène a suivi l'ordre de l'*HMg* sans se poser de question.

3. Sur Isidore, voir *HMg* 17 – « Nous avons vu en Thébaïde un monastère d'un certain Isidôros qui était fortifié d'un grand mur de briques et contenait un millier de moines... il y avait un père grave qui ne permettait à personne de sortir » (trad. A.-J. Festugière, p. 102) – et RUFIN, *HM* 17 qui décrit lui aussi, en l'embellissant, ce monastère « à la fois carcéral et paradisiaque » (A. de VOGÜÉ, III, p. 357-360).

4. Voir *HMg* 18, 1 : « Nous avons vu aussi dans la région du nome Arsinoïte un certain prêtre du nom de Sarapiôn, père de nombreux monastères et supérieur d'une abondante communauté de frères... » (trad. A.-J. Festugière). Le nome arsinoïte tire son nom de son chef-lieu Arsinoë (Krokodeilônpolis) : c'est la région du Fayoum en moyenne Égypte : *PW*, II, 1, 1895, c. 1277-1278 PIETSCHMANN.

μυστηρίοις, ὥστε αὐτοὺς προκεκαθάρθαι τὸν νοῦν καὶ μὴ συνειδέναι τι πεπραχέναι δεινόν. **11** Ἀκριβέστατος δὲ τότε ἐγένετο περὶ τὴν μετάδοσιν τῶν θείων μυστηρίων καὶ 1373 Εὐλόγιος πρεσβύτερος· ὅν φασιν ἱερώμενον πρόγνωσιν ἐσχηκέναι τῆς τῶν προσιόντων ἐννοίας ἐπὶ τοσοῦτον, ὡς καὶ τὰ ἡμαρτημένα σαφῶς διελέγχειν καὶ τὰ κατὰ νοῦν ἑκάστῳ κρυπτόμενα φωρᾶν· τοὺς οὖν κακῶς πεπραχότας ἢ περί τινος φαύλου βουλευσαμένους τέως εἶργε τοῦ θυσιαστηρίου, δήλην ποιήσας τὴν ἁμαρτίαν· μεταμελείᾳ δὲ καθαρθέντας πάλιν προσίετο.

29

1 Κατὰ τούτους δὲ καὶ Ἀπολλὼς ἐν Θηβαΐδι διέτριβεν· ὃς ἡβᾶν ἀρχόμενος ἐφιλοσόφησεν· ἐπὶ τεσσαράκοντα δὲ ἔτη τὴν ἔρημον οἰκήσας, σπήλαιόν τι ὑπὸ τὸ ὄρος πλησίον τῆς οἰκουμένης, τοῦ θεοῦ χρήσαντος, κατέλαβεν. Ὑπὸ δὲ πλήθους θαυματουργιῶν ἐν ὀλίγῳ ἐπίσημος ἐγένετο καὶ ἡγεμὼν πλείστων μοναχῶν· ἦν γὰρ καὶ ταῖς διδασκαλίαις εἰς ὠφέλειαν ἐπαγωγός. **2** Ἀλλ' οἵᾳ μὲν ἀγωγῇ ἐχρῆτο

1. Voir *HMg* 20 : «Nous avons vu en Thébaïde un autre prêtre, du nom de Dioscoros, père de cent moines» (trad. A.-J. Festugière) et RUFIN, *HM* 20. Dioscoros était l'un des quatre «Longs frères» avec Ammonius, Eusèbe et Euthyme, suspects d'origénisme et victimes plus tard de l'expulsion des moines de Nitrie sur l'ordre de Théophile d'Alexandrie : cf. de VOGÜÉ, III, p. 80-81. L'ordination épiscopale de Dioscore, ancien moine (SOCRATE, *H.E.* VI, 7, 1 s.), par Théophile est postérieure à la vaine tentative faite par Timothée, son prédécesseur, pour ordonner évêque Ammonius (VI, 30, 3-5).

2. Voir *HMg* 16 : «Quand il offrait à Dieu le sacrifice, il recevait une si grande grâce de connaissance qu'il discernait l'état d'âme de chacun des moines qui s'approchaient de l'autel» (trad. A.-J. Festugière) et RUFIN, *HM* 14. Le don de lire dans les âmes se retrouve chez Hélénus (RUFIN, *HM* 11, 9, 15-16), Jean (*ibid.* 15, 2, 12-14) et Macaire d'Alexandrie (*ibid.* 29, 4, 14-15), Apollonius (*ibid.* 7, 14, 5) et Piammon (*ibid.* 32, 2-6). Eulogios, à la fois moine et prêtre, constitue un cas un peu particulier. Selon de VOGÜÉ, III, p. 335, parmi les moines chargés d'une fonction directive, les uns étaient de «simples prêcheurs itinérants»,

des mystères, en telle sorte que ceux-ci se soient au préalable purifié l'esprit et n'aient pas sur la conscience d'avoir commis une faute[1]. **11** De très scrupuleuse rigueur, touchant la participation aux divins mystères, fut alors aussi le prêtre Eulogios. On dit que, quand il célébrait, il savait à l'avance les pensées de ceux qui s'approchaient, au point qu'il les mettait clairement en présence de leurs fautes et prenait sur le fait ce que chacun cachait en son esprit : ceux qui avaient mal agi ou qui avaient en tête quelque chose de mauvais, il les écartait pour l'instant de l'autel, après avoir mis au jour leur faute ; quand ils s'étaient purifiés par le repentir, il les admettait à nouveau[2].

Chapitre 29

Les moines de Thébaïde : Apollôs, Dorothée, Piammon, Jean, Marc, Macaire, Apollonios, Moïse, Paul de Phermé, Pachôn, Étienne et Pior.

1 Contemporain de ceux-là était aussi Apollôs, qui vivait en Thébaïde. Il commençait tout juste d'être en la fleur de sa jeunesse quand il se mit à l'ascèse. Il habita quarante ans au désert et par suite d'une révélation divine, occupa une grotte sous la montagne près des lieux habités. En raison du grand nombre de ses miracles, il devint en peu de temps illustre et dirigea beaucoup de moines : car, par ses enseignements aussi, il les entraînait vers le bien[3]. **2** Mais sa façon de vivre, le grand nombre d'actes

d'autres « des prêtres, dont l'action pastorale est d'ordinaire liée au ministère liturgique ».

3. Cf. *HMg* 8. Sozomène a résumé ce long chapitre en ne retenant que les principaux points : Apollô exerçait la vie d'ascèse aux confins d'Hermoupolis en Thébaïde, il était « père » de 500 moines, le Seigneur faisait par lui beaucoup de miracles ; il avait passé 40 ans dans le désert ; il s'établit dans une petite caverne et c'est là qu'il demeurait au pied de la montagne. Cf. RUFIN, *HM* 7.

279 καὶ ἡλίκων ἦν θείων καὶ παραδόξων πραγ|μάτων ποιητὴς ἱστορεῖ Τιμόθεος ὁ τὴν Ἀλεξανδρέων ἐκκλησίαν ἐπιτροπεύσας, εὖ μάλα αὐτοῦ καὶ πολλῶν ὧν ἐπεμνήσθην καὶ ἄλλων εὐδοκίμων μοναχῶν τοὺς βίους διεξελθών.

3 Ἐν δὲ τῷ τότε πολλοὶ καλοὶ καὶ ἀγαθοὶ σπουδαίως ἐφιλοσόφουν ἀνὰ τὴν Ἀλεξάνδρειαν, ἀμφὶ δισχίλιοι ὄντες· ὧν οἱ μὲν ἐν τοῖς καλουμένοις ἐρημικοῖς ᾤκουν, οἱ δὲ περὶ τὸν Μαρεώτην καὶ τοὺς ἐκ γειτόνων Λίβυας. **4** Ὑπερφυῶς δὲ ἐν τούτοις διέπρεπε Δωρόθεος, Θηβαῖος τὸ γένος· ᾧ βίος ἦν ἐν ἡμέρᾳ μὲν ἀπὸ τῆς πέλας θαλάσσης λίθους συλλέγειν καὶ ἔτους ἑκάστου οἰκίδιον κατασκευάζειν καὶ διδόναι τοῖς μὴ δυναμένοις ἑαυτοῖς οἰκοδομεῖν, νύκτωρ δὲ εἰς αὑτοῦ διατροφὴν ἐκ φοινίκων φύλλων σειρὰς πλέκων, σπυρίδας εἰργάζετο. **5** Τροφὴ δὲ ἦν αὐτῷ ἄρτου οὐγγίαι ἓξ καὶ λεπτῶν λαχάνων δέμα, καὶ ὕδωρ ποτόν. Ἐκ νέου δὲ οὕτως ἀσκήσας, οὐ διέλιπε καὶ γέρων ὤν· οὐδέποτε δὲ ἐθεάθη ἐπὶ ῥιπὸς ἢ κλίνης καθευδήσας ἢ τοὺς πόδας ἐπὶ ἀνέσει ἐκτείνας ἢ ἑκὼν ὕπνῳ ἑαυτὸν ἐκδούς, πλὴν ὅσον ἐργαζόμενος ἢ ἐσθίων, βιασθεὶς ὑπὸ τῆς φύσεως, ἔμυσε τοὺς ὀφθαλμούς, ὡς πολλάκις νυστάζοντος ἐν τῷ ἐσθίειν ἐκπεσεῖν τοῦ στόματος τὴν τροφήν. **6** Ποτὲ γοῦν εἰσάγαν κρατηθεὶς τῷ ὕπνῳ, ἔλαθεν ἐπὶ τοῦ ῥιπὸς πεσών· καὶ περίλυπος ἐπὶ τούτῳ γεγονὼς ἠρέμα ἔφη· « εἰ τοὺς

1. Sozomène attribue le texte original de l'*HMg* à l'évêque Timothée Ier d'Alexandrie (381-385), ordonné à la mort de son frère Pierre (d'après M. SIMONETTI, *DECA*, p. 2451, il s'opposa avec succès lors du concile de Constantinople à l'élection de Grégoire), alors que son auteur probable est un homonyme, archidiacre d'Alexandrie, qui pourrait être l'un des sept jeunes moines pélerins, celui précisément qui cherche à cacher sa fonction de diacre. En effet, si Timothée d'Alexandrie fut bien l'auteur de plusieurs ouvrages, plusieurs faits rapportés dans l'*Historia monachorum* sont postérieurs à sa mort.

2. Ce lac – aujourd'hui appelé Mariout – a donné son nom à la Maréotide, région de la Basse Égypte. Il a été mentionné en *H.E.* I, 12, 9, dans la description de la vie des Thérapeutes selon Philon. Il se trouve tout près d'Alexandrie et non loin de Scété et de Nitrie.

divins et extraordinaires qu'il accomplit, cela est raconté par Timothée qui gouverna l'église d'Alexandrie[1] et qui décrit fort bien la vie d'Apollôs, de beaucoup de moines que j'ai mentionnés et d'autres moines en renom.

3 En ce temps-là, beaucoup d'hommes de mérite menaient avec zèle la vie d'ascèse près d'Alexandrie, au nombre d'environ deux mille. Les uns habitaient dans ce qu'on appelle le désert, les autres près du lac Maréotide[2] et dans la région voisine de Libye. **4** Parmi ceux-ci brillait merveilleusement Dorothée, thébain de naissance[3]. Sa vie consistait, le jour, à recueillir des galets de la mer voisine, à bâtir chaque année une cellule et à la donner à ceux qui ne pouvaient s'en bâtir une; la nuit, à tresser pour gagner sa nourriture des feuilles de palmier : il en faisait des corbeilles. **5** Sa nourriture était de six onces de pain et d'une poignée de légumes hachés menu, sa boisson de l'eau. Il s'était ainsi exercé à l'ascèse dès sa jeunesse et il n'y renonça pas même vieillard. On ne le vit jamais dormir sur une natte ou un lit ou les pieds étendus pour se reposer ou livré volontairement au sommeil : c'est seulement quand il travaillait ou mangeait, que, forcé par la nature, il fermait les yeux, en telle sorte que souvent, pris de sommeil alors qu'il mangeait, la nourriture lui tombait de la bouche. **6** Il est sûr en tout cas qu'un jour, vaincu par le sommeil, il tomba à son insu sur la natte : il en fut tout chagriné et dit doucement : «Si tu arrives à

3. Sozomène change ici de source et suit de près l'*Histoire Lausiaque* 2, composée vers 420, à la demande du chambellan Lausus, par Palladius, évêque d'Hélénopolis en Galatie, qui avait été moine en Égypte de 388 à 401, puis à Bethléem, puis en Thébaïde : «Ce moine thébain vivait depuis 60 ans dans une grotte, il passait toute le journée, en pleine chaleur, au bord de la mer à ramasser des pierres. Il se construisait des cellules qu'il donnait à ceux qui ne pouvaient pas s'en bâtir; il achevait une cellule par an; il mangeait 6 onces de pain, une portion de légumes, le pain lui tombait de la bouche» (Voir l'édition Bartelink, *Palladio. La storia Lausiaca*, trad. Barchiesi, Vite dei Santi II, p. 20-25).

ἀγγέλους πείσεις καθεύδειν, πείσεις καὶ τὸν σπουδαῖον»·
1376 ὑπεδήλου δὲ ἑαυτόν, | πρὸς τὸν ὕπνον ἴσως ἀποτεινόμενος ἢ τὸν δαίμονα τὸν ἐμποδὼν γενόμενον ταῖς σπουδαίαις πράξεσιν. Ὧδε δὲ αὐτῷ μοχθοῦντι προσελθών τις ἔφη· «τί τὸ σῶμα τὸ σὸν ἀποκτείνεις τοσοῦτον;» «ὅτι με ἀποκτείνει» ἀπεκρίνατο.

7 Καὶ Πιάμμων δὲ καὶ Ἰωάννης τηνικαῦτα περὶ Δίολκον τῆς Αἰγύπτου ἐπισημοτάτων προΐσταντο μοναστηρίων, ἐπιμελέστατά τε καὶ μάλα σεμνῶς πρεσβύτεροι ὄντες τὴν
280 ἱερατείαν μετῄεσαν. Λέγεται δέ ποτε τὸν Πιάμ|μωνα ἱερώμενον θεάσασθαι παρὰ τὴν ἱερὰν τράπεζαν θεῖον ἄγγελον ἑστῶτα καὶ τῶν μοναχῶν τοὺς παρόντας ἐγγράφειν βίβλῳ τινί, τοὺς δὲ ἀπόντας ἀπαλείφειν· **8** Ἰωάννῃ δὲ τοσαύτην ὁ θεὸς ἐδωρήσατο δύναμιν κατὰ παθῶν καὶ νοσημάτων, ὡς πολλοὺς ἰάσασθαι ποδαλγοὺς καὶ τὰ ἄρθρα διαλελυμένους.

9 Ἐν τούτῳ δὲ καὶ Βενιαμὶμ γηραλέος εὖ μάλα λαμπρῶς ἀνὰ τὴν Σκῆτιν ἐφιλοσόφει, δῶρον ἔχων παρὰ θεοῦ δίχα φαρμάκων ἐπαφῇ μόνῃ χειρὸς ἢ ἐλαίῳ, ᾧ ἐπηύχετο, πάσης ἀπαλλάσσειν νόσου τοὺς κάμνοντας· τὸν δὴ τοιοῦτον λόγος ὑδέρῳ περιπεσόντα τοσοῦτον οἰδῆσαι τὸ σῶμα, ὡς μὴ δυνηθῆναι διὰ τῶν θυρῶν τοῦ οἰκήματος ἐν ᾧ διῆγεν ἐκκομισθῆναι, εἰ μὴ σὺν ταῖς θύραις καὶ τὰς παραστάδας καθεῖλον. **10** Ἐν δὲ τῷ νοσεῖν, ἐν κλίνῃ κεῖσθαι μὴ δυνάμενος, ἀμφὶ τοὺς ὀκτὼ μῆνας ἐπὶ δίφρου πλατυτάτου

1. Sur Diolcos, voir *HMg* 25 : «Il y a un autre désert en Égypte, situé près de la mer, mais très difficile d'accès, où habitent beaucoup d'anachorètes : il est proche de Diolcopolis» (trad. A.-J. Festugière, p. 128-129). Le désert de Diolcos semble avoir été «une bande de sable entre la bouche sébennytique, la bouche phathmitique et la mer» (A.-J. Festugière, p. 128, note 3). Il est mentionné et décrit par JEAN CASSIEN, *inst.* V, 36, 1-2, qui signale aussi plusieurs fois l'abba Piammon(as) dans les *Conférences.* Même le détail des noms biffés se trouve dans l'*HMg* 25, 2.

2. Voir *HMg,* 26 : «Nous avons vu aussi un autre Jean, supérieur d'ermitages et doué lui aussi d'une abondante grâce... Il avait accompli

persuader les anges de dormir, tu persuaderas aussi le zélé » : il voulait parler de lui-même et faisait peut-être allusion au sommeil ou au démon qui l'avait empêché dans ses œuvres de zèle. Comme il peinait ainsi, quelqu'un l'ayant abordé lui demanda : « Pourquoi tuer à ce point ton corps ? » ; « Parce qu'il me tue », répondit-il.

7 Piammôn aussi et Jean présidaient alors autour de Diolcos d'Égypte à des monastères très réputés, et, étant prêtres, ils exerçaient leurs fonctions sacerdotales avec le plus grand soin et grande dignité. On dit qu'un jour, tandis qu'il célébrait, Piammôn eut vision d'un ange divin debout près de la sainte Table, et qu'il inscrivait dans un livre les noms des moines présents et biffait ceux des absents[1]. **8** Quant à Jean, Dieu lui donna un si grand pouvoir contre les maux et maladies qu'il guérit beaucoup de podagres et de paralysés[2].

9 En ce temps, Benjamin, un vieillard, menait aussi très brillamment la vie d'ascèse à Scété[3] : il tenait de Dieu le don de débarrasser, sans remède, les malades de tout mal, par le seul contact de la main ou par de l'huile qu'il avait bénite. Un tel homme, dit-on, atteint d'hydropisie, avait le corps gonflé au point qu'on ne pouvait le faire sortir par les portes du logement où il vivait, à moins d'enlever aussi les chambranles avec les portes. **10** Durant sa maladie, comme il ne pouvait s'étendre sur un lit, il demeura environ huit mois assis

miracles et guérisons et en particulier mis en santé beaucoup de paralytiques et de goutteux » (trad. A.-J. Festugière, p. 130). Cf. RUFIN, *HM* 33.

3. Cf. *Hist. Laus.* 12. Sozomène ne retient que les points caractéristiques de l'ascèse de Benjamin : le lieu (Nitrie), le temps (80 ans dans une extrême austérité), les miracles (don de guérison : malade, il guérit les autres), le moyen (la prière), sans oublier le détail à la fois frappant et édifiant (l'hydropisie : « à sa mort, l'enflure était telle que l'on dut enlever les seuils et les montants de la porte pour pouvoir emporter le corps »). – Le nom de Benjamin a été omis dans le titre au moment de la division du texte en chapitres.

ἐκαθέζετο, συνήθως τοὺς κάμνοντας ἰώμενος, αὐτὸς μηδὲν δυσφορῶν ὅτι μὴ τῆς ἐχούσης αὐτὸν νόσου ἀπήλλαττε· μᾶλλον μὲν οὖν καὶ τοὺς ὁρῶντας παρεμυθεῖτο καὶ ἐλιπάρει τὸν θεὸν ἱκετεύειν ὑπὲρ τῆς αὐτοῦ ψυχῆς· σώματος δὲ αὐτῷ μηδὲν μέλειν· «ἐπεὶ καὶ εὐεκτοῦν, ἔφη, οὐδέν με ὤνησε, καὶ κακῶς πάσχον οὐκ ἔβλαψε.» **11** Κατ' ἐκεῖνο δὲ καιροῦ ἐν Σκήτει διέτριβε Μᾶρκός τε ὁ ἀοίδιμος καὶ Μακάριος ὁ νέος καὶ Ἀπολλώνιος καὶ Μωσῆς ὁ Αἰθίοψ. Φασὶ δὲ Μᾶρκον μὲν καὶ ἐν τῷ νέῳ τῆς ἡλικίας εἰσάγαν πρᾶον καὶ σώφρονα καὶ μνήμονα τῶν ἱερῶν γραφῶν γενέσθαι, θεοφιλῆ δὲ ἐπὶ τοσοῦτον, ὡς ἰσχυρίζεσθαι Μακάριον τὸν ἀστόν, πρεσβύτερον ὄντα τῶν Κελλίων, μηδεπώποτε παρ' αὐτοῦ λαβεῖν τοῦτον ἃ θέμις ἱερεῦσι διδόναι τοῖς μεμυημένοις παρὰ τὴν ἱερὰν τράπεζαν· ἄγγελος δὲ αὐτῷ ἐπεδίδου, οὗ τὴν χεῖρα μέχρι τοῦ καρποῦ μόνου ἔλεγε θεωρεῖν. **12** Μακαρίῳ δὲ δέδοται παρὰ θεοῦ ὑπερφρονεῖν τῶν δαιμόνων. Ἐγένετο δὲ αὐτῷ τὴν ἀρχὴν πρόφασις τῆς φιλοσοφίας ἀκούσιος φόνος· ἔτι γὰρ βούπαις ὢν πρόβατα ἔνεμε παρὰ τὴν Μαρίαν λίμνην, καὶ παίζων **281** τινὰ | τῶν ὁμηλίκων ἀνεῖλε, | δείσας τε δοῦναι δίκην ἔφυγεν 1377 εἰς τὴν ἐρημίαν. **13** Αἴθριος δὲ ἐπὶ τρία ἔτη αὐτόθι διάγων, μετὰ ταῦτα οἰκίδιον μικρὸν ἑαυτῷ κατεσκεύασεν, ἐν ᾧ εἴκοσι καὶ πέντε ἔτη διέτριψεν. Ἔλεγον δὲ οἵ γε αὐτοῦ

1. Il s'agit du second Macaire, dit aussi l'Alexandrin ou le citadin (*Hist. Laus.* 18, éd. Bartelink p. 78-97). Bien que l'*Histoire Lausiaque* ne précise pas la cause de sa vie d'ascèse, un meurtre involontaire, c'est au § 25 de cette vie que se trouve l'histoire de Marc : «Ce bienheureux Macaire qui était prêtre nous raconta ceci : au moment de la distribution des mystères, je n'ai jamais donné moi-même l'offrande à Marc l'ascète; c'est un ange qui la lui donnait depuis l'autel. Je ne voyais que la main de celui qui donnait. Ce Marc était un jeune homme, il savait par cœur l'Ancien et le Nouveau Testament. Il était extrêmement humble et pur.» Il s'agit probablement de Marc, moine copiste et connaissant l'hébreu, disciple préféré d'Abba Silvain (cf. *H.E.* VI, 32, 8).

2. Voir *Hist. Laus.* 13 (éd. Bartelink, p. 56-59). Ancien marchand qui vint habiter la «montagne» de Nitrie, «il vécut vingt ans ainsi : avec ses biens personnels et son travail, il achetait à Alexandrie toute sorte

sur un siège très large, guérissant continuellement les malades, sans se plaindre nullement lui-même de ne pas se débarrasser de sa propre maladie. Bien plutôt, il exhortait et implorait ses visiteurs de supplier Dieu pour son âme; du corps, il n'avait nul souci : «Puisque, disait-il, il ne m'a servi à rien quand il était en bon état, il ne m'a pas nui maintenant qu'il est en mauvais état.» **11** Vers ce temps, à Scété, vivaient le célèbre Marc et Macaire le jeune[1], Apollonios[2] et Moïse l'éthiopien[3]. De Marc on dit que, même dans sa jeunesse, il avait été extrêmement doux, tempérant et gardant en mémoire les Saintes Écritures, et si cher à Dieu que Macaire le citadin, qui était prêtre des Cellia, affirmait que Marc n'avait jamais reçu de sa main ce qu'il est permis aux prêtres de donner aux initiés près de la sainte Table : c'est un ange qui le lui donnait, dont il disait ne voir la main que jusqu'au poignet seulement. **12** À Macaire fut accordé par Dieu de mépriser les démons. La cause originelle de sa vie d'ascèse fut un meurtre involontaire. Étant encore jeune garçon, il faisait paître des moutons près du lac Maréotide et, en jouant, il avait tué l'un de ses camarades : craignant d'être puni, il avait fui au désert. **13** Il y passa trois années en plein air; après cela, il se bâtit une petite cellule où il passa vingt-cinq ans. Ceux qui l'ont entendu

de produit médicaux... qu'il distribuait aux frères qui étaient malades». Il préfigure les frères médecins, pharmaciens et botanistes, des cloîtres médiévaux.

3. Du long chapitre 19 de l'*Hist. Laus.* (éd. Bartelink, p. 96-103), Sozomène a retenu les éléments principaux : Moïse, esclave chez un fonctionnaire, chassé pour brigandage, devenu chef de bande, avait commis des meurtres. Converti, il s'infligeait des mortifications, faisait cinquante prières par jour, pendant six ans, veillait debout toutes les nuits dans sa cellule, sans oublier le trait le plus caractéristique de sa charité : «Il sortait pendant la nuit et s'en allait dans les cellules des vieillards et des frères... prendre en cachette leurs jarres qu'il remplissait d'eau pour eux. Car les uns doivent aller chercher l'eau à 2 milles, les autres à 4 ou même à 5» (*Hist. Laus.* 19, 8, p. 100-101).

ἀκηκόασιν ὡς πολλὴν ὡμολόγει χάριν τῇ συμφορᾷ καὶ σωτήριον ἀπεκάλει τὸν ἀκούσιον φόνον, φιλοσοφίας καὶ μακαρίου βίου αἴτιον αὐτῷ γεγενημένον. **14** Ἀπολλώνιος δὲ τὸν ἄλλον χρόνον ἐμπορίαν μετιών, ἤδη πρὸς γῆρας ἐλαύνων ἐπὶ τὴν Σκῆτιν ἦλθε· λογισάμενος δὲ ὡς οὔτε γράφειν οὔτε ἄλλην τινὰ τέχνην μαθεῖν οἷός τέ ἐστι διὰ τὴν ἡλικίαν, παντοδαπῶν φαρμάκων εἴδη καὶ ἐδεσμάτων ἐπιτηδείων τοῖς κάμνουσιν ἐξ οἰκείων χρημάτων ὠνούμενος, ἀνὰ ἑκάστην θύραν μοναστικὴν ἐξ ἑωθινοῦ περιῄει μέχρις ἐννάτης ὥρας, ἐφορῶν τοὺς νοσοῦντας. Ἐπιτηδείαν δὲ ταύτην αὐτῷ τὴν ἄσκησιν εὑρὼν ὧδε ἐπολιτεύσατο· μέλλων δὲ τελευτᾶν, ἄλλῳ παραδοὺς ἃ εἶχεν, ἐνετείλατο τὰ αὐτὰ ποιεῖν. **15** Μωσῆς δὲ δοῦλος ὢν διὰ μοχθηρίας ἐξηλάθη τῆς οἰκίας τοῦ κεκτημένου, καὶ εἰς λῃστείαν τραπεὶς λῃστρικοῦ τάγματος ἡγεῖτο. Πολλοὺς δὲ κακουργήσας καὶ πολλοὺς φόνους τολμήσας, ἔκ περιπετείας τινὸς τὸν μοναστικὸν μετῆλθε βίον καὶ ἀθρόον εἰς ἀρετὴν φιλοσοφίας ἐπέδωκεν. **16** Ἔτι γοῦν ἐκ τῆς προτέρας διαίτης εὐεξίᾳ ζέων καὶ πρὸς φαντασίας ἡδονῶν κινούμενος, μυρίαις ἀσκήσεσι τὸ σῶμα κατέτηξε, πῇ μὲν δίχα ὄψου ὀλίγῳ ἄρτῳ ἀρκούμενος καὶ πλεῖστον ἔργον ἀνύων καὶ πεντηκοστὸν εὐχόμενος, πῇ δὲ ἐπὶ ἓξ ἔτεσιν ὁλόκληρον ἑκάστην νύκτα ἑστὼς προσηύχετο, μήτε γόνυ κλίνων μήτε τοὺς ὀφθαλμοὺς μύων εἰς ὕπνον. **17** Ἄλλοτε δὲ νύκτωρ περιιὼν τὰς οἰκήσεις τῶν μοναχῶν λάθρα τὴν ἑκάστου ὑδρίαν ἐπλήρου ὕδατος· ἦν δὲ τοῦτο λίαν ἐργῶδες· τῶν μὲν γὰρ σταδίοις δέκα, τῶν δὲ εἴκοσι, τῶν δὲ τριάκοντα καὶ πλέον διειστήκει ὁ τόπος ὅθεν ὑδρεύοντο. Διέμεινε δὲ ἐπὶ πολὺ τὴν προτέραν ἰσχὺν ἔχων, καίπερ ταῖς πολλαῖς ἀσκήσεσι καθελεῖν ταύτην σπουδάζων καὶ τὸ σῶμα ταῖς

disaient qu'il était bien reconnaissant à son infortune et appelait sauveur son meurtre involontaire, puisqu'il était devenu pour lui la cause d'une bienheureuse vie d'ascèse. **14** Apollonios avait passé l'autre partie de sa vie à commercer, et c'est déjà à l'approche de la vieillesse qu'il était arrivé à Scété. Considérant que, vu son âge, il ne pouvait ni copier des livres ni apprendre un autre métier, il achetait de son argent toute sorte de remèdes et d'aliments appropriés aux malades et, de l'aube à la neuvième heure, il faisait le tour des portes des cellules, visitant les malades. Ayant trouvé que cette forme d'ascèse lui convenait, c'est ainsi qu'il se conduisit. Sur le point de mourir, il remit son avoir à un autre et l'engagea à faire de même. **15** Moïse, étant esclave, avait été chassé pour mauvaise conduite de la maison de son maître, s'était tourné vers le brigandage et avait commandé une bande de brigands. Après avoir nui à beaucoup et osé beaucoup de meurtres, il avait, à la suite d'un revirement, recherché la vie monastique et progressé d'un seul coup dans la vertu de la vie ascétique. **16** En tout cas, comme il bouillonnait encore de santé par suite de son premier régime et qu'il était mû vers des images de plaisir, il consuma son corps par une infinité d'exercices, tantôt se contentant d'un peu de pain sans assaisonnement, accomplissant un lourd travail et faisant jusqu'à cinquante prières, tantôt, pendant six ans, passant chaque nuit entière à prier debout, sans plier le genou et sans fermer les yeux pour le sommeil. **17** D'autres fois, parcourant de nuit les logements des moines, il remplissait d'eau, secrètement, la cruche de chacun d'eux. Or c'était là tâche très pénible : car l'endroit d'où ils tiraient l'eau était distant, pour les uns, de dix stades, pour d'autres de vingt, pour d'autres de trente et plus. Il resta longtemps en possession de sa force d'autrefois, bien que, par ses nombreux exercices, il mît son zèle à la détruire et qu'il accablât son corps

278 ταλαιπωρίαις πιέζων. | **18** Λέγεται γοῦν ποτε λῃστὰς καταδραμόντας τὸν οἶκον, ἐν ᾧ μόνος ἐφιλοσόφει, συλλαβέσθαι πάντας καὶ δῆσαι καὶ τέσσαρας ὄντας τοῖς ὤμοις ἐπιθεῖναι καὶ εἰς τὴν ἐκκλησίαν ἀγαγεῖν, καὶ τοῖς συμμονάζουσιν ἐπιτρέψαι τὰ περὶ αὐτῶν, ὡς μὴ θεμιτὸν αὐτῷ ἔτι μηδένα κακῶς ποιεῖν. **19** Φασὶ γὰρ ἀπὸ κακίας εἰς ἀρετὴν μηδενὶ τοσαύτην ὑπάρξαι μεταβολήν, ὥστε ἄκρου μὲν ἐπιψαῦσαι μοναχικῆς φιλοσοφίας, ἐξαίσιον δὲ φόβον τοῖς δαίμοσιν ἐμποιῆσαι, καὶ πρεσβύτερον γενέσθαι τῶν ἐν Σκήτει μοναχῶν. Ὁ μὲν οὖν τοιοῦτος ὤν, πολλοὺς ἀρίστους μαθητὰς καταλιπών, ἀμφὶ τὰ ἑβδομήκοντα καὶ πέντε ἔτη γεγονὼς ἐτελεύτησεν. **20** Ἐπὶ ταύτης δὲ τῆς βασιλείας ἐγένετο Παῦλος καὶ Παχών, Στέφανός τε καὶ Μωσῆς, ἄμφω Λίβυες, καὶ Πίωρ ὁ Αἰγύπτιος. Ὤικει δὲ Παῦλος μὲν ἐν Φέρμῃ (ὄρος δὲ τοῦτο ἐν Σκήτει οὐ μείους 1380 πεντακοσίων ἀσκητὰς ἔχον)· | εἰργάζετο δὲ οὐδὲν οὐδὲ ἐλάμβανε παρά του πλὴν ὅσον ἤσθιεν. **21** Ηὔχετο δὲ μόνον, ὥσπερ φόρον τινὰ τριακοσίας εὐχὰς ἑκάστης ἡμέρας ἀποδιδοὺς τῷ θεῷ· ἵνα δὲ μὴ λαθὼν διαμάρτοι τοῦ ἀριθμοῦ, τριακοσίας ψηφῖδας τῷ κόλπῳ ἐμβάλλων, καθ' ἑκάστην εὐχὴν ψηφῖδα ἔρριπτεν· ἀναλωθέντων δὲ τῶν

1. Ce Paul, athlète de la prière (300 prières par jour!), n'est pas Paul le Simple, disciple d'Antoine (*HMg* 24). Le Paul cité ici est le personnage d'*Hist. Laus.*, 20, éd. Bartelink p.102-105, qui rassemblait autour de lui, à Phermé, 500 ascètes. Si Sozomène retient le procédé des 300 cailloux pour compter les 300 prières journalières, il supprime la seconde partie, moins glorieuse, donnée par l'*Hist. Laus.* : Paul, jaloux d'une vierge qui fait jusqu'à 700 prières, s'attire une semonce méritée de Macaire.

2. Pachôn est également le sujet d'*Hist. Laus.* 23 (Bartelink, p. 128-133). Sozomène ne garde que les caractéristiques principales de son ascèse – lutte permanente contre les pensées impures et pour garder la continence –, il supprime les diverses anecdotes : la caverne de la hyène, la jeune Éthiopienne, l'aspic.

3. Sur Étienne, voir *Hist. Laus.* 24 (Bartelink, p. 132-135) : il habita 60 ans au bord de la Marmarique, région du littoral nord de l'Afrique (d'après *PW*, XIV, 2, 1930 c. 1881-1883 Kees, c'est la moitié orientale

de tourments. **18** On raconte en tout cas qu'un jour, comme des brigands avaient assailli la maison dans laquelle il menait seul la vie d'ascèse, il les avait tous saisis, liés, portés, bien qu'ils fussent quatre, sur ses épaules et amenés à l'église, et qu'il avait confié leur cas à ses compagnons moines, disant qu'il ne lui était plus permis de faire du mal à personne. **19** Il n'y eut chez personne, dit-on, un si grand changement du vice à la vertu, au point qu'il atteignit au sommet de l'ascèse monastique, qu'il frappa les démons d'une terreur incroyable et qu'il devint prêtre des moines de Scété. Tel fut cet homme qui laissa après lui nombre d'excellents disciples ; il était âgé d'environ soixante-quinze ans quand il mourut. **20** Sous ce règne, il y eut Paul[1] et Pachôn[2], Étienne[3] et Moïse[4], tous deux libyens, et Piôr l'égyptien[5] : Paul habitait à Phermé – c'est une montagne à Scété, qui ne compte pas moins de cinq cents ascètes –; il ne faisait aucun travail ni n'acceptait d'aumône de personne, sauf juste de quoi manger. **21** Il priait seulement, payant à Dieu comme un tribut trois cents prières chaque jour. Pour ne pas manquer à son insu le nombre, il mettait dans le pli de sa tunique trois cents cailloux et à chaque prière il jetait un caillou ; quand les cailloux avaient été épuisés, il devenait clair que les prières aussi avaient été

de l'actuelle Barka-Benghasi entre l'Égypte et la Cyrénaïque – et du lac Maréotide. Il avait le don de consoler les autres sans jamais se plaindre lui-même du chancre dont il souffrait.

4. Moïse est regroupé avec Pior dans l'*Histoire Lausiaque* 39, 4 : c'était un homme « extrêmement humble et bienveillant qui pour cela reçut le don de guérison » (Bartelink, p. 204-207).

5. Cf. *Hist. laus.* 39, 1-2 (Bartelink, p. 202-207) qui rapporte la même anecdote : Pior qui a fait vœu de ne plus voir aucun des siens accepte au bout de cinquante ans que sa sœur le voie et retourne immédiatement au désert. L'anecdote de l'eau du puits amère est dans *Hist. laus.* 39, 3 (Bartelink, p. 204-205). Au chap. 30, 4, Palladius précise que l'histoire du puits dont Pior est le héros lui a été rapportée par Moïse le Libyen dont les disciples furent témoins du miracle.

λίθων δῆλον ἐγίνετο καὶ τὰς ἰσαρίθμους εὐχὰς τοῖς λίθοις πεπληρῶσθαι. **22** Καὶ Παχὼν δὲ τότε ἐν Σκήτει διέπρεπεν. Ὃν ἐκ νέου μέχρι γήρως πολιτευσάμενον οὔτε σῶμα εὖ ἔχον οὔτε πάθος ψυχῆς οὔτε δαίμων ἄνανδρον ἐφώρασε περὶ τὴν ἐγκράτειαν, ὧν δεῖ κρατεῖν τὸν φιλόσοφον. **23** Στέφανος δὲ παρὰ τὸν Μαρεώτην τὴν οἴκησιν εἶχεν οὐκ ἄπωθεν τῆς Μαρμαρικῆς. Δι' ἀκριβοῦς δὲ καὶ τελειοτάτης χωρήσας ἀσκήσεως ἐπὶ ἑξήκοντα ἔτεσιν, εὐδοκιμώτατος ἐγένετο μοναχὸς καὶ Ἀντωνίῳ τῷ μεγάλῳ γνώριμος. Ἐγένετο δὲ πρᾶος καὶ σοφὸς εἰσάγαν καὶ ἐν ταῖς ὁμιλίαις ἡδὺς καὶ ὠφέλιμος, καὶ ἱκανὸς τὰς τῶν λυπουμένων κηλεῖν ψυχὰς καὶ ἐπὶ τὸ εὔθυμον μεταβάλλειν, **283** εἰ καὶ ἀναγκαίαις λύπαις προκατειλημμένοι ἐτύγ|χανον. **24** Τοιοῦτος δὲ ἦν καὶ περὶ τὰς οἰκείας συμφοράς· ἀμέλει τοι χαλεποῦ καὶ ἀνιάτου πάθους ἐνσκήψαντος αὐτῷ, τὰ διεφθορότα μέλη τοῖς ἰατροῖς τέμνειν παραδούς, εἰργάζετο ταῖς χερσὶ φύλλα φοινίκων πλέκων, καὶ τοῖς παροῦσι συνεβούλευε μὴ δυσφορεῖν ἐπὶ τοῖς αὐτοῦ πάθεσι, μηδὲ ἄλλο τι διανοεῖσθαι πλὴν ὅτι πρὸς τέλος χρηστὸν ἃ ποιεῖ ὁ θεὸς πάντως ἐκβαίνει, καὶ αὐτῷ συνοίσειν τοιούτων πειραθῆναι παθῶν, ὑπὲρ ἁμαρτημάτων ἴσως, ὧν ἕνεκεν ἄμεινον ἐνθάδε διδόναι δίκην ἢ μετὰ τὴν βιοτὴν ταύτην. **25** Μωσῆς δὲ πραότητι καὶ ἀγάπῃ ὑπερφυῶς εὐδοκιμηκέναι παραδέδοται καὶ ἰάσεσι παθῶν εὐχῇ κατορθουμέναις. **26** Ὁ δὲ Πίωρ ἐκ νέου φιλοσοφεῖν ἐγνωκώς, ἡνίκα διὰ τοῦτο τοῦ πατρῴου οἴκου ἐξῄει, συνέθετο τῷ θεῷ τοῦ λοιποῦ μηδένα τῶν οἰκείων ὄψεσθαι· μετὰ δὲ πεντήκοντα ἔτη ἐπύθετο αὐτὸν ἡ ἀδελφὴ ζῆν· ὑπὸ δὲ χαρᾶς ἀμέτρου τῆς παραδόξου μηνύσεως καταπλαγεῖσα ἠρεμεῖν οὐκ ἠδύνατο εἰ μὴ θεάσοιτο τὸν ἀδελφόν. **27** Ὀλοφυρομένην δὲ καὶ ἀντιβολοῦσαν ἐν γήρᾳ ἐλεήσας ὁ παρ' αὐτοῖς ἐπίσκοπος ἔγραψε τοῖς ἡγουμένοις τῶν ἐν τῇ ἐρήμῳ μοναχῶν ἐκπέμψαι

accomplies dans le même nombre que les cailloux. **22** Pachôn aussi brillait alors à Scété. Il se conduisit de la jeunesse à la vieillesse sans que son corps en bonne santé, une passion de l'âme ou un démon, choses que doit dominer l'ascète, le convainquissent jamais de lâcheté quant à la continence. **23** Étienne avait son logement près du lac Maréotide non loin de la Marmarique. Après avoir passé soixante années dans une ascèse scrupuleuse et très parfaite, il fut un moine de très grand renom et en familiarité avec le grand Antoine. Il était devenu doux, extrêmement sage, d'un commerce agréable et utile, habile à consoler les âmes des affligés et à les remettre en bon courage, même s'ils avaient été saisis auparavant par les chagrins inévitables. **24** Il se montrait tel aussi touchant ses propres infortunes. Par exemple, comme un mal cruel et inguérissable avait fondu sur lui, tout en livrant aux médecins ses membres pourris à couper, il travaillait avec ses mains au tressage des feuilles de palmier et il conseillait aux assistants de ne pas se chagriner de ses souffrances, de se dire seulement que tout ce que Dieu fait tourne de toute façon à une bonne fin, et qu'il lui serait profitable d'avoir éprouvé de telles souffrances, peut-être pour ses péchés, dont il valait mieux subir le châtiment ici-bas qu'après cette vie. **25** De Moïse on rapporte qu'il était devenu merveilleusement renommé pour sa douceur et sa charité, et par les guérisons de souffrances qu'il réussissait par sa prière. **26** Piôr résolut dès sa jeunesse de mener la vie d'ascèse : quand il quitta pour cela la maison paternelle, il promit à Dieu de ne voir désormais aucun des siens. Cinquante ans après, sa sœur apprit qu'il était en vie. Cette nouvelle inattendue la combla d'une joie immense, et elle n'eut pas de repos qu'elle ne revît son frère. **27** Comme, vieille déjà, elle gémissait et suppliait, l'évêque du lieu eut pitié d'elle et écrivit aux chefs des moines au désert d'envoyer Piôr.

τὸν Πίωρα. Ἀπιέναι δὲ προσταχθείς, οὐκ ἔχων ἀντειπεῖν (οὐ γὰρ θέμις Αἰγυπτίων μοναχοῖς, οἶμαι δὲ καὶ τοῖς ἄλλοις, ἀπειθεῖν τοῖς ἐπιταττομένοις), παραλαβών τινα ἀφίκετο εἰς τὴν πατρίδα· καὶ στὰς πρὸ τῆς πατρῴας οἰκίας ἐμήνυσεν ἐληλυθέναι. **28** Ἐπεὶ δὲ ψοφεῖν τὴν θύραν ᾔσθετο, μύσας τοὺς ὀφθαλμοὺς ὀνομαστὶ τὴν ἀδελφὴν προσειπών «ἐγώ εἰμι, ἔφη, Πίωρ ὁ σὸς ἀδελφός· ἀλλ' ὅσον βούλει, κατανόει.» Ἡ μὲν οὖν ἡσθεῖσα χάριν ὡμολόγησε τῷ θεῷ· ὁ δὲ παρὰ τὴν θύραν εὐξάμενος ἀνέστρεψεν ἐπὶ τὴν ἔρημον εἰς τὸν τόπον ὃν ᾤκει. **29** Ἔνθα δὴ φρέαρ ὀρύξας, πικρὸν εὗρε τὸ ὕδωρ· καὶ μέχρι τελευτῆς
1381 ὑπέμεινε τούτῳ κεχρημένος. Ὁ δὲ μετὰ ταῦτα | χρόνος τὸ ὑπερβάλλον ἀπέδειξε τῆς αὐτοῦ ἐγκρατείας· ἐπεὶ γὰρ ἐτελεύτησε, πολλῶν σπουδασάντων ἐν τῷ αὐτῷ τόπῳ φιλοσοφεῖν, οὐδεὶς ὑπέστη. Ἐγὼ δὲ ὡς ἐμαυτὸν πείθω, εἰ
284 μὴ καὶ τούτῳ τῷ τρόπῳ | φιλοσοφεῖν ἔγνωκεν, οὐ χαλεπὸν ἦν αὐτῷ εὐξαμένῳ μεταβαλεῖν τὸ ὕδωρ εἰς γεῦσιν γλυκεῖαν· ὅπου γε καὶ μὴ ὂν παντάπασιν ἀναβλύσαι ἐποίησεν. **30** Ἀμέλει τοι λέγεταί ποτε φρέαρ ὀρύσσοντας τοὺς ἀμφὶ Μωσέα, μήτε τῆς προσδοκωμένης φλεβὸς μήτε πλείονος βάθους τὸ ὕδωρ ἀναδιδόντος, μέλλειν τὸ ἔργον ἀπαγορεύειν· ἐπιστάντα δὲ αὐτοῖς περὶ μέσην ἡμέραν τὸν Πίωρα καὶ πρότερον ἀσπασάμενον ὀνειδίσαι μικροψυχίαν καὶ δυσπιστίαν· κατελθόντα δὲ εἰς τὴν τάφρον εὔξασθαι καὶ ὄρυγι τρίτον πλῆξαι τὴν γῆν· παραχρῆμα δὲ ἀναβλύσαι τὸ ὕδωρ καὶ τὴν τάφρον πληρῶσαι. Ἐπεὶ δὲ εὐξάμενος ἀπῄει, δεομένων τῶν ἀμφὶ Μωσέα γεύσασθαι παρ' αὐτοῖς, οὐκ ἠνέσχετο, φήσας μὴ ἐπὶ τούτῳ ἀπεστάλθαι, ἠνύσθαι δὲ ἐφ' ᾧ ἦλθεν.

Comme il avait reçu l'ordre de partir, il ne put s'y opposer – car il n'est pas permis aux moines d'Égypte, et je pense non plus aux autres, de désobéir à des ordres –, et avec un compagnon atteignit sa patrie. Debout devant la maison paternelle, il fit savoir qu'il était là. **28** Quand il eut entendu le grincement de la porte, il ferma les yeux et, s'adressant nommément à sa sœur, lui dit : « C'est moi Piôr, ton frère. Eh bien, regarde tant que tu veux. » Elle, ravie, rendit grâces à Dieu. Lui alors, après avoir prié près de la porte, s'en retourna au désert au lieu qu'il habitait. **29** Ayant creusé là un puits, il en trouva l'eau amère ; pourtant jusqu'à la mort, il se résigna à boire de cette eau. Mais la suite des temps montra le caractère extraordinaire de son endurance : car, après sa mort, bien que beaucoup eussent essayé la vie d'ascèse au même lieu, aucun ne le supporta. Pour moi, comme je me le persuade, s'il n'avait pas décidé de mener en cette façon la vie d'ascèse, il ne lui eût pas été difficile, par la prière, de changer l'amertume de l'eau en douceur, dès lors que, en un lieu où il n'y avait absolument pas d'eau, il en fit jaillir. **30** Voici par exemple ce qu'on raconte. Les disciples de Moïse creusaient un jour un puits. Comme ni la veine à laquelle on s'attendait ni un trou plus profond ne donnait d'eau, ils étaient sur le point de renoncer. Vers le milieu du jour, Piôr, s'étant arrêté près d'eux, les salua d'abord, puis il leur reprocha leur pusillanimité et leur manque de foi. Et, étant descendu dans la fosse, il pria et frappa trois fois la terre d'une pioche : aussitôt l'eau jaillit et elle remplit la fosse. Mais alors qu'après une prière il s'en allait, les disciples de Moïse lui demandèrent de manger avec eux. Il refusa, disant qu'il n'avait pas été envoyé pour cela et qu'il avait achevé ce pour quoi il était venu.

30

1 Ἐν τούτῳ δὲ εἰσέτι διέπρεπον ἐν τοῖς τῆς Σκήτεως μοναστηρίοις γηραλέοι μὲν Ὠριγένης ἐκ τῶν μαθητῶν Ἀντωνίου τοῦ μεγάλου περιλελειμμένος καὶ Δίδυμος καὶ Κρονίων ἀμφὶ τοὺς ἑκατὸν καὶ δέκα ἐνιαυτοὺς γεγονὼς καὶ ὁ μέγας Ἀρσίσιος καὶ Πουτουβάστης καὶ Ἀρσίων καὶ Σεραπίων, οἳ καὶ αὐτοὶ σύγχρονοι Ἀντωνίου ἐγένοντο· **2** καταγεγηρακότες δὲ ἐν τῷ φιλοσοφεῖν, προΐσταντο τότε τῶν τῇδε μοναστηρίων· τῶν δ' αὖ νέαν καὶ μέσην ἡλικίαν ἀγόντων πολλοὶ καλοί τε καὶ ἀγαθοὶ σὺν αὐτοῖς ἐγνωρίζοντο, καὶ Ἀμμώνιος καὶ Εὐσέβιος καὶ Διόσκορος· οὓς ἀδελφοὺς ἀλλήλοις ὄντας, μακροὺς ἐκ τῆς ἡλικίας ὠνόμαζον.
1384 **3** Λέγεται δὲ τούτων Ἀμ | μώνιον εἰς ἄκρον φιλοσοφίας προελθεῖν, ἡδονῆς τε καὶ ῥᾳστώνης ἀνδρείως κρατῆσαι καὶ φιλόλογον εἰσάγαν γενέσθαι, ὡς τοὺς Ὠριγένους καὶ Διδύμου καὶ τῶν ἄλλων ἐκκλησιαστικῶν λόγους διελθεῖν· ἐκ νέου δὲ μέχρι τελευτῆς πλὴν ἄρτου μηδενὸς γεύσασθαι ἐν πυρὶ γενομένου. **4** Μέλλων δέ ποτε πρὸς χειροτονίαν ἐπισκοπῆς συλλαμβάνεσθαι, ὡς ἀντιβολῶν οὐκ ἔπεισεν

1. RUFIN, *HM* 26, 6, 1 rapporte qu'Origène, disciple d'Antoine, «racontait à merveille les hauts faits de l'homme de Dieu». A. de VOGÜÉ, III, p. 323, note 47 fait remarquer que ces lignes sur Origène manquent dans l'*HMg*, probablement par suite d'une censure anti-origéniste, le nom de ce moine rappelant «fâcheusement le vieux docteur réprouvé». Sozomène confirme ici l'authenticité du texte latin, celui de Rufin, dont il se sert.

2. Sozomène remonte au-delà de 355, date probable de la mort d'Antoine. Parmi les disciples de celui-ci, Didyme est mentionné en *HMg*, 20, 12 (il écrasait scorpions, cérastes et aspics), Cronion (sous la forme Cronides) en *HMg* 20, 13; Arsisios «le Grand» est mentionné avec Putubaste, Asion, Cronides et Sérapion dans *Hist. laus.* 7, 3 (Bartelink, p. 38-39) et 7, 6, p. 40-41 (voir déjà *H.E.* III, 14, 4, *SC* 418, p. 116-117 avec la note 2); Poutoubastes a aussi été déjà nommé en III, 14, 4 (*SC* 418, p. 116-117 et note 2). Il faut sans doute corriger le nom d'Arsiôn en Asiôn d'après *Hist. laus.* 7, 3.

3. Cf. *HMg* 20, 14 : «trois frères très distingués se coupèrent les oreilles» pour échapper à l'épiscopat. En fait, seul Ammonius s'était

Chapitre 30

Les moines de Scété : Origène, Didyme, Cronion, Arsisios, Poutoubastès, Arsiôn, les trois frères Ammônios, Eusèbe et Dioscore qu'on appelle « les Longs », Évagre le philosophe.

1 En ce temps-là brillaient encore, très âgés, dans les monastères de Scété Origène, l'un des derniers survivants des disciples du grand Antoine[1], Didyme, Croniôn, âgé d'environ cent-dix ans, le grand Arsisios, Poutoubastès, Arsiôn et Sérapiôn, qui avaient été contemporains d'Antoine[2]. **2** Ayant vieilli dans l'ascèse, ils présidaient alors aux monastères du lieu. Parmi les jeunes et ceux d'âge intermédiaire, beaucoup d'hommes de mérite se faisaient connaître à côté d'eux, en particulier Ammônios, Eusèbe et Dioscore : ces trois, qui étaient frères[3], on les nommait «les Longs» à cause de leur taille. **3** De ceux-ci, on dit qu'Ammônios s'était élevé à la cime de la vie ascétique, qu'il s'était rendu maître vaillamment du plaisir et de la mollesse, qu'il était devenu extrêmement érudit, au point de lire entièrement les ouvrages d'Origène, de Didyme et des autres hommes d'église, et que, de sa jeunesse à sa mort, il n'avait rien mangé, sauf de pain, qui eût passé par le feu. **4** Alors qu'on allait un jour le saisir pour l'ordonner évêque, comme, malgré ses supplications, il n'était

dérobé par ce moyen à l'ordination voulue par l'évêque Théophile d'Alexandrie. Celui-ci s'efforça d'enrôler d'autres «Longs frères» dans son clergé et Dioscore fut obligé d'accepter d'être évêque. Le refus des autres aurait entraîné leur brouille avec l'évêque, lourde de conséquences d'après SOCRATE, *H.E.* VI, 7. Bien qu'il écrive qu'Ammônios avait lu entièrement les ouvrages d'Origène, ce qui doit être considéré comme un éloge, Sozomène n'a pas su ou voulu situer nettement cet épisode dans la querelle autour d'Origène : cf. C. TSIRPANLIS, «The origenistic Controversy in the Historians of the fourth Century», *Augustinianum* 26, 1986, p. 177-183.

285 ἀπιέναι τοὺς | ἐπ' αὐτὸν ἐληλυθότας, ἀποτεμὼν τὸ οὖς «ἄπιτε, ἔφη, λοιπὸν γὰρ οὐδὲ ἑκόντα με ὁ ἱερατικὸς νόμος συγχωρεῖ χειροτονεῖσθαι»· ἄρτιον γὰρ χρῆναι τὸν ἱερέα καθίστασθαι. **5** Ἀναχωρήσαντες δέ, ἐπεὶ τάδε ἔγνωσαν Ἰουδαίοις φυλακτέα, τῇ δὲ ἐκκλησίᾳ σώματος μηδὲν μέλειν, ἢν μόνον ἄρτιος ᾖ τοῖς τρόποις ὁ ἱερεύς, αὖθις ἀνέστρεφον ὡς συλληψόμενοι τὸν ἄνδρα· ὁ δὲ ἦ μὴν καὶ τὴν γλῶσσαν ἐκτεμεῖν διωμόσατο, εἰ βιάσασθαι πειραθεῖεν· δείσαντες οὖν τὴν ἀπειλὴν ὑπεχώρουν, αὐτὸς δὲ ἐντεῦθεν Ἀμμώνιος ὁ Παρώτης ὠνομάζετο. **6** Τῷ δὲ μετ' οὐ πολὺ ἐπὶ τῆς ἐχομένης βασιλείας συνῆν Εὐάγριος ὁ σοφός, ἐλλόγιμος ἀνήρ, νοῆσαί τε καὶ φράσαι δεινὸς καὶ ἐπήβολος διακρῖναι τοὺς πρὸς ἀρετὴν καὶ κακίαν ἄγοντας λογισμούς, καὶ ἱκανὸς ὑποθέσθαι ᾗ χρὴ τοὺς μὲν ἐπιτηδεύειν, τοὺς δὲ φυλάξασθαι. Ἀλλ' οἷος μὲν περὶ λόγους ἦν, ἐπιδείξουσιν αἱ γραφαὶ ἃς καταλέλοιπεν· **7** ἐλέγετο δὲ τὸ ἦθος μέτριος εἶναι, τύφου τε καὶ ὑπεροψίας τοσοῦτον κρατεῖν, ὡς μήτε δικαίως ἐπαινούμενος ὀγκοῦσθαι τοῖς κρότοις μήτε ἀδίκως λοιδορούμενος ἀγανακτεῖν ἐπὶ ταῖς ὕβρεσιν. **8** Ἐγένετο δὲ τῷ μὲν

1. Même éloge dans *HMg* 20, 15 : «Évagre, homme savant et éloquent, puissamment doué pour discerner les pensées». Voir aussi l'*Histoire lausiaque* 38 (Bartelink, p. 192-203), dont l'auteur, Palladius, avait été précisément l'élève d'Évagre : cf. R. DRAGUET, «L''Histoire lausiaque'. Une œuvre écrite dans l'esprit d'Évagre», dans *RHE* 41, 1946, p. 321-364 et 47, 1947, p. 5-49. Évagre est «l'un des grands maîtres de la spiritualité monastique» (*Dictionnaire de spiritualité* IV 1731-1744 A. et Cl. GUILLAUMONT). Voir aussi V. DESPREZ, *Le monachisme primitif. Des origines au concile d'Éphèse*, Abbaye de Bellefontaine 1998 (Spiritualité monastique n° 72), p. 364-399. Si sa doctrine fut condamnée en 553 sous Justinien par un concile à Constantinople (*DECA*, p. 932-933 J. GRIBOMONT), sa réputation paraît encore intacte au milieu du ve siècle : il figure aussi en bonne place parmi les «saints moines du désert» chez SOCRATE, *H.E.* IV, 23.

pas parvenu à persuader de s'en aller ceux qui étaient venus vers lui, il se coupa l'oreille et dit : « Allez-vous en ! Désormais la loi concernant les prêtres ne permet pas que, même de mon plein gré, je sois ordonné » : il fallait en effet, disait-il, que le corps du prêtre fût intact. **5** Les gens se retirèrent. Mais quand ils eurent appris que c'était là une règle à observer chez les juifs, que l'Église en revanche ne se soucie en rien du corps, pourvu seulement que l'évêque soit intègre de mœurs, ils revinrent pour prendre l'homme. Celui-ci jura qu'il se couperait aussi la langue, si on cherchait à le forcer. Craignant alors sa menace, ils s'éloignèrent et Ammônios désormais était surnommé « l'Oreille ». **6** Il eut peu après, sous le règne suivant, pour compagnon Évagre le sage[1], homme cultivé, habile à concevoir et à s'expliquer, très apte à discerner les pensées qui tendent à la vertu ou au mal, et capable de montrer comment il faut pratiquer les unes et se garder des autres. Mais ce que fut son talent littéraire, les ouvrages qu'il a laissés peuvent le montrer[2]. **7** Il passait pour être d'humeur tempérée, et si bien au-dessus de l'orgueil et du mépris que ni, loué à juste titre, les applaudissements ne l'enflaient, ni, insulté injustement, il ne s'irritait des injures. **8** Il était issu d'une ville des

2. L'*Histoire lausiaque* 38, 10 (Bartelink, p.197-201) ne mentionne que les trois livres qu'à la fin de sa vie – il mourut à 54 ans en 399 –, Évagre composa pour exposer les artifices des démons, probablement le traité *Contre les mauvaises pensées*, éd. P. Géhin, A. et Cl. Guillaumont, *SC* 438, 1998. Mais il avait composé bien d'autres ouvrages qui furent presque tous traduits en syriaque et/ou en arménien, notamment la « grande trilogie » : *Traité Pratique* (éd. A. et Cl. Guillaumont, *SC* 170 et 171, 1971), *le Gnostique* (éd. A. et C. Guillaumont, SC 356), les *Kephalaia gnostica* (éd. A. Guillaumont, *Patrologia Orientalis* 28, Paris 1958). Sozomène ne fait pas d'allusion aux tendances fortement origénistes de ses ouvrages (voir A. GUILLAUMONT, *Les « Kephalaia gnostica » d'Évagre le Pontique et l'histoire de l'origénisme chez les Grecs et les Syriens,* Paris 1962), qui furent condamnés au VIe s.

γένει Ἰβήρων πόλεως πρὸς τῷ καλουμένῳ Εὐξείνῳ πόντῳ· ἐφιλοσόφησε δὲ καὶ ἐπαιδεύθη ὑπὸ Γρηγορίῳ τῷ ἐπισκόπῳ Ναζιανζοῦ τοὺς ἱεροὺς λόγους· ἡνίκα δὲ ἐπετρόπευε τὴν ἐν Κωνσταντινουπόλει ἐκκλησίαν, ἀρχιδιάκονον αὐτὸν εἶχεν. **9** Ἀστεῖον δὲ ὄντα τῇ ὄψει καὶ περὶ τὴν ἐσθῆτα φιλόκαλον, μαθών τις τῶν ἐν τέλει ζηλότυπος γνώριμον εἶναι τῇ γαμετῇ, θάνατον αὐτῷ ἐμηχανᾶτο· εἰς ἔργον δὲ προβήσεσθαι μελλούσης τῆς ἐπιβουλῆς, καθεύδοντι αὐτῷ φοβεράν τινα καὶ σωτήριον ὀνείρατος ὄψιν ἐπιπέμπει τὸ θεῖον· ἔδοξε γὰρ ὡς ἐπὶ ἐγκλήματι συλληφθεὶς σιδήρῳ δεδέσθαι πόδας καὶ χεῖρας. **10** Μέλλοντί τε αὐτῷ εἰς
1385 δικαστήριον ἄγεσθαι | καὶ τιμωρίαν ὑπέχειν προσελθών τις ἐπέδειξε τὴν ἱερὰν τῶν εὐαγγελίων βίβλον· καὶ ὑπισχνεῖτο, εἰ τῆς πόλεως ἐξέλθοι, τῶν δεσμῶν αὐτὸν ἀπαλλάξαι, καὶ ὅτι τοῦτο ποιήσει, ὅρκον ἀπῄτει. **11** Ὁ δὲ τῆς βίβλου ἐφαψάμενος ἦ μὴν ὧδε πράξειν ἐπωμόσατο· διαφεθείς τε
286 τῶν δεσμῶν αὐτίκα | ἐξηγέρθη, καὶ τῷ θείῳ ὀνείρῳ πεισθεὶς διέφυγε τὸν κίνδυνον· εἰς νοῦν τε λαβὼν χρῆναι μετιέναι τὸν ἀσκητικὸν βίον, ἐξεδήμησεν ἐκ Κωνσταντινουπόλεως εἰς Ἱεροσόλυμα, καὶ μετὰ χρόνον τινὰ
1388 παραγενόμενος ἐπὶ θέαν τῶν | ἐν Σκήτει φιλοσοφούντων, ἠσμένισε τὴν ἐνθάδε διατριβήν.

31

1 Καλοῦσι δὲ τὸν χῶρον τοῦτον Νιτρίαν, καθότι κώμη τίς ἐστιν ὅμορος ἐν ᾗ τὸ νίτρον συλλέγουσιν. Οὐ τὸ τυχὸν

1. L'*Hist. laus.* 38, 2 (Bartelink, p. 194-195) précise que, natif d'Ibora, il fut d'abord placé comme lecteur par son père, un chôrévêque, auprès de Basile de Césarée. Grégoire de Nazianze l'ordonna diacre. L'histoire des amours contrariées d'Évagre avec la femme d'un notable et du songe prémonitoire qui le sauva est longuement rapportée par l'*Hist. laus.* 38, 3-7, qui précise aussi (38, 8) qu'il fut accueilli par la romaine Mélanie à Jérusalem (en 383). Évagre passa deux ans à Nitrie, puis quatorze ans aux Cellia (38, 10).

Ibères près de ce qu'on appelle Pont Euxin[1]. Il fut formé à l'ascèse et éduqué dans les Saintes Lettres sous la conduite de Grégoire, évêque de Nazianze. Alors que celui-ci gouvernait l'église de Constantinople, il l'avait comme archidiacre. **9** Comme il était gracieux de visage et soigné dans ses vêtements, un notable, ayant appris qu'il était intime avec sa femme, pris de jalousie, cherchait à le tuer. La machination était sur le point de passer à l'acte, quand Dieu envoie à Évagre dans son sommeil une vision de rêve terrible et salutaire : il lui sembla en effet qu'arrêté à la suite d'une accusation, il était lié de chaînes de fer aux pieds et aux mains. **10** Comme il allait être conduit au tribunal et subir un châtiment, quelqu'un, s'approchant de lui, lui montra le saint livre des Évangiles ; il lui promettait, s'il sortait de la ville, de le délivrer de ses liens et il réclamait de lui le serment qu'il ferait cela. **11** Évagre alors, la main sur le livre, jura qu'il agirait ainsi. Aussitôt il fut libéré des liens et se réveilla. Il obéit au songe divin et échappa au péril. S'étant mis dans l'esprit qu'il devait poursuivre la vie d'ascèse, il partit de Constantinople pour Jérusalem et, quelque temps après, étant allé visiter les ascètes de Scété, il prit avec joie le genre de vie qu'on y menait.

Chapitre 31

Les monastères de Nitrie et ceux qu'on appelle les « Cellia » ;
le monastère de Rhinokoroura ;
Mélas, Denys et Solon.

1 On appelle ce lieu Nitrie, parce qu'il y a un village limitrophe où l'on recueille le nitre. Le nombre des moines qui y menaient la vie d'ascèse n'était pas commun : il y

δὲ πλῆθος ἐνταῦθα ἐφιλοσόφει, καὶ μοναστήρια ἦν ἀμφὶ πεντήκοντα ἀλλήλοις ἐχόμενα, τὰ μὲν συνοικιῶν, τὰ δὲ καθ' ἑαυτοὺς οἰκούντων. **2** Ἐντεῦθεν δὲ ὡς ἐπὶ τὴν ἔνδον ἔρημον ἕτερός ἐστι τόπος σχεδὸν ἑβδομήκοντα σταδίοις διεστώς, ὄνομα Κελλία· ἐν τούτῳ δὲ σποράδην ἐστὶ μοναχικὰ οἰκήματα πολλά, καθὸ καὶ τοιαύτης ἔλαχε προσηγορίας· κεχώρισται δὲ τοσοῦτον ἀλλήλων, ὡς τοὺς αὐτόθι κατοικοῦντας σφᾶς αὐτοὺς μὴ καθορᾶν ἢ ἐπαΐειν. **3** Συνίασι δὲ πάντες εἰς ταὐτὸν καὶ ἅμα ἐκκλησιάζουσι τῇ πρώτῃ καὶ τῇ τελευταίᾳ ἡμέρᾳ τῆς ἑβδομάδος. Ἢν δέ τις μὴ παραγένηται, δῆλός ἐστιν ἄκων ἀπολειφθεὶς ἢ πάθει τινὶ ἢ νόσῳ πεπεδημένος· καὶ ἐπὶ θέαν αὐτοῦ καὶ θεραπείαν οὐκ εὐθὺς πάντες ἀπίασιν, ἀλλ' ἐν διαφόροις καιροῖς ἕκαστος ἐπιφερόμενος ὅπερ ἂν ἔχῃ πρὸς νόσον ἁρμόδιον. **4** Ἐκτὸς δὲ τοιαύτης αἰτίας οὐχ ὁμιλοῦσιν ἀλλήλοις, εἰ μὴ λόγων ἕνεκεν εἰς γνῶσιν θεοῦ τεινόντων ἢ ὠφέλειαν ψυχῆς ἔλθοι τις μαθησόμενος παρὰ τὸν φράσαι δυνάμενον. Οἰκοῦσι δὲ ἐν τοῖς Κελλίοις ὅσοι τῆς φιλοσοφίας εἰς ἄκρον ἐληλύθασι καὶ σφᾶς ἄγειν δύνανται καὶ μόνοι διατρίβειν δι' ἡσυχίαν χωρισθέντες τῶν ἄλλων. **5** Τάδε μὲν ἡμῖν ὡς ἐν βραχεῖ περὶ Σκήτεως εἰρήσθω καὶ τῶν ἐνθάδε φιλοσοφούντων· εἰ γὰρ τὸ καθέκαστον τῆς αὐτῶν ἀγωγῆς διεξελθεῖν πειραθείην, μηκυνομένην ἴσως τὴν γραφὴν μωμήσαιτό τις. Ἰδίαν γὰρ συστησάμενοι πολιτείαν, ἔργα καὶ ἤθη καὶ γυμνάσια καὶ δίαιταν καὶ καιρὸν ἑκάστῃ ἡλικίᾳ κατὰ τὸ εἰκὸς διένειμαν.

6 Καὶ Ῥινοκόρουρα δὲ οὐκ ἐπεισάκτοις ἀλλ' οἴκοθεν

1. Sur Nitrie, les Cellia et Scété, voir déjà *H.E.* I, 14, *SC* 306, p. 178 avec la note 1. Cf. de Vogüé, III, p. 363. Nitrie fut fondée par Ammon. Les déserts des Cellia et de Scété sont situés par rapport à Nitrie. Jérôme et Palladios estiment à 5000 le nombre des moines, Rufin parle de 500 monastères. Le « moment opportun » désigne elliptiquement, dans le langage monastique, celui de la rupture du jeûne.

avait là environ cinquante monastères qui se touchaient, les uns de communautés, les autres de moines habitant séparément. **2** A partir de là, si on va vers le désert intérieur, il y a un autre lieu distant de presque soixante-dix stades, qui a nom Cellia. Il s'y trouve, disséminées, beaucoup d'habitations monastiques : de là vient un tel nom. Elles sont séparées les unes des autres de la distance qu'il faut pour que ceux qui y habitent ni ne se voient ni ne s'entendent. **3** Tous se réunissent en un même lieu et tiennent en commun assemblée de culte le premier et le dernier jour de la semaine. Si quelqu'un ne vient pas, c'est manifestement malgré lui qu'il est absent, retenu par quelque souffrance ou par une maladie ; on va alors le visiter et le soigner, non aussitôt tous à la fois, mais à des moments différents, chacun apportant ce qu'il peut avoir d'approprié à la maladie. **4** Hormis cette occasion, ils ne conversent pas ensemble, sauf si quelqu'un, pour des entretiens qui tendent à la connaissance de Dieu, ou au profit de son âme, vient s'instruire auprès de celui qui est capable de lui donner des explications. Habitent aux Cellia ceux qui sont arrivés au sommet de la vie ascétique, qui peuvent se conduire eux-mêmes et vivre seuls dans le silence, séparés des autres. **5** Voilà ce que nous pouvons dire, comme en raccourci, sur Scété et ceux qui y menaient la vie d'ascèse[1]. Si j'essayais de décrire chaque détail de leur comportement, on me reprocherait peut-être d'allonger mon écrit. Car, bien qu'ils se soient constitué une conduite qui leur est propre, ils ont réparti à chaque âge, comme il est normal, travaux, coutumes, exercices, régime, moment opportun.

6 Rhinokoroura aussi brillait depuis ce temps en hommes de mérite non venus d'ailleurs, mais autoch-

1389 ἀνδράσιν ἀγαθοῖς ἐξ ἐκείνου διέπρεπεν· | ὧν δὲ ἐνθάδε φιλοσοφεῖν ἐπυθόμην, ἀρίστους ἔγνων τόν τε Μέλανα τὸν **287** | κατ' ἐκεῖνο καιροῦ τὴν ἐκκλησίαν ἐπιτροπεύοντα, καὶ Διονύσιον ὃς πρὸς βορέαν τῆς πόλεως ἐν ἐρημίᾳ τὸ φροντιστήριον εἶχε, καὶ Σολομῶνα τὸν Μέλανος ἀδελφὸν καὶ τῆς ἐπισκοπῆς διάδοχον. **7** Λέγεται δέ, ἡνίκα προστέτακτο τοὺς κατὰ πόλιν ἱερέας ἐναντίως Ἀρείῳ φρονοῦντας ἀπελαύνεσθαι, καταλαβεῖν Μέλανα τοὺς ἐπ' αὐτὸν ἐλθόντας τοὺς λύχνους τῆς ἐκκλησίας παρασκευαζόμενον, οἷά γε ὑπηρέτην ἔσχατον, ἐπὶ ῥυπῶντι ἱματίῳ ὑπὸ τοῦ ἐλαίου τὴν ζώνην ἔχοντα καὶ τὰς θρυαλλίδας ἐπιφερόμενον. **8** Ἐρωτηθέντα δὲ περὶ τοῦ ἐπισκόπου εἰπεῖν ὡς « ἐνθάδε ἐστί, καὶ μηνύσω τοῦτον » · αὐτίκα δὲ τοὺς ἄνδρας οἷά γε ἐξ ὁδοῦ κεκμηκότας εἰς τὸ ἐπισκοπικὸν καταγώγιον ὁδηγῆσαι, καὶ τράπεζαν παραθεῖναι, καὶ ἐκ τῶν ὄντων ἑστιᾶσαι · **9** μετὰ δὲ τὴν ἑστίασιν νιψάμενον τὰς χεῖρας (διηκονεῖτο γὰρ τοῖς ἑστιωμένοις) ἑαυτὸν προσαγγεῖλαι · τοὺς δὲ τὸν ἄνδρα θαυμάσαντας ὁμολογῆσαι μὲν ἐφ' ᾧ ἐληλύθεισαν, αἰδοῖ δὲ τῇ πρὸς αὐτὸν ἐξουσίαν δοῦναι φυγῆς · τὸν δὲ φάναι ὡς « οὐκ ἂν προοίμην ταὐτὰ τοῖς ὁμοδόξοις ἱερεῦσιν μὴ ὑπομεῖναι », ἀλλ' ἑκοντὶ ἑλέσθαι εἰς τὴν ὑπερορίαν ἐλθεῖν. Πᾶσαν δέ, οἷά γε ἐκ νέου φιλοσοφήσας, μοναχικὴν ἀρετὴν ἐξησκεῖτο. **10** Ὁ δὲ Σολομὼν ἀπὸ ἐμπόρου εἰς μοναχὸν μεταβαλών, οὐδὲ αὐτὸς ὀλίγον ἀπώνατο τῆς ἔνθεν ὠφελείας · ὑπὸ διδασκάλῳ γὰρ τῷ ἀδελφῷ καὶ τοῖς τῇδε φιλοσοφοῦσιν ἐπιμελῶς παιδευθεὶς καὶ περὶ τὸ θεῖον ὅτι μάλιστα προθύμως ἐσπούδαζε καὶ πρὸς τοὺς πέλας ἀγαθὸς

1. Rinocorura/Rinocolura est une localité située à la frontière de l'Égypte et de la Palestine (aujourd'hui El-Arish) : cf. *PW,* I A1, 1914 c. 841-842 BEER, qui précise qu'elle était siège épiscopal ; et M. BESNIER, *Lexique,* p. 643, pour l'époque antérieure : « C'était une place de guerre et de commerce très disputée. » Le monastère dont parle Sozomène est situé « dans le désert » au nord de Rhinokoroura.

2. Mélas, sans doute après avoir été moine (§ 9 : « il avait pratiqué l'ascèse dans sa jeunesse »), assura les fonctions épiscopales avec la

tones[1]. De ceux dont j'ai appris qu'ils y menèrent la vie d'ascèse, j'ai connu comme très excellents Mélas[2] qui en ce temps avait la charge de l'église, Denys, qui avait son lieu de méditation au nord de la ville au désert[3], Solomon, frère de Mélas et son successeur dans l'épiscopat. **7** Voici ce qu'on raconte. Quand ordre eut été donné que les évêques anti-ariens en chaque ville fussent chassés, ceux qui venaient pour le prendre trouvèrent Mélas en train de préparer les lampes de l'église, comme un serviteur de bas étage, portant sa ceinture sur un vêtement taché d'huile et introduisant les mèches. **8** Interrogé sur l'évêque, il dit : « Il est ici, je vais l'avertir. » Aussitôt, il conduisit ces hommes qui étaient fatigués de leur marche à l'évêché, il leur dressa une table et leur donna un repas de ce qu'il avait. **9** Après le repas, il se lava les mains – il les avait en effet servis à table – et se fit connaître. Eux, pleins d'admiration pour l'homme, avouèrent la raison de leur venue, mais, par respect pour lui, lui donnèrent le moyen de fuir. Il répondit : « Je ne voudrais pas laisser échapper l'occasion de subir les mêmes peines que les évêques qui partagent mon opinion » : il aima mieux aller de bon gré en exil. Attendu qu'il avait mené la vie d'ascèse dès sa jeunesse, il s'était exercé à toutes les vertus monastiques. **10** Solomon, qui avait quitté le commerce pour être moine, lui non plus ne tira pas petit profit de l'utilité qu'offre cette vie. Formé avec soin sous la conduite de son frère et des ascètes du lieu, il s'empressait avec une ferveur extrême au service de Dieu et il se montrait plein de bonté à l'égard du

simplicité d'un personnage quasi biblique : il sert les émissaires comme Abraham servit les trois jeunes envoyés de Dieu, en *Genèse* 18.

3. Ce moine de Rhinokoroura nous reste inconnu : une identification avec Denys, évêque de Diospolis-Lydda, ardent anti-origéniste, « confesseur », sinon moine, qui appartenait au goupe des évêques palestiniens avec lesquels Jérôme resta en communion (de VOGÜÉ, III, p. 39), est très hypothétique.

ἐτύγχανεν. **11** Ἡ μὲν Ῥινοκορούρων ἐκκλησία τοιούτων ἐξ ἀρχῆς ἡγεμόνων ἐπιτυχοῦσα οὐ διέλιπεν ἐξ ἐκείνου μέχρι καὶ εἰς ἡμᾶς καὶ εἰσέτι νῦν τοῖς ἐκείνων χρωμένη θεσμοῖς καὶ ἀγαθοὺς ἄνδρας φέρουσα· κοινὴ δέ ἐστι τοῖς αὐτόθι κληρικοῖς οἴκησίς τε καὶ τράπεζα καὶ τἆλλα πάντα.

32

1 Οὐ μὴν ἀλλὰ καὶ Παλαιστίνη μοναχῶν ἀνδρῶν διατριβαῖς ἤνθει. Οἵ τε γὰρ πλείους ὧν ἐν τῇ Κωνσταντίου βασιλείᾳ ἀπηριθμησάμην, ἔτι περιῆσαν ταύτην τὴν ἐπιστήμην σεμνύνοντες, οἱ δὲ ταῖς αὐτῶν συνουσίαις εἰς ἄκρον ἀρετῆς ἐπέδοσαν καὶ εἰς εὔκλειαν μείζονα τοῖς ἐνθάδε **288** φροντιστηρίοις | προσετέθησαν. **2** Ὧν ἦν Ἡσυχᾶς ὁ Ἱλαρίωνος ἑταῖρος καὶ Ἐπιφάνιος ὁ ὕστερον Σαλαμῖνος τῆς Κύπρου [3] γενόμενος ἐπίσκοπος. Ἐφιλοσόφησε δὲ 1392 Ἡσυχᾶς μὲν οὗ καὶ ὁ διδά|σκαλος, **3** Ἐπιφάνιος δὲ ἀμφὶ Βησανδούκην κώμην ὅθεν ἦν, νομοῦ Ἐλευθεροπόλεως.

1. Le cheminement de ce personnage, incorrectement nommé Solon dans le titre du chapitre, d'abord commerçant (§ 10), puis moine, enfin évêque est classique. Le monastère de Rhinokoroura, mentionné parmi les monastères égyptiens par *DACL,* II, 2, c. 3135, art. cénobitisme H. LECLERCQ, avait été et restait jusqu'à l'époque de Sozomène (cf. § 11) une pépinière d'évêques dotés des vertus monastiques.

2. Suivant l'ordre géographique, Sozomène passe de l'Égypte à la Palestine sur laquelle il dispose d'une information personnelle. Il renvoie au l. III, 14 où il avait présenté Hilarion (§ 21-27), son disciple Hésychas (§ 28), Aurélius d'Anthédon, Alexion de Bethagathon, Alaphion d'Asaléa (§ 28), Julien d'Édesse (§ 29), Daniel et Syméon (§ 30), en annonçant qu'il en traiterait plus longuement dans la suite.

3. Sur Hésychas (forme locale)/Hésychius, voir de VOGÜÉ, II, p. 221-227 : ce disciple-modèle d'Hilarion est le contraire d'Hadrien, un disciple qui voulait tirer profit du saint. Hésychius a fourni à Jérôme une grande partie de ses informations pour la *Vie d'Hilarion* (de VOGÜÉ, p. 168).

prochain[1]. **11** L'église de Rhinokoroura, ayant obtenu de tels chefs dès le début, ne cessa plus depuis lors jusqu'à nous et aujourd'hui encore de suivre leurs règlements et de produire des hommes de mérite : tout est commun pour les clercs de là-bas, logement, table et tout le reste.

Chapitre 32

Les moines de Palestine : Hésychâs, Épiphane qui fut plus tard évêque de Chypre, Ammonios et Silvain.

1 Mais d'ailleurs la Palestine aussi fleurissait en écoles de moines. La plupart de ceux que j'ai dénombrés sous le règne de Constance[2] étaient encore en vie, faisant honneur à cette discipline, d'autres, par le commerce avec eux, avaient progressé jusqu'au sommet de la vertu et avaient été, pour leur conférer un plus grand lustre, adjoints aux lieux de méditation de ce pays. **2** De ce nombre étaient Hésychâs, disciple d'Hilarion[3], et Épiphane qui fut plus tard évêque de Chypre[4]. Hésychâs mena la vie d'ascèse au même lieu que son maître, **3** Épiphane près du village de Bèsandouké, d'où il était issu, dans

4. Évêque de Salamine de Chypre de 365 à 403, il était né *c.* 315 en Palestine, près d'Éleuthéropolis. Il s'initia à la vie monastique en Égypte, jusqu'à l'âge de 20 ans, puis revint dans sa patrie et y fonda un monastère. Après quoi, il occupa le siège épiscopal de Constantia, l'ancienne Salamine, de 365/366 jusqu'à sa mort. Il se montra un adversaire déterminé de Jean Chrysostome (cf. *H.E.* VIII, 14 s.). Sur la suite de sa vie et de sa carrière, voir *DECA*, p. 841-843 C. Riggi et sur la composition du *Panarion,* chef-d'œuvre de l'hérésiologie, A. Pourkier, *L'hérésiologie chez Épiphane de Salamine,* Paris, Beauchesne, 1992 (Christianisme antique 4).

Ἐκ νέου δὲ ὑπὸ μοναχοῖς ἀρίστοις παιδευθεὶς καὶ τούτου χάριν ἐν Αἰγύπτῳ πλεῖστον διατρίψας χρόνον, ἐπισημότατος ἐπὶ μοναστικῇ φιλοσοφίᾳ γέγονε παρά τε Αἰγυπτίοις καὶ Παλαιστίνοις, μετὰ δὲ ταῦτα καὶ Κυπρίοις, παρ' οἷς ᾑρέθη τῆς μητροπόλεως τῆς νήσου ἐπισκοπεῖν. **4** Ὅθεν οἶμαι μᾶλλον κατὰ πᾶσαν ὡς εἰπεῖν τὴν ὑφ' ἥλιον ἀοιδιμώτατός ἐστιν. Ὡς ἐν ὁμίλῳ γὰρ καὶ πόλει μεγάλῃ τε καὶ παράλῳ ἱερωμένος καὶ μεθ' ὅσης ἀρετῆς εἶχε πολιτικοῖς ἐμβαλὼν πράγμασιν, ἀστοῖς καὶ ξένοις παντοδαποῖς γνώριμος ἐν ὀλίγῳ ἐγένετο, τοῖς μὲν θεασαμένοις καὶ πεῖραν λαβοῦσι τῆς αὐτοῦ πολιτείας, τοῖς δὲ παρὰ τούτων πυθομένοις. **5** Πρὸ δὲ τῆς εἰς Κύπρον ἀποδημίας ἔτι ἐν Παλαιστίνῃ διέτριβεν ἐπὶ τῆς παρούσης ἡγεμονίας, ἡνίκα δὴ ἐν τοῖς τῇδε φροντιστηρίοις εὖ μάλα διέπρεπον Σαλαμάνης τε καὶ Φούσκων καὶ Μαλαχίων καὶ Κρισπίων ἀδελφοί· ἐφιλοσόφουν δὲ ἀμφὶ Βηθελέαν κώμην τοῦ νομοῦ Γάζης. Καὶ γὰρ δὴ καὶ εὐπατρίδαι τῶν ἔνθεν ἦσαν. **6** Διδασκάλου δὲ ταύτης τῆς φιλοσοφίας ἔτυχον Ἱλαρίωνος, ἀφ' οὗ λέγεταί ποτε τούτων ἅμα οἴκοι ἀπιόντων ἐκ μέσου ἁρπαγῆναί πως τὸν Μαλαχίωνα καὶ ἀφανῆ γενέσθαι, ἐξαπίνης τε πάλιν ἀναφανῆναι, τὴν αὐτὴν ὁδὸν συμβαδίζοντα τοῖς ἀδελφοῖς, μετ' οὐ πολὺ δὲ ἀποβιῶναι, νέον μὲν ἔτι ὄντα, τῶν γεγηρακότων δὲ ἐν φιλοσοφίᾳ κατ' ἀρετὴν βίου καὶ θεοφίλειαν οὐ λειπόμενον. **7** Καὶ Ἀμμώνιος δὲ ὡσεὶ

1. On ne connaît ce village de Judée (où Épiphane pouvait tenir des terres de sa famille, d'après A. POURKIER, *L'hérésiologie...*, p. 35), situé sur le territoire d'Éleuthéropolis, que par Sozomène (et Nicéphore Calliste) : cf. *PW*, III, 1, 1897, c. 324 BENZINGER. En revanche, Éleuthéropolis était une ville importante de Palestine, sur la route menant de Jérusalem à Askalon, puisque, dans son *Onomastikon*, Eusèbe estime souvent la distance des autres lieux par rapport à cette ville, ainsi nommée depuis Septime Sévère *c.* 200, aujourd'hui Bêt Dschribrin : cf. *PW*, V, 2, 1905, c. 2353-2354 BENZINGER. Le départ d'Épiphane pour Chypre peut être lié à la mort de l'évêque Eutychius d'Éleuthéropolis et à l'élection de son successeur : cf. A. POURKIER, *L'hérésiologie...*, p. 41.

le nome d'Eleuthéropolis[1]. Élevé, dès sa jeunesse, sous des moines excellents, il vécut pour cela très longtemps en Égypte, et il devint très renommé pour son ascèse monastique en Égypte et en Palestine, et après cela à Chypre, où il fut choisi pour être évêque de la métropole de l'île. **4** De là vient surtout, je pense, qu'il est très célèbre pour ainsi dire dans toute la terre sous le soleil. Car, comme il était évêque au milieu d'une foule et dans une importante ville maritime, et qu'il s'était jeté dans les affaires publiques avec toute la vertu qu'il avait, il s'était fait connaître en peu de temps des citadins et d'étrangers de toute sorte, dont les uns l'avaient vu à l'œuvre et avaient fait l'expérience de sa conduite et dont les autres l'avaient appris de ceux-ci. **5** Avant son arrivée à Chypre, il vivait encore sous ce présent règne en Palestine, au temps où brillaient grandement dans les lieux de méditation de ce pays Salamanès, Phouskôn, Malachiôn et Crispiôn, qui étaient frères[2]; ils menaient la vie d'ascèse près du village de Béthéléa du district de Gaza[3] : ils étaient en effet du nombre des gens bien nés de ce lieu. **6** Ils avaient eu pour maître en cette ascèse Hilarion par qui, à ce qu'on raconte, un jour qu'ils rentraient ensemble chez eux, Malachiôn avait été enlevé du milieu d'eux et était devenu invisible, puis soudain était réapparu, marchant avec ses frères sur la même route : or, peu de temps après, il était mort, jeune encore, mais ne le cédant pas aux vieillards dans la vie d'ascèse quant à la vertu de son existence et à l'amour de Dieu. **7** Ammônios aussi

2. Il sera plus longuement question d'eux en VIII, 15, 2. Sozomène établit un synchronisme utile entre la fin de la présence d'Épiphane en Palestine en 365 et l'exercice de l'ascèse monastique par les quatre frères.

3. Béthéléa est la patrie de Sozomène (voir déjà *H.E.* V, 15). JÉRÔME, *Vie d'Hilarion* 84 l'appelle Betulia. C'est aujourd'hui vraisemblablement Bêt Lâhja au N.O. de Gaza : *PW*, III, 1, 1897, c. 363 BENZINGER.

δέκα σταδίοις τούτων διεστὼς ᾤκει ἀμφὶ Χαφαρχόνβραν, κώμην Γαζαίαν ἀφ' ἧς τὸ γένος εἶχεν, ἀνὴρ ἀκριβῶς ὅτι μάλιστα καὶ ἀνδρείως ἐν τῇ ἀσκήσει διαγενόμενος. **8** Σιλβανὸς δέ, ὃν διὰ τὴν ἄγαν ἀρετὴν ὑπὸ ἀγγέλων ὑπηρετούμενον θεαθῆναι λόγος, Παλαιστῖνος ὢν ἔτι οἶμαι **289** κατὰ τὴν Αἴγυπτον | ἐφιλοσόφει τότε· ὕστερον δὲ ἐν τῷ Σιναίῳ ὄρει ὀλίγον διατρίψας, μετὰ τοῦτο τὴν ἐν Γεράροις ἐν τῷ χειμάρρῳ μεγίστην τε καὶ ἐπισημοτάτην πλείστων ἀγαθῶν ἀνδρῶν συνοικίαν συνεστήσατο· ἧς μετ' αὐτὸν ἡγήσατο Ζαχαρίας ὁ θεσπέσιος.

33

1 Ἐντεῦθεν δὲ ἐπὶ Συρίαν καὶ Πέρσας τοὺς Σύρων ὁμόρους ἰτέον· οἳ δὴ πρὸς πλῆθος ἐπέδωκαν, τοῖς ἐν Αἰγύπτῳ φιλοσοφοῦσιν ἁμιλλώμενοι. Διέπρεπον δὲ ὅτι

1. Ammonios, comme Silvain, est ignoré de Socrate. C'est un ascète «local» qui ne peut être connu que par un Palestinien de Bétheléa, près de Gaza, comme Sozomène. Le nom de Chapharchombra, inconnu également de Socrate, est un toponyme d'origine sémitique (hébreu et araméen), à rapprocher de Chaphar Zacharia au livre IX, 17 : le premier élément commun Chaphar/Kfar signifie village.

2. L'itinéraire de Silvain, de Palestine en Égypte, puis dans le désert du Sinaï, enfin de nouveau en Palestine à Gerara, est caractéristique du cheminement mystique des moines quittant leur pays d'origine pour aller s'affronter solitairement au désert, avant de revenir, purifiés et désormais infrangibles, à leur lieu d'origine pour y fonder une communauté monastique à laquelle ils servent d'exemple. Cf. M. van PARYS, «Abba Silvain et ses disciples. Une famille monastique entre Scété et la Palestine à la fin du IVe et dans la première partie du Ve siècles», dans *Irenikon,* 61, 1988, p. 315-330 et p. 451-480, notamment aux p. 321-323 pour l'apport de Sozomène à la question.

3. Gérara, nommée dans *Genèse* 20, 1 et par Flavius Josèphe *Ant. Jud.* 1, 12, 1; 18, 2, est située au sud de la Palestine, à l'ouest du Jourdain, sur la route allant de Canaan vers l'Égypte, aujourd'hui Wadi Dscherur (ou Dscherar). C'était le siège d'un évêché : *PW,* VII 1, 1910, c. 1240 BENZINGER.

habitait, à environ dix stades de ceux-ci, près de Chapharchonbra, village de Gaza d'où il était issu[1] : il avait vécu dans l'ascèse de la manière la plus scrupuleuse et courageuse. **8** Silvain, dont on disait qu'à cause de son extrême vertu, on l'avait vu servi par des anges, bien qu'il fût palestinien, menait alors encore, je crois, la vie d'ascèse en Égypte. Plus tard, il passa un peu de temps au mont Sinaï[2]; après cela, il fonda la communauté de Gérara près du torrent, qui, composée d'un très grand nombre d'hommes de mérite, fut très importante et très remarquable[3]; après lui, l'admirable Zacharias en prit la direction[4].

Chapitre 33

Les moines de Syrie : Batthaios, Eusèbe, Bargès, Halâs, Abbôs, Lazare, Abdaleos, Zénon, Héliodore, Eusèbe de Carrhae, Protogène, Aônès.

1 De là, il nous faut passer à la Syrie et à la Perse limitrophe de la Syrie[5]. Les moines de ces pays progressèrent en nombre et ils rivalisèrent avec les ascètes

4. Zacharias, successeur de Silvain, est le dernier personnage nommé par Sozomène dans son *Histoire*, inachevée ou tronquée, en IX, 17, 4. Cf. M. van PARYS, « Abba Silvain... », p. 322-323 : « Abba Silvain a dû mourir avant 412, car c'est son successeur Zacharie qui jouera un rôle important dans la découverte et le culte des reliques du prophète Zacharie ».

5. L'exposé suit l'ordre géographique en remontant vers le nord. Le christianisme s'était implanté dans les régions de l'empire perse voisines de la frontière romaine sans y être inquiété. L'intervention malencontreuse de Constantin en faveur des chrétiens les fit considérer comme des traîtres en puissance et déclencha une persécution amplement relatée en II, 9-15. Les moines que Sozomène réunit sous le nom de « Paissants » ne sont connus, pour cette époque, que par lui, sauf peut-être Lazare « qui devint évêque » : en 34, 1, il sera précisé que Lazare fut évêque à titre honorifique et ordonné dans son monastère, sans qu'un siège lui fût attribué.

1393 μάλιστα τότε παρὰ μὲν Νισιβηνοῖς ἀμφὶ τὸ Σιγάρον | καλούμενον ὄρος Βαθθαῖος καὶ Εὐσέβιος καὶ Βαργῆς καὶ Ἀλᾶς καὶ Ἀββῶς, Λάζαρός τε ὁ γεγονὼς ἐπίσκοπος καὶ Ἀβδάλεως καὶ Ζήνων καὶ Ἡλιόδωρος ὁ γέρων. **2** Τούτους δὲ καὶ βοσκοὺς ἀπεκάλουν, ἔναγχος τῆς τοιαύτης φιλοσοφίας ἄρξαντας· ὀνομάζουσι δὲ αὐτοὺς ὧδε, καθότι οὔτε οἰκήματα ἔχουσιν οὔτε ἄρτον ἢ ὄψον ἐσθίουσιν οὔτε οἶνον πίνουσιν, ἐν δὲ τοῖς ὄρεσι διατρίβοντες ἀεὶ τὸν θεὸν εὐλογοῦσιν ἐν εὐχαῖς καὶ ὕμνοις κατὰ θεσμὸν τῆς ἐκκλησίας. Τροφῆς δὲ ἡνίκα γένηται καιρός, καθάπερ νεμόμενοι, ἅρπην ἔχων ἕκαστος, ἀνὰ τὸ ὄρος περιιόντες τὰς βοτάνας σιτίζονται. **3** Καὶ οἱ μὲν ὧδε ἐφιλοσόφουν, ἐν Κάραις δὲ Εὐσέβιος, ὃς ἐν τῷ ἐθελοντὴς καθεῖρχθαι ἐφιλοσόφει, καὶ Πρωτογένης, ὃς τὴν αὐτόθι ἐκκλησίαν ἐπετρόπευσε μετὰ Βῖτον τὸν τότε ἐπίσκοπον, Βῖτον ἐκεῖνον τὸν ἀοίδιμον, ὅν φασι βασιλέα Κωνσταντῖνον πρώτως θεασάμενον ὁμολογῆσαι ὡς πάλαι πολλάκις ἐν ἐπιφανείαις τὸν ἄνδρα τοῦτον ὁ θεὸς αὐτῷ ἐπέδειξε καὶ παρεκελεύσατο ὅ τι λέγοι

1. Le monachisme put donc se maintenir sur une partie au moins – au pied du mont Sigaron – du territoire de Nisibe en Mésopotamie du nord (*PW*, XVII, 1, 1936, c. 714-758 E. HONINGMANN), qui avait été livrée aux Perses, sans ses habitants, par le traité conclu en 363 entre Jovien et Sapor II. Sur le monachisme syrien, voir THÉODORET, *Histoire des moines de Syrie (Histoire Philothée),* éd. P. Canivet - A. Leroy-Molinghen, *SC* 234 et 257 (l'*Histoire Philothée*, datée de 444, est contemporaine de *l'H.E.* de Sozomène), et du même THÉODORET, l'*H.E.*, peut-être antérieure à celle de Sozomène, où il «esquisse la carte monastique de la Syrie au temps de Valens», d'après P. CANIVET, *Le monachisme syrien selon Théodoret de Cyr,* Paris 1977 (Théologie historique n° 42). A.-J. FESTUGIÈRE, *Les moines d'Orient,* 1961-1965, en 7 vol., reste un ouvrage de référence.

2. La liste de ces moines (sont-ils vraiment tous «nisibéniens»?) ne peut être que très partiellement et hypothétiquement recoupée avec d'autres sources. Eusèbe est-il Eusèbe de Téléda, qui était établi sur

d'Égypte. Brillaient surtout alors chez les Nisibéniens[1], près du mont dit Sigaron, Batthaïos, Eusèbe, Bargès, Halâs, Abbôs, Lazare qui devint évêque, Abdaléôs, Zénon et le vieillard Héliodore[2]. **2** On les appelait «les Paissants» et ils avaient récemment pris l'initaitive de ce genre d'ascèse. On leur donne ce nom, attendu qu'ils n'ont pas de logement, ne mangent pas de pain ou d'aliment cuit, ne boivent pas de vin, mais que, passant leur vie dans les montagnes, ils louent Dieu continuellement par des prières et des hymnes selon la prescription de l'Église. L'heure venue de s'alimenter, comme s'ils paissaient, armés chacun d'une faucille, ils parcourent la montagne en se nourrissant des plantes. **3** Eux donc menaient ainsi la vie d'ascèse. A Carrhae, il y avait Eusèbe, qui menait la vie d'ascèse dans une réclusion volontaire, et Protogène, qui eut la charge de l'église après Vitus, l'évêque de ce temps, ce célèbre Vitus dont on dit que l'empereur Constantin, lorsqu'il le vit pour la première fois, déclara que, depuis longtemps, Dieu lui avait souvent montré cet homme dans des épiphanies et lui avait recommandé de lui obéir en

une montagne située à l'est d'Antioche et à l'ouest de Bérée (aujourd'hui Tell'Ade, avec, à 1300 m, les ruines du monastère de Deir Tell Ade), d'après THÉODORET, *Histoire des moines de Syrie*, éd. P. Canivet - A. Leroy-Molinghen, *SC* 234, chap. 4, 3-13, p. 294-327? Zénon est-il le solitaire originaire du Pont, *agens in rebus* de Valens, puis retiré dans «la montagne près d'Antioche», le mont Silpius, où il passa 40 années dans l'ascèse (THÉODORET, *ibid.*, chap. 12, p. 460-473)? Héliodore est-il l'higoumène de Téléda, qui avait passé 62 ans reclus dans ce monastère (THÉODORET, chap. 26, 4, p. 166-167, *SC* 257)? Les moines «paissants», dont Sozomène atteste l'existence dès le IVe s., ne sont mentionnés que par des auteurs bien plus tardifs, ÉVAGRE LE SCHOLASTIQUE, *Histoire ecclésiastique* I, 21 (vers 600) et au début du VIIe s. JEAN MOSCHUS, *Le Pré spirituel*, 21 (trad. M. J. Rouët de Journel, p. 61, *SC* 12) : «Nous étions trois brouteurs au-delà de la Mer morte...»

πειθαρχεῖν αὐτῷ. **4** Καὶ Ἀώνης δὲ ἐν Φαδανᾷ τὸ φροντιστήριον εἶχε. Τόπος δὲ οὗτος οὗ ὁ Ἰακὼβ ὁ τοῦ Ἀβραὰμ ἔγγονος ἐκ Παλαιστίνης ἐπιστάς, ἔτι παρθένῳ συνήντετο τῇ μετὰ ταῦτα γαμετῇ· ἐκκυλίσας τε τοῦ ἐνθάδε φρέατος τὸν λίθον, πρῶτον αὐτῆς τὸ ποίμνιον ἐπότισε. Φασὶ δὲ τοῦτον Ἀώνην τῆς ἐκτὸς πάτου ἀνθρώπων καὶ ἀκριβοῦς φιλοσοφίας ἄρξαι παρὰ Σύροις, ὥσπερ Ἀντώνιον παρ' Αἰγυπτίοις.

34

1 Τούτῳ δὲ συνοίκω ἤστην Γαδδανᾶς τε καὶ Ἄζιζος, πρὸς ὁμοίαν ἀρετὴν ἁμιλλωμένω. Ἀνὰ δὲ τὴν ἐκ γειτόνων **290** Ἔδεσσαν καὶ πέριξ ταύτης εὐδοκι|μώτατοι φιλόσοφοι κατὰ τοῦτον τὸν χρόνον ἦσαν Ἰουλιανὸς καὶ Ἐφραὶμ ὁ Σύρος συγγραφεύς, οἳ ἐν τῇ Κωνσταντίου βασιλείᾳ

1. Carrhae (Carae) en Osrhoène (Mésopotamie), l'antique Harran, séjour d'Abraham (Gn 12) était païenne : Julien y fit étape en évitant Édesse (*H.E.* VI, 1, 1). Elle possédait néanmoins une communauté chrétienne, dirigée par Vitus (*DACL* II, 2 c. 2189 H. LECLERCQ) auquel, en 381, succéda Protogenes. Ce dernier, d'après THÉODORET, *H.E.* IV, 18, 6 (éd. G.C. Hansen, *GCS*, p. 241), fut, en tant que prêtre orthodoxe, banni par Valens à Antinoë en Thébaïde, où il catéchisa les enfants païens (THÉODORET, *H.E.* IV, 18, 8-13, p. 241-242), avant de devenir évêque de Carrhes (*ibid.* IV, 18, 14, p. 242). Eusèbe, apparemment distinct de celui qui figure dans la liste des moines «nisibéniens», peut être le «grand Eusèbe» qu'évoque THÉODORET, *Histoire des moines...* 18, éd. P. Canivet - A. Leroy-Molinghen, *SC* 257, p. 52-57 : il pratiqua l'ascèse sur la crète de la montagne auprès de laquelle se trouve le bourg d'Asikha au nord de la Cyrrhestique. Sozomène n'a pas mentionné plus tôt le «célèbre» moine-évêque Vitus, même dans le chapitre consacré au monachisme sous Constantin (*H.E.* I, 12). Il a dû recueillir plus tard cette information qu'il a introduite au prix d'une régression de quelque 40 années. Mais l'insertion est faite avec un naturel qui permet de ne pas la ressentir comme maladroite.

tout ce qu'il dirait[1]. **4** Aônès[2] aussi avait son lieu de méditation à Phadanâ. C'est l'endroit où Jacob, petit-fils d'Abraham, s'étant arrêté venant de Palestine, rencontra celle qui, vierge encore, fut après cela sa femme : il roula la pierre du puits qui se trouvait là et fit s'abreuver d'abord son bétail. On dit que c'est cet Aônès qui, chez les Syriens, prit l'initiative d'une vie ascétique loin du commun des hommes et rigoureuse, comme Antoine chez les Égyptiens.

Chapitre 34

Les moines d'Édesse : Julien, Éphrem le syrien, Barsès et Eulogios ;
et encore les moines de Coelésyrie : Valentin, Théodore, Marôsas, Bassos, Bassônès, Paul.
Et les saints hommes de Galatie et de Cappadoce et d'autres régions ;
pourquoi vécurent très vieux ces saints hommes d'autrefois.

1 Aônès eut pour compagnons Gaddanâs et Azizos, qui rivalisèrent en vue d'une pareille vertu. Dans la région d'Édesse, qui est voisine, et autour d'Édesse furent très renommés comme ascètes, en ce temps-là, Julien, l'écrivain Éphrem le Syrien, que j'ai signalés dans le règne de

2. La figure de ce moine, connu seulement par Sozomène, est triplement rehaussée, par la mention de Phadana, toponyme biblique, par l'histoire de Jacob levant la pierre du puits pour permettre à Rachel, désignée par une périphrase, d'y abreuver ses brebis (Gn 29, 10), et par la comparaison avec Antoine, le père du monachisme. L'un de ses « compagnons », Gaddanâs, mentionné en 34, 1, est connu de l'*Histoire lausiaque* 50 (Bartelink, p. 242-243) : « J'ai connu un vieillard du nom de Gadanas, qui a passé sa vie en plein air, aux environs du Jourdain... » (suit le récit d'un miracle : la main d'un juif qui l'attaque est immédiatement desséchée).

δηλωθέντες, Βαρσῆς τε καὶ Εὐλόγιος, οἳ καὶ ἐπισκόπω ἄμφω ὕστερον ἐγενέσθην οὐ πόλεως τινός, ἀλλὰ τιμῆς
1396 ἕνεκεν, ἀντ' ἀμοι|βῆς ὥσπερ τῶν αὐτοῖς πεπολιτευμένων χειροτονηθέντες ἐν τοῖς ἰδίοις μοναστηρίοις, ὃν τρόπον καὶ Λάζαρος ὁ δηλωθείς. **2** Οἵδε μὲν τῶν τότε ἐπισήμως φιλοσοφούντων ἀνά τε Σύρους καὶ Πέρσας τοὺς ἐκ γειτόνων τούτοις εἰς γνῶσιν ἐμὴν ἦλθον· πολιτεία δὲ πᾶσιν, ὡς εἰπεῖν, ἦν κοινή· ψυχῆς μὲν ὅτι μάλιστα ἐπιμελεῖσθαι καὶ ἕτοιμον ἐθίζειν πρὸς ἀπαλλαγὴν τῶν ἔνθεν ἐν εὐχαῖς τε καὶ νηστείαις καὶ θείοις ὕμνοις, καὶ περὶ ταῦτα τὸν πολὺν ἀναλίσκειν βίον, χρημάτων δὲ καὶ τῆς περὶ τὰ πολιτικὰ πράγματα ἀσχολίας, σώματός τε ῥαστώνης ἢ ἀσκήσεως παντελῶς ἀμελεῖν. **3** Ἔνιοι δὲ ἐπὶ τοσοῦτον ἐγκρατείας ἦλθον, ὡς Βαθθαίου μὲν ὑπὸ τῆς ἄγαν ἀσιτίας σκώληκας ἐκ τῶν ὀδόντων ἕρπειν, Ἀλᾶν δὲ ἐπὶ ὀγδοήκοντα ἐνιαυτοὺς ἄρτου μὴ γεύσασθαι, τὸν δὲ Ἡλιόδωρον ἀύπνους τὰς πολλὰς διακαρτερῆσαι νύκτας, ἑβδομάδας ἡμερῶν ἐν νηστείαις ἐπισυνάψαντα.

4 Συρία δὲ ἥ τε κοίλη καλουμένη καὶ ἡ ὑπὲρ ταύτην πλὴν Ἀντιοχείας βράδιον εἰς Χριστιανισμὸν μετέβαλεν· οὐ

1. L'éloge de Julien d'Édesse (en Osrhoène, haut lieu du christianisme, aujourd'hui Urfa, en Irak) a déjà été fait en *H.E.* III, 14, 29 à partir d'éléments que présente aussi *Hist. laus.* 42, Bartelink, p. 212-213 : « J'ai entendu parler d'un certain Julien qui vivait aux environs d'Édesse dans une ascèse très rigoureuse. Il s'était tellement macéré la chair qu'il n'avait plus que la peau et les os. Vers la fin de sa vie, il fut favorisé du don de guérison. » Sozomène n'y revient donc pas. Il fait de même pour Éphrem de Nisibe (cf. *Hist. laus.* 40, Bartelink, p. 206-209) dont il a déjà loué amplement les mérites en *H.E.* III, 16.

2. Sur Barsès, voir THÉODORET, *H.E.* IV, 16, 3 et V, 4, 6. Sozomène, par souci de précision et intérêt pour les institutions ecclésiastiques, fait connaître ici l'une des formes diverses que pouvait prendre la fonction épiscopale : aux évêques titulaires d'un siège ou d'une métropole, aux coadjuteurs, aux chôrévêques, s'ajoutaient les évêques à titre honorifique.

3. En VI, 33, 1.

4. L'exploit de l'ascète Batthaios (sans doute celui qui est cité en tête des moines « nisibéniens » en 33, 1) fait penser à celui du thébain Dorothée de l'*Hist. laus.* 2, 3 (Bartelink, p. 22-23) qui, à force de se

Constance[1], Barsès et Eulogios, qui tous deux devinrent plus tard évêques, non d'une ville, mais à titre honorifique, car ils furent ordonnés dans leurs monastères comme en récompense de leurs actes[2], de même que Lazare que j'ai signalé plus haut[3]. **2** Tels sont ceux des ascètes illustres de la Syrie et de la Perse sa voisine qui sont venus à ma connaissance. Ils avaient tous, peut-on dire, une conduite commune : d'une part prendre soin le plus possible de l'âme et l'accoutumer à être prête à quitter les choses d'ici-bas par des prières, des jeûnes, des hymnes divins, et consumer presque toute sa vie à cela, d'autre part n'avoir absolument aucun souci des richesses, de l'activité liée aux affaires de la cité, ni, pour le corps, de son bien-être et de son exercice. **3** Quelques-uns en arrivèrent à un tel degré d'endurance, qu'à Batthaïos, en raison de l'excessive privation de nourriture, il sortait des vers de ses dents, qu'Alâs, durant quatre-vingts ans, ne mangea pas de pain, qu'Héliodore passait avec vaillance la plupart de ses nuits sans sommeil, et enchaînait les jeûnes pendant des semaines[4].

4 La Syrie, aussi bien ce qu'on appelle la Coélèsyrie[5] que la région au-dessus sauf Antioche, se convertit plus

priver de sommeil, laissait échapper la nourriture de sa bouche (cf. *H.E.* VI, 29, 4 et la note correspondante). Héliodore peut être aussi le vieillard homonyme dont il a été question en 33, 1.

5. D'après M. Besnier, *Lexique...*, p. 222, Coélèsyrie («Syrie creuse») est le «nom primitivement donné à la 'vallée creuse' d'El Bukaa *(Bica* ou *Bucca uallis)* entre le Liban et l'Antiliban, avec Héliopolis pour ville principale, nom étendu ensuite à toute la région qui va du Liban à l'Euphrate (pays de Damascus, Héliopolis, Hemesa, Palmyra). A partir de Septime Sévère et au Bas-Empire, la province de Coélèsyrie embrasse au contraire toute la Syrie du Nord, y compris la Commagène (capitale Antioche) et s'oppose à la *Syria Phoenice* (Phénicie, la décapole palestinienne)». Il est difficile de déterminer si Sozomène parle de régions géographiques, ce qui est le plus probable, ou de divisions administratives, et s'il a en vue le temps de Valens ou son propre temps. L'exception «sauf Antioche» est naturellement justifiée : la ville, seconde capitale et résidence impériale notamment sous Constance, s'était rapidement christianisée. Son siège suscita bien des convoitises et de nombreux conciles se tinrent dans la ville.

μὴν οὐδὲ αὕτη φιλοσόφων ἐκκλησιαστικῶν ἄμοιρος ἦν, ταύτῃ γε μᾶλλον ἀνδρείων ὄντων τε καὶ φαινομένων, ὅσῳ γε καὶ πρὸς τῶν οἰκούντων τὴν χώραν ἐμισοῦντο καὶ ἐπεβουλεύοντο · καὶ γενναίως ἀντεῖχον, οὐκ ἀμυνόμενοι οὐδὲ δίκην λαμβάνοντες, ἀλλὰ προθύμως τὰς παρὰ τῶν Ἑλλήνων ὕβρεις τε καὶ πληγὰς ὑπομένοντες. **5** Οἵους γενέσθαι ἐπυθόμην Οὐαλεντῖνον, ὃν οἱ μὲν ἐξ Ἐμέσης, οἱ δὲ ἐξ Ἀρεθούσης τὸ γένος ἔχειν ἔφασαν, καὶ τὸν ὁμώνυμον τὸν αὐτοῦ καὶ Θεόδωρον (ἄμφω δὲ ἀπὸ Τιττῶν τοῦ Ἀπαμέων νομοῦ ἤστην), καὶ Μαρώσαν τὸν ἐκ Νεχείλων καὶ Βάσσον καὶ Βασσώνην καὶ Παῦλον, ὃς ἀπὸ Τελμισοῦ τῆς κώμης ἐγένετο · πολλοὺς δὲ ἐν πολλοῖς τόποις συνοικίσας καὶ ὃν
291 χρὴ τρόπον συν|αγαγὼν εἰς τὸ φιλοσοφεῖν εἰδέναι τὸ τελευταῖον εἰς τὸ Ἰουγάτον καλούμενον χωρίον μεγίστην τε καὶ ἐπισημοτάτην συνοικίαν μοναχῶν συνεστήσατο. **6** Ἔνθα δὴ καὶ ἐτελεύτησε καὶ τὸν τάφον ἔχει μακροβιώτατος γεγονώς, ὡς μέχρι καὶ εἰς ἡμᾶς ἐπιβιῶναι εὐδοκίμως καὶ θείως φιλοσοφήσας. Καὶ τῶν ἄλλων δὲ τῶν δηλωθέντων μοναχῶν σχεδὸν πάντες πολὺν διεγένοντο

1. Émèse (aujourd'hui Homs), au sud d'Antioche, est en Syrie Phénicie : cf. *PW,* V, 2, 1905, c. 2496-2497 BENZINGER; et M. BESNIER, *Lexique...,* p. 357 : Hémèse était la «capitale de la *Phoenicia Libanesia* (ou *Libanensis*) au Bas-Empire». Aréthuse, plus proche encore d'Antioche, est en Syrie II, entre Epiphaneia et Emesa, aujourd'hui Er-Restan : cf. *PW* II, 1, 1895, c. 680 Arethusa 10 BENZINGER.

2. Apamée, près de l'Oronte, au sud d'Antioche, était la métropole ecclésiastique de la Syrie II avec sept évêques suffragants. Aujourd'hui Kala'at el Mudîk : cf. *PW,* I, 2, 1894, c. 2663-2664 Apam. 1 BENZINGER et M. BESNIER, *Lexique...,* p. 56.

3. Également nommé par THÉODORET, *Histoire des moines...,* 4, 12, éd. P. Canivet - A. Leroy-Molinghen, SC 234, p. 320-323, qui rapporte qu'Abba, un Ismaélite, commença à mener la vie ascétique sous la conduite de Marôsas; celui-ci, par la suite, renonça à la fonction d'higoumène pour mener la vie cénobitique sous la direction d'Eusèbe. L'emplacement de Necheilé, plutôt que Necheiloi, n'est pas déterminé avec certitude. Cependant P. CANIVET, *Le monachisme syrien...,* p. 168 note 84, propose de l'identifier avec le monastère de Negaule, au N.E. de Seih Barakat.

lentement au christianisme. N'empêche qu'elle ne fut pas privée non plus d'hommes d'église pratiquant l'ascèse, qui étaient et se montraient d'autant plus vaillants qu'ils étaient haïs des habitants du pays et objets de leurs machinations. Ils résistaient avec courage, sans se défendre même quand on les punissait, mais supportaient avec empressement les outrages des païens et leurs coups. **5** Tels furent, comme je l'ai appris, Valentin, originaire selon les uns d'Émèse, selon d'autres d'Aréthuse[1], son homonyme Valentin et Théodore – tous deux étaient de Titthoï dans le district d'Apamée[2] –, Marôsas originaire de Néchéiloï[3], Bassos, Bassônès et Paul, qui était issu du village de Telmissos[4] : celui-ci, après avoir rassemblé beaucoup de moines en beaucoup de lieux et les avoir conduits en la manière correcte à la connaissance de la vie d'ascèse, finalement, au lieu appelé Iougaton, fonda une communauté de moines très importante et réputée. **6** C'est là qu'il mourut et qu'il a sa tombe, après avoir vécu très longtemps, au point qu'il a continué de vivre jusqu'à nos jours pratiquant une ascèse renommée et divine. Des autres moines signalés, presque tous du reste

4. Bassos, d'abord périodeute en Antiochène, devint higoumène d'un monastère de 200 frères (THÉODORET, *Histoire des moines*... 26, 7-8, *SC* 257, p. 172-177). Paul pratiquait la vie d'ascèse sur le territoire d'Apamée, d'après THÉODORET, *H.E.* IV, 28, 1. Sozomène mentionne son lieu d'origine, Telmissos, parce qu'il fonda une communauté de moines importante et durable, celle de Iougaton. Le toponyme Telmissos est très proche de Telanissos, nom d'un bourg situé au pied du sommet sur lequel l'ascète Syméon s'était installé, d'après THÉODORET, *Histoire des moines*... 26, 7, p. 170-173, *SC* 257 avec la note, p. 172-173, sur le toponyme. S'agit-il de deux localités ou d'une seule? Dans ce dernier cas, existait-il des variantes locales pour nommer une même bourgade ou bien ces formes, à la fois distinctes et voisines, sont-elles des variantes des manuscrits?

χρόνον. Καί μοι φαίνεται μακροβίους τούτους τοὺς ἄνδρας ὁ θεὸς ποιῆσαι εἰς ἐπίδοσιν τὴν θρησκείαν ἄγων. **7** Σύρους τε γὰρ ὡς ἐπίπαν καὶ Περσῶν καὶ Σαρακηνῶν πλείστους πρὸς τὸ οἰκεῖον ἐπηγάγοντο σέβας καὶ ἑλληνίζειν ἔπαυσαν· μοναχικῆς τε φιλοσοφίας ἐνθάδε ἄρξαντες πολλοὺς ὁμοίους ἀπέδειξαν.

Καὶ Γαλάτας δὲ καὶ Καππαδόκας καὶ τοὺς τούτων ὁμόρους συμβάλλω πολλοὺς μὲν καὶ ἄλλους ἐσχηκέναι τότε ἐκκλησιαστικοὺς φιλοσόφους, οἷά γε πάλαι τὸ δόγμα σπουδαίως πρεσβεύοντας. **8** Κατὰ συνοικίας δὲ ἐν πόλεσιν ἢ κώμαις οἱ πλείους ᾤκουν. Οὔτε γὰρ παραδόσει τῶν προγεγενημένων εἰθίσθησαν, οὔτε ὑπὸ χαλεπότητος 1397 χειμῶνος φύσει τοῦ | τῇδε χώρου ἑκάστοτε συμβαίνοντος δυνατὸν ἴσως κατεφαίνετο ἐν ἐρημίαις διατρίβειν. **9** Εὐδοκιμώτατοι δὲ ὧν ἐπυθόμην τότε ἐγένοντο ἐνθάδε μοναχοὶ Λεόντιος ὁ τὴν ἐν Ἀγκύρᾳ ἐκκλησίαν ὕστερον ἐπιτροπεύσας καὶ Πραπίδιος, ὃς ἤδη γηραλέος ὢν πολλὰς ἐπεσκόπει κώμας. Προέστη δὲ καὶ Βασιλειάδος, ὃ πτωχῶν ἐστιν ἐπισημότατον καταγώγιον, ὑπὸ Βασιλείου τοῦ Καισαρείας ἐπισκόπου οἰκοδομηθέν, ἀφ' οὗ τὴν προσηγορίαν τὴν ἀρχὴν ἔλαβε καὶ εἰσέτι νῦν ἔχει.

1. L'emploi de ἑλληνίζειν, évidemment impropre pour les Perses et les Sarrasins, montre que, pour Sozomène comme pour l'ensemble des auteurs chrétiens, l'« hellénisme » signifie le paganisme sous toutes ses formes, le sens linguistique (le parler grec) ou culturel (la *paideia*) s'étant effacé. La conversion des Sarrasins, au moins de certaines de leurs tribus, sera illustrée, en VI, 38, par la demande qu'adresse à Valens leur reine Mavia pour obtenir comme évêque pour son peuple le moine orthodoxe Moïse.

2. Sozomène a déjà donné l'exemple du moine Eutychianos qui, sous Constantin, « menait la vie d'ascèse » au pied du mont Olympe de Bithynie (I, 14, 9-11). En III, 14, il a présenté Eustathe de Sébaste comme l'initiateur et le propagateur de la vie monastique chez les Arméniens, les Paphlagoniens et les habitants du Pont. On peut s'étonner de ne pas voir en meilleure place les ascètes de Cappadoce, notamment ceux d'Annési que Basile de Césarée rejoignit un temps (celui-ci n'est nommé qu'à la fin du chapitre et comme incidemment). Mais Sozomène ne retient ici comme modèles que les vrais solitaires et ne fait qu'un moindre cas du cénobitisme et du semi-cénobitisme.

ont vécu très longtemps ; et il me semble que Dieu a donné très longue vie à ces hommes en faisant ainsi progresser la religion. **7** Car ils attiraient en général les Syriens et un très grand nombre de Perses et de Sarrasins à leur culte personnel et ils leur faisaient quitter le paganisme[1]. Ainsi, ayant pris l'initiative de l'ascèse monastique en ces pays, ils rendirent beaucoup de disciples pareils à eux.

Je conjecture que les Galates aussi, les Cappadociens[2] et les peuples limitrophes ont eu alors aussi beaucoup d'hommes d'église pratiquant l'ascèse, étant donné que ces peuples depuis longtemps honorent avec zèle notre dogme. **8** Mais la plupart habitaient en communautés dans des villes ou des villages. Car ni ils n'avaient reçu de coutumes par la tradition de prédécesseurs, ni, en raison de l'hiver rude qui survient chaque année du fait de la nature de ce pays, il ne semblait sans doute possible de vivre dans des déserts. **9** Les plus renommés des moines dont j'ai ouï-dire furent alors là Léonce, qui plus tard gouverna l'église d'Ancyre[3], et Prapidios, qui, bien qu'il fût âgé déjà, veillait sur plusieurs villages. Il fut aussi à la tête de la Basiliade[4], qui est un hospice de pauvres très réputé, bâti par Basile l'évêque de Césarée, dont il a, dès le début, reçu le nom qu'il conserve encore aujourd'hui.

3. Léonce est l'un des successeurs des célèbres Marcel et Basile d'Ancyre. Son prédécesseur immédiat fut Arabianos, présent au concile de Constantinople en 394, puis au concile de Constantinople en 400. Léonce était présent au concile anti-chrysostomien de Constantinople en 404 et PALLADIUS, *Vita Chrysostomi,* 9, éd. A.M. Malingrey, *SC* 341, le présente de façon défavorable.

4. La « Basiliade » était un immense établissement, situé à un ou deux milles de Césarée, qui offrait l'hospitalité aux voyageurs avant de devenir une hôtellerie-hospice. L'établissement fonctionna au moins jusqu'au VIe s. et son rôle d'hospice pour les pauvres devint progressivement prépondérant : voir B. GAIN, *L'église de Cappadoce au IVe s. d'après la correspondance de Basile de Césarée,* Orientalia Christiana analecta n° 225, Rome 1985, p. 277-289. L'évêque de Césarée en nommait lui-même le directeur qui était responsable devant lui. Prapidios, très âgé, était un chôrévêque exerçant l'autorité épiscopale sur plusieurs villages.

35

1 Ἀλλὰ τὰ μὲν ἀφηγησάμην, ἐφ' ὅσον μοι μαθεῖν ἐξεγένετο περὶ τῶν τότε ἐκκλησιαστικῶν φιλοσόφων. Τῶν δ' αὖ Ἑλληνιστῶν μικροῦ πάντες κατ' ἐκεῖνο καιροῦ διεφθάρησαν. **2** Τινὲς γάρ, οἳ τῶν ἄλλων ἐν φιλοσοφίᾳ προφέρειν ἐνομίζοντο, πρὸς τὴν ἐπίδοσιν τοῦ Χριστιανισμοῦ δυσφοροῦντες ἐβουλεύσαντο προμαθεῖν τὸν ἐφεξῆς Οὐάλεντι Ῥωμαίων ἡγησόμενον, μαντείαις τε παντοδαπαῖς περὶ **292** τούτου ἐχρήσαντο. **3** Καὶ τελευτῶντες τρίποδα | ξύλινον ἐκ δάφνης κατεσκευάσαντο καὶ ἐπικλήσεσι καὶ λόγοις οἷς εἰώθεσαν ἐτέλεσαν, ὥστε συλλογῇ γραμμάτων καθ' ἕκαστον στοιχεῖον ὑπὸ μηχανῆς τοῦ τρίποδος καὶ τῆς μαντείας σημαινομένων ἀναφανῆναι τὸ ὄνομα τοῦ ἐσομένου βασιλέως. **4** Κεχηνόσι δὲ αὐτοῖς εἰς Θεόδωρον, ἄνδρα τῶν ἐν τοῖς βασιλείοις ἐπισήμως στρατευομένων, Ἑλληνιστὴν καὶ

1. Hiver 371-372. Voir, outre le récit très détaillé d'Amm. 29, 1-2, témoin direct à Antioche, ceux de Socrate, *H.E.* IV, 19, de Philostorge, *H.E.* IX, 15 et de Zosime, IV, 13-15. Alors que F.J. Wiebe, *Kaiser Valens und die heidnische Opposition,* Bonn, 1995 (Antiquitas Reihe 1, Bd 44), p. 86-130 croit à un véritable «putsch» dirigé contre les deux empereurs pannoniens par une opposition païenne, favorable à Julien, N. Lenski, *Failure...*, p. 211-218 et p. 223-234 (les procès d'Antioche), considère plus justement qu'une coterie restreinte d'«officiers impériaux» (des *palatini*), notamment des notaires, mécontents de Valens, usa, par impatience, de magie et de divination pour connaître l'avenir de l'Empire.

2. Le laurier est le symbole d'Apollon, le dieu de Delphes. Amm. en 29, 1, 29-32 met en relief le caractère delphique de la consultation : la table oraculaire avait été fabriquée à «la ressemblance du trépied delphique» *(ad cortinae similitudinem Delphicae)* avec des branches de laurier *(de laureis uirgulis)*. La réponse de l'oracle était donnée en «vers épiques tels qu'on lit ceux de la Pythie» *(heroos uersus... quales leguntur Pythici)*.

3. Parmi tous ceux qui furent poursuivis, condamnés et exécutés, il y avait bien un noyau de «philosophes» : Amm. nomme Pasiphilus (29, 1, 36), Simonides (29, 1, 37), Maxime d'Éphèse (29, 1, 42). Mais il y avait plus largement des intellectuels, des païens cultivés, des nostalgiques du temps de Julien et aussi beaucoup d'*humiles,* de gens de basse ou de moyenne condition, qui avaient le seul tort de croire à la divination et

Chapitre 35

Le trépied de bois et la succession de l'empereur,
l'interprétation des lettres;
l'exécution des philosophes;
et l'astrologie.

1 Eh bien, j'ai raconté ces choses en détail, dans la mesure où il m'a été donné de m'informer sur les hommes d'Église qui pratiquèrent alors l'ascèse. Maintenant, quant aux païens, peu s'en faut qu'en ce temps-là[1] ils n'aient tous péri. **2** Certains en effet, qui passaient pour l'emporter sur les autres dans la philosophie, irrités des progrès du christianisme, projetèrent de savoir à l'avance qui succéderait à Valens comme empereur des Romains, et ils se servirent pour cela de toutes sortes de procédés de mantique. **3** Finalement, ils fabriquèrent un trépied en bois de laurier[2] et le consacrèrent par les invocations et formules dont ils avaient l'habitude : par la réunion des lettres indiquées pour chaque caractère grâce à un mouvement du trépied et à la mantique, le nom du futur empereur devait apparaître. **4** Ces philosophes[3] étaient béants d'admiration devant Théodore, un de ceux qui servaient au palais avec éclat, un païen de renom[4]. Or,

à la magie, voire de les pratiquer, « crime » assimilable dans l'Empire tardif à la trahison et à la lèse-majesté. Les « philosophes » sont, au sens tardif répandu avec les successeurs de Plotin et de Porphyre comme Jamblique et Maxime d'Éphèse, des théurges qui se prévalaient d'une révélation et recouraient aux pratiques magiques. Leur rôle fut moins important qu'on ne l'a dit dans cette affaire, d'après N. LENSKI, *Failure*..., p. 228-230.

4. AMM. donne de lui un portrait favorable (29, 1, 8), tout en admettant qu'il s'était compromis dans la conjuration. Il était, en 371, parvenu au rang élevé de « secondicier » (*secundicerius*) dans la Schole très recherchée des notaires impériaux et pouvait donc prétendre à l'Empire (sur les *notarii*, voir R. DELMAIRE, *Les institutions du Bas-Empire romain*..., 1995, p. 47-56). Natif de Gaule, de bonne famille, il était païen, mais il réussit à maintenir sa position sous Valens, jusqu'au moment où il fut accusé de haute trahison et exécuté.

ἐλλόγιμον, μέχρι τοῦ δέλτα ἐπὶ τῆς τούτου προσηγορίας προελθοῦσα τῶν στοιχείων ἡ σύνταξις ἠπάτησε τοὺς φιλοσόφους. **5** Καὶ ὅσον οὔπω Θεόδωρον βασιλεύσειν προσεδόκων. Καταμηνυθείσης δὲ τῆς ἐπιχειρήσεως ὡς εἰς σωτηρίαν ἐπιβουλευθεὶς Οὐάλης οὐκ ἀνεκτὸς ἦν χαλεπαίνων. **6** Ἐκ τούτου δὲ συλληφθέντες Θεόδωρός τε καὶ οἱ τοῦ
1400 τρίποδος τεχνῖται οἱ μὲν πυρί, οἱ δὲ ξίφει ἀπο | λέσθαι προσετάχθησαν. Παραπλησίως δὲ διὰ τὴν αὐτὴν αἰτίαν διεφθάρησαν καὶ οἱ ἀνὰ πᾶσαν τὴν ἀρχομένην λαμπρῶς φιλοσοφοῦντες. **7** Ἀσχέτου δὲ τῆς τοῦ βασιλέως ὀργῆς οὔσης καὶ εἰς μὴ φιλοσόφους, ἐσθῆτι δὲ τῇ ἐκείνων χρωμένους ὁ φόνος ἐχώρει, ὡς μηδὲ τοὺς ἄλλα ἐπιτηδεύοντας κροκωτοῖς ἢ τριβωνίοις ἀμφιέννυσθαι δι' ὑπόνοιαν κινδύνου καὶ δέος, ὡς ἂν μὴ δόξωσι περὶ μαντείας καὶ τελετὰς ἐσχολακέναι. **8** Οὐχ ἥκιστα δὲ παρὰ τοῖς εὖ φρονοῦσι δίκαιον οἶμαι καταμέμφεσθαι βασιλέα τε τῆς ἐπὶ τοσοῦτον ὀργῆς καὶ ὠμότητος καὶ τοὺς φιλοσόφους προπετείας καὶ τῆς ἀφιλοσόφου ἐπιχειρήσεως. **9** Ὁ μὲν γὰρ δή - τοῦτο δὴ τὸ λίαν εὔηθες - ὑπολαβὼν ἀναιρήσειν τὸν μετ' αὐτὸν βασιλεύσοντα, οὔτε τῶν μαντευσαμένων ἐφείσατο οὔτε περὶ οὗ ἐμαντεύσαντο· ὡς δέ φασιν, οὔτε τῶν ὁμωνύμων αὐτῷ, οἵτινες ἦσαν ἐπίσημοι τότε τῆς αὐτῆς προσηγορίας ἢ καὶ ὁμοίας, ἀπὸ τοῦ θῆτα ἀρχομένης μέχρι τοῦ δέλτα. **10** Οἱ δὲ ὥσπερ ἐν αὐτοῖς ὂν βασιλέα καθαιρεῖν καὶ πάλιν ἐγείρειν ἐπὶ τοῦτο προήχθησαν. Καὶ μέντοι, εἰ τοῖς ἅπαξ δεδογμένοις ἐν τῇ τῶν ἄστρων φορᾷ τὰ τοιαῦτα

1. Apparemment, ce sont des insignes de la profession philosophique. De fait, τρίβων (formé sur τρίβειν) désigne un petit manteau, comme le pallium, « porté sans cesse », « usé » « grossier », celui des pauvres, des paysans et des philosophes (PLATON, *Banquet* 219 b), particulièrement des Cyniques (PLUTARQUE, *Mor.* 332 c) et, par métonymie, la vie ou profession de philosophe (Plutarque, Thémistius). L'adjectif κροκωτός (= teint avec du safran) désigne, avec πέπλος ou χιτών sous-entendu, une tunique jaune orangé, arborée par les femmes, le plus souvent de mauvaise vie, ou les efféminés particulièrement dans les cortèges de Dionysos, qui porte lui-même une robe de cette couleur. On ne voit

comme l'assemblage des lettres en était arrivé jusqu'au delta dans le nom de Théodore, cela trompa les philosophes. **5** Ils s'attendaient à ce que Théodore dût bientôt régner. Mais leur tentative fut dénoncée et Valens alors, dans la pensée qu'on avait conspiré contre son salut, fut pris d'une rage folle. **6** De ce moment, ordre fut donné que Théodore et les artisans du trépied fussent saisis et périssent, qui par le feu, qui par le glaive. Semblablement, pour la même cause, périrent aussi les philosophes brillants de tout l'Empire. **7** Et comme la colère du prince était sans frein, même à l'égard de gens non philosophes, mais revêtus de leur habit, le massacre allait bon train, en sorte que même ceux qui avaient d'autres occupations ne se revêtaient plus de robes couleur de safran ou de petits manteaux[1] par soupçon et crainte de péril, pour ne pas paraître s'être mêlés de mantique et d'initiations. **8** C'est surtout auprès des gens de bon sens qu'il me semble juste de blâmer d'une part l'empereur pour une fureur et une cruauté poussées à ce point et d'autre part les philosophes pour leur témérité et leur tentative peu digne de philosophes. **9** Lui – chose tout-à-fait stupide –, ayant cru qu'il détruirait celui qui devait lui succéder, n'épargna ni ceux qui consultèrent l'oracle ni celui au sujet duquel ils le consultèrent ni, à ce qu'on dit, les homonymes alors remarquables de Théodore, qui portaient le même nom ou même un nom semblable depuis le théta jusqu'au delta. **10** Les philosophes, eux, se laissèrent aller à cet acte comme s'il eût été en leur pouvoir de supprimer un empereur, puis d'en susciter un autre. Pourtant, s'il faut calculer ces sortes de choses d'après ce qui a été déterminé une fois pour toutes par la révolution des astres, il n'y avait qu'à attendre le

donc pas que cette particularité vestimentaire soit un attribut proprement philosophique. Peut-être faut-il la comprendre plus généralement comme un signe de fidélité à l'hellénisme, au sens de religion païenne?

λογιστέον, ἐχρῆν τὸν ἐσόμενον ὅστις ἦν περιμένειν. Εἰ δὲ
293 θεοῦ βουλῆς τὸ ἔργον, τί | πολυπραγμονεῖν ἔδει; Οὐ γὰρ δήπου ἐκ προγνώσεως ἢ σπουδῆς ἀνθρωπείας ἔνεστιν ἐπίστασθαι τὸ θεῷ δοκοῦν, οὔτε, εἴπερ ἐξῆν, καλῶς εἶχεν οἴεσθαι ἀνθρώπους ὄντας, εἰ καὶ πάντων σοφωτέρους, ἄμεινον θεοῦ βουλεύεσθαι. **11** Εἰ δὲ ἁπλῶς ὑπὸ προθυμίας τῆς περὶ τὸ μέλλον εἰδήσεως ἐπὶ τοσοῦτον ἀκρίτως ἔσχον, ὡς εἰς ἕτοιμον ἅλασθαι κίνδυνον καὶ νόμους ὑπεριδεῖν πάλαι τεθέντας ἐν Ῥωμαίοις καὶ ἡνίκα ἑλληνίζειν τε καὶ θύειν ἀκίνδυνον ἦν, οὐ τὰ αὐτὰ ἐφρόνουν Σωκράτει· ὃς ἐξὸν σῴζεσθαι καὶ ταῦτα ἀδίκως κώνειον μέλλων πίνειν, αἰδοῖ νόμων, καθ' οὓς ἐγένετο καὶ ἐτράφη, καίπερ δυνάμενος οὐκ ἀπέφυγε τὸ δεσμωτήριον.

1. La législation augustéenne sur la divination (édit de 11 après J.C.) a été renforcée par Claude qui assimila cette recherche, quand elle portait sur l'empereur ou l'État, au crime de lèse-majesté (F.H. CRAMER, *Astrology in Roman Law and Politics,* Philadelphie 1954, p. 249-251). Au IIe s., les *Sentences* du jurisconsulte Paul (V, 21, 1-3), prévoyant la mort pour qui consulte sur l'avenir de l'empereur ou de l'État et pour qui lui répond, sont manifestement falsifiées : c'est au IVe s., à partir de Constantin jusqu'à Théodose et ses successeurs, que la mise à l'index et la criminalisation de la magie et de l'astrologie se sont particulièrement développées dans la jurisprudence, dès lors que la prévision de l'avenir était considérée comme le monopole de l'empereur : voir cf. M.T. FÖGEN, *Die Enteignung der Wahrsager. Studien zum kaiserlichen Wissensmonopol in der Spätantike,* Frankfurt am Main 1997. Trois des douze édits impériaux émis de 319 à 409 contre la divination et la sorcellerie datent des premières années de la décade 370, moment où « l'hystérie relative à la magie atteignit son zénith dans les provinces orientales » (F.R. TROMBLEY, *Hellenic Religion and Christianization* c. 370-529, Leiden 1993, vol. 1, p. 59-72).

successeur quel qu'il fût. Si, d'autre part, l'affaire dépendait de Dieu, pourquoi fallait-il ces recherches indiscrètes? Car il n'est sûrement pas possible de savoir, par prescience ou effort humain, ce que Dieu décide et, si c'était possible, il ne serait pas bon de croire, étant hommes, et même les plus sages des hommes, qu'on délibère mieux que Dieu. **11** Si, d'autre part, c'est simplement par empressement à connaître l'avenir qu'ils agirent avec assez peu de jugement pour se jeter tout droit dans le danger et ne pas tenir compte de lois instituées depuis longtemps chez les Romains et à une époque où il était sans péril de paganiser et de sacrifier[1], ils n'avaient pas les mêmes sentiments que Socrate : lui, alors qu'il lui était possible de se sauver, et cela quand il allait boire, sans être coupable, la ciguë, par respect pour les lois sous lesquelles il était né et avait été éduqué, il ne s'enfuit pas de la prison, alors qu'il l'aurait pu[2].

2. Référence classique au dialogue platonicien intitulé *Criton,* du nom de ce fidèle ami de Socrate qui essaie de le persuader de s'évader de la prison, ce que le philosophe refuse dans la Prosopopée des Lois 50-54, éd. M. Croiset, *CUF,* t. 1, p. 226-233. J. Harris, « Sozomen and Eusebius : the Lawyer as Church Historian in the fifth Century », dans *The Inheritance of Historiography 350-900»,* C. Holsworth et T.P. Wiseman édd., Exeter 1986, p. 45-52, veut discerner dans la leçon finale adressée aux « philosophes » une réplique destinée précisément au sophiste, historien et « philosophe » Eunape de Sardes : celui-ci, païen convaincu, présentait (*frg* 38) Théodore comme un innocent, un homme de bien victime de ses propres vertus. Il semble que la semonce ait une portée plus générale.

36

1401 **1** | Ἀλλὰ ταῦτα μὲν ᾗπερ ἂν ἑκάστῳ δοκῇ σκοπείτω τε καὶ λεγέτω. Καταδραμόντων δὲ Σαυροματῶν χωρία τινὰ τῆς πρὸς δύσιν ἀρχομένης ἐπεστράτευσε τούτοις Οὐαλεντινιανός. **2** Οἱ δὲ τῆς στρατιᾶς τὸ πλῆθος καὶ τὴν παρασκευὴν ἀκούσαντες, πρέσβεις πέμψαντες εἰρήνην ᾔτουν. Ἰδὼν δὲ τούτους, εἰ τοιοῦτοι Σαυρομάται πάντες εἰσὶν ἐπυνθάνετο. Τῶν δὲ τοὺς ἀρίστους παρεῖναι καὶ πρεσβεύειν φησάντων ἐμπίπλαται ὀργῆς, **3** καὶ μέγα κεκραγὼς ἦ δεινὰ τοὺς ὑπηκόους ὑπομένειν ἔφη καὶ τὴν Ῥωμαίων δυσπραγεῖν ἀρχὴν εἰς αὐτὸν περιστᾶσαν, εἰ Σαυρομάται, βάρβαρον ἔθνος ὧν ἄριστοι οὗτοι, οὐκ ἀγαπῶσιν ἐφ' ἑαυτῶν μένοντες ζῆν, ἀλλ' ἐπιβῆναι τῆς ὑπ' αὐτοῦ ἀρχομένης ἐθάρρησαν καὶ πολεμεῖν ὅλως πρὸς Ῥωμαίους φαντάζονται. **4** Ἐπὶ πολὺ δὲ χαλεπαίνοντος καὶ τοιάδε βοῶντος, ὑπὸ ἀμέτρου διατάσεως σπαραχθέντων αὐτῷ τῶν ἔνδον, φλὲψ ἅμα καὶ ἀρτηρία ἐρράγη, καὶ ἀναδοθέντος αἵματος ἐν φρουρίῳ τινὶ τῆς Γαλλίας ἐτελεύτησε τὸν βίον, ἔτη μὲν ἀμφὶ τὰ

1. Des Sarmates s'étaient alors associés aux Quades, les principaux auteurs de l'incursion en territoire romain (Amm. 29, 6, notamment au § 8). Sozomène emploie toujours le nom, traditionnel depuis Hérodote, de Sauromates pour désigner ces tribus germaniques, comme le fait quelquefois aussi Amm. (22, 8, 29; 31, 2, 13). L'expression géographique «certains lieux de l'Empire d'Occident» désigne de façon très vague les deux Pannonies et la Valérie. Sirmium, siège de la préfecture d'Illyricum, fut alors sérieusement menacée par les barbares qui faillirent s'emparer de Constantia, fille posthume de l'empereur Constance, promise à Gratien. L'expédition punitive conduite personnellement par Valentinien eut lieu en août-septembre 375.

2. Amm., en 30, 6, 1-2, précise les plaintes présentées par les Sarmates – leur territoire avait été violé par les Romains pour la construction d'un fort – et les demandes de paix que leur ambassade transmit à Valentinien.

3. Sur la mort de Valentinien, voir Jérome, *Chron. a.* 375, *Epitome de Caes.* 45, 8, Orose, *hist.* 7, 32, 14, Socrate, *H.E.* IV, 31, Zosime, IV, 17. Le récit le plus complet est celui d'Amm. (30, 6, 3) qui attribue également le malaise et la mort de Valentinien à un coup de colère

Chapitre 36

L'expédition contre les Sarmates et la mort de Valentinien en Gaule; proclamation de Valentinien le jeune; la persécution contre les évêques et le discours du philosophe Thémistius qui met Valens dans des dispositions plus humaines envers ceux qui étaient en désaccord avec lui.

1 Mais cela, que chacun l'examine et en parle comme il lui plaît. Cependant, les Sarmates ayant fait incursion contre certains lieux de l'Empire d'Occident[1], Valentinien lança une offensive contre eux. **2** Quand ils eurent appris le grand nombre des troupes et leurs préparatifs, ils envoyèrent une ambassade pour demander la paix[2]. A leur vue, Valentinien demanda si tous les Sarmates étaient comme eux. Comme ils répondaient que se trouvaient là venus en ambassade les meilleurs, il est empli de colère. **3** Et, ayant poussé un grand cri, il déclara que c'était vraiment chose terrible à endurer pour les sujets, et un grand malheur pour l'Empire romain qui lui avait été conféré, si les Sarmates, peuplade barbare dont ceux-ci étaient les meilleurs, ne se contentaient pas de vivre en restant chez eux, mais avaient osé pénétrer dans la partie de l'Empire qu'il gouvernait et s'ils se figuraient en un mot faire la guerre aux Romains. **4** Comme il fut longtemps à être irrité et à pousser de tels cris, ses entrailles furent déchirées par une tension énorme, il se rompit ensemble une veine et une artère[3] et, le sang ayant jailli, il acheva sa vie dans un fort de la Gaule[4], âgé d'environ

en précisant des symptômes qui rendent probable une apoplexie plutôt qu'une embolie.

4. En fait Brigetio, l'actuelle Szöny, en Illyrie, le 17 nov. 375 (SEECK, *Regesten,* p. 246).

πεντήκοντα τέσσαρα γεγονώς, τρισκαίδεκα δὲ ἐν τῇ βασιλείᾳ εὖ μάλα καὶ λίαν ἐπισήμως διαγενόμενος. **5** Ἕκτῃ δὲ ἡμέρᾳ τῆς αὐτοῦ τελευτῆς ἀναγορεύεται βασιλεὺς ὑπὸ τῶν στρατιωτῶν ὁ νεώτερος καὶ ὁμώνυμος αὐτοῦ παῖς. Οὐκ εἰς μακρὰν δὲ ἐπεψηφίσαντο τῇ αὐτοῦ χειροτονίᾳ Οὐάλης τε καὶ Γρατιανὸς ὁ αὐτοῦ ἀδελφός, εἰ καὶ τὴν **294** | ἀρχὴν ἐχαλέπαινον ὡς τῶν στρατιωτῶν, πρὶν αὐτοὺς ἐπιτρέψαι, τὰ σύμβολα τῆς ἀρχῆς αὐτῷ περιθέντων.

6 Ἐν τούτῳ δὲ Οὐάλης ἐν Ἀντιοχείᾳ τῆς Συρίας διάγων ἔτι μᾶλλον ἐπεδίδου τοῖς ἑτέρως αὐτῷ περὶ τὸ θεῖον δοξάζουσιν ἀπεχθανόμενος, καὶ χαλεπῶς τούτους ἐπέτριβε καὶ ἤλαυνεν, εἰσότε δὴ λόγον αὐτῷ προσφωνῶν Θεμίστιος ὁ φιλόσοφος παρῄνει μὴ χρῆναι θαυμάζειν τὴν διαφωνίαν τῶν ἐκκλησιαστικῶν δογμάτων, μετριωτέραν καὶ μείω τῶν παρ' Ἕλλησιν οὖσαν· **7** πολυπλασίους γὰρ εἶναι τὰς παρ' αὐτοῖς δόξας, καὶ ὡς ἐν πλήθει δογμάτων ἀνάγκῃ τὴν περὶ ταῦτα διαφορὰν πλείους ἔριδας καὶ διαλέξεις ποιεῖν· ἐπεὶ καὶ τῷ θεῷ ἴσως φίλον μὴ ῥᾳδίως γινώσκεσθαι καὶ διαφόρως δοξάζεσθαι, ὅπως ἕκαστος μᾶλλον φοβοῖτο

1. La date de sa mort permet de déduire que Valentinien était né en 321. Il régna du 26 février 364 au 17 nov. 375, donc 11 ans et 9 mois. AMM. selon lequel il mourut «dans sa 55e année et dans la douzième année de son règne moins cent jours» (30, 6, 6) est donc plus exact.

2. Voir *P.L.R.E.*, p. 934-935 Flavius Valentinianus 8. Né en 371, fils de Valentinien et de sa seconde épouse Justine, il fut proclamé Auguste le 22 nov. 375 (cf. AMM. 30, 10, 5; SEECK, *Regesten,* p. 246).

3. C'est surtout Gratien, l'Auguste d'Occident, qui aurait pu s'offusquer de cette proclamation brusquée qui empiétait sur son domaine. Mais AMM. précise en 30, 10, 6 que le demi-frère de Valentinien II, au lieu de se mettre en colère, «étant bienveillant et ouvert, chérit son frère avec une piété extrême et prit soin de son éducation».

4. Sozomène prête à Thémistius, orateur et philosophe, une argumentation très proche de celle du *disc.* 5 adressé à Jovien, le 1er janvier 364, pour prêcher la tolérance et l'équilibre entre les religions. SOCRATE, *H.E.* IV, 32 (éd. G.C. Hansen, *GCS,* p. 268) résume un autre discours, – celui que mentionne ici Sozomène –, «dont le texte original ne nous est pas parvenu et qui traite aussi de tolérance» : cf. G. DAGRON,

cinquante-quatre ans, après avoir régné treize ans fort bien et de façon remarquable[1]. **5** Cinq jours après sa mort, son plus jeune fils et homonyme est acclamé empereur par les soldats. Peu après, Valens et Gratien, frère de Valentinien le jeune[2], ratifièrent son élection, bien qu'au début ils eussent été irrités parce que les soldats l'avaient revêtu des insignes impériaux avant d'obtenir leur permission[3].

6 En ce temps-là, Valens, qui vivait à Antioche de Syrie, se renforçait encore davantage dans sa haine contre ceux qui pensaient autrement que lui sur la divinité, il les opprimait durement et les chassait, jusqu'à ce que le philosophe Thémistius lui eût adressé un discours, où il lui disait, par manière de conseil, qu'il ne fallait pas s'étonner de la discordance des dogmes de l'Église qui était plus limitée et moindre que celle des païens[4] : **7** car il y avait bien des diversités dans les opinions des païens et, comme il est naturel quand il y a multiplicité de dogmes, nécessairement le désaccord à ce sujet créait davantage de querelles et de discussions ; aussi bien, peut-être plaisait-il à Dieu de n'être pas aisément connu et d'être l'objet d'opinions différentes : de la sorte, la connais-

« L'Empire romain d'Orient au IVe siècle et les traditions politiques de l'hellénisme. Le témoignage de Thémistios », dans *Travaux et Mémoires* III, 1968, p. 187-191. Ce discours 12 date de la fin de 375 ou des premiers mois de 376, en pleine persécution des nicéens (G. DAGRON, *ibid.*, p. 189 et N. LENSKI, *Failure...*, p. 212-213). Il n'est pas dénué d'ironie de la part d'un philosophe païen. Selon certains (par ex. R. SNEE, « Valens' Recall of the Nicene Exiles and the Anti-arian Propaganda », dans *GRBS* 26, 1985, p. 395-419), Thémistius aurait contribué à convaincre Valens de rappeler les évêques exilés. SEECK, *Regesten,* p. 249, date ce rappel de nov.-déc. 377 en invoquant Jérôme, alors que Jérôme le date de 378, éd. R. Helm, *GCS*, p. 249. Sozomène ne fait qu'une allusion vague à un certain adoucissement des châtiments infligés par Valens (37, 1) et attribue formellement, en *H.E.* VII, 1, 3, l'édit de rappel à Gratien, en 378, après la mort de Valens. Tout porte à croire qu'il a raison.

ἀκαταλήπτου οὔσης τῆς ἀκριβοῦς αὐτοῦ γνώσεως, ἀνα-
1404 λογιζόμενος | τῷ νῷ, ὅσον ἐφικέσθαι νομίζει, πηλίκος τε καὶ οἷός ἐστιν.

37

1 Ἐκ δὴ τοιούτων Θεμιστίου λόγων φιλανθρωπότερόν πως διατεθεὶς ὁ βασιλεὺς οὐ χαλεπῶς οὕτως ὡς πρότερον τὰς τιμωρίας ἐπῆγεν· οὐ μὴν τελείως ἐφείδετο τῆς κατὰ τῶν ἱερωμένων ὀργῆς, εἰ μὴ κοινῶν πραγμάτων ἐπιγενόμεναι φροντίδες οὐκέτι τοιάδε συνεχώρουν σπουδάζειν. **2** Γότθοι γάρ, οἳ δὴ πέραν τοῦ Ἴστρου ποταμοῦ τὸ πρὶν ᾤκουν καὶ τῶν ἄλλων βαρβάρων ἐκράτουν, ἐξελαθέντες παρὰ τῶν καλουμένων Οὔννων εἰς τοὺς Ῥωμαίων ὅρους ἐπεραιώθησαν. **3** Τοῦτο δὲ τὸ ἔθνος, ὥς φασιν, ἄγνωστον ἦν πρὸ τοῦ Θρᾳξὶ τοῖς παρὰ τὸν Ἴστρον καὶ Γότθοις αὐτοῖς, ἐλάνθανον δὲ προσοικοῦντες ἀλλήλοις, καθότι λίμνης μεγίστης ἐν μέσῳ κειμένης ἕκαστοι τέλος εἶναι ξηρᾶς ᾤοντο τὴν κατ' αὐτοὺς οἰκουμένην, μετὰ τοῦτο δὲ
295 θά|λασσαν καὶ ὕδωρ ἀπέραντον. Συμβὰν δὲ βοῦν οἰστροπλῆγα διαδραμεῖν τὴν λίμνην ἐπηκολούθησε βουκόλος, καὶ τὴν ἀντιπέραν γῆν θεασάμενος ἤγγειλε τοῖς ὁμοφύλοις. **4** Ἄλλοι δὲ λέγουσιν ὡς ἔλαφος διαφυγοῦσά τισι τῶν

1. Sur les Goths et les Huns, AMM. (31, 2) est la source la plus riche, malgré les réserves de W. RICHTER, « Die Darstellung der Hunnen bei Ammianus Marcellinus », dans *Historia* 23, 1974, p. 343-377. Sur les Goths, parmi les ouvrages les plus récents : H. WOLFRAM, *Histoire des Goths,* trad. fr., Paris 1990 (éd. orig. all. 1979) ; U. WANKE, *Die Gotenkriege des Valens,* Francfort 1988 ; P.J. HEATHER, *Goths and Romans* 332-489, Oxford 1991 ; M. KAZANSKI, *Les Goths,* Paris 1991. Sur les Huns : E. THOMPSON, *A History of Attila and the Huns,* Oxford 1948 ; O.J. MAENCHEN HELFEN, *The World of the Huns,* Londres 1973 ; I. BONA, *Das Hunnenreich,* Budapest 1991 ; et pour leurs relations, Cambridge Ancient History, vol. XIII *The late Roman Empire A. D. 337-425,* Cambridge 1998, Av. Cameron et P. Garnsey édd., chap. 16 « Goths and Huns c. 320-425 », p. 487-515 (P. HEATHER).

sance exacte de Dieu restant insaisissable, chacun éprouverait plus de crainte, en conjecturant par la pensée, dans la mesure où il croit y être parvenu, combien grand et quel il est.

Chapitre 37

Les barbares d'au-delà du Danube;
chassés par les Huns, ils passent chez les Romains;
ils deviennent chrétiens.
Ulphilas et Athanaric et les événements survenus entre temps.
Pourquoi ils embrassent l'arianisme.

1 A la suite de ce discours de Thémistius, l'empereur mis dans des dispositions quelque peu plus humaines n'infligeait pas les châtiments aussi cruellement qu'auparavant. Néanmoins il ne se serait pas abstenu entièrement de sa colère contre les prêtres, si n'étaient survenus des soucis concernant les affaires publiques qui ne lui permettaient plus de consacrer son zèle à ces questions. **2** Les Goths en effet, qui habitaient auparavant au-delà du Danube et l'emportaient sur les autres barbares, chassés par ceux qu'on appelle Huns, avaient pénétré sur le territoire des Romains [1]. **3** Ce peuple, à ce qu'on dit, avait été auparavant inconnu des Thraces voisins du Danube et des Goths eux-mêmes, et c'est sans le savoir qu'ils vivaient proches les uns des autres. En effet, il y avait entre eux un très vaste marais et chaque peuple s'imaginait que la partie de la terre habitée où il se trouvait était la limite de la terre ferme, et qu'après, il y avait la mer et l'eau à l'infini. Or, comme il était arrivé qu'un bœuf piqué par un taon avait traversé le marais, le bouvier le suivit et, ayant vu la terre de l'autre côté, il l'annonça aux gens de sa race. **4** Selon une autre version, c'est une biche qui, dans sa fuite, montra à des chasseurs huns

Οὔννων θηρῶσιν ἐπέδειξε τήνδε τὴν ὁδόν, ἐξ ἐπιπολῆς καλυπτομένην τοῖς ὕδασι· τοὺς δὲ τότε μὲν ὑποστρέψαι θαυμάσαντας τὴν χώραν ἀέρι μετριωτέρῳ καὶ γεωργίᾳ ἥμερον οὖσαν καὶ τῷ κρατοῦντι τοῦ ἔθνους ἀγγεῖλαι ἃ ἐθεάσαντο. **5** Δι' ὀλίγων δὲ τὰ πρῶτα καταστῆναι εἰς πεῖραν τοῖς Γότθοις, μετὰ δὲ ταῦτα πασσυδὶ ἐπιστρατεῦσαι καὶ μάχῃ κρατῆσαι καὶ πᾶσαν τὴν αὐτῶν γῆν κατασχεῖν. Τοὺς δὲ διωκομένους τὸν ποταμὸν περαιωθῆναι, καὶ εἰς τοὺς Ῥωμαίων ὅρους διαβάντας πρέσβεις πέμψαι πρὸς βασιλέα, συμμάχους ἔσεσθαι τοῦ λοιποῦ σφᾶς ὑπισχνουμένους καὶ δεομένους συγχωρεῖν αὐτοῖς ᾗ βούλεται κατοικεῖν. **6** Ταύτης δὲ τῆς πρεσβείας ἄρξαι Οὐλφίλαν τὸν τοῦ ἔθνους ἐπίσκοπον· κατὰ γνώμην δὲ αὐτοῖς προχωρησάσης ἐπιτραπῆναι ἀνὰ τὴν Θρᾴκην οἰκεῖν. Οὐ πολλῷ δὲ ὕστερον πρὸς σφᾶς αὐτοὺς στασιάσαντας διχῇ διαιρεθῆναι. Ἡγεῖτο δὲ τῶν μὲν Ἀθανάριχος, τῶν δὲ

1. Cf. AMM. 31, 3 : les Huns se jettent sur les terres d'Ermenric/ Hermenrich, le premier roi attesté des Goths Greuthunges, dans le deuxième tiers du IVe s., tandis qu'Athanaric, roi des Goths Thervinges, croit, pendant un temps, pouvoir leur tenir tête. Alors qu'AMM. a donné (vers 395) la première description des Huns, pratiquement inconnus à son époque, Sozomène n'a pas besoin de décrire ce peuple qui, de son temps, était bien connu : l'ambassade à laquelle participa l'historien Olympiodore de Thèbes auprès de Donatus, roi des Huns, se situe vers 411; celle de Priscos de Panion auprès d'Attila, roi des Huns de 431 à 453, est à peu près contemporaine de l'achèvement de l'*Histoire* de Sozomène. Ce qui l'intéresse est l'anecdote du marais, du bœuf ou de la biche qui aura une longue postérité chez PROCOPE, *Guerre gothique*, IV, 5; JORDANES, *Get.* 123-125, qui en attribue la paternité à Priscus; AGATHIAS V, 11 et beaucoup plus tard, au XIe s., chez Cedrenos.

2. L'ambassade des Thervinges, rapportée par AMM. en 31, 4, 1, date de 376. Était-elle conduite par l'évêque Ulfilas en personne, alors qu'AMM. emploie un pluriel d'anonymat (*missis oratoribus ad Valentem suscipi se humili prece poscebant :* « ayant envoyé à Valens des parlementaires, ils réclamaient par une humble prière qu'on les accueillît »)? C'est très vraisemblable pour P. HEATHER, « The Crossing of the Danube and the gothic Conversion », dans *GRBS* 27, 1986, p. 289-318, à la

ce chemin qui, à la surface, était caché par les eaux : ces chasseurs alors s'en retournèrent, après avoir admiré cette contrée qui jouissait d'un climat plus doux et qui était bonifiée par l'agriculture; ils annoncèrent au chef de leur nation ce qu'ils avaient vu. **5** Alors, par petits groupes, ils avaient d'abord éprouvé les Goths, puis ils avaient marché avec toutes leurs forces réunies, avaient vaincu en une bataille et avaient occupé toute leur terre[1]. Les Goths, poursuivis, avaient traversé le fleuve, pénétré sur le territoire des Romains et envoyé à l'empereur des ambassadeurs, promettant qu'ils seraient désormais des alliés et demandant qu'on leur permît d'habiter où il voudrait. **6** A la tête de cette ambassade était Ulfilas, leur évêque[2] : l'ambassade ayant réussi à leur gré, il leur fut permis d'aller habiter la Thrace. Mais peu après, il y avait eu chez eux une guerre civile et ils s'étaient divisés[3]. A un camp commandait

p. 301, étant donné qu'Ulfila avait déjà conduit vers les Romains une première ambassade, sans doute en 348-349, à la suite d'une persécution déclenchée par le chef suprême des Goths, un païen, contre ceux de ses compatriotes qui avaient déjà été évangélisés : il avait alors obtenu de Constance l'autorisation de s'installer avec ses fidèles en Mésie, au pied du Mont Haemus, près de Nicopolis. Sur Ulfila et la conversion des Goths au christianisme, cf. R. GRYSON, *Scolies ariennes sur le concile d'Aquilée, SC* 267, introd., p. 143 s.

3. Il n'est pas vraisemblable que la « guerre civile » entre Athanaric et Fritigern ait pris place *après* l'ambassade de 376 mentionnée plus haut. L'affrontement entre les deux chefs a certainement eu lieu quelques années *avant* l'ambassade. La défaite d'Athanaric devant Valens (368-370) avait affaibli son prestige et le respect qu'inspirait le *iudex* suprême aux *reiks* (équivalents de *reges*) qui lui devaient obéissance. Fritigern fut celui ou l'un de ceux qui voulurent alors s'affranchir de l'autorité d'Athanaric. Sur cette persécution, la source principale est la *Passion de saint Saba,* le plus célèbre martyr goth : cf. H. DELEHAYE, « Saints de Thrace et de Mésie », dans *Analecta Bollandiana* 31, 1912, p. 216-221, pour l'éd. du texte grec et p. 274-280, 288-291 pour le commentaire.

Φριτιγέρνης· ἐπεὶ δὲ πρὸς ἀλλήλους ἐπολέμησαν, κακῶς πράξας ἐν τῇ μάχῃ Φριτιγέρνης ἐδεῖτο Ῥωμαίων βοηθεῖν αὐτῷ. **7** Τοῦ δὲ βασιλέως ἐπιτρέψαντος συμμαχεῖν αὐτῷ
1405 τοὺς ἐν Θρᾴκῃ στρατιώτας | αὖθις συμβαλὼν ἐνίκησε καὶ τοὺς ἀμφὶ Ἀθανάριχον εἰς φυγὴν ἔτρεψεν. Ὥσπερ δὲ χάριν ἀποδιδοὺς Οὐάλεντι καὶ διὰ πάντων φίλος εἶναι πιστούμενος ἐκοινώνησε τῆς αὐτοῦ θρησκείας καὶ τοὺς πειθομένους αὐτῷ βαρβάρους ἔπεισεν ὧδε φρονεῖν. **8** Οὐ τοῦτο δὲ μόνον αἴτιον οἶμαι γέγονεν εἰσέτι νῦν τὸ πᾶν φῦλον προστεθῆναι τοῖς τὰ Ἀρείου φρονοῦσιν, ἀλλὰ καὶ Οὐλφίλας ὁ παρ' αὐτοῖς τότε ἱερωμένος· τὰ μὲν γὰρ πρῶτα οὐδὲν διεφέρετο πρὸς τὴν καθόλου ἐκκλησίαν, ἐπὶ δὲ τῆς Κωνσταντίου βασιλείας ἀπερισκέπτως οἶμαι μετασχὼν τοῖς ἀμφὶ Εὐδόξιον καὶ Ἀκάκιον τῆς ἐν Κωνσταντινουπόλει συνόδου διέμεινε κοινωνῶν τοῖς ἱερεῦσι τῶν ἐν Νικαίᾳ
296 συνελθόντων· **9** ὡς δὲ εἰς Κωνσταν|τινούπολιν ἀφίκετο,

1. Sur ce chef suprême (*iudex*) des Goths thervinges, voir *P.L.R.E.*, p. 120-121. Vaincu par Valens au cours des campagnes de 367 à 369, il persécuta les chrétiens entre 369/370 et 372 (JÉRÔME, *Chron. a.* 370; OROSE., *hist.* 7, 32, 9; SOCRATE, *H.E.* IV, 33, 7) et mena une guerre civile contre Fritigern (cf. SOCRATE, *H.E.* IV, 33, 1-2). Vaincu par les Huns et obligé de se réfugier dans des montagnes inaccessibles (nommées *Caucalanda* par AMM. 31, 3, 4-8 et 13), il finit par accepter de se rendre à Constantinople où il fut accueilli en grande pompe par Théodose, le 11 janvier 381, avant d'y mourir dès le 25 janvier.

2. Sur ce chef thervinge, dont les extraordinaires capacités diplomatiques et militaires ressortent du récit d'AMM. (31, 4-16), voir *P.L.R.E.*, p. 374. D'après P. HEATHER, «The Crossing of the Danube», p. 289-318, sa conversion officielle au christianisme arien avec la partie du peuple thervinge qu'il commandait doit être datée de 376. Ce fut une des conditions que lui imposa Valens pour admettre ses Goths sur le territoire romain (pour un cadre général, voir, dans PIETRI, *Histoire,* le chapitre d'A. CHAUVOT, p. 861-882 : «Les migrations des barbares et leur conversion au christianisme»). Après la défaite et la mort de Valens à la bataille d'Andrinople où il joua un rôle décisif (378), Fritigern devait s'attaquer encore, sous Théodose, à l'Épire, à la Thessalie et à l'Achaïe (JORDANES, *Get.* 140).

Athanaric[1], à un autre Fritigern[2]. Quand ils en furent venus à la guerre, Fritigern eut le dessous au combat et demanda aux Romains de l'aider. **7** L'empereur ayant permis que les troupes romaines en Thrace lui vinssent en aide, Fritigern en était de nouveau venu aux mains avec Athanaric et ses hommes, les avait vaincus et mis en fuite. En guise de reconnaissance à l'égard de Valens et pour gage d'amitié éternelle, Fritigern adopta sa religion et persuada les barbares, ses sujets, de penser ainsi. **8** Ce ne fut pas là, je crois, la seule cause de ce qu'aujourd'hui encore toute cette race se soit rangée du côté des partisans d'Arius, mais il y eut aussi Ulfilas alors leur évêque[3]. Au début, il ne se dissociait en rien de l'Église catholique et bien que, sous le règne de Constance, il eût inconsidérément, à mon avis, participé au concile de Constantinople avec Eudoxe, Acace et leurs partisans, il était resté en communion avec les prêtres du parti de ceux réunis à Nicée. **9** Mais quand il

3. Ce Cappadocien (Ulphila, Ulphilas et dans sa langue Wulfila), né en 311 d'une mère romaine et d'un père goth, avait été enlevé dès l'enfance par des pillards goths : voir *DECA,* p. 250 M. SIMONETTI, renvoyant à J. ZEILLER, *Les origines chrétiennes dans les provinces danubiennes,* Paris 1918 et M. SIMONETTI, « L'arianesimo di Ulfila », *RomBarb,* 1976, p. 297-323. Une synthèse remarquable sur « le ministère d'Ulfila », « le dernier voyage et la mort d'Ulfila », « la foi d'Ulfila » est donnée par R. GRYSON, dans *Scolies ariennes...,* p. 143 s. Dans son ouvrage classique, E.A. THOMPSON, *The Visigoths in the Times of Ulfila,* Oxford, 1966, avait proposé, pour la conversion des Goths, une date – entre 382 et 395 – qui est inacceptable. Car les Goths ne pouvaient pas se convertir à l'arianisme sous des empereurs orthodoxes : cf. la discussion de Z. RUBIN, « The Conversion of the Visigoths to Christianity », *Museum Helveticum,* 38, 1981, p. 34-54. Malgré ce que tentent d'accréditer les historiens nicéens, la conversion personnelle d'Ulfila à l'arianisme remonte aux années 330 (dernières années de Constantin, premières années de Constance) comme l'a établi H. SIVAN, « Ulfila's own Conversion », dans *Harvard Theological Review* 89, 1996, p. 373-386. C'est donc depuis cette date haute que l'évêque des Goths initia ses compatriotes au christianisme sous sa forme arienne.

λέγεται διαλεχθέντων αὐτῷ περὶ τοῦ δόγματος τῶν προεστώτων τῆς Ἀρειανῆς αἱρέσεως καὶ τὴν πρεσβείαν αὐτῷ συμπράξειν πρὸς βασιλέα ὑποσχομένων, εἰ ὁμοίως αὐτοῖς δοξάζοι, βιασθεὶς ὑπὸ τῆς χρείας ἢ καὶ ἀληθῶς νομίσας ἄμεινον οὕτω περὶ θεοῦ φρονεῖν, τοῖς Ἀρείου κοινωνῆσαι καὶ αὐτὸν καὶ τὸ πᾶν φῦλον ἀποτεμεῖν τῆς καθόλου ἐκκλησίας. **10** Ὑπὸ διδασκάλῳ γὰρ αὐτῷ παιδευθέντες οἱ Γότθοι τὰ πρὸς εὐσέβειαν καὶ δι' αὐτοῦ μετασχόντες πολιτείας ἡμερωτέρας πάντα ῥᾳδίως αὐτῷ ἐπείθοντο, πεπεισμένοι μηδὲν εἶναι φαῦλον τῶν παρ' αὐτοῦ λεγομένων ἢ πραττομένων, ἅπαντα δὲ συντελεῖν εἰς χρήσιμον τοῖς ζηλοῦσιν. **11** Οὐ μὴν ἀλλὰ καὶ πλείστην δέδωκε πεῖραν τῆς αὐτοῦ ἀρετῆς μυρίους μὲν ὑπομείνας κινδύνους ὑπὲρ τοῦ δόγματος ἔτι τῶν εἰρημένων βαρβάρων ἑλληνικῶς θρησκευόντων· πρῶτος δὲ γραμμάτων αὐτοῖς εὑρετὴς ἐγένετο καὶ εἰς τὴν οἰκείαν φωνὴν μετέφρασε τὰς

1. Sozomène reconnaît (§ 11) la responsabilité d'Ulfila dans l'arianisme des barbares voisins du Danube, tout en cherchant à l'atténuer. Ulfila serait resté longtemps orthodoxe : en fait, il s'était rallié à l'arianisme dès les années 330 (cf. H. SIVAN, « Ulfila's own Conversion », dans *HTR* 89, 1996, p. 373-386) et il avait été consacré évêque des Goths par l'évêque arien Eusèbe de Nicomédie en 341. Ce serait « inconsidérément » (§ 8) qu'il aurait, en 360, participé au concile homéen de Constantinople (cf. *H.E.* IV, 24, 1, *SC* 418, p. 318-319 avec la note 2). C'est pour le bien de son peuple, plus précisément pour la réussite de l'ambassade qu'il assurait en sa faveur, qu'il aurait cédé aux promesses d'Eudoxe et d'Acace (§ 9). Mais comment admettre à la fois qu'« à Constantinople, il était resté en communion avec les pères de Nicée » et que « quand il fut arrivé à Constantinople... il s'associa aux ariens »? En fait, ce qui, pour Sozomène, rachète très largement cette faute ou plutôt cette faiblesse, ce sont les mérites d'évangélisateur et de quasi martyr d'Ulfila, lors de la persécution des chrétiens en 348-349, et aussi son rôle civilisateur par la création d'un alphabet gothique et par sa traduction de la Bible dans la langue des Goths.

2. Après sa première ambassade des années 348/349, Ulfila dut profiter de sa participation au concile homéen de Constantinople (360) pour plaider la cause de ses compatriotes établis en Mésie et pour étendre et consolider les résultats de sa première démarche. Des circonstances politiques et militaires critiques ont pu déterminer Fritigern, qui n'était pas encore chrétien, à recourir au truchement d'un homme de sa nation, bien vu de l'empereur

fut arrivé à Constantinople[1], comme, dit-on, les chefs de la secte arienne avaient discuté avec lui sur le dogme et lui avaient promis de l'aider dans son ambassade auprès de l'empereur[2] s'il adoptait leurs opinions, contraint par la nécessité ou croyant sincèrement qu'il valait mieux penser ainsi sur Dieu, il s'associa aux ariens et se sépara de l'Église catholique, lui-même avec tout son peuple. **10** Les Goths en effet avaient été formés à la piété avec lui comme maître et, grâce à lui, ils avaient eu part à une façon de vivre plus civilisée ; aussi lui obéissaient-ils facilement en tout, persuadés que rien de ce qu'il disait ou faisait n'était mauvais, mais que tout contribuait au bien de ses zélateurs. **11** Outre cela, il avait donné maintes preuves de sa vertu, en supportant mille dangers pour la foi quand les dits barbares pratiquaient encore la religion païenne ; il avait été chez eux le premier inventeur de l'alphabet et il avait traduit les Saints Livres dans leur langue[3]. Du fait

romain à la fois pour sa dignité d'évêque et pour son arianisme, afin de traiter avec Valens en 376. Ulfila aurait donc joué un rôle régulier et important de diplomate auprès des princes ariens, Constance et Valens. AMM. 31, 12, 8-9 indique qu'un « presbytre de la religion chrétienne » fut envoyé par Fritigern à Valens juste avant Andrinople : est-ce Ulfila qui fut, une fois de plus, chargé de ce rôle de négociateur de la dernière chance? R. GRYSON, *Scolies ariennes SC* 257, p. 148, ne pense pas qu'Ulfila lui-même, ni ses fidèles aient été directement impliqués dans l'invasion gothique de 376-378; mais il tient pour invraisemblable qu'il n'y ait pas eu de contact, à la fin des années 370, entre les Goths d'Ulfila et leurs frères de race.

3. Étant de culture gréco-latine, Ulfila dut créer un alphabet sur la base de l'alphabet grec en le complétant par des signes empruntés à l'alphabet latin et à l'alphabet runique des Germains. Le texte de sa Bible nous a été transmis par une copie sans doute originaire d'Italie du nord, le *Codex argenteus,* conservé à Uppsala, copie qui dérive d'une Bible trilingue en grec, latin et gothique. Voir, depuis la dissertation classique de E. BERNHARDT, *Ulfila oder die gotische Bibel,* Halle 1875, J. ZEILLER, *Les origines chrétiennes...,* p. 465-474, G. FRIEDRISCHEN, *The Gotic Version of the Gospel,* Oxford 1926 ; *id., The Gothic Version of the Epistles. A Study of its Style and textual History,* Oxford 1939, W. STREITBERG, *Die gotische Bibel,* 4e et 5e éd., Heidelberg 1965 et *PW*NS, 17, 1961, c. 512-531 A. LIPPOLD.

ἱερὰς βίβλους. Καθότι μὲν οὖν ὡς ἐπίπαν οἱ παρὰ τὸν Ἴστρον βάρβαροι τὰ Ἀρείου φρονοῦσι, πρόφασις ἥδε.

12 Κατ' ἐκεῖνο δὲ καιροῦ πλῆθος τῶν ὑπὸ Φριτιγέρνην διὰ Χριστὸν μαρτυροῦντες ἀνῃρέθησαν. Ὁ γὰρ Ἀθανάριχος καὶ τοὺς ὑπ' αὐτῷ τεταγμένους Οὐλφίλα πείθοντος χριστιανίζειν ἀγανακτῶν, ὡς τῆς πατρῴας θρησκείας καινοτομουμένης, πολλοὺς πολλαῖς τιμωρίαις ὑπέβαλε, καὶ τοὺς μὲν εἰς εὐθύνας ἀγαγὼν παρρησιασαμένους ἀνδρείως ὑπὲρ τοῦ δόγματος, τοὺς δὲ μηδὲ λόγου μεταδοὺς ἀνεῖλε. **13** Λέγεται γὰρ ὥς τι ξόανον ἐφ' ἁρμαμάξης ἑστώς, οἵ γε τοῦτο ποιεῖν ὑπὸ Ἀθαναρίχου προσετάχθησαν, καθ' ἑκάστην σκηνὴν περιάγοντες τῶν χριστιανίζειν καταγγελλομένων ἐκέλευον τούτῳ προσκυνεῖν καὶ θύειν· τῶν δὲ 1408 παραιτουμένων σὺν αὐτοῖς ἀνθρώποις τὰς σκηνὰς | ἐνεπίμπρων. **14** Περιπαθέστερον δὲ τούτων τότε καὶ ἕτερον συμβῆναι πάθος ἐπυθόμην. Ἀπειρηκότες γὰρ πολλοὶ τῇ βίᾳ τῶν θύειν ἀναγκαζόντων ἄνδρες τε καὶ γυναῖκες, ὧν αἱ μὲν παιδάρια ἐπήγοντο, αἱ δὲ ἀρτίτοκα βρέφη ὑπὸ τοὺς μαζοὺς ἔτρεφον, ἐπὶ τὴν σκηνὴν τῆς ἐνθάδε ἐκκλησίας κατέφυγον· προσαψάντων δὲ πῦρ τῶν Ἑλληνιστῶν ἅπαντες διεφθάρησαν.

15 Οὐκ εἰς μακρὰν δὲ οἱ Γότθοι πρὸς ἀλλήλους **297** ὡμονόησαν· καὶ εἰς ἀπό|νοιαν ἐπαρθέντες τοὺς Θρᾷκας ἐκακούργουν καὶ τὰς αὐτῶν πόλεις καὶ κώμας ἐδῄουν.

1. En fait, une dizaine d'années après le concile de Constantinople (360), dans les années 370-372.

2. Cette persécution des chrétiens fut sans doute la vengeance d'Athanaric quand il eut été vaincu par Valens (cf. J. ZEILLER, *Les origines chrétiennes...*, p. 422-440). Elle prit place vers 370-372 (JÉRÔME, *chron.* la date exactement de 371). Le texte de Sozomène est confirmé par le fragment d'un antique «Calendrier des Goths», conservé avec des fragments de la Bible d'Ulfila dans un palimpseste de la Bibliothèque Ambrosienne de Milan, qui place le massacre des Goths chrétiens au 23 du mois d'octobre ainsi que par par la «Passion des 26 martyrs», œuvre d'un hagiographe de Cyzique : cf. H. DELEHAYE, «Saints de Thrace et de Mésie» dans *Analecta Bollandiana* 31 (1912), p. 216-221 (texte

donc que les barbares voisins du Danube sont en général ariens, telle est la cause.

12 En ce temps-là[1], une foule des sujets de Fritigern périrent comme martyrs pour le Christ. Athanaric en effet, irrité de ce qu'Ulfilas cherchât à persuader ses propres sujets aussi d'être chrétiens, dans la pensée qu'on révolutionnait ainsi la religion ancestrale, en frappa beaucoup de beaucoup de châtiments : aussi bien ceux qu'il avait amenés pour être examinés et qui avaient parlé librement avec vaillance pour la défense de la foi, que les autres, qui n'avaient même pas eu le droit à la parole, il les fit périr également. **13** On dit qu'il dressa une idole sur un char couvert ; ceux qui en avaient reçu l'ordre d'Athanaric la promenaient près de chaque tente des gens dénoncés comme chrétiens et ils ordonnaient de l'adorer et de sacrifier ; si l'on refusait, ils brûlaient les tentes avec leurs habitants. **14** J'ai même appris qu'il se produisit alors un autre malheur encore plus pathétique. Sous le coup de la violence de ceux qui les forçaient à sacrifier, beaucoup, perdant courage, hommes et femmes, parmi lesquelles certaines traînaient de petits enfants, d'autres nourrissaient au sein des nouveau-nés, s'étaient réfugiés à la tente de l'église du lieu : les païens y mirent le feu, et tous périrent[2].

15 Peu de temps après, l'accord se fit entre les Goths. S'étant emportés jusqu'à la fureur, ils causaient du dommage aux Thraces et ravageaient leurs villes et leurs

de la *Passion de saint Saba,* le plus célèbre martyr goth, noyé dans une rivière nommée Musaeos [= Buzen], le 12 avril 372 d'après *Act. SS.*, dont les reliques furent transférées à Césarée et solennellement accueillies par l'évêque Basile) et p. 274-281 et 288-291 (Martyrs de l'église de Gothie). J. ZEILLER, *Les origines chrétiennes...*, p. 426 s. mentionne, au 26 mars 370, le martyre des goths Bathusios et Verca, brûlés avec une vingtaine d'autres chrétiens dans une tente qui leur servait d'église, d'après une Passion composée de notices de synaxaires (*Act. SS* 26 mars).

Πυθόμενος δὲ Οὐάλης τῇ πείρᾳ μεμάθηκεν ὅσον ἥμαρτεν. **16** Οἰηθεὶς γὰρ αὐτῷ τε καὶ τοῖς ἀρχομένοις χρησίμους ἔσεσθαι τοὺς Γότθους, φοβεροὺς δὲ τοῖς ἐναντίοις, ὡς ἐν ὅπλοις ἀεὶ παρεσκευασμένους, τῶν Ῥωμαϊκῶν ταγμάτων ἠμέλει· καὶ ἀντὶ τῶν εἰωθότων εἰς στρατείαν ἐπιλέγεσθαι ἐκ τῶν ὑπὸ Ῥωμαίους πόλεων τε καὶ κωμῶν χρυσίον εἰσεπράττετο. **17** Σφαλεὶς δὲ τῆς ἐλπίδος καταλιπὼν τὴν Ἀντιόχειαν σπουδῇ εἰς τὴν Κωνσταντινούπολιν ἀφίκετο· ἡνίκα δὴ ὁ κατὰ τῶν ἑτέρως αὐτῷ χριστιανιζόντων διωγμὸς ἀνακωχὴν ἔσχεν, Εὐζωίου δὲ τελευτήσαντος προβληθεὶς εἰς τὴν αὐτοῦ διαδοχὴν Δωρόθεος τῶν τὰ Ἀρείου φρονούντων προΐστατο.

1. En fait, il n'y eut jamais d'accord entre les Goths de Fritigern (et d'Alaviv), passés en territoire romain avec l'accord de Valens, et ceux d'Athanaric, le «juge» des Goths, qui refusa toujours de pénétrer sur le sol romain, au nom d'un serment religieux antérieur. Athanaric, restant au-delà du Danube, prit la fuite avec la partie du peuple que lui avaient laissée les Huns et la guerre civile contre Fritigern et, abandonné par la majorité de son peuple, se réfugia dans des endroits inaccessibles enlevés aux Sarmates (AMM. 31, 4, 13 : *Caucalandensis locus* désigne la haute vallée de l'Alutus, en Valachie ou Transylvanie, d'après H. WOLFRAM, *Histoire...*, p. 86). Les Thervinges de Fritigern et d'Alaviv ne furent rejoints que par ceux des Goths Greuthunges qui passèrent clandestinement le Danube après eux (AMM. 31, 5, 3) et par certains contingents gothiques établis antérieurement sur le sol romain (AMM. 31, 6, 1-3). Ensemble, ils dévastèrent le diocèse des Thraces.

2. C'est l'*aurum tironicum*. En payant une redevance *(aurum)*, les propriétaires se dégagaient de l'obligation de fournir leurs paysans comme recrues *(tirones)*. Le recours systématique et aveugle à l'*aurum tironicum*, considéré comme un signe de la cupidité de l'empereur encouragé par un entourage de flatteurs, est dénoncé dans les mêmes termes par AMM. à propos de Valens (31, 4, 4 : «à la place du renfort en soldats que chaque province lui payait annuellement, il verrait un

villages[1]. A cette nouvelle Valens comprit par l'expérience combien il s'était trompé. **16** Comme il avait cru en effet que les Goths lui seraient utiles ainsi qu'à ses sujets, et qu'ils seraient redoutables aux ennemis, puisqu'ils étaient toujours sur le pied de guerre, il négligeait les troupes romaines. Et au lieu du recrutement habituel pour l'armée d'hommes tirés des villes et des villages dépendant des Romains, il exigeait une redevance en or[2]. **17** Trompé dans son espérance, il abandonna en hâte Antioche et arriva à Constantinople[3]. C'est alors qu'il y eut une interruption dans la persécution de ceux qui professaient un christianisme différent du sien. Après la mort d'Euzoïus, Dorothée, qui avait été élevé à sa succession, était à la tête des partisans d'Arius[4].

monceau d'or considérable s'ajouter aux Trésors »), mais aussi déjà à propos de Constance (19, 11, 7).

3. Le départ d'Antioche se place en mars 378 (JÉRÔME, *chron. a.* 378; AMM. 31, 7, 1; 11, 1; PHILOSTORGE, *H.E.* IX, 17; SOCRATE, *H.E.* IV, 35, 3 et 36, 3) et l'arrivée à Constantinople le 30 mai (*Chron.* I, p. 242; SOCRATE, *H.E.* IV, 38, 1) : cf. SEECK, *Regesten,* p. 251.

4. La mort d'Euzoïus, installé à Antioche depuis 360 après l'exil de Mélèce (*H.E.* IV, 28, 10, *SC* 418, p. 349-350, note 3), se situe entre 375 et 378. Dorothée, d'abord évêque d'Héraclée de Thrace, était un arien modéré. Successeur d'Euzoïus sur le siège d'Antioche, il en fut chassé en 381 par l'édit de Théodose contre les ariens et se réfugia auprès de Démophile, l'évêque de Constantinople. Après la mort de celui-ci en 388, il revint à Antioche diriger la communauté arienne, à la place de Marinos qui avait été d'abord élu. Sur ses opinions théologiques et sur la secte des Dorothéens qui subsista jusqu'en 420, voir *H.E.* VII, 17 et SOCRATE, *H.E.* IV, 35 et V, 23. Cf. *DHGE* 14, p. 685 R. AUBERT et *DECA,* p. 726 M. SIMONETTI.

38

1 Ὑπὸ δὲ τὸν αὐτὸν τοῦτον χρόνον τελευτήσαντος τοῦ Σαρακηνῶν βασιλέως αἱ πρὸς τοὺς Ῥωμαίους σπονδαὶ ἐλύθησαν, Μαυία δὲ ἡ τούτου γαμετὴ τὴν ἡγεμονίαν τοῦ
1409 ἔθνους ἐπιτροπεύουσα ἐδῄου τὰς | Φοινίκων καὶ Παλαιστίνων πόλεις μέχρι καὶ Αἰγυπτίων, ἐξ εὐωνύμων ἀναπλέοντι τὸν Νεῖλον τὸ Ἀράβιον καλούμενον κλίμα οἰκούντων. **2** Ἦν δὲ οὐχ οἷος νομίζεσθαι ῥᾴδιος ὁ πόλεμος ὡς παρὰ γυναικὸς παρασκευαζόμενος, καρτερὰν δὲ καὶ δυσκαταγώνιστόν φασι γενέσθαι Ῥωμαίοις ταύτην τὴν μάχην, ὡς καὶ τὸν ἡγεμόνα τῶν ἐν Φοινίκῃ καὶ Παλαιστίνῃ

1. Les Saracènes, appelés anciennement Scénites («peuples des tentes»), étaient des tribus arabes semi-nomades habitant à l'origine l'Arabie heureuse (l'actuel Yémen). AMM. qui considère qu'«il ne faut jamais souhaiter ni leur amitié ni leur hostilité» (14, 4, 1) les localise «depuis l'Assyrie jusqu'aux Cataractes du Nil et aux frontières des Blemmyes», c'est-à-dire aux confins désertiques de l'Empire perse, de l'Égypte et de l'Empire romain. Ces tribus bédouines commencèrent à recevoir le nom de *Saracenoi/Saraceni* (probablement de l'arabe *sirkat* = confédération), après la chute du royaume de Palmyre (273), quand elles se groupèrent en confédérations dont les chefs prirent le nom de roi (*malik*). On connaît quatre au moins de ces confédérations, grâce aux inscriptions et à AMM. 24, 2, 4 (les Saracènes Assanites). A l'époque de Valens, les Saracènes, en semi-nomades, se déplaçaient tantôt à l'intérieur tantôt à l'extérieur désertique de l'Empire, le long d'une zone-frontière très étendue allant de la Phénicie au Nord à la pointe de la péninsule du Sinaï. Ils se rangeaient, comme des auxiliaires très appréciés, aux côtés des Romains ou des Perses. Avec les Isauriens, ils constituèrent un grave danger sous Valens : cf. N. LENSKI, *Failure...*, p. 200-204.

2. La révolte de cette princesse bédouine (*P.L.R.E.*, p. 569) serait due à l'assassinat de son mari par les Romains, ou plutôt à l'exigence, mal accueillie, d'auxiliaires sarrasins par Valens qui en avait besoin contre les Goths : cf. N. LENSKI, *Failure...*, p. 204-208, qui situe la révolte

Chapitre 38

Mavia, la phylarque des Sarrasins;
la trêve avec les Romains étant rompue,
l'évêque Moïse ordonné par les chrétiens la rétablit.
Récit concernant les Ismaélites et les Sarrasins,
ainsi que leurs dieux;
grâce à Zôcomos, leur phylarque,
ils commencent à devenir chrétiens.

1 Vers ce même temps, le roi des Sarrasins étant mort[1], la trêve avec les Romains fut rompue; Mavia, l'épouse du roi[2], prit le pouvoir sur ce peuple et elle dévastait les villes des Phéniciens et des Palestiniens jusqu'aux Égyptiens habitant le pays appelé Arabie qu'on a à sa gauche en remontant le Nil. **2** Cette guerre ne fut pas aussi facile qu'on aurait pu le croire vu qu'elle était préparée par une femme; bien au contraire, on dit que cette bataille fut pour les Romains dure et difficile à mener à bout, si bien que le duc des troupes de Phénicie et

pendant l'hiver 377-378. Son histoire rappelle celle de la reine de Palmyre Zénobie au IIIe s. Elle est également rapportée par RUFIN, *H.E.* XI, 6; SOCRATE, *H.E.* IV, 36 (éd. G.C. Hansen, *GCS,* p. 270-271) et V, 1, 14 (*ibid.,* p. 275); THÉODORET, *H.E.* IV, 23. D'après F. THELAMON, p. 128-147, le récit de Rufin est le premier en date; Socrate, Sozomène, Théodoret et Théophane le reprennent en ajoutant quelques détails. Mais Sozomène a l'avantage de pouvoir se fonder aussi sur une tradition orale encore vivante à son époque et même chantée par les Saracènes à la gloire de leur «reine». Car, palestinien d'origine, il avait vécu à proximité de lieux, le sud de la Palestine, où se déplaçaient certaines de leurs tribus : cf. J.S. TRIMINGHAM, «Mawwya the first christian Arab Queen», dans *Theological Review of the near East School of Theology,* 1, 1978, p. 3-10.

στρατιωτῶν εἰς συμμαχίαν ἐπικαλέσασθαι τὸν στρατηγὸν πάσης τῆς ἀνὰ τὴν ἕω ἱππικῆς τε καὶ πεζῆς στρατιᾶς. Τὸν δὲ γελάσαι μὲν τὴν κλῆσιν καὶ ἀπόμαχον ποιῆσαι τὸν καλέσαντα· **3** παραταξάμενον δὲ πρὸς Μαυίαν ἀντιστρατηγοῦσαν τραπῆναι καὶ μόλις διασωθῆναι παρὰ τοῦ ἡγεμόνος τῶν Παλαιστίνων καὶ Φοινίκων στρατιωτῶν. Ὡς γὰρ εἶδεν αὐτὸν κινδυνεύοντα, μένειν ἐκτὸς τῆς μάχης κατὰ τὴν αὐτοῦ πρόσταξιν εὔηθες ἐνόμισε· προσδραμὼν δὲ ὑπήντετο τοῖς βαρβάροις καὶ τῷ μὲν καιρὸν ἔδωκεν ἀσφαλεστέρας φυγῆς, **4** αὐτὸς δὲ ὑπαναχωρῶν ἐν τῷ **298** φεύγειν | ἐτόξευε καὶ τοὺς πολεμίους ἐπικειμένους ἀπεκρούετο τοῖς τοξεύμασι. Ταῦτα δὲ πολλοὶ τῶν τῇδε προσοικούντων εἰσέτι νῦν ἀπομνημονεύουσι, παρὰ δὲ τοῖς Σαρακηνοῖς ἐν ᾠδαῖς ἐστιν. **5** Ἐπιβαροῦντος δὲ τοῦ πολέμου ἀναγκαῖον ἐδόκει περὶ εἰρήνης πρεσβεύεσθαι πρὸς Μαυίαν. Τὴν δὲ λόγος τοῖς περὶ τούτου πρεσβευομένοις ἄντικρυς ἀπειπεῖν τὰς πρὸς Ῥωμαίους σπονδάς, εἰ μὴ τοῖς ὑπ'

1. Un *dux* ne peut normalement commander à la fois aux troupes de deux provinces, la Phénicie et la Palestine. Sozomène a dû caractériser une fonction militaire en des termes convenant à une fonction civile ou bien appliquer à l'époque de Valens ce qui valait de son propre temps, à moins qu'il ne s'agisse d'un commandement spécial et temporaire, dû à des circonstances exceptionnelles. En tout cas, d'après la démonstration de D. WOODS, «Maurus, Mavia and Ammianus», *Mnemosyne,* 51, 3, 1998, p. 325-336, ce duc anonyme est très probablement Maurus dont la carrière depuis l'époque de Julien César est connue (*P.L.R.E.,* p. 570). Le témoignage de Sozomène, analysé par D. WOODS, *ibid.,* p. 328-329, permet de combler un quasi silence d'AMM. : celui-ci, par hostilité personnelle contre Maurus plutôt que par ignorance, ne fait pas état de l'épisode de Mavia, sauf très indirectement en 31, 16, 5-6, en mentionnant la présence, sous les murs de Constantinople, d'auxiliaires sarrasins. L'envoi d'auxiliaires devait être précisément l'une des clauses de la trêve conclue par Mavia avec les Romains : SOCRATE, *H.E.* V, 1, 4 fait état d'un petit nombre de Sarrasins envoyés par Mavia pour porter secours aux Romains.

2. Pour F. THELAMON, p. 128-147, il s'agit du comte Victor, adversaire malheureux de Mavia, puis chargé d'une mission diplomatique auprès d'elle et épousant sa fille pour sceller l'alliance. Il nous semble plutôt, avec D. WOODS, «Maurus, Mavia and Ammianus» qu'il s'agit de

Palestine[1] appela à son secours le maître de l'ensemble de l'infanterie et de la cavalerie pour l'Orient[2]. Celui-ci se moqua de cet appel au secours et écarta du combat celui qui l'avait appelé. **3** Mais lorsqu'il fut en ligne de bataille contre Mavia qui commandait l'armée ennemie, il tourna le dos et ne fut que difficilement sauvé par le duc des troupes de Phénicie-Palestine. Lorsque celui-ci en effet l'eut vu en péril, il jugea stupide de rester hors de la bataille comme il en avait reçu l'ordre : il accourut à la rencontre des barbares, lui donna occasion de fuir avec plus de sûreté, **4** et lui-même, se retirant peu à peu, lançait des flèches durant sa fuite et, par ces flèches, repoussait loin de lui les ennemis qui l'assaillaient. Cela, beaucoup des gens du voisinage le rappellent aujourd'hui encore et les Sarrasins l'ont mis dans leurs chants. **5** Comme la guerre s'aggravait, il parut nécessaire d'envoyer une ambassade à Mavia sur la paix[3]. Celle-ci, dit-on, déclara ouvertement aux ambassadeurs envoyés à cette fin qu'elle refuserait la trêve avec les Romains si

Julius 2 (*P.L.R.E.*, p. 481), *magister militum per Orientem* de 371 à 378. Le *magister militum* ou *magister utriusque militiae* possédait le commandement de la cavalerie *et* de l'infanterie, ce qui correspond exactement à l'expression de Sozomène. Or Victor était seulement maître de la cavalerie (*P.L.R.E.*, Victor 2, p. 957-959). De plus, l'implication directe de Julius en Arabie, pour le renforcement du *limes* et la répression des raids des nomades, est attestée par une inscription (*ILS* Dessau 773) qui commémore la reconstruction d'un fort (actuellement Umm-el-Djemal) sous son autorité.

3. F. THELAMON, p. 135 donne raison à Sozomène contre Rufin : ce sont les Romains qui demandèrent la paix à Mavia. Celle-ci commandait à des tribus déjà christianisées, au moins partiellement, qui appartenaient à la branche Tanukh des Arabes scénites (J.S. TRIMINGHAM, « Mawwya the first christian arab Queen.... », p. 7-8). En exigeant comme évêque Moïse, moine *et* saracène, elle cherchait, à la fois, à achever de christianiser ses tribus et à assurer leur indépendance religieuse et politique, chose impossible si elle avait accepté des Romains un évêque de leur choix. La trêve entre Mavia et les Romains fut rompue sous Théodose, par le fait des Sarrasins, d'après PACATUS, *Paneg.* XII, 22, 3.

αὐτὴν ἀρχομένοις ἐπίσκοπος χειροτονηθείη Μωσῆς τις ἐν τῇ πέλας ἐρήμῳ τηνικάδε φιλοσοφῶν, ἀνὴρ ἀπὸ βίου ἀρετῆς σημείων τε θείων καὶ παραδόξων πράξεων ἐπίσημος. **6** Ἐπιτραπέντες δὲ παρὰ βασιλέως οἱ τάδε μηνύσαντες τῶν στρατιωτῶν ἡγεμόνες συλλαμβάνουσι τὸν Μωσῆν καὶ παρὰ τὸν Λούκιον ἄγουσιν. Ὁ δὲ παρόντων τῶν ἀρχόντων καὶ τοῦ συνελθόντος πλήθους «Ἐπίσχες, ἔφη· οὐχ οἷός τε γάρ εἰμι φέρειν ἀρχιερέως ὄνομα καὶ τιμὴν ἀξίως· εἰ δ' ἄρα καὶ ἐπὶ ἀναξίῳ ὄντι μοι τοῦτο ἐπινεύοι θεός, μαρτύρομαι τὸν οὐρανοῦ καὶ γῆς δημιουργόν, ὡς τὰς σὰς οὐκ ἐπιβαλεῖς μοι χεῖρας αἵματι καὶ λύθρῳ πεφυρμένας ἁγίων ἀνδρῶν.» **7** Ὑπολαβὼν δὲ Λούκιος «Εἰ μὲν ἔτι, φησίν, ἀγνοεῖς τὴν ἐμὴν πίστιν, οὐ δίκαια ποιεῖς πρὶν μαθεῖν ἀποστρεφόμενος· εἰ δὲ διαβαλόντων τινῶν, ἄγε δὴ καὶ νῦν ἄκουσον παρ' ἐμοῦ καὶ κριτὴς γενοῦ τῶν λεγομένων.» **8** «Ἀλλ' ἔμοιγε, ἔφη Μωσῆς, λίαν σαφὴς φαίνεται ἡ σὴ πίστις, καὶ μαρτυροῦσιν ὁποία τίς ἐστιν ἐπίσκοποί τε καὶ πρεσβύτεροι καὶ διάκονοι ἐν ὑπερορίαις φυγαῖς καὶ μετάλλοις ταλαιπωρούμενοι· ταῦτα ὧν περὶ θεοῦ νομίζεις τὰ γνωρίσματα, ἃ παντελῶς ἐστιν ἀλλότρια 1412 | Χριστοῦ καὶ τῶν ὀρθῶς περὶ θεοῦ δοξαζόντων.» **9** Ἐπεὶ δὲ τοιάδε λέγων ἐπώμνυτο μήποτε Λουκίου χειροτονοῦντος ὑποδέχεσθαι τὴν ἱερωσύνην, παραιτησάμενοι Λούκιον οἱ Ῥωμαίων ἄρχοντες ἄγουσι Μωσῆν πρὸς τοὺς ἐν φυγῇ

1. Sur Moïse le Saracène, voir *DECA*, p. 1660 M. van ESBROEK : ermite en Égypte, probablement dans le désert de Pharan, d'après F. THELAMON, p. 142, d'origine arabe, il joua un rôle important dans la conversion des Saracènes. C'est à lui qu'est dû le début de la christianisation du Negev : cf. R. DEVREESSE, « Le christianisme dans le Sud palestinien », *RSR* 20, 1940, p. 235-257, confirmé par P.L. GATIER, « Les traditions et l'histoire du Sinaï du IVe au VIIe siècle », dans *L'Arabie préislamique et son environnement historique et culturel,* éd. T. Fahd, Strasbourg 1989, p. 499-522, notamment p. 515-516 pour l'épisode Mavia-Moïse et par J. TRIMINGHAM, « Mawiyya the first christian arab Queen », p. 9. Ce Moïse, évêque des Saracènes, est différent de son homonyme, ermite de Raithou (=Thor), sur le golfe de Suez, plus au sud, qui aurait

n'était ordonné évêque pour ses sujets un certain Moïse qui menait alors la vie d'ascèse dans le désert voisin, un homme qui s'était illustré par son existence vertueuse, des signes divins et des actes extraordinaires[1]. **6** Quand les commandants des troupes eurent rapporté cela, ils reçoivent permission de l'empereur, se saisissent de Moïse et l'amènent à Lucius[2]. Mais Moïse, en présence des magistrats et du peuple assemblé : « Arrête !, dit-il. Je ne puis porter dignement le nom et la dignité d'évêque. Mais si, après tout, bien que j'en sois indigne, Dieu approuve la chose, j'en jure par le Créateur du ciel et de la terre, tu ne m'imposeras pas tes mains, ces mains souillées du sang de saints hommes. » **7** « Si tu ignores encore mon credo, répliqua Lucius, il n'est pas juste que tu me repousses avant de l'avoir appris ; et si d'autres m'ont calomnié, eh bien, entends maintenant de moi ce que je dis et sois-en juge. » **8** « Mais ton credo, dit Moïse, ne m'est que trop bien connu. Ce qu'il est, en témoignent les évêques, prêtres, diacres qui mènent une vie misérable en exil ou aux mines : tels sont les signes qui font reconnaître ton opinion sur Dieu et ils sont entièrement étrangers au Christ et aux orthodoxes. » **9** Après que, sur ces paroles, il eut juré de ne recevoir jamais l'ordination des mains de Lucius, les officiers romains, ayant écarté Lucius, conduisent Moïse

guéri Ubaida/Obayda/Oboedianus, un chef sarrasin possédé par le démon. Par reconnaissance, celui-ci se serait converti au christianisme avec sa tribu avant 373 : cf. F. THELAMON, p. 143.

2. Faute d'avoir pu choisir l'évêque, les Romains cherchent à rester maîtres du choix de celui qui lui confèrera l'ordination. Le nom de Lucius s'impose : il est l'évêque d'Alexandrie, ayant donc autorité sur l'Égypte où Moïse est ermite, et il professe l'homéisme officiel. La mise en scène et en dialogue de l'affrontement entre le tout puissant évêque et l'humble moine est analogue chez Rufin et chez Sozomène. Cf. la conclusion de F. THELAMON, p. 147 : en face de Lucius, le moine Moïse reproduit le franc-parler, la justice et la foi de son illustre homonyme face au Pharaon.

ὄντας ἐπισκόπους, παρ' ὧν χειροτονηθεὶς ὡς τοὺς Σαρακηνοὺς ἦλθε· καὶ διαλλάξας αὐτοὺς Ῥωμαίοις αὐτόθι διῆγεν ἱερωμένος καὶ πολλοὺς χριστιανίσαι παρεσκεύασε, κομιδῇ ὀλίγους εὑρὼν τοῦ δόγματος μετασχόντας.

299 | **10** Τουτὶ γὰρ τὸ φῦλον ἀπὸ Ἰσμαὴλ τοῦ Ἀβραὰμ παιδὸς τὴν ἀρχὴν λαβὸν καὶ τὴν προσηγορίαν εἶχε, καὶ Ἰσμαηλίτας αὐτοὺς οἱ ἀρχαῖοι ἀπὸ τοῦ προπάτορος ὠνόμαζον. Ἀποτριβόμενοι δὲ τοῦ νόθου τὸν ἔλεγχον καὶ τῆς Ἰσμαὴλ μητρὸς τὴν δυσγένειαν (δούλη γὰρ ἦν) Σαρακηνοὺς σφᾶς ὠνόμασαν ὡς ἀπὸ Σάρρας τῆς Ἀβραὰμ γαμετῆς καταγομένους. **11** Τοιοῦτον δὲ τὸ γένος ἕλκοντες ἅπαντες μὲν ὁμοίως Ἑβραίοις περιτέμνονται καὶ ὑείων κρεῶν ἀπέχονται καὶ ἄλλα πολλὰ τῶν παρ' αὐτοῖς ἐθῶν φυλάττουσι. Τὸ δὲ μὴ πάντα ἐπίσης αὐτοῖς πολιτεύεσθαι χρόνῳ λογιστέον ἢ ταῖς ἐπιμιξίαις τῶν πέριξ ἐθνῶν. Μωσῆς τε γὰρ πολλοῖς ὕστερον χρόνοις γενόμενος μόνοις τοῖς ἀπ' Αἰγύπτου ἐξελθοῦσιν ἐνομοθέτησεν· **12** καὶ οἱ προσοικοῦντες αὐτοῖς εἰσάγαν δεισιδαίμονες ὄντες ὡς εἰκὸς διέφθειραν τὴν Ἰσμαὴλ πατρῴαν διαγωγήν, καθ' ἣν μόνην ἐπολιτεύοντο οἱ πάλαι Ἑβραῖοι πρὸ τῆς Μωσέως νομοθεσίας ἀγράφοις ἔθεσι κεχρημένοι. Ἀμέλει τὰ αὐτὰ δαιμόνια τοῖς ὁμόροις ἔσεβον καὶ παραπλησίως αὐτὰ τιμῶντες καὶ ὀνομάζοντες ἐν τῇ πρὸς τοὺς πέλας ὁμοιότητι τῆς θρησκείας τὸ αἴτιον ἐδείκνυον τῆς παραποιήσεως τῶν πατρίων νόμων. **13** Οἷα δὲ φιλεῖ, χρόνος πολὺς ἐπιγενόμενος τὰ μὲν λήθῃ παρέδωκε, τὰ δὲ πρεσβεύεσθαι παρ' αὐτοῖς

1. L'étymologie que ces tribus ismaélites donnent de leur nom est naturellement fantaisiste. Mais Sozomène, qui ne la prend pas à son compte, est corroboré par JÉRÔME, *in Ezech.* 8, 25, 1-7 (*CC SL* LXXV éd. Glorie, p. 335) attestant que les «Ismaélites, les Saracènes d'aujourd'hui, se donnent à tort le nom de Sara évidemment pour paraître nés d'une femme libre et d'une maîtresse», et non pas d'Agar, une esclave.

2. En effet, si Abraham et son clan émigrèrent de la région d'Ur en

aux évêques qui se trouvaient en exil : il fut ordonné par eux et se rendit chez les Sarrasins ; il les réconcilia avec les Romains, fut en ces lieux leur évêque et fit en sorte que beaucoup devinrent chrétiens, alors qu'il en avait trouvé très peu qui partageaient notre foi.

10 Cette tribu tient son origine d'Ismaël, fils d'Abraham ; elle était aussi dénommée d'après lui et les anciens, d'après l'ancêtre, les nommaient Ismaélites. Mais écartant le reproche de bâtardise et l'humble naissance de la mère d'Ismaël – elle était esclave –, ils se sont nommés Sarrasins comme descendant de Sarra, l'épouse d'Abraham[1]. **11** Tirant de là leur origine, ils se font tous circoncire comme les Hébreux, s'abstiennent de viande de porc et observent bien d'autres des usages des Hébreux. Que d'autre part, ils ne se conduisent pas en tout comme eux, il faut l'attribuer au temps ou aux échanges de relations avec les peuples d'alentour. De fait, Moïse, qui vécut longtemps plus tard, ne légiféra que pour les Hébreux sortis d'Égypte[2]. **12** Et comme les peuples voisins des Ismaélites étaient extrêmement superstitieux, ils corrompirent, comme il est naturel, le genre de vie ancestral d'Ismaël, le seul que connussent les anciens Hébreux qui, avant la législation de Moïse, ne s'étaient servis que de lois non écrites. En tout cas, ils adoraient les mêmes divinités que les peuples limitrophes, et en les honorant et dénommant de la même façon, ils faisaient voir que dans cette ressemblance de religion avec leurs voisins se trouvait la cause de l'altération de leurs coutumes ancestrales. **13** Comme il arrive d'ordinaire, le long temps qui s'écoula livra certains usages à l'oubli et en fit honorer d'autres

Basse-Mésopotamie et pénétrèrent en pays de Canaan entre 2000 et 1750 avant J.C., la sortie des Hébreux d'Égypte eut lieu vers 1250 à l'époque de Ramsès II (1298-1235 avant J.C.) et la Loi ne leur fut donnée que dans le désert au mont Sinaï.

ἐποίησεν. Μετὰ δὲ ταῦτά τινες αὐτῶν συγγενόμενοι Ἰουδαίοις ἔμαθον, ἀφ' ὧν ἐγένοντο, καὶ ἐπὶ τὸ συγγενὲς ἐπανῆλθον καὶ τοῖς Ἑβραίων ἔθεσι καὶ νόμοις προσέθεντο. Ἐξ ἐκείνου τε παρ' αὐτοῖς εἰσέτι νῦν πολλοὶ Ἰουδαϊκῶς ζῶσιν. **14** Οὐ πρὸ πολλοῦ δὲ τῆς παρούσης βασιλείας καὶ χριστιανίζειν ἤρξαντο. Μετέσχον δὲ τῆς εἰς τὸν Χριστὸν πίστεως ταῖς συνουσίαις τῶν προσοικούντων αὐτοῖς ἱερέων καὶ μοναχῶν, οἳ ἐν ταῖς πέλας ἐρημίαις ἐφιλοσόφουν εὖ βιοῦντες καὶ θαυματουργοῦντες. Λέγεται δὲ τότε καὶ φυλὴν ὅλην εἰς Χριστιανισμὸν μεταβαλεῖν Ζωκόμου τοῦ ταύτης φυλάρχου ἐξ αἰτίας τοιᾶσδε βαπτισθέντος. **15** Ἄπαις ὢν κατὰ κλέος ἀνδρὸς μοναχοῦ ἦλθεν αὐτῷ συντευξόμενος καὶ
300 τὴν | συμφορὰν ἀπωδύρατο· περὶ πολλοῦ γάρ ἐστι
1413 παιδοποιία Σαρ|ακηνοῖς, οἶμαι δὲ καὶ πᾶσι βαρβάροις· ὁ δὲ θαρρεῖν παρακελευσάμενος ηὔξατο καὶ ἀπέπεμψεν, ἕξειν αὐτὸν υἱὸν ὑποσχόμενος, εἰ πιστεύσειεν εἰς Χριστόν. Ἐπεὶ δὲ θεὸς ἔργῳ τὴν ὑπόσχεσιν ἐβεβαίωσεν καὶ ἐτέχθη αὐτῷ παῖς, αὐτός τε Ζώκομος ἐμυήθη καὶ τοὺς ὑπ' αὐτὸν ἐπὶ τοῦτο ἤγαγεν. **16** Ἐξ ἐκείνου τε ταύτην τὴν φυλὴν γενέσθαι φασὶν εὐδαίμονα καὶ πολυάνθρωπον, Πέρσαις τε καὶ τοῖς ἄλλοις Σαρακηνοῖς φοβεράν. Ὃν μὲν δὴ τρόπον Σαρακηνοὶ τὴν ἀρχὴν εἰς Χριστιανισμὸν μετέβαλον καὶ οἷα περὶ τοῦ πρώτου παρ' αὐτοῖς ἐπισκοπήσαντος παρειλήφαμεν, ὧδε ἔχει.

1. Donc avant les années 360. En VI, 37, 4, Sozomène a écrit des moines : « Ils attiraient en général les Syriens et un très grand nombre de Perses et de Sarrasins à leur religion et ils leur faisaient quitter le paganisme. »

2. Ce phylarque n'est mentionné ni par Socrate, ni par Philostorge, ni par Théodoret (il s'agit donc d'une information « locale », propre à Sozomène). Voir F. THELAMON, p. 142-143 : la conversion de Zôkomos est antérieure à l'épisode de Mavia-Moïse ; elle est exemplaire des rap-

chez eux. Après cela, certains d'entre eux, étant entrés en rapport avec des juifs, apprirent d'où ils étaient issus, ils revinrent à leur parenté et s'associèrent aux habitudes et aux lois des Hébreux. Depuis ce temps chez eux jusqu'à aujourd'hui encore, beaucoup vivent à la manière juive. **14** Mais, peu avant le présent règne[1], ils commencèrent aussi à devenir chrétiens. Ils participèrent à la foi dans le Christ par le contact avec les prêtres et moines habitant auprès d'eux, qui, pratiquant l'ascèse dans les déserts voisins, vivaient dans le bien et faisaient des miracles. On dit qu'alors même une tribu entière passa au christianisme, quand son phylarque Zôkomos[2] eut été baptisé pour la raison que voici. **15** Il n'avait pas d'enfant et, sur la réputation d'un moine, il vint converser avec lui et il gémissait sur son infortune : on tient grand compte en effet chez les Sarrasins de la procréation d'enfants, comme, je pense, chez tous les barbares. Le moine l'exhorta à prendre courage, pria et le renvoya, lui ayant promis qu'il aurait un fils s'il croyait au Christ. Quand Dieu eut confirmé par le fait la promesse et qu'il lui fut né un fils, Zôkomos lui-même fut initié et il conduisit ses sujets à l'initiation. **16** Depuis ce moment, dit-on, cette tribu fut prospère, prolifique et redoutable aux Perses et en outre aux Sarrasins. Pour la manière dont les Sarrasins commencèrent de passer au christianisme et pour ce que nous avons appris sur celui qui fut leur premier évêque, voilà ce qu'il en est.

ports entre certains saints ermites et certains chefs bédouins. Mavia s'était convertie de la même façon que d'autres phylarques comme Zôkomos, Obayda ou Aspébètos. C'est par la suite que le besoin s'est fait sentir d'avoir un évêque qui prît officiellement en charge la communauté chrétienne informelle déjà existante.

39

1 Οἱ δὲ κατὰ πόλιν τὸ δόγμα τῆς ἐν Νικαίᾳ συνόδου ζηλοῦντες πάλιν ἀνεθάρρουν, καὶ μάλιστα οἱ κατ' Αἴγυπτον Ἀλεξανδρεῖς. Ἐπανελθόντι δὲ τότε Πέτρῳ ἀπὸ τῆς Ῥώμης μετὰ γραμμάτων Δαμάσου τά τε ἐν Νικαίᾳ δόξαντα καὶ τὴν αὐτοῦ χειροτονίαν κυρούντων παρέδωκαν τὰς ἐκκλησίας. Ὁ δὲ Λούκιος ἐξελαθεὶς ἐπὶ τὴν Κωνσταντινούπολιν ἀπέπλευσεν. **2** Οὐάλης δὲ ὁ βασιλεὺς ὡς εἰκὸς ἐν φροντίσι γενόμενος ἐπεξιέναι τούτοις σχολὴν οὐκ ἦγεν· ἅμα γὰρ ἧκεν εἰς τὴν Κωνσταντινούπολιν, ἐν ὑπονοίᾳ πολλῇ καὶ μίσει παρὰ τῷ δήμῳ ἐγένετο. Οἱ γὰρ βάρβαροι τὴν Θρᾴκην δῃώσαντες καὶ μέχρι τῶν προαστείων ἤδη προελθόντες καὶ αὐτοῖς τοῖς τείχεσι μηδενὸς κωλύοντος προσβάλλειν ἐπεχείρουν. **3** Ἐπὶ τούτοις δὲ χαλεπῶς ἡ πόλις ἔφερε, καὶ τὸν βασιλέα, ὅτι μὴ ἀντεπεξῄει ἀλλ' ἀνεβάλλετο πολεμεῖν, ἐν αἰτίᾳ ἐποιοῦντο καὶ ἐλογοποίουν ὡς αὐτὸς τοὺς πολεμίους ἐπάγοιτο. Τελευτῶντες δὲ καὶ ἐν ἱπποδρομίᾳ θεώμενοι εἰς τὸ φανερὸν αὐτοῦ κατεβόων ὡς τὰ κοινὰ πράγματα περιορῶντος, καὶ ὅπλα ᾔτουν ὡς αὐτοὶ πολεμήσοντες. **4** Ὁ δὲ Οὐάλης ὑβρισθεὶς ἐπεστράτευσε τοῖς βαρβάροις, ἠπείλησε

1. Il s'agit de Pierre II qu'Athanase, avant de mourir (2 mai 373), avait désigné pour lui succéder. Valens avait alors imposé Lucius. Celui-ci se réfugia auprès de Démophile, l'évêque arien de Constantinople. Le retour de Pierre et la fuite de Lucius se placent au moment où, pressé par les affaires gothiques (376-378), Valens relâcha la violence de ses persécutions. D'après PIGANIOL, p. 184, se fondant sur RUFIN, *H.E.* XI, 13, dès la fin de 377, il aurait même révoqué les sentences d'exil. Mais il est beaucoup plus probable que Valens, sûr de sa prochaine victoire, ne prit pas cette initiative et que, comme le dit Sozomène, *H.E.* VII, 1, 3, la mesure fut prise par Gratien après Andrinople. Pierre revint donc à Alexandrie de son propre chef, sans aval officiel : cf. T.D. BARNES, « The Collapse of the Homoeans in the East », dans *Studia Patristica*, 29, éd. E. Livingstone, Louvain 1997, p. 3-16, notamment p. 4-6.

2. Valens arriva le 30 mai à Constantinople (SEECK, *Regesten*, p. 261). L'Hippodrome commençait à y être le lieu d'expression de la volonté, de la joie ou de la haine populaires (cf. DAGRON, p. 320-347, notamment 344-347). Pour AMM. (31, 11, 1), à Constantinople, une

Chapitre 39

Pierre, de retour de Rome, occupe les églises d'Égypte, Lucius s'étant retiré.
L'expédition de Valens contre les Scythes en Occident.

1 Les zélateurs, dans chaque ville, du dogme du concile de Nicée reprenaient courage, et surtout les Alexandrins d'Égypte. Pierre était alors revenu de Rome avec des lettres de Damase confirmant les décisions de Nicée et son ordination. On lui livra les églises; Lucius, chassé, fit voile vers Constantinople[1]. **2** L'empereur Valens, accablé de soucis comme il est naturel, n'avait pas loisir de tirer vengeance de cela. A peine arrivé en effet à Constantinople, il avait été tenu en grande suspicion et en haine par le peuple. Car les barbares avaient ravagé la Thrace, ils étaient arrivés déjà aux faubourgs et tentaient de s'en prendre aux remparts mêmes, sans que nul ne les empêchât. **3** La ville s'en irritait et, parce que l'empereur ne faisait pas de sorties contre eux mais différait de combattre, on l'accusait et on répandait cette fable qu'il avait lui-même amené les ennemis. Finalement, assistant au spectacle d'une course de chevaux, ils l'accablaient ouvertement d'injures[2] comme négligeant les affaires publiques, et ils réclamaient des armes, disant qu'ils combattraient eux-mêmes. **4** Valens, ulcéré, marcha contre les barbares, mais il menaça, s'il

« sédition populaire sans gravité » *(seditione popularium leui)* suffit pour pousser Valens à se mettre imprudemment en route en vue de la bataille, après un arrêt, le 11 juin, dans la villa impériale de Mélanthias. Sozomène fournit, peut-être involontairement, des circonstances atténuantes à Valens : l'empereur préférait personnellement différer l'affrontement pour attendre les renforts amenés par Gratien, la pression de la foule le contraignit à marcher seul contre l'ennemi. Voir aussi SOCRATE, *H.E.* IV, 38, 4-5 : le peuple, effrayé par les incursions des barbares et mécontent de la lenteur des secours, réclama des armes pour combattre, ce qui était, d'après DAGRON, p. 355, un défi lancé à l'armée et à l'empereur.

δέ, ἢν ὑποστρέψῃ, τιμωρήσειν αὐτῷ τῶν τότε ὕβρεων τοῦ δήμου καὶ ὅτι πρότερον Προκοπίῳ τῷ τυράννῳ προσέθεντο.

40

301
1416 | **1** | Ἐξιόντι δὲ αὐτῷ τῆς Κωνσταντινουπόλεως προσελθὼν Ἰσαάκιος ἀνὴρ μοναχὸς τά τε ἄλλα ἀγαθὸς καὶ διὰ τὸ θεῖον κινδύνων καταφρονῶν «Ἀπόδος, ἔφη, ὦ βασιλεῦ, τοῖς ὀρθῶς δοξάζουσι καὶ τὴν παράδοσιν φυλάττουσι τῶν ἐν Νικαίᾳ συνεληλυθότων τὰς ἀφαιρεθείσας ἐκκλησίας, καὶ νικήσεις τὸν πόλεμον.» Ὀργισθεὶς δὲ ὁ βασιλεὺς ἐκέλευσεν αὐτὸν συλληφθῆναι καὶ δέσμιον φυλάττεσθαι, ἄχρις ἐπανελθὼν δίκην εἰσπράξηται τοῦ τολμήματος. Ὁ δὲ ὑπολαβὼν «Ἀλλ' οὐχ ὑποστρέψεις, ἔφη, μὴ ἀποδιδοὺς τὰς ἐκκλησίας.» **2** Καὶ ἀπέβη οὕτως. Ἐπεὶ γὰρ ἅμα τῷ στρατῷ ἐπεξῆλθεν, οἱ μὲν Γότθοι διωκόμενοι ὑπεχώρουν· ὁ δὲ ἀπιὼν ἤδη παραμείψας τὴν Θρᾴκην ἧκεν εἰς τὴν Ἀδριανούπολιν. Οὐκ ἀπὸ πολλοῦ τε γενόμενος τοῖς

1. Effectivement, Procope avait, en 365-366, trouvé des complicités ou des sympathies dans des cercles de Constantinople restés fidèles à Julien auquel Procope était apparenté. Mais l'accusation de Valens est excessive, car les premiers succès de Procope étaient principalement dus à la déception et au mécontentement qu'avaient provoqués les fâcheux débuts de l'empereur (AMM. 26, 6, 6-9). Elle rappelle l'attitude amère de Julien menaçant ses concitoyens, à son départ d'Antioche pour la Perse.

2. Ce personnage historique, originaire de Syrie, ascète dès sa jeunesse, fonda, après le présent épisode, le premier monastère de Constantinople en 381/382, dit «monastère de Dalmate» du nom de son disciple et successeur : cf. *LTK*, 5, 1960, c. 774-775 O. VOLK et G. DAGRON, *Naissance...*, p. 185 avec la note 4. Le moine Isaac fait sans doute pendant, dans l'architecture du récit, à Moïse le Saracène. Sa figure prophétique (*Vita Isacii*, dans les *Acta sanctorum Maii* 7, 603-604) vient, en finale, couronner l'éloge des moines, l'un des thèmes majeurs du livre VI, et signer la victoire de l'orthodoxie. Le même personnage et la même histoire se trouvent chez THÉODORET, *H.E.* IV, 34 (éd. Parmentier-Hansen, p. 272) : cf. N. LENSKI, *Failure...*, p. 261-262, renvoyant

revenait, de tirer vengeance des outrages que lui avait alors infligés le peuple et de ce que, auparavant, ils s'étaient associés à l'usurpateur Procope[1].

Chapitre 40

Le saint moine Isaac qui prophétise à propos de Valens; Valens, en fuite, entré dans une grange, est brûlé vif et rend l'âme ainsi.

1 Comme il sortait de Constantinople, un moine, Isaac[2], au reste homme de mérite et méprisant alors le danger pour l'amour de Dieu, l'aborda et lui dit : « Rends, empereur, les églises que tu leur as enlevées aux orthodoxes qui maintiennent la tradition des pères de Nicée, et tu vaincras à la guerre. » Furieux, l'empereur ordonna qu'on le saisît et le gardât en prison jusqu'à ce que, à son retour, il le punît pour son audace. Et l'autre, prenant la parole : « Mais tu ne reviendras pas, dit-il, si tu ne rends pas les églises. » Et c'est ce qui arriva. **2** A mesure en effet qu'il s'avançait avec son armée, les Goths, poursuivis, se retiraient. Déjà, s'éloignant toujours, il avait dépassé la Thrace et était arrivé à Andrinople[3]. S'étant approché des barbares qui campaient

à R. SNEE, « Valens' Recall of the Nicene Exiles and Anti-Arian Propaganda », dans *GRBS* 26, 1985, p. 395-419, aux p. 405-410.

3. Andrinople, l'ancienne ville thrace d'Uscudama, fut embellie par Hadrien et prit le nom d'Hadrianopolis (aujourd'hui Edirne en Turquie). Le combat y fut livré le 9 août 378. Parmi la très abondante littérature qu'a suscitée cette bataille perdue, décisive pour l'image de Valens et l'interprétation ultérieure de son règne, voir en dernier lieu le chap. 7 de N. LENSKI, *Failure...*, p. 320-367. Comme RUFIN, *H.E.* XI, 13, Sozomène expédie rapidement le récit de la bataille auquel AMM. 31, 12-13 a donné un développement et un relief extraordinaires. Mais choisissant, contrairement à Rufin, l'efficacité d'une chute brutale, il ne confère pas explicitement le caractère exemplaire d'un châtiment divin à la mort de Valens : cf. F. THELAMON, p. 154.

βαρβάροις ἐν ἀσφαλεῖ χωρίῳ στρατοπεδευομένοις θᾶττον ἢ ἔδει συμβάλλει, μὴ προδιαθεὶς ᾗ χρὴ καὶ ὅπῃ τάξαι τὴν στρατιάν. **3** Διασπασθείσης δὲ αὐτῷ τῆς ἵππου καὶ τοῦ ὁπλιτικοῦ τραπέντος διωκόμενος ὑπὸ τῶν πολεμίων εἴς τι δωμάτιον ἢ πύργον ἅμα ὀλίγοις ξυνεπομένοις αὐτῷ ἐν τῷ φεύγειν ἀποβὰς τοῦ ἵππου εἰσέδυ καὶ ἔλαθεν. Οἱ δὲ βάρβαροι ἔθεον ἐπ' αὐτὸν ὡς αἱρήσοντες, καὶ ἐπὶ τὸ πρόσω ἱέμενοι παρέτρεχον· οὐ γὰρ ὑπενόουν αὐτὸν ἐκεῖσε κρύπτεσθαι. **4** Τῶν δ' αὖ σὺν αὐτῷ τινες, ἤδη τῶν πλειόνων βαρβάρων ὑπερβαλόντων τὸν τῇδε χῶρον, ὀλίγων δὲ κατόπιν ὄντων, ἐκ τοῦ ὀρόφου τοὺς παριόντας ἐτόξευον· οἱ δὲ ἐπὶ τούτῳ ἀνέκραγον· «'Ενθάδε Οὐάλης ἐστίν.» 'Ακούσαντες δὲ οἱ προστυχόντες πλησίον ἔμπροσθέν τε καὶ ὄπισθεν βοῇ τοῖς μετ' αὐτοὺς ἐδήλουν ὃ ἤκουον, ὡς ἐν βραχεῖ καὶ τοὺς πορρωτέρω πολεμίους ἀκοῦσαι καὶ διὰ τάχους εἰς ταὐτὸν πάντας συνελθεῖν. **5** Περιλαβόντες δὲ κύκλῳ τὸ δωμάτιον καὶ πλείστην ὕλην περὶ τοῦτο νήσαντες πῦρ ἐνέβαλον· αὐτίκα δὲ ἡ φλὸξ ὑπὸ ἐπιφόρου πνεύματος ὧδε συμβὰν ἐλαυνομένη τὴν ὕλην διῆλθεν. Ἅμα δὲ καὶ τὰ ἀποκείμενα ἐν τῷ δωματίῳ τοῦ πυρὸς μετέσχεν καὶ αὐτὸν τὸν βασιλέα καὶ τοὺς ἀμφ' αὐτὸν συγκατέκαυσεν. 'Ετελεύτησε δὲ γεγονὼς ἀμφὶ τὰ πεντήκοντα ἔτη, τρισκαίδεκα δὲ σὺν τῷ ἀδελφῷ βασιλεύσας καὶ μετ' ἐκεῖνον τρία.

1. Des deux versions de cette mort (blessure mortelle reçue sur le champ de bataille ou fuite dans une «petite maison» plus tard incendiée par les barbares), Sozomène ne retient que la deuxième, celle qui, d'après AMM. 31, 13, 14-16, avait la caution d'un rescapé du massacre, un Garde blanc de l'empereur. La petite (ou humble) maison (δωμάτιον), dans laquelle se réfugie et meurt le tout-puissant empereur des Romains, est successivement appelée «ferme de paysan» *(agrestis casa),* «maison» *(domus),* «bâtisse» *(aedificium)* par AMM. 31, 13, 14-15. RUFIN, *H.E.* 11, 13 dit de façon neutre que Valens mourut dans «un domaine» *(in praedio),* Jérôme, *Chron. a.* 378, éd. R. Helm, *GCS,* p. 349, parle de «la chaumière d'une petite villa» *(uillulae casam).* Ces hésitations peuvent s'expliquer objectivement par l'incertitude sur les circonstances exactes de la mort de Valens. Elles peuvent engager aussi discrètement une interprétation de sa mort ou de son châtiment (dans le titre du

en un lieu sûr, il en vient aux mains plus tôt qu'il n'aurait dû, sans avoir disposé d'abord ses troupes là où et comme il fallait les ranger. **3** Quand sa cavalerie eut été dispersée et son infanterie mise en fuite, poursuivi par les ennemis, comme il fuyait avec quelques suivants, il descendit de cheval, entra dans une petite maison ou une tour et s'y cacha. Les barbares couraient vers lui pour le capturer, et, dans leur lancée, ils passèrent sans s'arrêter : ils ne soupçonnaient pas en effet qu'il fût caché là. **4** Mais quelques-uns des compagnons de l'empereur, alors que déjà la plupart des barbares avaient dépassé ce lieu et qu'il n'en restait plus qu'un petit nombre en arrière, se mirent, du toit, à lancer des flèches contre ceux qui passaient. Eux alors de crier « Valens est là. » Ayant entendu, ceux qui se trouvaient près de là, en avant et en arrière, annonçaient par un cri à ceux qui les suivaient ce qu'ils entendaient, en sorte qu'en peu de temps les ennemis qui étaient plus loin l'entendirent aussi et que vite tous se rassemblèrent au même lieu. **5** Ils encerclèrent la petite maison, entassèrent beaucoup de bois autour d'elle et y mirent le feu. Aussitôt la flamme, poussée, comme il arriva, par un vent favorable, pénétra le bois. Tout à la fois les objets déposés dans la petite maison prirent feu et consumèrent l'empereur lui-même et sa suite[1]. Il mourut âgé d'environ cinquante ans, ayant régné treize ans avec son frère et après lui trois ans[2].

chapitre 40, ajouté postérieurement, le mot « grange » est une extrapolation fantaisiste).

2. Valens était donc né en 328. Son règne a duré du 28 mars 364 au 9 août 378, soit un peu plus de 14 ans, et non pas 16 ans. Sozomène reproduit une erreur déjà faite sur la durée du règne de Valentinien. AMM. 31, 14, 1 est plus près du compte : Valens périt « à près de cinquante ans, ayant régné un peu moins de 14 ans », en fait un peu plus de 14 ans. Fait-il commencer le règne effectif de Valens à partir du moment où il se sépara de son frère, en août 364? Pour RUFIN, *H.E.* XI, 13, Valens régna 14 ans.

INDEX

INDEX NOMINUM

Les chiffres romains en gras renvoient aux livres; le premier chiffre arabe, au chapitre; le second, à l'alinéa.

L'Orient chrétien au IVe siècle

(d'après F. VAN DER MEER et Chr. MOHRMANN, *Atlas de l'Antiquité chrétienne,* Paris-Bruxelles 1960, carte 41b)

Les monastères en Égypte

(d'après Ch. et L. Pietri, *Histoire du christianisme*, Paris 1995, t. II, carte n° 8, p. 1035)

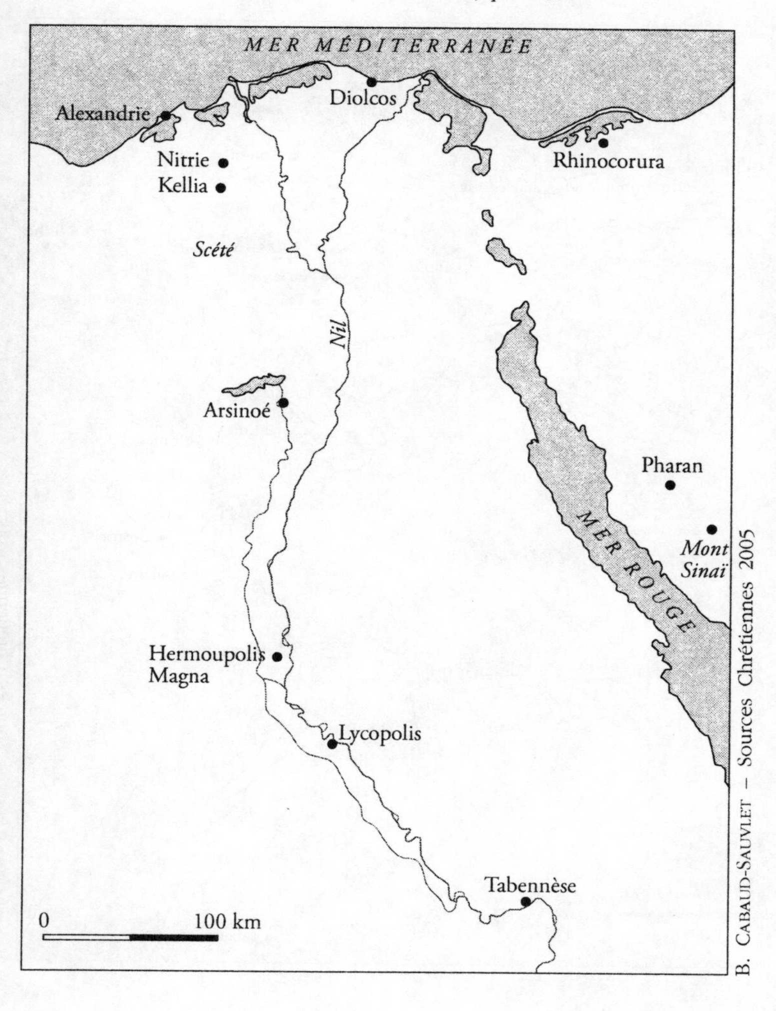

TABLE DES MATIÈRES

SOURCES CHRÉTIENNES

Dans la liste qui suit, dite « liste alphabétique », tous les ouvrages sont rangés par nom d'auteur ancien, les numéros précisant pour chacun l'ordre de parution depuis le début de la collection. Pour une information plus complète, on peut se procurer deux autres listes au secrétariat de « Sources Chrétiennes » – 29, rue du Plat, 69002 Lyon (France) – Tél. : 04 72 77 73 50 :

1. la « liste numérique », qui présente les volumes et leurs auteurs actuels d'après les dates de publication ; elle indique les réimpressions et les ouvrages momentanément épuisés ou dont la réédition est préparée.
2. la « liste thématique », qui présente les volumes d'après les centres d'intérêt et les genres littéraires : exégèse, dogme, histoire, correspondance, apologétique, etc.

LISTE ALPHABÉTIQUE (1-495)

SOUS PRESSE

Les Apophtegmes des Pères. Tome III. J.-C. Guy (†).

BERNARD DE CLAIRVAUX, **Sermons divers 1-22.** Tome I. F. Callerot, P.-Y. Emery.

BERNARD DE CLAIRVAUX, **Sermons sur le Cantique.** Tome V. R. Fassetta, P. Verdeyen.

Code théodosien (Livre XVI). Volume I. R. Delmaire, K.L. Noethlichs, F. Richard, J. Rougé (†).

GRÉGOIRE LE GRAND, **Homélies sur les Évangiles**. Tome I. R. Étaix (†), B. Judic, C. Morel (†).

JÉRÔME, **Homélies sur Marc**. J.-L. Gourdain.

SULPICE SÉVÈRE, **Dialogues**. J. Fontaine.

THÉODORET DE CYR, **Histoire ecclésiastique.** Tome I. P. Canivet, L. Pietri, A. Martin, F. Thélamon.

PROCHAINES PUBLICATIONS

AMBROISE DE MILAN, **Caïn et Abel**. M. Ferrari, L. Pizzolato, M. Poirier.

AMBROISE DE MILAN, **Seconde Apologie de David**. M. Roques.

CLÉMENT D'ALEXANDRIE, **Le Salut du riche**. P. Descourtieux, C. Nardi.

CLÉMENT D'ALEXANDRIE, **Stromate III**. A. Le Boulluec.

CYPRIEN DE CARTHAGE, **L'Unité de l'Église.** P. Siniscalco, M. Poirier.

FAUSTIN et MARCELLIN, **Libellus precum**. A. Canellis.

JEAN CHRYSOSTOME, **Lettres d'exil**. R. Delmaire, A.-M. Malingrey (†).

JÉRÔME, **Trois vies de moines**. P. Leclerc, E. Morales, A. de Vogüé.

NIL D'ANCYRE, **Commentaire sur le Cantique**. Tome II. M.-G. Guérard.

ORIGÈNE, **Exhortation au martyre**. C. Morel (†), C. Noce.

THÉODORET DE CYR, **Sur la Trinité et Sur l'Incarnation.** J.-N. Guinot.

RÉIMPRESSIONS PRÉVUES EN 2005

19 bis. HILAIRE DE POITIERS, **Traité des mystères.** P. Brisson.
33 bis. **A Diognète.** H.-I. Marrou.
37 bis. ORIGÈNE, **Homélies sur le Cantique.** O. Rousseau.
42. JEAN CASSIEN, **Conférences**. Tome I. E. Pichery.
50. JEAN CHRYSOSTOME, **Huit catéchèses baptismales inédites.** A. Wenger.
54. JEAN CASSIEN, **Conférences.** Tome II. E. Pichery.
60. AELRED DE RIEVAULX, **Quand Jésus eut douze ans.** A. Hoste, J. Dubois.
61. GUILLAUME DE SAINT-THIERRY, **Traité de la contemplation de Dieu.** J. Hourlier.
91. ANSELME DE CANTORBÉRY, **Pourquoi Dieu s'est fait homme.** R. Roques.
96. SYMÉON LE NOUVEAU THÉOLOGIEN, **Catéchèses.** Tome I. B. Krivochéine, J. Paramelle.
200. LÉON LE GRAND, **Sermons 65-98.** Tome IV. R. Dolle.
201. **Évangile de Pierre.** M.G. Mara
222. ORIGÈNE, **Commentaire sur S. Jean,** Livre XIII. Tome III. C. Blanc.

Également aux Éditions du Cerf :

LES ŒUVRES DE PHILON D'ALEXANDRIE
publiées sous la direction de
R. ARNALDEZ, C. MONDÉSERT, J. POUILLOUX.
Texte original et traduction française

1. **Introduction générale, De opificio mundi.** R. Arnaldez.
2. **Legum allegoriae.** C. Mondésert.
3. **De cherubim.** J. Gorez.
4. **De sacrificiis Abelis et Caini.** A. Méasson.
5. **Quod deterius potiori insidiari soleat.** I. Feuer.
6. **De posteritate Caini.** R. Arnaldez.

7-8. **De gigantibus. Quod Deus sit immutabilis.** A. Mosès.

9. **De agricultura.** J. Pouilloux.
10. **De plantatione.** J. Pouilloux.

11-12. **De ebrietate. De sobrietate.** J. Gorez.

13. **De confusione linguarum.** J.-G. Kahn.
14. **De migratione Abrahami.** J. Cazeaux.
15. **Quis rerum divinarum heres sit.** M. Harl.
16. **De congressu eruditionis gratia.** M. Alexandre.
17. **De fuga et inventione.** E. Starobinski-Safran.
18. **De mutatione nominum.** R. Arnaldez.
19. **De somniis.** P. Savinel.
20. **De Abrahamo.** J. Gorez.
21. **De Iosepho.** J. Laporte.
22. **De vita Mosis.** R. Arnaldez, C. Mondésert, J. Pouilloux, P. Savinel.
23. **De Decalogo.** V. Nikiprowetzky.
24. **De specialibus legibus.** Livres I-II. S. Daniel.
25. **De specialibus legibus.** Livres III-IV. A. Mosès.
26. **De virtutibus.** R. Arnaldez, A.-M. Vérilhac, M.-R. Servel, P. Delobre.
27. **De praemiis et poenis. De exsecrationibus.** A. Beckaert.
28. **Quod omnis probus liber sit.** M. Petit.
29. **De vita contemplativa.** F. Daumas et P. Miquel.
30. **De aeternitate mundi.** R. Arnaldez et J. Pouilloux.
31. **In Flaccum.** A. Pelletier.
32. **Legatio ad Caium.** A. Pelletier.
33. **Quaestiones in Genesim et in Exodum. Fragmenta graeca.** F. Petit.

34 A. **Quaestiones in Genesim,** I-II (e vers. armen.). Ch. Mercier.
34 B. **Quaestiones in Genesim,** III-IV (e vers. armen.). Ch. Mercier et F. Petit.
34 C. **Quaestiones in Exodum,** I-II (e vers. armen.). A. Terian.

35. **De Providentia,** I-II. M. Hadas-Lebel.
36. **Alexander** *vel* **De animalibus** (e vers. armen.). A. Terian.

Cet ouvrage
a été reproduit
et achevé d'imprimer
en novembre 2005
par l'Imprimerie Floch
53100 – Mayenne.

Dépôt légal : novembre 2005.
N° d'imprimeur : 64278.
N° d'éditeur : 13663.
Imprimé en France